SIMONE DE BEAUVOIR

OUVRAGES DES MÊMES AUTEURS

Claude FRANCIS et Fernande GONTIER
en collaboration

LES ÉCRITS DE SIMONE DE BEAUVOIR, Gallimard 1979.

THE BOOK OF HONEY, Autumn Press 1979 et Robert Hale, Londres, 1981.

MARCEL PROUST ET LES SIENS, Suivi des souvenirs de Suzy Mante Proust, Plon 1981.

MARCEL PROUST : POÈMES, « Cahiers Marcel Proust, n° 10 », Gallimard 1982.

PARTONS POUR ICARIE. DES FRANÇAIS EN UTOPIE ; UNE SOCIÉTÉ IDÉALE AUX ÉTATS-UNIS EN 1849, Librairie Académique Perrin 1983.

SIMONE DE BEAUVOIR ET LE COURS DU MONDE, Klincksieck 1978.

CLAUDE FRANCIS
ET FERNANDE GONTIER

SIMONE DE BEAUVOIR

« *On écrit à partir de ce qu'on s'est fait être.* »

Simone de Beauvoir

LIBRE EXPRESSION

Librairie Académique Perrin

Données de catalogage avant publication (Canada)

Francis, Claude

Simone de Beauvoir

Comprend des index.
Bibliogr.:

2-89111-271-7

1. Beauvoir, Simone de, 1908-   — Biographies.
2. Écrivains français — 20e siècle — Biographies.
I. Gontier, Fernande.   II. Titre.

PQ2603.E28Z66 1985   843'.914   C85-094281-0

© Éditions Libre Expression, 1985, pour le Canada
   244 rue Saint-Jacques, Montréal, H2Y 1L9
Dépôt légal:
4e trimestre 1985

ISBN 2-89111-271-7

A Hélène Bourgeois

NOTE

Le point de départ de cette biographie a été la découverte que nous avons faite des lettres manuscrites et inédites de Simone de Beauvoir à l'écrivain américain Nelson Algren dont elle était tombée amoureuse. 1 682 pages d'une fine écriture qui racontent, parfois au jour le jour, la vie de Simone de Beauvoir, de Jean-Paul Sartre, de leurs amis célèbres ou de ceux qui le sont moins. De 1947 à 1960, cette correspondance relate les riches heures de l'existentialisme, les événements politiques ou littéraires, les potins du milieu intellectuel et surtout une histoire d'amour.

Nous avons aussi trouvé dans des journaux lorrains l'histoire tragique du grand-père maternel de Simone de Beauvoir dont la ruine a transformé le destin de cette jeune fille rangée.

Nous n'aurions pas écrit cette biographie sans l'accueil bienveillant de Mme Simone de Beauvoir qui, depuis dix ans, a bien voulu nous recevoir chez elle et nous a généreusement permis d'enregistrer des heures d'entretiens. Elle nous a donné les vrais noms des personnes qui apparaissent sous des noms fictifs dans ses Mémoires. Elle nous a raconté la version authentique de la mort de Zaza et nous a parlé de faits qu'elle avait préféré omettre dans ses Mémoires.

Toutefois cette biographie n'est pas une biographie « autorisée ». Nous sommes seules responsables de la manière dont nous avons utilisé ou interprété les matériaux.

« ... je savais qu'aucun malheur ne me viendrait jamais par lui à moins qu'il ne mourût avant moi. »

(La Force de l'âge, p. 29)

Ami Tristan, quand mort vous vois,
par raison plus vivre ne dois...
Elle l'embrasse, elle s'étend,
Lui baise la bouche et la face
Et moult étroit elle l'embrasse...

Le geste d'Yseult

Sartre allait mourir. Il avait pris le poignet de Simone de Beauvoir et sans ouvrir les yeux il lui avait dit : « Je vous aime beaucoup mon petit Castor. » Il lui avait tendu ses lèvres, elle l'avait embrassé. Il s'était endormi. Elle l'avait regardé pendant des heures. A 9 heures du soir Sartre mourait : « ... j'ai voulu m'étendre près de lui sous le drap. Une infirmière m'a arrêtée : "Non. Attention... la gangrène." C'est alors que j'ai compris la vraie nature de ses escarres. Je me suis couchée sur le drap et j'ai un peu dormi. A 5 heures, des infirmiers sont venus. Ils ont rabattu sur le corps de Sartre un drap et une espèce de housse, et ils l'ont emmené. » C'était le 15 avril 1980.

Trois jours plus tard, ils étaient vingt, cinquante mille. Vagues d'amis, d'admirateurs, de curieux, de journalistes qui battaient les murs du cimetière Montparnasse, grimpaient sur les monuments, s'écrasaient... Il n'y a pas de sublime sans grotesque, un inconnu accroché à un arbre s'effondrait sur le cercueil de Sartre.

A vingt ans, Simone de Beauvoir écrivait : « plus jamais il ne sortirait de ma vie » et, maintenant, à soixante-quinze ans : « Sa mort nous sépare. Ma mort ne nous réunira pas. C'est ainsi ; il est déjà beau que nos vies aient pu si longtemps s'accorder. »

Reprise par un Chrétien de Troyes ou par un Béroul, cette histoire d'amour aurait l'air de sortir tout droit de la légende. Une belle jeune fille, la plus intelligente parmi ses compagnes, rencontre le garçon le plus brillant parmi ses pairs et voilà le couple idéal. Idéal, parce que le plus « moderne » de son temps. Le couple à travers lequel une époque nous parle et qui a donné à un demi-siècle un ton, un mode de vie, une philosophie. Un couple qui intrigue, qui irrite, qu'on a envié sans trop le comprendre, sans pouvoir le définir, le saisir dans son originalité.

Puissance des mots porteurs d'idées, magie des mots porteurs d'histoires, les mots sont là pour fasciner, pour retenir, ils remplissent une œuvre qui depuis plus d'un demi-siècle vit avec nous. Nous dialoguons depuis si longtemps avec elle, avec eux, mais au-delà de cette présence qui nous a entraînés, il y a eu ce « je-ne-sais-quoi » qui fait que nous avons été plus séduits, plus irrités, plus violents dès qu'il s'agissait d'eux. Parce que c'était un couple et qu'au-delà de la philosophie, des fluctuations politiques, il y avait cette merveille : l'entente absolue de deux êtres. Nous nous attachons davantage aux écrivains dont les histoires d'amour tissent leur trame à travers l'œuvre et nous n'avons pas d'histoires plus racontées que celle des grandes amours. Pourquoi se souvenir de Cosima et de Wagner ? Pourquoi évoquer Héloïse et Abélard ? Sinon que le cœur a ses raisons et qu'un couple que la vie ne parvient pas à défaire nous émeut, nous intrigue et nous tient prisonnier de sa magie.

Simone de Beauvoir et Jean-Paul Sartre : grands écrivains, c'est évident ; figures de proue sur l'océan d'un demi-siècle tumultueux, il faut bien l'admettre. Il n'y a pas de critique, pas de haine qui ait occulté cette éminence éclatante. Mais si cet éclat a toujours eu quelque chose de particulier, c'est qu'ils étaient deux.

« Nous étions d'une même espèce et notre entente durerait

autant que nous... et rien ne prévaudrait contre cette alliance », écrivait Beauvoir. Le monde était leur bien, réfléchi dans un double miroir. Toute séparation était compensée par des lettres presque quotidiennes, leurs volontés confondues dans un unique projet : écrire.

Ce projet de vivre et d'écrire en n'écoutant de voix que celle de l'autre a été une réussite unique. Leur amour a débordé « les intermittences du cœur », les « amours contingentes » au rythme des jours, des années. Cette alliance qui a tout dominé était totale et suffisante. « Pour moi, son existence justifiait le monde », écrit-elle. A quoi il répond : « Nous nous sommes compris comme particulièrement semblables... Je n'ai jamais vraiment parlé de mes théories à personne qu'à elle. ... C'était la fin d'une solitude que je n'ai plus jamais eue... la relation très profonde, unique qui me liait à Simone de Beauvoir était la meilleure, la plus haute... » Ils nous fascinent parce que, de tous les dons que les êtres d'exception peuvent nous faire, ils nous ont livré le plus rare et le plus commun, celui qui court à travers les romans et les cimente : un amour qui est dans le domaine public depuis si longtemps que ces deux amants nous paraissent véritables et, en même temps, fictifs. Cet amour, ils en ont inventé les modalités et les rapports, la liberté et la franchise ; cette harmonie, ils l'ont conquise et maintenue, en dépit d'eux-mêmes parfois, et toujours en dépit des autres.

Et leur amour a débordé le temps, préservé une singularité hardiment affirmée, une morale amoureuse complexe comme leurs tempéraments particuliers ; amour privilégié maintenu à tous les niveaux de l'existence quotidienne par un choix sans cesse renouvelé. Il leur a suffi d'être ce qu'ils étaient. C'est une réussite peu commune que de pouvoir recréer jour après jour pendant plus de cinquante ans toute la fraîcheur du monde.

Après avoir assumé le cours entier d'une vie sans compromis, Simone de Beauvoir devait assumer une perte dont l'étendue était sans mesure : « Il n'y a pas de mort naturelle : rien de ce qui arrive à l'homme n'est jamais naturel puisque sa présence met le monde en question. »

Dépasser le présent vers un avenir que la mort même n'interrompt pas, c'est le geste d'une existentialiste et la pratique d'une philosophie qui lui est naturelle : elle consacre un livre aux dix dernières années de Sartre, puis elle publie ses lettres qu'elle a gardées pendant cinquante ans, rendant la jeunesse à leur commune histoire en retournant à ces mots spontanés, alignés pour elle au jour le jour.

Elle transcende la douleur. « Il ne me sera jamais promis rien d'autre que moi-même, et moi-même ce n'est rien si je n'ai rien à faire de moi », « le fait est que je suis écrivain... quelqu'un dont toute l'existence est commandée par l'écriture ».

I. L'enfant et les autres

Tout génie qui naît femme est perdu pour l'humanité.

STENDHAL.

La banqueroute du banquier de Verdun

Simone, Lucie, Ernestine, Marie Bertrand de Beauvoir est née le 9 janvier 1908 au 103, boulevard du Montparnasse, dans le petit immeuble qui fait le coin du boulevard Raspail. Deux ans plus tard, un modeste café, la Rotonde, ouvrait ses portes au rez-de-chaussée. C'est là, au carrefour Vavin, ce lieu légendaire cerné par les cafés les plus célèbres du Montparnasse de la grande époque : le Parnasse, le Dôme, la Rotonde et le café Baty, que Simone de Beauvoir a passé son enfance, avec pour compagnons inconnus Modigliani, Foujita, Kisling, Zadkine, Picasso. Le carrefour était alors un immense chantier. Depuis 1905 on perçait les cent derniers mètres qui séparaient les deux boulevards. La jonction ne serait finalement inaugurée qu'en 1913 par le président Poincaré qui s'y rendra dans une calèche attelée à la Daumont escorté de gardes républicains crinières au vent. Il ne manquerait pas dans son discours de souligner la lenteur des travaux. C'est dans un bruit continuel de charrettes, de tramways à vapeur, de démolitions que grandit Simone de Beauvoir. Aux cris des maçons, le jour, succédait le joyeux tintamarre du Parnasse et de la Rotonde qui, la nuit, montait jusqu'à sa chambre.

Elle vint au monde au milieu d'un drame familial qui allait marquer sa petite enfance et orienter le cours de sa vie. Son grand-père maternel, banquier à Verdun, était en faillite judiciaire. Tout ce qu'il possédait allait s'engloutir dans la débâcle de ses entreprises. Ruiné d'honneur et de réputation, cet homme au bord de la cinquantaine allait être emprisonné. Faire faillite ! Le mot pesait lourd à l'époque, c'était un crime puni par la loi, un déshonneur qui rejaillissait sur toute la famille. Le failli rejeté par la société, dépouillé de ses biens, poussait parfois son désespoir jusqu'au suicide.

Gustave Brasseur aimait trop la vie pour en arriver là. Doué d'une solide santé, d'une vigoureuse imagination, il avait foi en son étoile. D'origine belge, il s'était établi à Verdun en 1878, à l'époque où une Constitution était accordée à l'Alsace-Lorraine, et s'était imposé comme un financier de talent. Il avait créé une société en commandite simple, sous le nom de Gustave Brasseur et Cie, qui était devenue la Banque de la Meuse. Le succès avait été immédiat.

Le XIXe siècle a été le siècle des financiers. Semblable aux barons de la finance, Gustave Brasseur voyait grand, il ouvrit des succursales. Dynamique et résolument moderne, il menait, dans les journaux, des campagnes de publicité. La Banque de la Meuse, au capital de deux millions de francs — de francs-or —, rendait publiques ses opérations qui ne cessaient de se diversifier d'année en année : ouverture de comptes courants et de comptes chèques, exécution d'ordres de Bourse sur toutes les places de France et de l'étranger, avances sur titres, paiement de coupons français et étrangers, dépôt de fonds avec des taux d'intérêt alléchants pour l'époque : dépôt à vue 1 %, à trois mois 2,5 %, à six mois 3,5 %, à un an 4 %.

L'argent affluait, Gustave Brasseur devenait l'un des grands banquiers de la région. Il possédait le don de convaincre et de charmer. Il menait un train de vie qui selon lui était la forme de publicité la plus convaincante. Les journaux de Verdun signalaient les grands dîners qu'il donnait à ses actionnaires, les bals auxquels il conviait la haute bourgeoisie verdunoise et les officiers de la garnison avec lesquels il allait à la chasse. En période électorale, il se créait des obligés parmi les candidats en organisant des réceptions et des bals qui permettaient à ses amis de mener une discrète campagne électorale dans son salon.

Gustave Brasseur avait fait ses études chez les jésuites. Il avait épousé une riche héritière qui lui donna trois enfants : Françoise, une jolie brune aux yeux noisette — la mère de Simone de Beauvoir —, un fils qui fut baptisé Hubert en l'honneur du patron des chasseurs, et Lili, la cadette, toute blonde et rose. Mme Brasseur était passionnément attachée à son mari ; peu maternelle, elle n'avait pour ses enfants qu'une tendresse de raison. A Verdun, la famille vivait dans une grande maison au milieu d'un parc. L'été on partait en villégiature sur les plages à la mode, l'hiver on séjournait parfois à Paris. Hubert était pensionnaire chez les jésuites, Françoise et Lili externes au couvent des Oiseaux*, ce célèbre institut où l'aristocratie et la grande bourgeoisie faisaient élever leurs filles. En 1895, la pension y coûtait mille francs, l'enseignement y était dispensé par les religieuses de la congrégation de Notre-Dame, toutes issues de la haute société. Françoise de Beauvoir se souviendra toute sa vie de ses années au couvent des Oiseaux où elle avait été très heureuse. Il n'y avait que six élèves dans sa classe : quatre pensionnaires vêtues de noir et deux externes vêtues de blanc. Très bonne élève, elle aimait l'attention que ses maîtresses lui portaient. D'un tempérament passionné, elle souffrait de la froideur de sa mère et de la préférence marquée de son père pour Lili, sa cadette de cinq ans. Elle reportera sur ses deux filles, en particulier sur Simone qui lui ressemblait physiquement, l'affection dont elle avait manqué dans son enfance.

Gustave Brasseur adoptait avec enthousiasme les innovations de l'époque, excellent tennisman, il pratiquait ce sport réservé alors à une élite d'avant-garde ; grand chasseur, il battait les forêts lorraines avec l'aristocratie locale et possédait un fusil à trois coups qui faisait l'envie de tous. Aimant la vie au grand air, il entraînait ses enfants dans de longues randonnées à bicyclette à travers la forêt des Ardennes. Avant 1900, ils étaient peu nombreux ceux qui se lançaient ainsi sur les routes ! Leurs tenues de cyclistes étonnaient, surtout celles

---

* Le couvent des Oiseaux, situé à Paris à l'angle de la rue de Sèvres et du boulevard des Invalides, était nommé ainsi parce que le premier propriétaire, le célèbre sculpteur Pigalle, y avait fait construire une immense volière. Pendant la Révolution, la maison fut transformée en prison. Elle redevint un couvent et les religieuses de la congrégation de Notre-Dame s'y consacrèrent à l'éducation des jeunes filles. Il y avait des succursales en province.

des femmes : de larges *bloomers* et un canotier drapé d'une écharpe qui flottait au vent. Les humoristes les brocardaient dans tous les journaux : « Qui sont ces jeunes garçons qui roulent vers nous ? Ils sont passés... c'étaient des jeunes filles ! »

On imagine l'effet que devait produire dans les villages lorrains Gustave Brasseur, suivi de ses deux filles.

Françoise, l'aînée, rêvait d'être exploratrice. Mais ce n'était pas dans l'ordre des choses, Françoise Brasseur devait se marier. Son père se sentait en droit d'espérer une alliance avec l'une des meilleures familles. Françoise était belle, bonne musicienne, sa voix était charmante et elle avait une dot assez importante pour attirer l'héritier d'un joli nom ou d'une jolie fortune. Tandis qu'on songeait à la marier, elle tomba amoureuse de son cousin germain, Charles Champigneulles, héritier d'une fabrique de vitraux située boulevard du Montparnasse. Elle faisait des projets de fiançailles quand la chance qui avait favorisé les entreprises de la Banque de la Meuse l'abandonna.

1906 marqua le tournant de la vie du banquier. Cette année-là, quelques affaires financières furent désastreuses ; pour la première fois Gustave Brasseur avait manqué de flair. L'un de ses meilleurs amis ne fut pas réélu et le banquier perdit le soutien d'un politicien influent. Il entreprit quelques affaires hasardeuses qui auraient redressé la situation si elles avaient réussi, mais il ne fut pas heureux. Cette succession de malchances eut une conséquence immédiate : le cousin germain ne donna pas suite à ce projet matrimonial, il épousa une cousine de Françoise*. Des histoires d'argent s'en mêlant, Gustave Brasseur gardera toute sa vie une rancune tenace à son neveu. Quand, ironie du sort, Simone de Beauvoir, à seize ans, tombera amoureuse de Jacques, fils de Charles, son grand-père s'écriera : « Moi vivant, ma petite-fille n'épousera jamais un Champigneulles ! »

Parmi les candidats à la main de sa fille, Gustave Brasseur favorisait le cousin d'un banquier parisien, le protégé d'un homme politique, qui portait un joli nom : Georges Bertrand de Beauvoir.

Les Bertrand de Beauvoir

Les Bertrand de Beauvoir étaient une famille de fonctionnaires parisiens. L'arrière-grand-père de Simone de Beauvoir,

---

* Germaine Fourrier.

François-Narcisse, naquit sous le Directoire, en 1795. Il fit toute sa carrière au ministère des Finances et fut envoyé comme contrôleur des contributions à Argenton, dans la Creuse. Il accumula une confortable fortune. La quarantaine passée, il se maria avec Armande Rosalie Dransart, de dix-sept ans sa cadette. Le ménage s'installa au 64, rue Saint-Louis, dans le VIIIe arrondissement. C'est là que naquit en 1838 leur premier fils Ernest-Narcisse, le grand-père de Simone.

On ne sait pas à quelle date exacte la famille Bertrand prit le nom de Beauvoir et la particule. Le trisaïeul de Simone de Beauvoir portait déjà ce nom. Ce que l'on sait, c'est que le grand-père de Simone eut pour parrain Philippe de Cellier, chevalier de Saint-Louis, ordre royal et militaire fondé en 1693 par Louis XIV pour récompenser « la vertu, le mérite et les services rendus ».

François-Narcisse Bertrand de Beauvoir eut trois fils, tous élevés chez les jésuites, à qui il légua assez de biens pour que le cadet vécût de ses rentes. L'aîné, Ernest-Narcisse, hérita « entre autres biens » d'une grosse maison et de deux cents hectares de châtaigneraies et de bois, à Meyrignac dans le Limousin. A vingt et un ans, Ernest Bertrand de Beauvoir entra comme auxiliaire à la préfecture de la Seine avec un traitement de 1 200 F. Il accomplira toute sa carrière dans l'administration et prendra sa retraite en 1897 avec le titre de chef de bureau honoraire, au traitement de 10 000 F. Il menait un train de vie qui avait plus de lustre que sa situation. Il s'était marié en 1870 avec Léontine Wartelle, la fille d'une opulente famille d'Arras. Le couple s'était installé dans un bel appartement au 110 du boulevard Saint-Germain. Ernest de Beauvoir était d'un naturel léger et gai, il n'aimait « ni les discussions ni les devoirs », mais il était conscient de ses droits et avait une haute idée de son rang dans la société. Il pratiquait un sport aristocratique qui faisait fureur sous le second Empire : la canne, où il avait obtenu le titre de « prévost » dont il se montrait fier.

Les Beauvoir eurent trois enfants, Hélène, Gaston et Georges. Gaston, l'aîné, détestait les études, n'avait qu'une passion : la chasse. Bruyant et robuste, il bousculait son jeune frère Georges, dont la délicatesse devait l'exaspérer.

Georges de Beauvoir, né le 25 juin 1878 à Arras, était vif, intelligent, il fut l'enfant préféré de sa mère qui veillait de près sur ses études et encourageait son goût pour la lecture. Il avait horreur du sport et des jeux violents de son frère aîné.

L'été, à Meyrignac, pendant que Gaston courait les bois, Georges réunissait impérieusement les enfants des fermiers pour leur faire la classe. Une photo de l'époque le montre au milieu de ses élèves, flanqué d'une femme de chambre en coiffe et tablier blancs tenant un plateau chargé de verres d'orangeade.

Élève au collège Stanislas, il remporta pendant des années le prix d'excellence et semblait promis à un bel avenir quand, en 1892, sa mère mourut. Il avait treize ans. Privé des encouragements et de la surveillance maternels, cet adolescent doué fut livré à lui-même. Sa sœur Hélène se maria avec un hobereau limousin et partit vivre au château de la Grillère. Georges, entre un père bon vivant et un frère aîné « voué à l'oisiveté », ne fit plus que ce qui l'amusait. Il lisait avidement et à l'aventure. Doué d'une excellente mémoire, il passa son baccalauréat sans difficulté. Il aurait pu alors suivre son père et son grand-père et devenir fonctionnaire. Mais toute sa vie il tonna contre « ces budgétivores ». Son père, ses oncles, les alliances de sa famille l'avaient convaincu qu'il appartenait à l'aristocratie. Il se plaçait au-dessus du commun, surtout au-dessus de toute réussite roturière qu'il jugeait vulgaire. Sa conception de la noblesse était féodale et simpliste. Il s'agissait pour lui d'échapper à la morale bourgeoise du travail et des vertus domestiques. Un aristocrate vivait de ses rentes, était reçu dans les salons et les clubs et entretenait de nombreuses maîtresses.

Ernest de Beauvoir lui laissait la bride sur le cou. En 1897, il venait, à soixante ans, de prendre sa retraite, et arborait la Légion d'honneur que ses années de service à la préfecture de la Seine lui avaient value. Il vivait de ses revenus. Bon vivant, robuste, il mourra presque centenaire. Il avait pour ce fils de dix-neuf ans une indulgence totale. Georges était un charmeur. Élégant, désinvolte, frivole et ironique, il aimait le panache et l'allure. Le père et le fils riaient, déclamaient, chantaient, s'amusaient de tout dans cette joyeuse « belle époque ».

Georges s'inscrivit à la faculté de droit dont il fréquenta peu les cours. Il passait son temps dans les salons, les cafés, les champs de courses et surtout les coulisses des théâtres. Car il s'était découvert une passion pour les planches. Il prenait des cours d'art dramatique et dira plus tard que « sans les convenances de sa classe, il serait entré au Conservatoire ».

C'était un séducteur-né, mais la particule de son nom, cette syllabe ambiguë, ne lui ouvrait ni le faubourg Saint-Germain ni les clubs aristocratiques où l'on comptait minutieusement les quartiers de noblesse. Sa fortune modeste ne lui permettait pas d'accéder aux salons de la haute bourgeoisie que fréquentait Marcel Proust. Il n'avait pas l'ambition de se créer une situation ou de faire fortune. Il dépensait allégrement l'héritage de sa mère et la part d'héritage paternel qui lui revenait après un partage où son frère aîné, Gaston, avait reçu Meyrignac en nue-propriété.

Georges de Beauvoir aurait pu échapper à sa médiocre situation en devenant écrivain ou artiste. Il eut plusieurs fois des velléités d'écrire, mais l'effort requis par le face à face avec la feuille blanche le décourageait.

Ni Guermantes ni Swann, il lui restait un domaine où briller : le théâtre amateur. Être acteur, c'était n'être rien, mais c'était plaire, c'était charmer, c'était amuser et c'était aussi la possibilité d'entrer dans ces cercles sociaux inaccessibles autrement.

Georges de Beauvoir devint un comédien amateur fanatique. C'est au théâtre qu'il porta toutes ses ambitions et ses nostalgies, se délectant des pièces de boulevard de Capus, Donnay, Vautel, Guitry, de Flers et Caillavet. Il préférait à tout la comédie et la pantomime, tour à tour Pierrot, cuisinière en travesti, pioupiou, il se métamorphosait en homme du monde dès qu'il sortait de scène, imitant l'élégance des acteurs de la Comédie-Française, Le Bargy ou Féraudy, dans leurs rôles d'aristocrates : le comte dans *Un caprice* de Musset, Almaviva dans *le Mariage de Figaro* et tous les personnages riches et oisifs qui abondent dans les pièces de Dumas fils. Comme eux, il ne portait ni barbe ni moustache, « cette constante tragique du visage de l'homme » telle que la définissait son auteur préféré, Guy de Maupassant, citant Nietzsche.

Ce joli jeune homme frivole et gai se donnait entièrement à son rôle d'amuseur. Dans les salons, les hôtesses organisaient volontiers des concerts, des récitals, des spectacles. Dans les plus brillants, on écoutait les chanteurs, les musiciens, les artistes à la mode : Sarah Bernhardt, Coquelin, Reynaldo Hahn, Fragson, Julia Bartet, Chaliapine. Souvent la haute société se donnait à elle-même la comédie et montait sur scène. A Paris, plusieurs entreprises prospères, dont le Théâtre mondain, 23, rue Massé, était la plus connue, transformaient un salon en théâtre, plantant les décors, construisant une scène, fournissant les costumes. Certains, comme le comte Robert de Montesquiou ou le prince de Polignac, créaient eux-mêmes décors et costumes pour leurs somptueuses fêtes. Ce monde des salons fascinait Georges de Beauvoir. Ce charmeur possédait les dons que cette société mettait au-dessus de tout, l'esprit, l'art de la conversation et l'art oratoire. Ces talents étaient alors les conditions nécessaires au succès de l'homme du monde et de l'homme politique. Qu'on se souvienne de l'intérêt passionné avec lequel toute la France suivit les joutes oratoires qui opposèrent pendant deux jours Jaurès et Clemenceau ! Ils débattaient du droit de grève des instituteurs et des employés des postes. Jaurès remporta l'admiration des journaux de droite en défendant le droit de grève « sans une seule faute de syntaxe ». Il peut paraître non moins étonnant qu'en 1907, pour répondre à des revendications sur la non-application de la loi sur les congés hebdomadaires, suivie d'une grève d'une extrême violence, le ministre du Travail ait prononcé un brillant discours anticlérical qui eut un tel succès que par une écrasante majorité la Chambre en vota l'affichage public.

Comme les hommes de sa génération, Georges de Beauvoir avait le goût du lyrisme, du beau langage, du panache, il était l'incarnation du boulevardier. Persuadé que travailler c'était déchoir, il vivait sans souci. Il fréquentait les champs de courses, qui, depuis la monarchie de Juillet, étaient le rendez-vous du Tout-Paris politique, artistique et littéraire.

Il passa sa licence en droit et, grâce à ses relations, entra comme secrétaire dans le cabinet d'avocat de maître Alphonse Deville. Me Des Longchamps Deville était une personnalité bien parisienne*. Il fut conseiller municipal du quartier Notre-Dame-des-Champs jusqu'à sa mort, et président du groupe républicain municipal qu'il avait créé. Il écrivait dans plusieurs journaux conservateurs : *le Moniteur, le Français, le Correspondant.* Il prit sous sa protection le fils de son ami Ernest de Beauvoir, l'introduisit dans les milieux journalistiques et lui donna à plaider quelques affaires. Georges de Beauvoir borna là ses ambitions professionnelles. Pour devenir un avocat connu, il eût fallu travailler, cela l'ennuyait, le théâtre seul l'intéressait. Aux abords de la trentaine, il fit ce qu'avaient fait son père et son grand-père avant lui, il épousa une jeune fille richement dotée, du moins le croyait-il.

---

* La petite place à côté de l'hôtel Lutétia porte son nom.

Le scandale

Françoise Brasseur et Georges de Beauvoir se rencontrèrent à Houlgate, l'élégante station balnéaire où de savantes
stratégies familiales les avaient conduits. Encore mélancolique et blessée dans son premier amour, Françoise s'était prê-
tée sans enthousiasme à cette manœuvre, mais elle fut charmée par cet élégant dandy parisien qui devenait, dès qu'il
apparaissait, le point de mire de la société. Quelques mois à
peine après leur rencontre ils se marièrent. Françoise était
d'un tempérament entier et passionné, Georges était léger et
insouciant. Dès leur voyage de noces, son égoïsme se donna
libre cours. Ils étaient partis de la gare de Lyon dans un somptueux wagon de première classe pour les lacs italiens. Ils
firent une escale à Nice où la saison venait de commencer, et
Georges refusa de repartir. Françoise qui avait rêvé de promenades romantiques au bord de lacs baignés de clair de lune
passa son voyage de noces dans le tohu-bohu de la *Season* la
plus chic et la plus cosmopolite du monde : des rois, des rei-
nes, un grand nombre d'altesses royales et toute la noblesse
d'Europe polarisée par ces têtes couronnées côtoyaient des
demi-mondaines. Georges de Beauvoir retrouvait sur la Côte
d'Azur des amis parisiens. Ce n'était pas ce que Françoise
avait espéré. Ce qui est sûr, dira plus tard Simone de Beauvoir, c'est qu'« au temps même de sa lune de miel elle a souffert dans son amour et dans son orgueil ». Elle garda au fond
d'elle-même une blessure qui ne guérit plus, sa jalousie ne
s'effaça jamais. Georges était amoureux de sa femme dont
la beauté le flattait, et tout serait allé pour le mieux si, à peine
installés à Paris, dans un appartement situé au 103, boulevard
du Montparnasse, les affaires de Gustave Brasseur ne
s'étaient gâtées.

Dès qu'on soupçonna les difficultés de la Banque de la
Meuse, l'affaire prit une tournure politique, s'envenima et
passionna les Verdunois. Les journaux s'emparèrent de la
chose et se mirent à jeter de l'huile sur le feu. Les actionnaires
s'inquiétèrent, les déposants prirent peur, les clients commencèrent à retirer leur argent, on parla d'expédients douteux, de
trucages. En 1907, la presse de gauche passa à l'attaque : Gustave Brasseur, habile politique, avait « un soulier dans tous
les milieux », la Banque d'État, le barreau, le haut commerce
et le clergé. Tout n'était pas clair dans ses affaires. Sur quelles

complicités comptait-il ? De quelles influences profitait-il ? Y avait-il eu des manipulations d'argent ? Des faveurs ? Des trafics d'influence ? Les journaux prétendaient que leurs lecteurs affolés réclamaient des précisions, et renchérissaient : « il y aurait des complicités évidentes, des complicités locales qu'il faudra mettre au jour car les victimes voudront voir clair ».

Le 28 juillet 1909, un an et demi après la naissance de Simone, la Banque de la Meuse fut mise en liquidation judiciaire. On vendit le mobilier de la banque, on vendit également le mobilier personnel de la famille Brasseur. Ce fut la curée. Une foule se précipita pour voir disperser aux enchères les meubles, les miroirs, les tapis, les raquettes, les bicyclettes du banquier. Un journaliste goguenard remarqua qu'un grand nombre de chasseurs s'étaient donné rendez-vous pour acquérir le fameux fusil à trois coups qui avait fait l'orgueil de Gustave Brasseur lors des grandes chasses, mais le fusil demeura introuvable.

Enfin le scandale atteignit son comble. Gustave Brasseur fut arrêté à midi et emmené pendant que les curieux se massaient sur son passage. Un journaliste nota qu'on pouvait voir entre deux gendarmes l'homme qui durant si longtemps « contempla avec une narquoise pitié les petites gens que nous sommes et qui n'allons pas au tennis ».

Le banquier avait des ennemis, il était envié, on le lui fit bien voir. Le juge refusa sa mise en liberté pendant l'examen de la comptabilité de la banque, malgré les efforts de Me Vallée, sénateur de la Marne et ancien ministre de la Justice, qui assumait la défense de son ami.

La détention provisoire de Gustave Brasseur dura treize mois. Pendant ces mois interminables Mme Brasseur se rendit chaque jour à la prison, pour soutenir et consoler son époux. On la voyait passer avec un panier pour son prisonnier, la tête haute, armée de sa foi en l'honnêteté du banquier et de sa confiance en Dieu. Elle tint bon au milieu de la méchanceté qui se donnait libre cours. Toute sa vie elle voua à son mari un amour fanatique.

A Verdun, on ne parlait plus que de cette banqueroute, de complicités scandaleuses, du dépouillement sans scrupule des petits épargnants. La presse parisienne s'intéressait à l'affaire. Le 26 juillet 1910, Gustave Brasseur comparut devant le tribunal. Le syndic de la faillite exposa le bilan : il y avait un déficit d'un million et demi. Il rappela que le banquier jouait à la Bourse depuis 1905, qu'il avait subi des pertes considérables et que sa situation était compromise dès 1906. Il souligna que divers membres de la famille Brasseur avaient bénéficié de prêts préférentiels et devaient à la Banque une somme de plus d'un demi-million, ce qui, on s'en doute, entraîna des situations balzaciennes dans la famille.

Gustave Brasseur se plaignit au tribunal de ne pas avoir été appelé à l'établissement du bilan. Il affirma avec force que personne n'aurait rien perdu, il se défendit avec assurance, mais ses explications strictement techniques furent mal comprises. Gustave Brasseur avait une inébranlable confiance en soi, il pensait qu'il avait été victime des forces du destin et de ses ennemis politiques.

Le Ministère public énuméra contre lui 132 cas d'abus de confiance et adjura le tribunal de montrer que la Justice protégeait les petits épargnants dépouillés. Il demanda une lourde amende et la peine de prison maximale. Me Vallée contre-attaqua en faisant ressortir que son client, travailleur acharné, avait tout fait pour la prospérité de ses clients et le succès de son entreprise. Toutes ses ressources personnelles avaient sombré dans le naufrage de sa banque. Il précisa que ses opérations avaient toujours été conformes aux usages de la banque. Il est vrai qu'en 1908 les pertes de l'épargne française étaient de l'ordre de 400 millions de francs, et les affaires du banquier avaient souffert du malaise général. Beaucoup de petites banques étaient en difficulté.

Gustave Brasseur fut condamné à quinze mois de prison et à cinq cents francs d'amende. Il avait déjà subi treize mois de prévention, deux mois plus tard, il était libre mais ruiné.

Il partit pour Paris avec sa femme et sa fille Lili. Ils s'installèrent d'abord près de la gare Montparnasse. L'appartement donnait sur une impasse aux murs couverts de suie. Au début de la guerre, la famille déménagea rue Denfert*, dans un cinquième étage sans ascenseur dont les fenêtres donnaient sur le Lion de Belfort. Cet appartement était plus encombré « qu'une arrière-boutique d'antiquaire » où elle et sa sœur Hélène de deux ans et demi sa cadette et qu'on appelait Poupette, allaient déjeuner tous les jeudis.

La faillite du banquier bouleversa le statut social de toute la famille. Les Brasseur furent frappés d'ostracisme par leurs anciennes relations.

* Devenue avenue Denfert-Rochereau.

Cependant l'ex-banquier n'avait rien perdu de son imagination, de son énergie, ni de son amour des sports. Aux premiers souffles du printemps, *Bon papa* Brasseur, excellent marcheur, organisait de grandes randonnées au bois de Chaville, c'est ainsi qu'il donna à sa petite-fille la passion des marches par monts et par vaux.

La faillite et l'emprisonnement de son père avaient atteint Françoise de Beauvoir dans sa tendresse et dans son orgueil. Elle avait coupé tous les ponts avec ses amies et s'efforça de s'intégrer dans le milieu parisien où évoluait son mari. On n'y pratiquait pas la morale du couvent des Oiseaux. « Certaines femmes qu'elle rencontrait avaient eu des liaisons avec papa. » Dans son bureau il gardait la photo de sa dernière maîtresse, une femme brillante et séduisante. Elle venait quelquefois en visite avec son mari. Georges de Beauvoir se plaisait à cette méchante taquinerie digne des comédies de boulevard. Grand lecteur de Marcel Prévost, il déclarait qu'il ne fallait pas traiter son épouse « avec moins d'ardeur qu'une maîtresse ». Souvent le soir, il rentrait, un bouquet de fleurs à la main, et les offrait à Françoise, ils s'embrassaient, ils riaient. Il était cependant convaincu qu'un mari avait le droit de donner « des coups de canif » dans le contrat, et ne s'en privait pas. Françoise gardait au fond de son cœur « une ardente et ineffaçable jalousie », tout en se faisant violence pour ne pas paraître choquée. Elle cacha ses déceptions et ses dégoûts, prit le parti d'être de l'avis de tout le monde, surtout de Georges. Mais cette contrainte affectait son tempérament gai et affectueux. Elle avait des sautes d'humeur et des colères qui terrifiaient Simone. Ses débuts de femme mariée n'étaient pas faciles. Le mari qu'on lui avait donné était certes fascinant mais surprenant pour une jeune femme élevée dans les strictes traditions bourgeoises. Cet homme qui dépensait son héritage sur les champs de courses, dans les parties de bridge, et n'avait aucune ambition professionnelle, était l'exemple même de ce que condamnait la bourgeoisie dont l'éthique était fondée sur le travail et l'économie. Elle chercha chez sa fille aînée un reflet d'elle-même, une compensation. Simone lui ressemblait physiquement, elle avait la même vitalité, le même désir d'apprendre. Françoise n'avait pas eu une mère très tendre, son père lui préférait Lili, sa sœur blonde et rose. Elle projeta sur ses enfants sa propre expérience de la vie. Poupette, c'était Lili. Simone, c'était elle. Elle la chérissait impérieusement, s'attachait, avec un zèle où se mêlait de la rancune, à imposer à sa fille une destinée selon son choix : « Elle était autoritaire jusqu'à l'emportement. »

Le manteau d'Arlequin

Après son mariage, Georges de Beauvoir n'avait pas renoncé à sa passion pour le théâtre. Il avait passé ses fiançailles à répéter, avec une troupe d'amateurs, une pièce qu'il joua la veille de son mariage. Dès le retour de son voyage de noces, dans l'appartement du 103, boulevard du Montparnasse, il se transforma en professeur d'art dramatique. Il donna des leçons de diction à Françoise, lui apprit à marcher, à se maquiller. Adossé à la cheminée du salon aux meubles Louis XVI, il lui récitait des vers, les lui faisait répéter jusqu'à ce qu'elle eût acquis assez d'assurance pour monter sur scène. La maison était pleine de rires, de chants, des amis venaient répéter, Françoise jouait du piano. Georges récitait de longs passages de *Cyrano*, qu'il adorait et surtout des monologues comiques comme *le Singe* de Zamacoïs.

Dans cette atmosphère ludique, Simone grandit et s'épanouit. Très tôt elle fait preuve de dons étonnants, à trois ans elle commence à lire. Elle apprend avec facilité, elle sait par cœur des fables, des poèmes que son père s'amuse à lui faire réciter « en faisant les gestes ». On l'applaudit, on s'émerveille. Dans son premier souvenir d'enfance elle se revoit déguisée en petit Chaperon rouge portant au bras un panier avec une galette et un pot de beurre. Georges de Beauvoir écrit des revues, des vers, des nouvelles, il écrira même une pièce *le Chien*. A l'imitation de son père, Simone écrit des poèmes pour sa sœur. Son père les lit à ses amis étonnés de la précocité de l'enfant.

Chez Georges et Françoise de Beauvoir, le théâtre était tout. Les conversations roulaient sur des potins de théâtre, on lisait régulièrement *Comœdia*. L'ami intime de Georges était Alexandre Vargas, un acteur de l'Odéon ; ses visites transformaient le salon en coulisses, on échangeait des répliques, on potinait, on critiquait les acteurs et les pièces, on passait les succès de la saison au crible. Les ombres de Sarah Bernhardt, Berthe Cerny, Coquelin, Paul Mounet, Mounet-Sully, Le Bargy, Féraudy envahissaient l'appartement.

Tous les étés jusqu'à la guerre de 1914, les parents de Simone partirent pour Divonne-les-Bains avec une troupe d'amateurs dont ils faisaient partie. Pendant trois semaines ils se produisaient sur la scène du Grand Hôtel où ils étaient logés et nourris. Georges se taillait de beaux succès et la beauté de Françoise lui attirait des compliments.

Le théâtre de boulevard, les cafés-concerts, les revues (la première revue des Folies-Bergère date de 1908) fascinaient le Tout-Paris, mais dans cette société stratifiée à l'extrême, les femmes qui montaient sur les planches passaient pour légè-res. Jouer en amateur n'imprimait pas ce stigmate, mais la ligne de démarcation était floue et les gens mal intentionnés pouvaient feindre de s'y tromper.

Bonne maman et tante Lili faisaient à Simone des réflexions désobligeantes : « Alors ? ta maman trotte toujours ? » ; ou bien Louise, bonne, chuchotait : « Vous avez vu Madame comme elle est ficelée ; une vraie excentrique ! » C'est que les discrètes tenues de Verdun avaient fait place à des « toilet-tes voyantes ». C'était l'époque des robes tango et des robes bayadères.

Il est certain que la faillite de Gustave Brasseur et la pas-sion de Georges de Beauvoir pour le théâtre faisaient glisser cette famille bourgeoise dans la marginalité. « Les Beauvoir sont des hors classe », affirmera plus tard la mère de la meilleure amie de Simone de Beauvoir, qui n'oubliera pas ce mot. Elle brossera de ce milieu auquel elle appartenait par sa culture et ses manières une peinture au vitriol dans ses *Mémoires* et dans ses romans.

Les vignes de Montparnasse

Montparnasse est le village de Simone de Beauvoir. A part un hiatus de cinq ans, de l'automne 1931 à l'été 1936, où elle fut « exilée » à Marseille et à Rouen, elle vivra entre le Lion de Belfort et le carrefour Vavin. Montparnassienne authentique, à dix-sept ans, son baccalauréat en poche, elle fera des plon-gées dans les bars du quartier, par révolte contre la rigidité de son éducation ; à vingt et un ans, majeure et agrégée, c'est à Montparnasse qu'elle s'installera. Enfant, elle aimait se glis-ser dans l'encorbellement qui prolongeait la fenêtre de la salle à manger et regarder longtemps le va-et-vient de la rue.

Avant 1914, le quartier avait encore une allure campa-

gnarde, beaucoup de petits coins paisibles n'avaient pas
changé depuis le temps où Balzac y habitait. Jean Cocteau se
souvenait des vignobles, des champs de luzerne et de l'herbe
qui poussait entre les pavés des rues. Mais Montparnasse
s'urbanisait, des îlots d'immeubles neufs surgissaient au
milieu des terrains maraîchers, des vergers qui entouraient
les fermes ou les nombreux couvents. Ces nouveaux immeubles étaient habités par des journalistes, des artistes, des professeurs à l'École des beaux-arts, des membres de l'Institut,
des écrivains, des universitaires attirés par la proximité de la
Sorbonne, des hommes politiques. Cette bourgeoisie résidait
de préférence autour de l'église de Notre-Dame-des-Champs.
L'immeuble où vivaient les Beauvoir se trouvait dans la partie
la moins cotée du boulevard. C'était une construction en
arrondi, dont les petites fenêtres à la française s'ouvraient sur
une saillie de pierre cernée d'un garde-corps à barreaux de
fer, pompeusement appelée balcon. L'entrée était située entre
les cafés du Parnasse et de la Rotonde, sur le boulevard du
Montparnasse ; les fenêtres de la salle à manger-salon donnaient côté boulevard Raspail : ambiguïté d'une construction
qui permettait de s'assimiler « aux grands immeubles bourgeois » du riche boulevard Raspail où vivaient, dans de somptueux appartements, d'opulentes familles.

Sa sœur Hélène dormait dans un lit-cage qu'on poussait le
soir dans l'étroit couloir qui menait au bureau de Georges
de Beauvoir, une pièce sombre aux rideaux de velours rouge,
dont les meubles étaient en poirier noirci. La salle à manger
aux lourds meubles Henri II s'ouvrait sur l'entrée par des
portes vitrées habillées de rideaux rouges de soie gaufrée et
sur le salon. Tout l'appartement était recouvert d'une
moquette rouge et chauffé par des calorifères. Il y avait un
cabinet de toilette et une salle de bains. Dans de nombreux
immeubles neufs du quartier, l'eau courante froide et chaude

à l'évier et le gaz étaient considérés comme un confort suffisant, les salles de bains, les ascenseurs qui équipaient les immeubles Haussmann construits cinquante ans plus tôt étaient encore un luxe réservé à une classe de privilégiés.

Montparnasse avait un côté populaire. « Juglar », un marchand de bois et charbon, occupait l'emplacement de la future Coupole. Les charbonniers et la bouche d'ombre du métro Vavin étaient, pour Simone, l'image même de l'enfer.

Chaque jour, les petits troupeaux d'ânes et de chèvres qui se rendaient au Luxembourg descendaient le boulevard. Le dimanche, les Parisiens aimaient prendre l'air aux terrasses des marchands de vin, encadrées de fusains qui se remplissaient de lucioles les nuits d'été. Forains, montreurs d'animaux savants, orchestres en plein vent animaient ce quartier depuis le XVIIe siècle quand les Parisiens venaient manger des galettes accompagnées d'un vin léger dans les moulins de Montparnasse.

Jusqu'à la Première Guerre mondiale, un omnibus à chevaux reliait le parc Montsouris au Palais-Royal. Les écuries étaient nombreuses et avaient attiré des bourreliers, des carrossiers, des vernisseurs, des maréchaux-ferrants, tout un artisanat qui donnait à ce quartier son caractère. Petit à petit, au fur et à mesure que la voiture remplaçait le cheval, ces écuries étaient transformées à peu de frais en ateliers de peintres qui ajoutaient au pittoresque de Montparnasse. On achetait du lait et des œufs dans les fermes. Des marchands ambulants criaient leur marchandise : fleurs, légumes, mouron, vitres, oiseaux ; Simone de Beauvoir se souvient d'un bateleur qui vendait des rêves sous forme d'ombrelles chinoises et de fleurs japonaises qui s'épanouissaient dans l'eau.

Avant 1914, l'électricité était encore un luxe dans ce coin de Paris. Dès que le soir tombait, une obscurité à peine trouée par les quelques lampes à acétylène des marchands de vin envahissait tout. Le quartier n'était pas sûr. On s'y battait à coups de couteau, les chiffonniers ivres réglaient leurs comptes, et dans l'embrasure des portes cochères des couples faisaient l'amour à la sauvette. Après 6 heures du soir, une honnête femme ne se serait pas risquée dans la rue. Montparnasse était un lieu funambulesque, mélange de misère, de luxe, de fantaisie et de talents.

Simone n'avait pas beaucoup de jouets et peu de distractions. Ses parents l'emmenèrent voir George V et la reine Mary descendre en calèche les Champs-Élysées ; plus tard, elle assista à l'enterrement de Gallieni. Il y avait aussi quelques défilés de la mi-carême. Elle aimait surtout suivre de son balcon les va-et-vient entre la Rotonde, le Dôme, le restaurant Baty, ces trois pôles de la vie de ceux qu'Apollinaire appelait les Montparnassiens.

Baty, le célèbre marchand de vin, avait été marmiton chez George Sand à Nohant. Son restaurant toujours envahi d'Américains et d'Allemands était le plus cher du boulevard. On y servait un plat unique. Chaque mois, les collaborateurs des *Soirées de Paris*, journal fondé par les amis d'Apollinaire, s'y réunissaient depuis 1912. A la Rotonde, dont les habitués s'appelaient Modigliani, Picasso, Kisling, on pouvait, pour un café-crème à douze sous, passer la journée à lire les journaux en toutes les langues abandonnés sur les tables, à écouter les histoires des peintres ou des ouvriers du quartier, et à discuter à l'infini. Lénine, Trotski, Zadkine, Léger, Brancusi, Pascin, peintres, anarchistes, révolutionnaires, des Espagnols, des Italiens, des Bulgares, des Serbes, des Chiliens, des Valaques, des Indiens et même un Peau-Rouge, peintre et poète qui se disait « le descendant direct du frère de Colbert, colonisateur du Canada », s'y succédaient. Certains, à cause de la misère ou de leur non-conformisme, portaient des tenues bizarres : l'un était vêtu de rideaux de cuisine, un autre de pyjamas à jours, un autre coiffé d'un bonnet à la Rembrandt, « le mystique aux pieds nus » portait un monocle sans verre, des femmes se drapaient dans des châles andalous, d'autres s'exhibaient dans des robes à manches gigot achetées au marché aux puces.

On pouvait voir Picasso, qui sera l'un des amis de Sartre et de Beauvoir, une mèche noire sur l'œil, portant une chemise de cellular, une chaîne de montre à sa boutonnière, et un étrange artiste qui avait peint des losanges multicolores sur ses manchettes pour en dissimuler l'usure. Il y avait aussi l'homme aux lunettes bleues dont le nez était peint en rouge d'un côté et en jaune de l'autre. Un personnage portait toujours quatre parapluies ; de l'un il sortait un petit chat noir terrorisé, le mettait sous le nez d'un passant et demandait de l'argent ; parfois il s'asseyait, commandait une consommation et sortait d'un de ses parapluies deux bonnets à poil qu'il enfilait sur ses pieds. Les artistes se mêlaient à ce qui constituait la clientèle régulière de la Rotonde : maçons, plâtriers, peintres en bâtiment, rouliers, palefreniers.

Les cafés du carrefour attiraient des orchestres et des chanteuses des rues, ces « goualeuses » dont le public reprenait en chœur les rengaines. Quand, juste avant la guerre, la Rotonde changea de propriétaire, ce café de quartier adopta un autre style. A l'entresol, on construisit une grande salle de restaurant. Une nouvelle clientèle afflua : les Parisiens du Boulevard et les étrangers en mal de pittoresque. C'est en France, pays de la *douceur de vivre*, que ces derniers plaçaient leurs fonds pendant que les Français investissaient dans les fonds russes leurs bas de laine. Partout le franc était négociable au prix de l'or et les transactions courantes se réglaient encore en pièces d'or et d'argent. Le carnet de chèques rencontrait dans la population une résistance aussi butée que le passage du franc léger au franc lourd, et pour faire bonne mesure un « chéquard » était une injure. Point de « chéquards » au carrefour Vavin, mais des accents de tous les pays. Des voitures de maître déposaient des femmes en fourrures, des hommes en habit. Le nouveau patron éloignait les anciens clients trop loqueteux. Dans les *Provinciales*, Giraudoux écrira avec humour que les Allemands avaient déclaré la guerre à cause de leur *Sehnsucht nach Montparnasse* — leur désir de Montparnasse — « seulement au lieu d'y venir successivement en chemin de fer ils ont voulu y venir tous ensemble et à pied ».

Tous les jours, pour aller à l'école, Simone passait devant les habitués de la Rotonde, toile de fond inattendue pour une petite fille élevée selon les principes bourgeois. Dès 10 heures du matin, la salle d'en bas était bondée. On y buvait assis, on y buvait debout, on buvait en tapant sur le piano. Des Américains ivres chantaient, des Russes ponctuaient leurs discussions en fracassant des verres sur le sol. Serrées sur les banquettes, de blondes Scandinaves regardaient hypnotisées cette agitation frénétique. Des Américaines aux cheveux courts, encore en robe du soir, les mains gantées de blanc, buvaient du champagne ou des liqueurs de toutes les couleurs dans de grands verres.

Vers 5 heures, quand les lumières s'allumaient, une sorte de folie gagnait la Rotonde. On dînait dans un vacarme assourdissant déchiré par les « rythmes nègres », ponctués par des cris dans toutes les langues. Les *tapeurs* — on appelait ainsi les pianistes des bars ou des bals — étaient souvent remplacés par les clients eux-mêmes.

Des hurlements trouaient la nuit. Modigliani ivre buvait au passage les consommations des clients assis qui riaient sans protester, il lui arrivait de tomber comme une masse, toujours agrippé à sa bouteille ou à son verre. Il n'était pas le seul. C'est toutes ces extravagances qu'on venait voir, mais on venait aussi spéculer sur les peintres. Il existait à la Rotonde une véritable bourse du tableau. Les garçons avaient connu un certain Picasso sans le sou dont les œuvres se vendaient déjà entre mille et quatre mille francs et ils faisaient monter la cote de leurs protégés. Ils les poussaient à la consommation, leur prêtaient de l'argent et se faisaient rembourser par un tableau qu'ils revendaient aux clients de la Rotonde ou aux commerçants du quartier. Georges de Beauvoir appelait la Rotonde « un repaire de métèques ». Des voix aux accents extraordinaires montaient jusqu'à Simone : « leurs visages, leurs silhouettes, le bruit de leurs voix me captivaient », vigie insoupçonnée, elle enregistrait le spectacle de la vie humaine avec ses drames, ses comédies, ses féeries.

De sa toute petite enfance, Simone de Beauvoir répétera qu'elle fut « très, très heureuse ».

Très tôt, elle étonne sa famille par son intelligence et la vivacité de son esprit, elle aime apprendre, on l'encourage, on lui donne un stéréoscope, un kinétoscope, et surtout des livres soigneusement choisis. Son père répond de bonne grâce à ses questions. Elle a très vite la certitude d'être différente, unique. « Il était entendu que Jeanne, ma cousine germaine, était trop sotte pour moi. » Simone profite de cette situation d'exception ; Poupette et Jeanne subissent sa tyrannie ; à la campagne, elle les attelle à une petite charrette et les fait trotter ; elle joue impérieusement le rôle d'institutrice. Hélène de Beauvoir raconte qu'à trois ans elle savait lire grâce à Simone qui n'admettait pas que sa sœur ne partageât point les mêmes joies qu'elle.

Elle était très violente : « Dès qu'on touche à Simone, elle devient violette », disait sa mère, et son père s'amusait à répéter « cette enfant est insociable ». Elle savait ce qu'elle voulait. On disait aussi, non sans un soupçon de fierté : « Simone est têtue comme une mule. » Elle poursuivait et poursuivra toujours ses désirs jusqu'à l'obsession, ses répugnances jusqu'aux vomissements. Elle menait tout avec passion, ses jeux, ses lectures, elle s'y plongeait avec une telle intensité que le reste du monde s'abolissait. Si on refusait de répondre à ses questions ou si on prétendait lui imposer « des contraintes injustifiées », elle se révoltait et entrait alors dans de telles crises de rage que « sa violence intimidait ». Quand elle dépassait les bornes et qu'il fallait bien l'enfermer dans un petit débarras noir entre les balais et les plumeaux, elle martelait longtemps les murs de coups de poing et de coups de pied. On la punissait peu. Consciente de cela, elle faisait des caprices « pour le seul plaisir de ne pas obéir ». Sur les photos de famille, elle tire la langue, tourne le dos. Elle était d'une vitalité débordante. On s'exclamait autour d'elle : « Mais cette enfant ne peut-elle tenir en place une seconde ! » Au milieu des jeux, des rires, des répétitions, de l'admiration des adultes qui la choyaient, quelque chose n'allait pourtant pas ; des crises la jetaient au sol « violette et convulsée ». De temps en temps éclataient entre ses parents de violentes disputes. La première fois qu'elle en prit conscience son univers chavira : « Je sombrai dans le chaos qui précéda la création. » Ces scènes ne purent altérer la solide joie de vivre qui anima sa petite enfance. Déjà elle passait outre et se construisait une citadelle intérieure d'où tout ce qui pouvait déranger son bonheur était rejeté. C'est l'un des traits les plus marquants de sa personnalité que cette volonté de construire son bonheur, d'en créer les règles, d'en inventer les modalités et de s'y acharner avec un entêtement qu'elle qualifiera elle-même de schizophrène. « Cette aptitude à passer sous silence des événements que je ressentais assez vivement pour ne jamais les oublier est un des traits qui me frappent le plus quand je me remémore mes premières années. »

Georges de Beauvoir continuait à dédaigner les succès qui s'obtiennent par le travail et par l'effort. Il répétait qu'il n'attachait aucune valeur à l'argent, qu'il était au-dessus de ces contingences. Le train de vie de la famille reflétait la médiocrité de ses revenus. Dans la société encore stratifiée d'avant 1914, le nombre et la catégorie des domestiques déterminaient la place des maîtresses de maison dans la hiérarchie sociale. Les Beauvoir n'avaient qu'une bonne à tout faire, alors que certains de leurs parents employaient de nombreux domestiques et des gouvernantes pour ses enfants. A la même époque, les grands-parents de Jean-Paul Sartre avaient trois domestiques, et Raymond Aron, l'ami des années de faculté, raconte dans ses *Mémoires* que sa mère, « dont le train de vie était modeste », avait une femme de chambre et une cuisinière. Les ouvriers aisés, les petits commerçants avaient tous une bonne à tout faire. Un rapport sur les Mines déposé à la Chambre des députés en 1909 indiquait que 20 % des ménages de mineurs avaient une servante. Les règlements de l'armée et de l'administration exigeaient l'embauche d'une domestique à partir d'un certain rang.

Françoise de Beauvoir se sentait responsable de la situation économique puisque sa dot ne serait jamais versée. Elle trouva admirable que Georges ne lui en tînt pas rigueur « et toute sa vie elle se sentit en faute devant lui ».

1914-1918

Le 1er août 1914, à 4 heures de l'après-midi, tous les tocsins des villes, des villages, des hameaux se mirent à sonner. La mobilisation générale était décrétée. Les Allemands venaient de déclarer la guerre. La France se couvrit de drapeaux tricolores, partout résonnait *la Marseillaise*. La France entière voulait s'engager. On s'attendait à 15 % de réfractaires, on en compta à peine plus d'un pour cent. Dans les gares, des vagues d'hommes aux pantalons garance montaient fleur au fusil dans les trains qui les emmenaient. Tout ce qui était allemand devint un objet d'opprobre, des magasins dont les propriétaires avaient des noms à consonance allemande furent pillés.

Emportée par cet élan de patriotisme général, Simone — six ans — piétine un poupon en celluloïd « made in Germany » qui d'ailleurs appartenait à sa sœur, et veut jeter par la fenêtre des porte-couteaux en argent « marqués du même signe infamant ». Elle fabrique de petits drapeaux aux couleurs des Alliés qu'elle plante un peu partout, elle dessine sur un panneau un « vive la France » bleu blanc rouge. Cette petite fille remuante qui n'a aucun don pour les travaux manuels abandonne ses livres et ses jeux pour tricoter des passe-montagnes, découper de la charpie. Son zèle lui vaut de tels compliments qu'elle persévère. Son patriotisme reflétait celui de sa famille dont une partie habitait encore la Lorraine.

Son oncle Hubert Brasseur fut mobilisé et Georges de Beauvoir, qui avait été réformé au moment de son service militaire, fut versé dans les zouaves. Pour compléter sa tenue et se mettre dans la peau du rôle, il se laissa aussitôt pousser une moustache. Simone, pourtant habituée à ses costumes de théâtre, le trouva impressionnant. En octobre, il partit pour le front. Françoise de Beauvoir, comme la France entière, croyait que la guerre serait de courte durée. Paris était très mal informé, les journaux sévèrement censurés ; celui de Clemenceau, *l'Homme libre*, fut interdit à la suite d'une série d'articles qui dénonçaient le transport des blessés dans des wagons à bestiaux non désinfectés où ils avaient attrapé le tétanos. Les communiqués devinrent systématiquement optimistes quand le général Gallieni fut nommé gouverneur militaire de Paris. Il avait réquisitionné tous les taxis parisiens pour transporter au front une division entière et renforcer les troupes qui se battaient avec une énergie désespérée. La bataille de la Marne fut ainsi gagnée, bouleversant toutes les prévisions de l'état-major qui ne croyait pas possible qu'après une retraite de quinze jours les poilus eussent encore la force de s'élancer derrière leurs clairons. La popularité de Gallieni auprès des Parisiens atteignit son apogée.

Trois mois après son départ, Georges de Beauvoir eut une crise cardiaque et fut évacué sur l'hôpital de Coulommiers où il écrivit, pour les blessés, une revue avec le chansonnier Gabriello. Il fut affecté ensuite au ministère de la Guerre. Ayant quitté son uniforme de zouave, il rasa sa moustache. Il se replongea dans ce que Simone de Beauvoir appelle « cette passion têtue », le théâtre. Il continua à jouer dans des spectacles pour les soldats. Gabriello était l'un des rares hôtes des Beauvoir. Il apportait les potins du théâtre aux armées, des chansons, faisait des imitations qui ravissaient Simone. La guerre lui donnait un père plus attentionné. Forcé de rester chez lui, Georges de Beauvoir s'amusait à former le goût de sa fille. Dans un petit cahier de moleskine noire il avait composé une anthologie à son usage : Un Évangile de François Coppée, le Pantin de la petite Jeanne de Théodore de Banville, Hélas si j'avais su d'Hégésippe Moreau. Il lui faisait faire des dictées difficiles choisies chez Victor Hugo. Le soir, pour sa femme et pour ses filles, il lisait à haute voix tout le théâtre de Racine, de Corneille, de Molière, les pièces d'Edmond Rostand, Hernani et Ruy Blas de Victor Hugo, les comédies de Labiche, l'Histoire de la littérature française de Lanson, les Origines de la France contemporaine de Taine, l'Essai sur l'inégalité des races humaines du comte de Gobineau. Éducation littéraire mais aussi éducation politique, il admirait Maurras et Daudet, il était contre le suffrage universel, seuls les gens éclairés auraient dû avoir le droit de vote. Fanatiquement attaché à l'idée qu'il était noble, il méprisait la République tout autant que les « métèques » qui avaient envahi les lettres et les arts : Harry Fragson, le chanteur de l'Entente cordiale, charmait Paris en chantant la Chambrette d'amour, Serge de Diaghilev mettait en scène Salomé d'Oscar Wilde, sur une musique de

Johann Strauss, que Willy, critique musical et mari de Colette, s'obstinait à prononcer « strass », comme tous les Français qui maugréaient contre « ces étrangers ». Nationaliste, boulevardier et xénophobe, Georges de Beauvoir était aussi convaincu de la culpabilité de Dreyfus « que ma mère de l'existence de Dieu », dira Simone de Beauvoir. Le jour où Dreyfus, reconnu innocent, fut réintégré dans l'armée avec le grade de chef d'escadron et reçut la Légion d'honneur, il applaudit le député nationaliste qui par protestation se battit en duel avec le sous-secrétaire d'État à l'Intérieur. Il trouvait vulgaire toute réussite sociale basée sur le mérite et soutenait qu'un individu qui sortait des couches inférieures ne pouvait jamais se défaire « de quelque chose de primaire ». Il affirmait que les Beauvoir avaient un « je-ne-sais-quoi » qui les distinguait des autres. Cette fierté donnait à Simone la confiance en soi et la sécurité intérieure qui auraient pu lui manquer parce qu'ils étaient pauvres. Elle admirait passionnément son père, personne n'avait lu et ne lisait autant que lui dans son entourage, personne ne récitait autant de vers.

Il avait ramené du front quelques jolies nouvelles, mais, prétextant son horreur de la critique imbécile et malveillante, il n'en fit rien, semblable en cela à cet autre auteur velléitaire, le père de Colette, qui avait aligné dans sa bibliothèque des cahiers de papier blanc qui n'eurent jamais de l'œuvre future que le titre.

Georges donna à Simone le culte de la littérature et lui insuffla l'idée « qu'il n'y avait rien de plus beau au monde que d'être écrivain ».

Françoise de Beauvoir partageait avec son mari l'amour des livres. Elle encouragea chez Simone le goût de l'écriture. A sept ans, celle-ci écrit *les Malheurs de Marguerite* et *la Famille Cornichon* où elle présente une parodie de sa famille et montre déjà ce sens de l'humour qui court à travers les *Mémoires*. Françoise de Beauvoir fit recopier les deux histoires par sa sœur Lili qui avait une belle écriture, plus tard elle les fit relier. Simone, soutenue par ses parents, continua à inventer des histoires. Une de ses grand-tantes écrivait des contes pour enfants et l'avait prise pour héroïne dans *la Poupée modèle*.

Depuis 1913, Simone allait à l'école. A cinq ans et demi elle était entrée en classe « zéro » au cours Adeline Désir, un institut pour jeunes filles créé en 1853, situé 39, rue Jacob, dans l'ancien hôtel de la famille Anspach, branche cadette de la maison de Brandebourg. Le procès de béatification de la fondatrice, qui avait donné son nom à l'établissement, était en cours à Rome.

Le cours Désir ne pouvait rivaliser avec les grands pensionnats aristocratiques de Paris, la maison des Oiseaux ou l'institution des Dames de Sainte-Clotilde ; le nom même d'une école vous classait. Les petites classes aux effectifs réduits recevaient surtout les enfants dont les parents ne pouvaient avoir une institutrice à domicile. Les cousins et cousines de Simone : Jeanne de Beauvoir et ses frères, Jacques et Thérèse, dite Titite, Champigneulles, avaient des gouvernantes, des institutrices, des précepteurs comme c'était la coutume dans la bourgeoisie aisée. Jean-Paul Sartre, ce petit garçon de huit ans qui grandissait de l'autre côté du Luxembourg, eut une préceptrice, Marie-Louise, jusqu'à son entrée au lycée. Aller à l'école donnait à Simone l'impression d'être différente, d'avoir une vie à elle.

Françoise de Beauvoir veillait sur les études de cette enfant douée avec une constance qui ne se démentira pas un seul jour et qui finira par peser lourdement à Simone. Elle lisait des quantités de livres sur l'éducation, demandait conseil à l'Association des mères chrétiennes, et suivait de très près l'enseignement donné au cours Désir. Elle la conduisait elle-même au cours, assistait à ses classes. La pression des parents dans l'enseignement libre était alors beaucoup plus contraignante que dans l'enseignement laïc. Les familles surveillaient les programmes, les professeurs, la préparation des examens, la discipline et les cours : « Nos mères installées sur des canapés de moleskine noire tricotaient ou brodaient. » Pour pouvoir la suivre dans ses études, Françoise de Beauvoir commença à étudier le latin, elle enseigna à Simone l'anglais et le piano, et même si elle avait la main leste, ses gifles ne faisaient pas grand mal. A huit ans, Simone lisait dans le texte des romans anglais. « Nous vivions, elle et moi, dans une sorte de symbiose. »

Comme Mme de Staël, tout intéressait et tout étonnait Simone de Beauvoir, sa curiosité était universelle. Elle se passionnait autant pour les plantes et les insectes que pour les planches de son atlas. S'emparant de toutes les connaissances avec ardeur, son bonheur ne s'émoussait jamais. Son devoir d'élève du cours Désir se confondait avec son plaisir. Elle découvrait qu'elle pouvait se dépasser elle-même dans ses réussites scolaires, toutes ses activités s'ordonnaient et menaient quelque part. « Sans trêve je répondais à une exigence qui m'épargnait de me demander : pourquoi suis-je ici ?... De mon fauteuil studieux, j'entendais l'harmonie des sphères. » En lisant, en apprenant, elle constatait qu'elle pouvait atteindre à l'absolu. Très tôt, elle eut conscience d'être chargée de la mission de dévoiler le monde : « Il fallait réveiller le passé, éclairer les cinq continents, descendre au centre de la terre et tourner autour de la lune. Quand on m'astreignait à des exercices oiseux, mon esprit criait famine... j'étais frustrée et j'étais coupable. » Elle aimait l'étude et tout ce que la connaissance des choses lui apportait, mais, dès l'enfance, derrière la soif de connaître, il y avait un désir de conquérir le monde à travers le temps, à travers l'espace. Elle regardait ses livres de classe, de beaux livres pleins d'images et de cartes : elle voulait animer les personnages, avoir le pouvoir de déployer les paysages. « Autant que leur sourde présence, l'empire que j'avais sur eux me grisait. » La lecture sera toujours pour elle la grande aventure, la grande moisson d'images et d'idées qui surpasse tous les autres plaisirs. Le jour où sa mère la conduisit au cabinet de lecture où elle avait un abonnement et lui annonça que dorénavant Simone aurait aussi le sien, « J'éprouvai une des plus grandes joies de mon enfance... Tout cela est à moi ! me disais-je éperdue. La réalité dépassait le plus ambitieux de mes rêves : devant moi s'ouvrait le paradis, jusqu'alors inconnu, de l'abondance. » Il n'y aura qu'un bonheur plus grand que celui de la lecture, ce sera celui de l'écriture, elle le découvrira très jeune.

Pendant ces années de guerre, l'intimité de la famille qui, le soir, serrée autour du calorifère, écoutait la belle voix du père récitant quelque poème, faisait dire au futur écrivain : « Nous quatre que nous sommes heureux ! » mais, ajoute-t-elle, « deux ou trois souvenirs démentent ce portrait et me font supposer qu'il eût suffi de peu de chose pour ébranler mon assurance ».

Comme soldat de deuxième classe, Georges de Beauvoir gagnait cinq sous par jour et la famille tirait le diable par la queue. Françoise de Beauvoir cessa de sortir. Il n'était plus question pour elle de monter sur les planches. Les salons parisiens de la Belle Époque avaient perdu leurs habitués. Dans la nuit du 2 au 3 septembre 1914, le gouvernement avait quitté la capitale, emmenant dans son sillage journalistes, gens de théâtre, courtisanes, riches oisifs et gens d'affaires.

La mère de Simone organisa minutieusement son temps et ses finances. Chaque centime qui passait par ses mains était marqué dans un grand livre noir. Au fur et à mesure que la France s'enlisait dans cette guerre interminable, le ravitaillement devenait plus difficile. Françoise s'ingénia à trouver des aliments : topinambours, bettes, crosnes, viande de cheval. Elle confectionnait des soupes avec des farines, des omelettes sans œufs, des « margarines douteuses » remplaçaient le beurre et l'huile, une amère saccharine s'était substituée au sucre. On buvait de la « figuette », un vin fabriqué à la maison avec des figues sèches fermentées. Les signes de la guerre étaient partout. Les jeux des enfants sont un reflet du monde où ils vivent, ceux de Simone et de Poupette devinrent de véritables psychodrames : dans une ville assiégée, elles résistaient à la famine et déployaient des trésors d'ingéniosité « pour tirer un maximum de profit des ressources les plus infimes ».

Pastichant l'un des nombreux récits de ce temps, Simone se met à écrire une histoire où elle raconte les aventures d'une héroïque orpheline alsacienne qui fait traverser le Rhin à ses frères et sœurs pour gagner la France. Les difficultés géographiques de l'entreprise arrêtent ce premier essai littéraire. Alors elle invente des jeux appropriés aux circonstances, sa sœur est le tsar et elle, Poincaré.

Tout l'enseignement était lié à la guerre. On lisait en classe *le Petit Soldat de sept ans, Lettre d'une Lorraine à son frère* ou *les Lettres aux Français*, brûlantes du souffle patriotique, on récitait *le Legs d'une Lorraine* d'André Theuriet, *Morts pour la patrie* de Victor Hugo, ou *Parole d'un père soldat à l'écolier* de Victor de Laprade. Les sujets de composition reflétaient ce souci de montrer aux enfants qu'eux aussi travaillaient pour la patrie en travaillant pour eux-mêmes et que s'efforcer de bien faire était un devoir patriotique et un acte de reconnaissance envers ceux qui combattaient pour eux. Durant les quatre années de la guerre, les enfants des écoles participèrent à toutes les journées de collectes publiques : la « Journée du Soldat au front », la « Journée des Belges » réfugiés en France, la « Journée du 75* », « Noël aux Armées », la « Journée du Poilu », la « Journée des soldats tuberculeux », etc. Les petits vendeurs d'insignes rivalisaient de zèle. A Montparnasse, les enfants du chapelier Paul habillés en Alsaciens remportaient beaucoup de succès. Simone (sept ans) et Hélène (cinq ans) s'étaient illustrées en arborant de petites capotes militaires

---

* Le célèbre canon.

bleu horizon que leur mère avait fait tailler dans une pièce de drap qu'on lui avait donnée.

Le XIVe arrivait en tête de tous les arrondissements de Paris pour les sommes récoltées avec les insignes vendus dans la rue. C'est qu'on se pressait dans les cafés du boulevard du Montparnasse. Si on jouait encore aux dominos au Dôme, la Rotonde accueillait une clientèle nouvelle, les permissionnaires venaient y oublier l'horreur des tranchées, des étrangers bloqués par la guerre discutaient au fil des heures des nouvelles vraies ou fausses qu'ils avaient de chez eux. On y voyait des femmes maquillées, aux cheveux courts selon la mode lancée par Hélène Perdriat, et toujours des artistes aux tenues étonnantes. « C'est un repaire de défaitistes », répétait Georges, et à Simone qui lui demandait ce que c'était qu'un défaitiste, il répondait : « Un mauvais Français qui croit à la défaite de la France. »

Les privations de la guerre eurent raison de la bonne santé de Simone. A huit ans, elle était devenue « malingre et timorée ». Un médecin prescrivit des cours de gymnastique. On lui trouva un maillot tellement étriqué qu'une de ses tantes s'écria en la voyant : « Elle a l'air d'un petit singe. » Ces mots cruels prirent tout leur sens quand elle se retrouva avec les élèves du cours de gymnastique « où les filles portaient des costumes en jersey bleu pâle, aux jupes courtes et gracieusement plissées ». Ces enfants couraient, sautaient, cabriolaient, riaient avec « la hardiesse que je croyais l'apanage des voyous. Je me sentis soudain gauche et laide : un petit singe. »

Dans les *Mémoires d'une jeune fille rangée*, elle reviendra souvent sur ce fait : « mes robes informes accentuaient ma gaucherie... J'avais tristement conscience de ce que confirment les photos : mal attifée, pataude... » ou « ma cousine Annie qui souvent me faisait cadeau de ses défroques... ».

Dans *Quand prime le spirituel*, ces récits où Simone de Beauvoir essaie de régler une fois pour toutes les comptes avec son passé, elle se décrit ainsi : « J'avais toujours ma robe violine, des bas de fil souvent troués, de gros souliers, sans fards et les ongles sales. » Ou se souvenant de son voyage chez son amie d'enfance Élisabeth L..., elle revoit « les bas de fil, la robe d'été que le soleil avait mangée par plaques ». Zaza était obligée de lui prêter des toilettes quand il venait du monde « et les petites riaient sous cape ». Simone de Beauvoir se souvient encore : « Ma sœur et moi, nous usions nos vêtements jusqu'à la corde et un peu au-delà. » Quelquefois, à Noël, elles étaient invitées à « des fêtes d'un luxe étourdissant » où les petites filles portaient des robes de soie et de dentelles, alors que « nous portions des robes de lainage aux couleurs mortes ».

Le rêve des alchimistes

Gustave Brasseur ne s'était pas résigné à sa ruine. La guerre lui vint en aide, il se retrouva à la tête d'une petite fabrique de chaussures. Grâce aux commandes de l'armée, l'affaire allait assez bien. Optimiste et chimérique, il échafaudait des projets pour refaire fortune. C'était chez lui une obsession. Il jugeait l'entreprise de chaussures trop peu de chose. Dans le quartier, les bâtisseurs de rêve ne manquaient pas. A Montparnasse, l'on vendait de tout et tout se vendait. Roland Dorgelès raconte dans ses souvenirs les entreprises étranges auxquelles on se livrait à l'époque et auxquelles il participa. Le sculpteur espagnol Manuel-Martinez Huiguë, dit Manolo, exploitait sans vergogne les habitants du XIVe. Il avait organisé une loterie dont le prix était un buste qu'il avait sculpté. Il racontait que c'était une antiquité et présentait une attestation signée de noms illisibles. Si l'un des acheteurs lui demandait la date du tirage, il répondait : « La loterie est finie, c'est André Salmon qui a gagné le buste. » Inutile de préciser que le poète André Salmon était complice.

Dans ce milieu, Gustave Brasseur trouva une combinaison à sa mesure. Il avait rencontré un alchimiste qui avait transformé sous ses yeux du plomb en or. Un jour, il arriva chez les Beauvoir, et sortit de sa poche un petit lingot d'or. Devant cette preuve évidente de la transmutation des métaux, Gustave Brasseur imagina des millions pleuvant sur toute la famille. Il suffisait de financer l'alchimiste. De sa voix rugueuse il essayait de persuader sa femme, ses filles, son beau-fils. En faisant faillite, il avait perdu le droit de disposer d'aucun fonds sans l'accord de sa femme et de ses enfants. Les conversations dégénéraient en disputes ; dans l'énervement Simone et sa sœur recevaient quelques gifles. Au fond de son lit, la nuit, la petite fille entendait « le tumulte haineux de la colère » et se cachait sous ses draps « le cœur gros ». Les querelles d'argent, les difficultés d'argent, le manque d'argent faisaient partie de sa vie quotidienne.

A Paris, les prix augmentaient. Le 15 mars, le tsar de toutes les Russies abdiquait, toutes les grandes villes russes étaient aux mains des révolutionnaires, les armées n'obéissaient plus. A Paris, on se réjouissait de la chute du tsar qu'on soupçonnait de vouloir signer un traité de paix séparée avec l'Allemagne. On s'imagina que les armées révolutionnaires allaient attaquer avec plus d'énergie l'empire austro-hongrois. C'est qu'en France le moral était au plus bas. La grande offensive d'avril avait été un échec. La bataille de Verdun, une tuerie où plus de 700 000 soldats des deux côtés avaient été tués. Des troupes s'étaient mutinées ou refusaient de se battre. Les ouvriers de soixante et onze industries s'étaient mis en grève. De violents défilés avaient traversé Paris aux cris de « A bas la guerre ! ». On imaginait des espions partout. Persuadé que les Allemands allaient assiéger la capitale, Gustave Brasseur organisait la fuite de la famille. Bon marcheur, il avait préparé un plan pour se rendre à pied à Longjumeau dans la vallée de l'Yvette.

Le sommeil de Simone devint de plus en plus agité. Sa mère lui donnait chaque soir une tisane de fleurs d'oranger pour qu'elle ne rêvât pas toute la nuit de blessés et de réfugiés. Il faisait encore plus froid dans l'appartement : Simone et Poupette avaient les mains couvertes d'engelures. Les taubes lâchaient des bombes sur Paris toutes les nuits. Georges de Beauvoir refusait de descendre à la cave. Françoise alla y mettre ses filles à l'abri deux ou trois fois puis décida de suivre l'exemple de son mari. Ainsi survivraient-ils ou mourraient-ils ensemble.

Pendant toute la guerre, Simone ne manqua pas un jour de classe. Souvent elle se retrouva seule, « avec une grande niaise de douze ans », en face de son institutrice. Le cours Désir s'était vidé de la plupart de ses effectifs, les enfants du VIIe arrondissement étaient partis à la campagne. La plus grande partie des bâtiments servait d'hôpital. « Un jour, quand j'arrivai avec maman et ma sœur, rue Jacob, nous trouvâmes l'immeuble vide : tout le monde était descendu à la cave. L'aventure nous fit beaucoup rire. Décidément, par notre courage, nous démontrions que nous étions des gens à part. »

1918. La France célèbre la Victoire dans un enthousiasme collectif. On fêtait les démobilisés et les prisonniers. Les galas succédaient aux galas, les manifestations patriotiques aux manifestations patriotiques, les commémorations aux commémorations. On se pressait aux théâtres, aux cabarets, aux cinémas, dans les dancings et les boîtes de nuit. Au carrefour Vavin, à la Rotonde, nuit et jour, le tapage était à son comble. On s'embrassait, on pleurait, on hurlait « Vive la France ! ». Le cauchemar avait duré quatre ans, les pertes en vies humaines étaient énormes : 1 400 000 soldats tués sur le front, sans compter plus de trois millions de blessés.

De son balcon, Simone pouvait voir le cortège des corbillards qui remontaient le boulevard Raspail jusqu'au cimetière Montparnasse. Après les tranchées, la grippe espagnole faisait des ravages, 100 000 morts en 1918. Hubert Brasseur, le jeune oncle de Simone, à peine revenu du front, succombait au fléau, et Montparnasse pleurait Apollinaire.

La fin de la guerre n'apporta aucun soulagement financier à la famille. Dès le printemps 1919, le franc s'était affaibli, l'inflation était galopante. La vie chère préoccupait tout le monde. Aussitôt démobilisé, Georges de Beauvoir fut persuadé par son beau-père de s'associer avec lui et devint co-directeur de la fabrique de chaussures. Quelques mois plus tard, l'entreprise insolvable devait fermer ses portes.

Gustave Brasseur sortit sa dernière carte. Son fils avait inventé « un modèle de boîte de conserve qui s'ouvrait avec une pièce de deux sous ». Ils allaient l'exploiter et enfin seraient riches. On vendit les derniers bijoux, on emprunta. Dans l'intervalle un concurrent leur vola le brevet. Avec l'énergie du désespoir on lui fit un procès, mais le concurrent le gagna.

Il fallait vivre. Mme Brasseur se mit à tricoter des vêtements d'enfants à longueur de journée. Gustave Brasseur, rouge, chauve, le menton « sali d'une mousse grisâtre », vivait dans un état d'anxiété incessant. Il ne parlait que de traites, d'hypothèques, de créances et, le jeudi, quand Simone et Hélène déjeunaient avec eux, si un coup de sonnette retentissait, « il posait un doigt sur ses lèvres et nous retenions notre souffle ».

II. 71, rue de Rennes

« Ma vie à moi conduira quelque part. »

Mémoires d'une jeune fille rangée, p. 145.

« Les jours les plus sombres »

« A la maison, on ne laissait rien perdre : ni un croûton de pain, ni un bout de ficelle, ni un billet de faveur, ni aucune occasion de consommer gratis. » On économise tellement que Simone poursuit dans ses jeux des rêveries de rigueur et d'économie. Le gaspillage est devenu une hantise. A l'école, elle se met à écrire en lettres minuscules à peine lisibles et remplit les moindres blancs de ses carnets. Ses institutrices s'alarment de ce qu'elles prennent pour des signes d'avarice précoce.

Pendant les années de guerre, les privations personnelles et les difficultés nationales pouvaient se confondre. Après la deuxième faillite, celle de l'usine de chaussures, la pauvreté pesa sur la famille. En automne 1919, il fallut déménager, quitter l'appartement du carrefour Vavin, et le balcon au-dessus de la Rotonde, pour s'installer dans un cinquième sans ascenseur au 71, rue de Rennes. En apprenant qu'elle ne verrait plus de son balcon le spectacle de son boulevard, Simone éprouva un grand désespoir. « On me coupait du monde, on me condamnait à l'exil. »

La cuisine et le bureau donnaient sur un mur de la caserne des pompiers. On ne voyait que des toits, le ciel se réduisait à un lieu géométrique. Les pièces étaient sombres, il n'y avait pas d'eau courante dans le cabinet de toilette ; on y transportait l'eau dans des brocs, une lessiveuse, sous le lavabo, recueillait les eaux usées que Georges de Beauvoir devait vider.

Simone et Hélène partageaient une chambre si étroite qu'en dehors de leurs lits, il n'y avait de place pour aucun meuble. Une seule pièce, qu'on appelait le bureau, était chauffée par un feu de bois. Là se concentraient les activités de la famille. Françoise de Beauvoir mettait toute son énergie à pratiquer l'économie avec le maximum d'efficacité, réchauffant les restes, reprisant les vêtements, allongeant les ourlets, retournant les vieux manteaux. Elle ne prenait jamais le métro ou l'omnibus sans y travailler à un tricot ou à de grosses dentelles pour les jupons de ses filles. Elle assumait seule les tâches d'un ménage sans argent. Il fallait déplacer de pesantes lessiveuses, monter le charbon, le bois, frotter les planchers à genoux. Dans une lettre à un ami*, en 1950, Simone de Beauvoir décrira l'escalier délabré et l'appartement sombre et sale où elle avait grandi. Les travaux ménagers excédaient sa mère. Celle-ci se révoltait contre les contraintes et les corvées qui l'humiliaient, elle avait l'impression de déchoir. Très vite, l'aspect de Françoise devint celui d'une femme surmenée, elle cessa de se soigner. Un jour qu'elle portait un chapeau de velours à voilette, Poupette s'écria, charmée : « Maman tu as l'air d'une dame chic ! » Elle rit sans arrière-pensée car « elle ne se piquait plus d'élégance. Pour elle-même et pour ses filles elle poussait le mépris du corps jusqu'au manque d'hygiène ».

Convaincue que les études étaient leur seule planche de salut, elle demandait le moins possible d'aide à Simone et à Poupette. Simone avait pour tâche de moudre le café et de descendre tous les jours la poubelle trop petite d'où s'échappaient les épluchures, les papiers gras qu'elle ramassait avec dégoût avant de presser le tout dans les grands bacs toujours pleins en essayant de ne pas se faire houspiller par la concierge. Il lui incombait aussi de découper en carrés les vieux

---

* Lettres inédites à Nelson Algren.

journaux et de les enfiler sur une ficelle qu'on accrochait dans les cabinets.

Françoise de Beauvoir enseignait à ses filles que la vertu et la culture comptaient plus que la fortune, et leur faisait lire, au lieu de *la Semaine de Suzette*, *l'Étoile noëliste* qui rappelait à ses lecteurs les vertus de la pauvreté. Elle partageait avec son mari la certitude que par leur éducation ils appartenaient à l'élite. Malgré la pénurie dans laquelle la famille se débattait, Simone était persuadée que, « moralement, donc absolument », ils l'emportaient de loin sur le reste de la société. Quant à Georges de Beauvoir, il citait Edmond Rostand : « Moi, c'est moralement que j'ai mes élégances. »

Après la faillite de l'usine de chaussures, un de ses cousins, Choppin de Janvry, lui avait procuré un emploi au journal *le Gaulois* : aller trouver les compagnies qui lançaient de nouvelles actions sur le marché en leur proposant de faire de la publicité payante dans le journal qu'il représentait. En cas de refus, il leur laissait discrètement entendre que le journal les desservirait auprès de ses lecteurs. Ce chantage lui permettait à peine de vivre. Ce mondain qui mettait autrefois les belles manières au-dessus de tout « manifestait par des éclats sa rage d'être déclassé* ». Il ne tolérait pas de se voir mêlé à une classe qu'il considérait comme inférieure et le montrait par une conduite bruyante et agressive. Dans les autobus, il insultait les passagers, en public, il critiquait tout avec arrogance. Il affectait d'employer le langage des gens qu'il jugeait du commun en renchérissant sur leur vulgarité. « Il s'appliquait si bien à paraître trivial qu'à la fin personne sauf lui ne pouvait penser qu'il ne l'était pas. » Il donnait à Simone l'impression d'avoir « délibérément négligé » la fortune et le succès. Il se posait en méconnu, « victime d'obscurs cataclysmes ». Les hommes qu'il citait en exemple à ses enfants étaient les plus fabuleux génies de la terre, mais « l'excès même de leur génie les vouait à l'erreur ». Victor Hugo, Zola, Anatole France faisaient l'objet de ses sarcasmes, dans l'appartement à la moquette usée jusqu'à la trame. Il pesait leur style, leur pensée, et « opposait à leurs aberrations une sereine impartialité ». Il s'écoutait parler. Sa femme et ses filles suivaient, captivées, le déroulement de sa pensée « insaisissable et infinie. Gens et choses comparaissaient devant lui : il jugeait souverainement ».

* Dans le *Bottin mondain* sa profession était toujours : avocat à la Cour.

En politique, il était d'extrême droite. Pour lui, la civilisation française était en train de mourir à cause des métèques et des Juifs, mais aussi des intellectuels et de leurs billevesées : droits de l'homme, pacifisme, internationalisme, socialisme. Il vouait aux gémonies la terre entière.

Son amour du théâtre surnageait. Ayant perdu la plupart de ses relations, il se produisait dans les patronages de banlieue animés par M. Jeannot, « grand zélateur du théâtre chrétien », et faisait jouer avec lui Poupette qui était ravissante. Simone avait tenu le rôle de Mme de Sévigné enfant sur la scène du cours Désir, mais elle refusa de remonter sur les planches après une fête chez de riches cousins pour laquelle Georges de Beauvoir avait composé une revue en vers. Habillée en Espagnole, elle devait y parader et lancer des œillades en jouant de l'éventail, pendant que Poupette, qui était la meneuse de jeu, vêtue d'une grande robe de tulle constellée d'étoiles, chantait sur l'air de *Funiculi-Funicula* :

> *Voici venir vers nous une belle personne*
> *qui se pousse du col* (bis)
> *C'est bien le chic parfait de Barcelone*
> *le pas espagnol* (bis)

Elle s'était sentie gauche, empruntée, mal à l'aise, elle préférait désormais suivre en spectatrice son père et sa sœur.

Grâce à Alexandre Vargas, la famille continuait à entendre les potins des coulisses et à recevoir des billets de faveur. Georges de Beauvoir redevenait alors courtois et volubile : « En de rares occasions — quand nous allions au théâtre, et que son ami de l'Odéon le présentait à une actrice connue — il retrouvait toutes ses grâces mondaines. » Quant à Simone, pleurant à *Cyrano*, sanglotant à *l'Aiglon*, frémissant à *Britannicus*, elle cédait corps et âme aux sortilèges de la scène.

Du côté de Meyrignac

L'été apportait un répit dans la vie de Simone. Les contraintes, les frustrations imposées par l'exiguïté de l'appartement de la rue de Rennes, glacial en hiver et sans autre vue que les toits et un petit bout de ciel, s'évanouissaient dès l'arrivée des vacances. On partait pour le Limousin, on partait pour Meyrignac où Ernest de Beauvoir s'était retiré. On quittait Paris dans l'énervement et les éclats de voix. Dès 1914, il avait fallu renoncer à voyager en première classe, même en seconde, on voyageait en troisième. Dans cette société rigoureusement cloisonnée, les voyageurs de troisième appartenaient à un autre monde que ceux des deuxièmes qui n'avaient rien de commun avec ceux des premières. A la gare, les porteurs se faisaient tirer l'oreille pour prendre les paquets des voyageurs de troisième. Françoise s'emportait contre eux. « On s'épuisait à transporter les bagages, à les enregistrer, à les surveiller. » Dans le compartiment, Georges jurait, bousculait les voyageurs, les insultait, faisait allusion aux gens avec qui il avait l'habitude de frayer : les autres passagers répliquaient, le ton montait. Cet « exhibitionnisme agressif » mettait Simone mal à l'aise. Elle rêvait du moment où le train entrerait en gare d'Uzerche : on chargerait les malles sur une charrette tirée par un âne et, à pied, à travers les châtaigneraies, on dépasserait Meyrignac, un hameau de quatre fermes, endormi au cœur de l'une des régions les plus pauvres et les plus défavorisées de France. L'espace d'un été, les Beauvoir redeviendraient des châtelains dans la propriété familiale.

Dans l'abondance, Françoise se détendait aussitôt, Georges retrouvait sa bonne humeur. Son frère aîné Gaston, le propriétaire de Meyrignac, était là avec toute sa famille, mais c'est grand-père de Beauvoir qui donnait le ton. Cet octogénaire bon vivant fredonnait du matin au soir. Il descendait de sa chambre vers midi, le menton rasé de frais, ses favoris blancs soigneusement brossés, la Légion d'honneur au revers de son veston. Il commentait *l'Echo de Paris* jusqu'à l'heure du déjeuner.

La gourmandise de Simone était proverbiale. Toute la matinée, elle faisait ses devoirs de vacances en humant des odeurs de caramel et des fumets qui lui promettaient des délices. Elle n'était jamais déçue. Perdrix aux choux, vol-au-vent de poulet, canards aux olives, râble de lièvre, pâtés, tartes, tourtes, frangipanes, flognardes, clafoutis se succédaient sur l'air des *Cloches de Corneville* que jouait le dessous de plat. Tout au long du repas, on riait, on déclamait, on chantait, on s'arrachait la parole, souvenirs, anecdotes, citations, bons mots, calembredaines fusaient. Après le festin, les enfants étaient libres de partir explorer le pays, de courir les châtaigneraies, les champs. Comme les écureuils, Simone remplissait des caches : deux pommes ici, trois pommes là, plus tard, un livre à la main, elle les croquerait en lisant, tout en rêvant du pain grillé et du chocolat du goûter. Quelquefois elle partait en compagnie de son grand-père. Il lui apprenait le nom des arbres, des fleurs, des champignons, des plantes, des oiseaux exotiques qu'il élevait dans des volières.

Il avait fait aménager une petite rivière. Deux ponts menaient à un îlot de verdure, une cascade artificielle tombait dans un lit de nénuphars, des poissons rouges nageaient dans de petits bassins. Des paons se promenaient dans le parc où poussaient des espèces rares.

Le soir, dans le salon aux fauteuils recouverts de peluche verte et aux rideaux de mousseline jaune, Françoise de Beauvoir jouait du piano et chantait les airs préférés d'Ernest de Beauvoir que toute la famille reprenait en chœur. Puis l'on montait se coucher. Quelque temps encore, la grande bâtisse résonnait du va-et-vient, avant de s'enfoncer dans le silence.

Alors Simone goûte ce luxe : avoir une chambre à soi. Elle s'était émerveillée quand son amie Zaza lui avait fait visiter sa chambre dans l'immense appartement des L..., rue de Varennes. A Meyrignac son rêve d'espace est comblé. Par la fenêtre, le monde entier vient à elle, les souffles de la nuit, l'odeur des lauriers-cerises, les bruits de la fontaine, les rumeurs des bêtes dans l'étable, elle se raconte qu'un jour elle courra le monde sans laisser un seul pré inexploré. Cette solitude l'exalte.

A vingt kilomètres de là vivait tante Hélène, la sœur aînée de Georges de Beauvoir. Elle habitait le château de la Grillère, vaste demeure construite vers 1870, ornée de cors de chasse, de bêtes empaillées, de plumes de paon. On n'utilisait habituellement qu'une seule pièce, la salle de billard, le reste dormait dans la naphtaline. Tante Hélène, qui avait une cuisinière, Maria, et une femme de chambre, Anna, passait ses journées à inspecter ses armoires. Oncle Maurice parcourait ses bois à cheval. Au déjeuner, il préparait cérémonieusement la salade selon la tradition qui réservait ce privilège au maître de maison. Leurs deux enfants, Robert et Madeleine, élevés par des précepteurs, grandissaient sans contraintes. Robert chassait et pêchait les écrevisses. Madeleine, avide lectrice de romans, rêvait d'amours passionnées ; elle lisait ce qui lui plaisait alors que les lectures de Simone étaient soigneusement choisies et censurées, les passages interdits pincés par des épingles.

Chaque année, les Beauvoir passaient quelques jours à la Grillère, où les repas étaient planteureux. Le soir, dans la salle de billard, tante Hélène posait le plus tard possible une lampe à pétrole sur la table. Assis dans leurs fauteuils, oncle Maurice et Robert attendaient en silence l'heure du coucher en feuilletant *le Chasseur français*. Quelquefois tante Hélène se mettait au piano et chantait des romances 1900 dont les couplets inconvenants enchantaient Simone et Poupette qui n'en laissaient rien paraître. Ces deux mois et demi en Limousin permettaient aux enfants d'engranger une provision de santé et de joie. Elles étaient libres. Simone lisait, écrivait couchée à plat ventre, Poupette dessinait. Elles inventaient leur vie, elles se racontaient qu'elles allaient devenir célèbres. Elles partaient explorer les Landes, les châtaigneraies, les champs à des kilomètres à la ronde, goûtant aux mûres des buissons, croquant des noisettes, des arbouses, des cornouilles, des pommes, écorchant bras et jambes dans les sentiers touffus, au milieu des abeilles, des oiseaux, dans l'odeur du chèvrefeuille, du regain. Simone se sentait devenir « l'odeur houleuse des blés noirs, l'odeur intime des bruyères, l'épaisse chaleur du midi ou le frisson des crépuscules ; je pesais lourd ; et pourtant je m'évaporais dans l'azur, je n'avais plus de bornes ».

Élisabeth L...

Avant sa rencontre avec Sartre, le plus grand coup de cœur de Simone de Beauvoir fut pour une camarade de classe. Elle avait dix ans quand Élisabeth L... arriva au cours Désir auréolée de romantisme. Gravement brûlée dans un accident, elle avait passé un an allongée en proie à d'atroces souffrances. Les cheveux courts, l'allure garçonnière, elle étonna Simone par son aisance et sa désinvolture. Zaza*, on l'appelait ainsi, faisait la roue, le grand écart, se suspendait par les pieds aux branches des arbres, montait à cheval, jouait au tennis. Elle circulait seule dans les rues. Elle avait visité l'Italie, lu des poètes interdits à Simone, et provoquait le scandale au cours en écrivant qu'elle préférait Alceste à Philinte et Napoléon à Pasteur. Elle rédigeait un journal intitulé *Chronique familiale* qu'elle polycopiait et expédiait aux membres de sa nombreuse famille : huit frères et sœurs, une armée d'oncles, de tantes, de cousins.

Zaza avait l'esprit caustique et raillait volontiers tout le monde y compris elle-même. Elle méprisait l'humanité qui lui

* Zaza Mabille dans les *Mémoires*.

semblait peu estimable, et affichait un cynisme violent pour les gens qui ne respectaient que l'argent et les dignités sociales. Toute hypocrisie la révoltait.

Simone écoutait éblouie. Enfin quelqu'un qui disait tout haut ce qu'elle pensait tout bas ! Elle se prit d'une véritable passion pour Zaza. Lorsque celle-ci disparut du cours Désir pendant quinze jours, Simone perdit tout son entrain.

« Le bleu du ciel s'était terni. Les classes m'ennuyèrent... mes journées n'avaient plus de goût... on aurait dit que sans prévenir le monde était mort... quand Zaza apparut, nous nous sommes mises à parler, à raconter, à commenter ; les mots se précipitaient sur mes lèvres, et dans ma poitrine tournoyaient mille soleils ; dans un éblouissement de joie, je me suis dit : " C'est elle qui me manquait ! " Si radicale était mon ignorance des vraies aventures du cœur que je n'avais pas songé à me dire : " Je souffre de son absence. " Ce fut une évidence fulgurante. Brusquement conventions, routines, clichés volèrent en éclats et je fus submergée par une émotion qui n'était prévue dans aucun code. Je me laissai soulever par cette joie qui déferlait en moi, violente et fraîche comme l'eau des cascades... »

Simone avait dix ans, elle lisait tous les matins un chapitre de *l'Imitation de Jésus-Christ*. Son confesseur et sa mère encourageaient son penchant à l'ascèse. Son intelligence la séparait de ses camarades, elle n'était pas arrogante mais son insatiable curiosité des êtres et des choses ne trouvait pas à se satisfaire. « J'aimais faire parler les gens. Les autres élèves du cours ne tenaient pas le coup. » Romantique et passionnée, sa bouillante imagination ne s'exprimait jamais ouvertement, elle se vivait déjà comme un être hors série : l'héroïne des livres qu'elle allait écrire. Elle espérait que quelqu'un la reconnaîtrait, qu'elle ne serait plus seule. L'arrivée d'Élisabeth L... combla ses vœux, le reste du monde avait cessé d'exister. Hélène de Beauvoir avoue que l'amitié de Zaza a été le grand drame de son enfance, car brutalement sa sœur la délaissa. Simone se donna totalement, fanatiquement à cette amitié qui lui causait des tortures qu'elle ne comprenait pas, sans que Zaza en soupçonnât jamais l'intensité. Car, à l'âge de Roméo et Juliette, le cœur de celle-ci brûlait pour son cousin André. Mais leurs familles, qu'une vendetta digne des Capulet et des Montaigu avait rendues ennemies, leur interdisaient de se voir. C'est beaucoup plus tard que Simone apprit avec étonnement le secret de son amie. Quant à elle, pendant toute son adolescence, elle n'avait aimé que Zaza. Timide, réservée, elle ne laissa jamais entrevoir le tumulte de son cœur. Elle se consolait en poursuivant avec Zaza un dialogue imaginaire. Lisant *l'Ecolier d'Athènes* d'André Laurie, elle s'identifiait à l'écolier sérieux subjugué par le bel Euphorion, jeune aristocrate impertinent en qui elle voyait le reflet de son amie.

Au contact d'Élisabeth et de sa famille la vision du monde de Simone se modifiait. Mme L... donnait à ses neuf enfants une éducation à la fois libérale et bien-pensante. Simone comparait l'aisance souveraine, calme et souriante, de cette grande bourgeoise au rigoureux conformisme de sa mère.

Maurice L... était polytechnicien, il avait été ingénieur en chef des chemins de fer d'Orléans avant de devenir directeur des usines d'une célèbre marque d'automobiles. Catholique et libéral, il avait fait partie du Sillon, mouvement politique et social qui se voulait l'organe de l'« internationale démocratique ». Marc Sangnier, son fondateur, organisait des réunions pacifistes et antiracistes, il mit en place les Auberges de la Jeunesse. Démocrate chrétien, Maurice L... défendait ses idées dans des conférences publiques. Simone assistera, entraînée par Zaza, à un débat entre M. L... et Henri Massis qui militait dans les rangs de l'Action française. La lutte entre les deux factions était quelquefois brutale. Un groupe d'Action française avait coincé quelques supporters de Marc Sangnier et les avait forcés à boire de larges rasades d'huile de ricin. Georges de Beauvoir s'en réjouit. Il soutenait toujours les vues de l'extrême droite maurrassienne.

L'engagement chrétien dans la vie politique était pour Simone une notion étrangère. Au 71, rue de Rennes, Georges de Beauvoir était incroyant, Françoise de Beauvoir avait trouvé dans la religion un refuge contre les infidélités de son mari et dans l'Évangile une consolation de sa pauvreté, mais c'était pour elle une démarche intellectuelle, non une lutte politique. Elle lisait d'innombrables ouvrages de piété, des vies de saints, des livres touchant l'éducation chrétienne qu'elle annotait soigneusement. Elle encourageait les tendances au mysticisme de Simone. Elle lui avait fait lire une foison de romans dont le Christ était le héros et Simone contemplait en imagination « avec des yeux d'amoureuse » son beau visage tendre, son corps sanglant, et versait des torrents de larmes. Souvent Simone se glissait dans la chapelle du cours Désir et se plongeait dans de sévères méditations religieuses. Elle envisageait secrètement de se retirer au Carmel et de consacrer sa vie à méditer sur la gloire de Dieu.

D'année en année, sa foi s'affirmait, son mysticisme grandissait. Ne pouvant comme saint Bernard se jeter dans l'eau glacée des torrents, elle s'enfermait dans les cabinets et mortifiait sa chair en se frottant les cuisses avec une pierre ponce, ou se fouettait jusqu'au sang avec son tour de cou en or. Vers treize ans, si fort était son désir de s'élever dans les voies de la connaissance que son directeur de conscience lui prêta le *Précis de théologie ascétique et mystique*. Habituée depuis sa petite enfance à se donner des consignes intérieures impérieuses, il lui plaisait de se forcer à l'exceptionnel à travers les ascèses qu'elle inventait. Dès six ans, elle espérait provoquer des extases, des apparitions, mais rien n'arrivait. Ses jeux reflétaient ces désirs, elle se perdait dans des rêveries héroïques. Tantôt elle était Jeanne d'Arc expirant sur son bûcher, tantôt Marie-Madeleine essuyant de ses longs cheveux les pieds du Christ, ou, martyre, enfermée dans un cachot, elle bravait les païens en chantant des hymnes. Pendant des années elle joua avec sa sœur au jeu du martyre. Simone prenait toujours le rôle de la sainte héroïque que sa sœur enfermait dans des tours imaginaires et privait de tout, même de son livre de messe qu'elle déchirait en petits morceaux. Elles avaient inventé de se pincer jusqu'au sang avec une pince à sucre ou de s'écorcher avec la hampe de petits drapeaux. A quinze ans, elle s'indignait qu'après les mystères de la messe et de la communion on pût se replonger dans le train-train du monde. Tout ou rien. « J'étais trop extrémiste, écrira-t-elle, pour vivre sous l'œil de Dieu en disant au siècle à la fois oui et non. »

Des phantasmes plus secrets la hantaient. Elle s'identifiait à sainte Blandine dont la chemise ensanglantée laissait entrevoir la chair pendant que les lions la déchiraient sous le regard d'une foule admirative. Elle était Geneviève de Brabant, nue sous ses longs cheveux, elle « frémissait de repentir aux pieds d'un homme beau, pur et terrible ». Brodant sur ce thème, elle s'abîmait dans ses remords jusqu'à ce que le héros attendri posât la main sur sa tête, alors Simone défaillait. Elle avait lu qu'un sultan utilisait un ennemi vaincu comme marchepied pour monter à cheval, elle était ce vaincu ; « tremblante et demi-nue », elle sentait « l'éperon de fer lui déchirer le dos ».

De bonne heure Simone avait découvert les plaisirs interdits. En vacances à Meyrignac, après avoir sagement fait ses devoirs, elle partait vers les bois où les défenses ne comptaient plus. A l'ombre des arbres elle allait retrouver « cette joie ». Elle ouvrait un Balzac prohibé et lisait l'étrange idylle d'un homme et d'une panthère. Le soir elle se racontait « de drôles d'histoires qui la mettaient dans de drôles d'états ».

A Paris, elle lut un jour dans les cabinets un fragment de roman-feuilleton où le héros embrassait ardemment les seins blancs de l'héroïne, « ce baiser me brûla, à la fois mâle, femelle, voyeur, je le donnais, le subissais et je m'en remplissais les yeux ». A douze ans, elle appelait « un corps d'homme contre son corps », « des mains d'homme sur son corps » et se désespérait qu'on ne pût se marier avant quinze ans.

Elle dévorait en cachette Bourget, Daudet, Prévost, Maupassant, Loti, cachait sous son sommier *les Demi-Vierges, la Femme et le Pantin*, et se passionnait pour les *Claudine* de Colette et *Mademoiselle Dax* de Claude Farrère. Cette violente sensualité fit voler en éclats dans sa tête les interdits, les convenances et bientôt la religion.

Au cours Désir elle devient insolente, turbulente. Poupette, plus ouvertement effrontée qu'elle, fonde un journal, *l'Echo du Cours Désir*, Simone y rédige quelques « sanglants pamphlets ». Elle trouve ses professeurs ignares et bêtes et le dit tout haut. Les demoiselles du cours Désir portaient encore dans les années vingt des jupes longues qui balayaient le sol et des corsages en taffetas moiré à manches gigot. Georges de Beauvoir les trouvait un peu demeurées. Grand lecteur de Voltaire, de Beaumarchais, de Victor Hugo, il s'indignait des carences de l'enseignement que recevaient ses filles, il aurait voulu les mettre au lycée. Simone combattit cette idée, elle ne voulait pas être séparée de Zaza. Mais, forte de l'appui de son père qui riait avec elle de ses puériles incartades, elle devint de plus en plus insubordonnée. Ses professeurs la punirent : la meilleure élève du cours Désir fut privée en 1922 de son prix d'excellence. La remise des prix donnait lieu à une pompeuse cérémonie à la salle Wagram, plusieurs années de suite ce fut l'heure de gloire de Simone. Cette année-là, elle digéra l'affront, la révolte au cœur.

Elle se rendait compte que ses désobéissances soutenues et systématiques, les rêveries impures dont elle se berçait, ses lectures en cachette étaient en contradiction avec les principes de sa religion. Trop entière pour tricher plus longtemps avec elle-même, un jour une évidence la frappa : ou bien ce

monde ne comptait pour rien au prix de l'éternité; ou bien
l'éternité ne comptait pour rien au prix des joies terrestres.
Elle sentit que rien ne la ferait renoncer à ces joies de la terre.
Il lui répugnait de vivre dans la mauvaise foi, d'ergoter avec
sa conscience. Elle s'aperçut qu'elle ne croyait plus en Dieu et
assuma son incrédulité. Elle avait quatorze ans, elle comprit
le sens terrible de la solitude : « La terre roulait dans un
espace que nul regard ne transperçait. » Elle découvrit une
angoisse qu'elle n'avait jamais connue. Un après-midi, seule
dans l'appartement, elle fut prise de panique. La mort ne
débouchait plus sur la vie éternelle mais sur la fin de toute
existence. Elle se roula par terre en criant et en griffant la
moquette. Cette angoisse qui lui tordait le cœur, elle ne pouvait en parler à personne. Pendant trois ans elle cacha à sa
mère, à Zaza, qu'elle avait perdu la foi, elle ne se confessait
plus mais communiait quand sa mère était avec elle. Le scepti-
cisme de son père ne lui fut d'aucun secours, elle n'osa pas se
confier à lui. Habituée à se contraindre, elle apprit à vivre
dédoublée. La littérature la sauva, elle commença à tenir un
journal où elle se décrivait dans sa vérité. Toutes les grandes
crises de sa vie, Beauvoir les assumera la plume à la main : la
mort de sa mère, la mort de Sartre, la guerre, l'Occupation, la
guerre d'Algérie.

« Mon père m'a lâchée. »

Les relations avec Georges de Beauvoir étaient tendues.
Entre dix et treize ans, les sentiments de Simone pour son
père s'étaient exaltés. Il l'impressionnait par sa culture, son
intelligence, son « bagou ». Elle le voyait comme un être hors
du commun , un héros, victime de son destin. En grandissant,
elle remarquait les contradictions du personnage. Amer, désa-
busé, il marquait à ses filles une espèce d'hostilité, il leur
reprochait l'argent qu'elles lui coûtaient. « Nous avions
l'impression de nous être indiscrètement imposées à sa charité. » Avec Simone, il devint carrément brutal. A quatorze
ans, la jolie petite fille s'était transformée en une adolescente au
visage ingrat. Vêtue de vêtements donnés par des cousines*,

---

* Simone de Beauvoir nous a raconté : « pour la communion solennelle de
ma sœur j'avais un tailleur donné par ma cousine Annie qui souvent me faisait cadeau de ses défroques. Cette fois-là ma mère avait pris le soin d'ajuster
le vêtement à ma taille et de me laver les cheveux. J'étais nette pour une fois,
les élèves du cours Désir en ont été étonnées. » Quand, plus tard, Annie devint
religieuse au couvent du Sacré-Cœur elle donna sa garde-robe à Simone.

elle se sentait mal dans sa peau. Son père ajoutait à son malaise en lui disant : « Que tu es laide, ma pauvre fille », il lui rappelait qu'elle n'avait pas de dot, et concluait amèrement : « tu ne te marieras pas, il faudra que tu travailles ». Comme il répétait : « Simone a un cerveau d'homme, Simone est un homme », troublée, elle demanda en grand secret à sa sœur si elle n'avait vraiment aucune chance de plaire à quelqu'un. Poupette ne lui apporta pas le réconfort escompté ; habituée à entendre son père dire que « Simone était un homme », elle ne comprit pas la question, bien sûre qu'elle avait un cerveau d'homme !

L'ambiance familiale pesait lourd. Pour un oui, pour un non, on se querellait. Françoise n'osait pas demander de l'argent à son mari qui lui laissait un budget misérable pour l'entretien de la famille, toute demande amenait un éclat. Elle s'impatientait, le ton montait. Simone se souviendra « des gifles, des criailleries, des scènes non seulement dans l'intimité mais en présence d'invités ».

Georges de Beauvoir délaissait de plus en plus son foyer. Le soir, il allait jouer au bridge, le dimanche, il était aux courses, mais « il n'avait pas d'argent pour une vraie débauche ». Parfois il rentrait à 8 heures du matin, sentant l'alcool. On le voyait au café de Versailles, connu pour ses prostituées, on le voyait sortir du Sphinx, le bordel célèbre du boulevard Edgar-Quinet.

Les reproches, les disputes, les récriminations rendaient la vie difficile dans l'appartement étroit de la rue de Rennes. Poupette se montrait insupportable, Simone réagissait en se figeant dans le silence. Cette tension quotidienne n'allait pas sans laisser de traces. Simone était bourrée de tics, elle tournait le nez sans arrêt et un mouvement incontrôlable lui faisait hausser les épaules. Elle développait des phobies, elle était maigre.

Il y avait une éclaircie dans ces orages : le culte de Georges de Beauvoir pour la littérature. Pour lui le pouvoir, l'argent, les réussites mondaines s'effaçaient devant le génie créateur. Simone savait que dans ce domaine les femmes pouvaient accéder à la gloire au lieu de végéter comme sa mère. Dans *le Deuxième Sexe*, elle écrira en parlant de la femme : « Butée dans son rôle de ménagère, elle arrête l'expansion de l'existence, elle est obstacle et négation... Elle apparaît comme celle qui attend, qui subit, qui fait des scènes », et, décrivant l'adolescente, elle dira : « Des accomplissements imaginaires la préservent de l'influence de sa mère en lui permettant de compenser la médiocrité de son environnement. » A quinze ans, Simone de Beauvoir répondait sans hésitation à la question « que voulez-vous être plus tard ? » : « Un écrivain célèbre. »

Cette certitude lui donna une grande sécurité intérieure. Sa carrière dépendrait entièrement de ses études et de son intelligence. Là-dessus ses parents étaient d'accord, ils voulaient qu'elle lise, étudie, réussisse. Ils ne lui proposaient pas d'autre voie. Elle en tirait la conviction rassurante qu'elle était ce qu'elle devait être. Son avenir était tracé, elle ne flotta jamais, ne se dispersa pas. Les difficultés de sa famille n'altéraient pas le cours de sa vie. Un jour, elle déboucherait sur l'indépendance économique et sur la gloire.

M. L... voulait qu'Élisabeth, comme sa sœur aînée, étudie les mathématiques. Simone fit comme Zaza. Par ce petit acte d'indépendance elle s'opposait aux vœux de son père qui ne prisait que les lettres et le droit. Au cours Désir on ne préparait que le baccalauréat latin-langues, un professeur fut engagé spécialement pour donner des cours de mathématiques, d'algèbre, de trigonométrie et de physique aux deux pionnières. Simone entreprit l'étude de l'italien. Trois mois plus tard, elle déchiffrait les poètes dans le texte. Il fallait que ses journées soient remplies à ras bord. « Je ne tolérais pas l'ennui, il tournait aussitôt à l'angoisse. » Elle reprenait lentement confiance en elle-même, l'âge ingrat était passé.

Une championne internationale de golf entra au cours Désir et présenta son premier bac à quinze ans et demi. Simone entrevit soudain un mode de vie inconnu. Une jeune fille à la mode de 1925 avait fait irruption dans le douillet cocon du cours où l'on vivait à l'heure de l'avant-guerre. La « nouvelle » portait la coiffure courte « à la garçonne », des jupes à plis creux avec des chemisiers. Elle avait beaucoup voyagé, elle était musclée, solide, pleine d'assurance. Plus jeune que ses compagnes de classe, elle connaissait mieux qu'elles la vie, le monde, les nouveautés. Elle semblait tombée d'une autre planète où tout allait plus vite, plus loin, où l'on avait le droit de vivre autrement.

1925

En 1925, la France comme l'Europe veut voir la vie autrement. L'exposition des Arts décoratifs a envahi les bords de la

Seine, de la Concorde au Palais de Chaillot, elle fait la synthèse de tout ce qui est nouveau et sonne le glas d'un mode d'existence. On rejette le lourd ameublement Napoléon III, les tentures rouges, les pompons, les franges, les macramés, les capitons, l'entassement des objets, des bibelots, des plantes vertes, des lampadaires chantournés, les peluches. On veut des formes géométriques, des couleurs franches, de la lumière, de l'air. Les femmes se débarrassent des nids à poussière, beaucoup ne supportent plus de perdre leur temps dans les tâches ménagères quand le tennis, le golf, l'avion, le ski, l'automobile les sollicitent. L'art sort des musées et descend dans la rue.

Le changement de mœurs est partout apparent. Simone comme tous les jeunes de cette époque rêve d'avoir un cosy-corner : un sommier-matelas couvert de coussins aux couleurs violentes lancées par Sonia Delaunay. Commodes et armoires sont bannies, des étagères couvrent les murs. L'éclairage indirect est le dernier cri du modernisme. Le sens pratique prend le dessus.

Les athlètes des jeux Olympiques inspirent les grands décorateurs. Des guirlandes de corps nus ornent les vases de Lalique, les frontons des immeubles modernes. C'est un hymne à la santé, à la beauté du corps. Les corsets, les guimpes à baleines sont vus comme des instruments de torture. Le cinéma propage cette vision nouvelle de la femme et du décor, du sex-appeal et du dynamisme. Hollywood crée les modèles et les gestes qu'imitent à Paris les jeunes ouvrières, les employées, les dactylos.

Les femmes font couper leurs cheveux au-dessus des oreilles comme les garçons et leurs jupes s'arrêtent au-dessus des genoux. Sur leurs chemisiers de coupe masculine, elles portent des cravates. Le soir, elles se drapent dans des robes asymétriques aux couleurs heurtées, joyeuses, provocantes.

Les consignes sont : vitesse, confort, couleurs, lumière. Paul Morand met à la mode l'homme pressé qui conduit son auto en bolide et court à travers l'Europe tous les lieux de plaisir ouverts la nuit. Le succès du roman de Victor Margueritte *la Garçonne* est énorme.

On porte des souliers à talons plats « à la garçonne », des chemisiers avec un nœud papillon « à la garçonne », des boutons de manchettes « à la garçonne », on fume avec de longs fume-cigarette « à la garçonne », l'expression est partout. On commence à utiliser les mots : libérée, émancipée, affranchie.

André Gide publie *les Faux-Monnayeurs* et *Corydon* et Paul Morand *l'Europe galante,* Victor Margueritte est radié de l'ordre de la Légion d'honneur pour avoir donné, à l'étranger, une image fausse de la jeune fille française.

1925, c'est la culbute dans le monde contemporain. Simone de Beauvoir a dix-sept ans. Elle a passé avec mention bien le baccalauréat latin-lettres et avec mention très bien le baccalauréat mathématiques élémentaires. Elle décide qu'elle sera professeur de lycée en attendant d'être écrivain. Mme de Beauvoir, qui, comme les demoiselles du cours Désir, se méfiait de la laïcité, s'inquiète de ce choix, Simone va perdre la foi et se perdre. Pour Georges de Beauvoir, un poste au lycée représente la sécurité et il ne s'y oppose pas. Mais il est humilié, sa fille est l'incarnation de son échec. Si elle avait été un garçon, elle aurait fait Polytechnique, en tant que femme, elle ne peut être qu'un bas-bleu; il répétait qu'un professeur était un cuistre, qu'un intellectuel était un dreyfusard qui immolait les vraies valeurs — race, caste, famille — à des billevesées appelées : pacifisme, socialisme, internationalisme. Georges de Beauvoir se mit à penser que son déshonneur serait effacé si sa fille accomplissait quelque chose d'extraordinaire. Passer des examens pour avoir un métier, c'était une déchéance, si au contraire elle les accumulait par virtuosité, elle devenait une sorte d'artiste, de phénomène. On retombait dans l'amusant, le rare, le frivole. Simone devenait une jeune fille affligée d'un étrange don : une intelligence hors du commun. Il poussa sa fille à entreprendre non pas deux, mais trois licences : lettres, philosophie et mathématiques. Il lui conseilla même d'aborder aussi le droit « qui peut toujours servir » ! Collectionner les diplômes, voilà qui était féminin, baroque et surtout inutile.

Simone s'inscrit donc à l'Institut catholique pour préparer un certificat de mathématiques générales. Elle suit les cours pour sa licence ès lettres à l'École normale libre de Neuilly, un établissement d'enseignement supérieur créé en 1907 par Mme Charles Daniélou pour former les professeurs des écoles privées*.

* Mme Daniélou était une pionnière, elle avait été la première femme agrégée de lettres en 1903. Avec son mari, le député Charles Daniélou, elle combattit les lois Combes. Réaliste, elle pensait que l'enseignement privé ne pourrait survivre que si les enseignants avaient une formation comparable à celle du secteur laïc. Elle créa les collèges Sainte-Marie et les écoles primaires Charles Péguy.

Pour inaugurer sa nouvelle existence de bachelière, Simone étrenne une robe écossaise, faite pour elle, taillée à sa mesure et que personne n'a portée avant elle. Elle monte les escaliers de la bibliothèque Sainte-Geneviève en se disant fièrement qu'enfin elle va se jeter « dans la mêlée humaine ».

« Il faut que dans ma vie tout serve! »

Elle se fait alors un serment solennel : « Tout servira. » Ce devoir à peine entrevu, elle invente les règles de sa propre religion. Le temps est désormais sacré, il faut finir au plus vite les études pour déboucher sur la vraie vie. Avec un soin jaloux, qu'elle qualifie elle-même de schizophrène, elle organise son temps.

D'abord il faut moins dormir. Elle se prive de sommeil systématiquement. Le temps passé à sa toilette est réduit au minimum. Dans le cabinet exigu avec la lessiveuse sous le lavabo, sans chauffage et sans eau courante, se laver avait toujours demandé un effort ; désormais elle se brosse à peine les dents, ne se nettoie plus les ongles. Elle bannit de son emploi du temps toute lecture ou bavardage frivole et annonce qu'elle n'ira plus au tennis le samedi matin. Là-dessus sa mère s'emporta. Le tennis! L'un des sports élégants qui distinguent les gens de la haute société du commun! Le tennis du samedi matin était une activité mondaine indispensable, un prétexte à rencontres entre jeunes gens et jeunes filles, un terrain propice pour nouer des relations qui pouvaient conduire au mariage!

Simone dut sacrifier les heures du samedi matin à cet exercice. En revanche, les colères de son père ne la persuadèrent pas de renoncer à apprendre ses verbes grecs ou à résoudre ses problèmes à table. Elle y apparaissait avec son livre de grammaire, marmottait ses conjugaisons grecques ou, posant un cahier à côté de son assiette, elle le couvrait d'équations sans relever la tête. Dans la famille on s'étonnait de son « débraillé ».

Sans égards pour personne, toute tendue vers son projet, elle s'imposa l'héroïsme comme remède à la médiocrité : l'ascèse plutôt que le regret des plaisirs qu'elle n'avait pas. Elle s'exténua, s'abrutit de travail pour atteindre la limite de ses forces et la repousser chaque jour un peu plus loin. L'espérance était devenue volonté, la liberté défi à elle-même. La joie naissait d'un excès de travail, d'un dépassement d'elle-même. Simone pratiquait la discipline des saints et des conquérants. Elle était consciente de cette volonté d'être qui l'apparentait aux condottieri et qu'on appelle la « Virtu », la force d'âme.

Rien ne pourrait l'arrêter dans sa quête pour atteindre le vase sacré d'où coulerait tout le bonheur du monde. A travers la forêt de Brocéliande, elle passerait, elle traverserait le Pont de l'Épée et entrerait dans le château maudit où se lamentent les pauvres pucelles :

> *Toujours draps de soie tisserons*
> *Et n'en serons pas mieux vêtues*
> *Toujours serons pauvres et nues*
> *Et toujours faim et soif aurons.*

Elle les délivrerait un jour, mais pour cela il ne fallait pas qu'elle tombât dans l'enchantement maléfique de la facilité.

A l'automne, son grand-père Gustave Brasseur mourut après une longue agonie. Jusqu'à son dernier soupir, il avait fait des rêves de fortune. Du fond de son lit où il gisait paralysé, il disait de temps en temps à sa femme : « J'ai une idée, nous allons être riches. » Il mourut avec cet espoir obstiné et sans un sou. Sa femme prit des pensionnaires pour vivre.

Simone fut habillée de noir de la tête aux pieds. Elle avait vécu sans grande tristesse la mort de son grand-père. Il avait cascadé de faillite en faillite, il avait pris dans son miroir aux alouettes Georges de Beauvoir qu'il avait entraîné dans sa ruine. Toute sa vie il avait été victime d'escrocs. Avec eux, chantages, procès et créanciers étaient entrés dans la vie de Simone. Ce patriarche balzacien n'avait jamais accepté que son fils Hubert eût fait un mariage selon son cœur « en dessous de sa condition », et traitait ses deux petits-enfants Brasseur comme de lointaines relations. « On nous disait que c'étaient de vagues cousins. »

A l'école libre de Neuilly, deux professeurs impressionnent Simone : Mlle Mercier* est, à trente-cinq ans, agrégée de philosophie. On comptait sur les doigts d'une main les femmes

---

* Mlle Lambert dans les *Mémoires d'une jeune fille rangée.*

qui avaient passé cette agrégation. Le fait était si rare qu'il valait à ces pionnières d'avoir leur portrait dans *l'Illustration*. Le plus souvent, une seconde photographie montrait la lauréate entourée de sa famille. Mlle Mercier est l'exemple d'une rare réussite intellectuelle, elle encourage Simone à se consacrer à la philosophie.

Robert Garric enseigne la littérature. Catholique de gauche, il a créé des groupes d'étudiants qui vont bénévolement donner des cours aux ouvriers dans les quartiers pauvres. C'est la première fois que Simone entend qu'on doit mettre à la portée du peuple les connaissances de l'élite. Garric est jeune, il a trente ans, son enthousiasme est communicatif.

Simone s'inscrit aux Équipes sociales de Garric. On la met à la tête de l'équipe de Belleville qui se réunit dans un grand bâtiment. Une fois par semaine, elle va enseigner la littérature française à des ouvrières, des apprenties; les deux autres membres de son groupe donnent des cours d'anglais et de gymnastique. Elle aime l'ambiance gaie du centre, ce qu'elle apprécie surtout, c'est la liberté que cette activité lui donne. Sous prétexte de se rendre sur les lieux de son apostolat social, elle se promène avec sa sœur, va au cinéma. Très vite l'œuvre de Garric lui paraît décevante, les jeunes ouvrières venaient là pour bavarder entre elles, flirter et danser aux nombreux bals qu'on donnait dans le centre. L'amitié entre les groupes sociaux tant vantée par Robert Garric ne s'établissait pas. « On tuait le temps ensemble », nous dira Beauvoir. L'expérience dura deux ans, elle en tira la conviction que l'action militante est peu payante et s'y refusa longtemps. Pour elle, l'action des intellectuels se situait sur le plan des idées, et non dans la rue.

Les cours de littérature de Garric, en revanche, lui ouvrirent des horizons nouveaux. Elle se mit à écumer les librairies du quartier Latin où pendant des heures, debout, elle lisait tout ce qui lui passait sous la main. Elle s'abonna à *la Maison des Amis du livre*, 7, rue de l'Odéon, où Adrienne Monnier, en robe de bure, recevait tout ce qui comptait dans les lettres*.

---

* C'était un salon-librairie. Les auteurs y faisaient la lecture de leurs œuvres. Joyce y lisait des passages d'*Ulysse*, on y voyait Jammes, Claudel, Gide, Valéry, Jules Romains. A. Monnier reçut de Zurich les premiers textes dadaïstes. Chez elle Aragon, Soupault et Breton fondèrent la revue *Littérature*. On y voyait Fargue, Léautaud, Cendrars, Jacob, Reverdy, Vildrac, Duhamel, Satie, Milhaud, Auric, Catherine Mansfield, André Chamson, Maurois, Martin du Gard. Les jeunes s'y pressaient pour rencontrer leurs aînés.

Sur le trottoir d'en face, au 12 de la rue de l'Odéon, Sylvia Beach, l'amie d'Adrienne, réunissait toute la bohème littéraire américaine dans sa boutique *Shakespeare and Co.* Dans ces deux librairies, piliers de la vie intellectuelle de l'entre-deux-guerres, Simone de Beauvoir s'initiait à l'écriture et pillait Adrienne Monnier en glissant dans sa serviette quatre ou cinq livres en plus des deux volumes permis par l'abonnement.

Elle lisait jusqu'au vertige : Gide, Claudel, Mauriac, Radiguet, Jammes, Proust, Vildrac, Jacob, Léautaud, Reverdy, et les éphémères revues d'avant-garde qui foisonnaient. La lecture était sa seule distraction.

Au 71, rue de Rennes, les discussions sur la littérature s'envenimaient. Georges de Beauvoir travaillait à *la Revue française*, dirigée par Antoine Redier, grand zélateur des vertus féminines dans ses romans, *Léone, Pierrette.* Il avait publié, en 1918, *le Mariage de Lison à l'usage des combattants et des jeunes filles sans dot.* Comme tous ses collaborateurs, il admirait les académiciens, le style d'Anatole France. Il déclarait les auteurs contemporains prétentieux, décadents, immoraux. Georges de Beauvoir et ses amis faisaient chorus pour dénoncer le charlatanisme des artistes modernes, « pendant ces réquisitoires » les regards étaient braqués sur Simone qui contre-attaquait en dénonçant l'esthétisme des académiciens : « ces barbares ».

Françoise de Beauvoir lisait quelques-uns des livres que lisait sa fille et concluait que « ce n'était pas ça ». Chacun défendait passionnément ses opinions, on discutait sur des principes.

Le théâtre était un autre sujet de discorde. Georges de Beauvoir voyait d'un mauvais œil la révolution qui renouvelait la scène ; Baty, Jouvet, les Pitoëff, « ces métèques », étaient en train d'anéantir la culture française ; les pièces des auteurs étrangers, Pirandello ou Ibsen, démoralisaient le public. Un jeune acteur de la Comédie-Française avec qui il répétait une pièce lui remontra qu'on ne pouvait plus ignorer Ibsen, il lui répondit superbement « moi, je le peux ».

Simone trouvait ses parents butés, eux se lamentaient en voyant le chemin où elle s'engageait. Ne pouvant plus lui interdire un livre ou une pièce, on essayait de la convaincre que ses goûts, ses opinions l'entraînaient à sa perte, et surtout ne valaient rien, n'étaient pas ceux de son milieu.

Je me promis, lorsque je serai grande, de ne pas oublier qu'on est à cinq ans un individu mplet ». *(Coll. part.)*

Georges et Françoise de Beauvoir, comédiens amateurs. *(Coll. part.)*

Le carrefour Vavin en 1914. L'appartement où est née Simone de Beauvoir au-dessus du café de la Rotonde. *(J. da Cunha-Plon)*

Simone de Beauvoir et Elisabeth L. (Zaza Mabille dans les *Mémoires*). *(Coll. part.)*

Hélène de Beauvoir. « Au premier rang de mes affections venait ma sœur. » *(Coll. part.)*

Simone de Beauvoir, professeur de lycée. *(Coll. part.)*

Paul Nizan. *(Roger-Viollet)*

Raymond Aron. *(Roger-Viollet)*

Claude Lévi-Strauss. *(Keystone)*

Colette Audry. *(Roger-Viollet)*

Charles Dullin. *(Roger-Viollet)*

Maurice Merleau-Ponty (Jean Pradelle dans les *Mémoires*). *(Gallimard)*

Albert Camus. *(Keystone)*

Violette Leduc. *(Keystone)*

Alberto Giacometti. *(H. Cartier-Bresson, Magnum)*

De gauche à droite, en haut : Jacques Lacan, Cécile Eluard, Pierre Reverdy, Laure Leiris, Zanie Campan, Pablo Picasso, Valentine Hugo, Simone de Beauvoir, Brassaï. *En-bas :* Jean-Paul Sartre, Albert Camus, Michel Leiris et Jean Aubier, dans l'atelier de Picasso, en juin 1944, après la représentation du *Désir attrapé par la queue* (Brassaï)

De gauche à droite : Richard Wright, Juliette Gréco, Anne-Marie Cazalis en 1948. *(Keystone)*

Boris Vian et Michèle Vian (au centre). *(Keystone)*

Marie Ollivier (Wanda Kosakievicz) et François Périer dans *les Mains sales* de Jean-Paul Sartre. *(Roger-Viollet)*

Olga Dominique (Olga Kosakievicz) dans *les Mouches* de Jean-Paul Sartre. *(Roger-Viollet)*

Nelson Algren. *(Gallimard, Stephen Deutch)*

1954. La lauréate du prix Goncourt et sa mère. *(Gisèle Freund)*

Au Café de Flore. «Ecrire est demeuré la grande affaire de ma vie. » *(Brassaï)*

A la brasserie de la Coupole. Jean-Paul Sartre et Simone de Beauvoir : «Nous avions tous deux des dispositions riantes ». *(Magnum)*

Avec Fidel Castro en 1960. *(Coll. part.)*

Simone de Beauvoir et Claude Lanzmann reçus par Nasser en 1967. *(Coll. part.)*

A la datcha de Khrouchtchev en 1963. *(Keystone)*

Avec Jean-Paul Sartre et René Maheu (Herbaud dans les *Mémoires*). *(Keystone)*

1967 : Le tribunal Russel. *(Keystone)*

Simone de Beauvoir dans son studio. *(Gisèle Freund)*

Simone de Beauvoir et sa fille adoptive à la fête du M.L.F. en 1974. *(Niepce-Rapho)*

Pour la liberté de la presse. *(Magnum)*

Une réunion du comité des *Temps Modernes* en 1977. *De droite à gauche :* Pierre Ribould, Je[an]-Paul Sartre, Simone de Beauvoir, André Gorz, François George, Claire Etcherelli, René Vic[...] Jean Pouillon. *(Niepce-Rapho)*

1983, le prix Sonning. *(D. Simon-Gamma)*

Le président François Mitterrand reçoit Simone de Beauvoir. A droite, Yvette Roudy, ministre des Droits de la Femme. *(T. Campion-Gamma)*

En Crète avec Jean-Paul Sartre (1978). *(Coll. part.)*

Simone de Beauvoir en Suède (1981). Plus de deux cents voyages à travers le monde. *(Coll. part.)*

Discussions, démonstrations n'aboutissaient à rien, chacun restait sur ses positions. Pourtant ces disputes n'étaient pas perdues pour Simone, elles l'obligeaient à aller au fond de ses certitudes et à définir ses convictions. Elle y apprit à éviter le voilé, le flou, le fuyant, et à soutenir brutalement ses opinions. A dix-huit ans, elle se sentait « marquée, maudite, séparée », mais ses auteurs préférés ne lui disaient-ils pas qu'un écrivain se devait d'être maudit ? Elle reconnaissait en elle-même leur inquiétude et comme eux ne mit pas moins d'ardeur à embrasser l'immoralisme.

A présent, elle remettait en question tous les fondements de son éducation : la religion, la féminité, la politique. Sa révolte éclatait dans d'interminables discussions avec son père. « Nos disputes s'envenimèrent assez vite ; j'aurais pu, s'il s'était montré tolérant, accepter mon père tel qu'il était, mais moi je n'étais encore rien, je décidai de ce que j'allais devenir en adoptant des opinions, des goûts opposés aux siens... » Elle rejetait en particulier les idées de son père sur le mariage. Il pensait, comme la plupart des hommes de sa génération, que le mari était autorisé à donner des « coups de canif dans le contrat », mais que la femme devait être éternellement chaste, pure et fidèle. Simone n'admettait pas que l'un des époux trompât l'autre, elle déclarait que l'homme et la femme étaient des personnes au même titre, elle exigeait une réciprocité totale et une égalité absolue dans leurs rapports. Déjà elle estimait que l'avortement ne devrait pas être un délit, que son corps était à elle seule et que ce qui se passait dans son corps ne regardait qu'elle. C'était une hardiesse inconcevable pour une jeune fille élevée dans un milieu catholique que de parler ainsi d'une chose dont « on ne parlait pas ». S'il existait un tabou, c'était bien celui-là. Que Simone ait pu prononcer seulement le mot d'avortement fait mesurer la violence de la provocation.

Il existait dans ce premier quart du siècle un petit mouvement féministe qui soutenait que les femmes avaient le droit d'avoir des maternités désirées, ou de refuser la maternité. A sa tête se trouvait Nelly Roussel, mère de trois enfants, mariée à un sculpteur. Elle s'était lancée dans la propagande néo-malthusienne aux côtés de son beau-frère, Paul Robin, normalien radié de l'Enseignement pour avoir tenté une expérience de « coéducation des sexes ». Dès 1895, il avait ouvert un dispensaire où on enseignait la contraception aux femmes pauvres. Nelly écrivait dans le journal *Régénération*. La Justice lui refusa le droit de réponse quand elle fut attaquée, en prétextant qu'un journal ne saurait être tenu de publier une réponse contraire aux lois et aux bonnes mœurs. Dans ce jugement rendu contre elle, on lui reprochait de recommander aux femmes la stérilité sans conseiller en même temps la chasteté. Le mouvement néo-malthusianiste différait de celui de Malthus : il invitait ses disciples non à s'abstenir des jouissances sexuelles, mais à les rechercher en prenant les précautions nécessaires pour éviter la procréation. Le jugement notait dans ses considérants que cette théorie amorale, asociale, arrêterait les progrès de l'humanité et serait une cause de décadence, que Nelly Roussel sapait les principes patriotiques sur lesquels repose la vie des peuples civilisés.

Nelly Roussel continua sa lutte contre l'Alliance nationale pour l'accroissement de la population française et le couronnement, au son de *la Marseillaise*, des mères prolifiques par le président de la République. Dans *la Voix des Femmes*, en 1920, elle écrivait : « Faisons la grève des ventres ! Plus d'enfants pour le capitalisme qui en fait de la chair à travail que l'on exploite ou de la chair à plaisir que l'on souille. » Mais après la mort d'un million huit cent mille hommes pendant la guerre, les hommes politiques voulaient repeupler la France et firent voter la loi de 1920 qui faisait un crime de l'avortement et le punissait comme tel. La « repopulâtrie » au nom de la morale intimait aux femmes l'ordre de procréer. Nelly Roussel était morte en 1922, en réclamant, toujours en vain, l'indépendance pour les femmes et une idée nouvelle des rapports entre les sexes.

Simone de Beauvoir allait contribuer à faire changer la loi de 1920 ; vingt-cinq ans plus tard, elle secouerait les fondements de la société avec sa formule lapidaire « on ne naît pas femme, on le devient ».

A dix-sept ans, son audace contestataire lui faisait déjà tenir tête à ses parents et rejeter l'opinion du plus grand nombre, au nom de sa seule conscience. L'individu, la personne humaine devenait pour elle la seule réalité ; la classe, la société lui semblaient de plus en plus des constructions artificielles, des faits de culture.

En se heurtant âprement aux opinions de son père, en défendant les siennes, elle découvrait sa solitude. Elle avait pensé pratiquer les vertus qu'on lui avait enseignées en étant la meilleure élève, puis en se préparant au professorat et elle constatait que sa famille et son entourage le considéraient comme un pis-aller. Elle ne comprenait pas les idées sur lesquelles ce mépris du travail se fondait, mais elle se rendit compte qu'on retournait toutes les valeurs qu'on lui avait inculquées pour la blâmer. Elle sentit l'injustice, elle se révolta. Il lui sembla que tout fluctuait au gré des préjugés : tantôt elle devait étudier par vertu, tantôt ces études la jetaient hors de son milieu et en faisaient un être inférieur. Tantôt le travail était sacré, tantôt c'était l'oisiveté qui distinguait l'élite de la lie de la société.

Tantôt elle avait le cerveau digne de celui d'un homme, tantôt elle n'était qu'un bas-bleu ; puisqu'elle n'était pas du sexe que l'intelligence mène à tout, son intelligence la menait à sa perte. On ne l'approuvait pas, on ne l'aimait pas et surtout on l'avait « mystifiée » pendant des années. Maintenant on la traitait en rebelle. A qui parler ? Elle eut la réaction la plus saine ; elle allait se parler à elle-même. Elle se mit à écrire et à se dédoubler la plume à la main. Du coup, elle se trouva en excellente compagnie, prise dans un piège, elle s'évada en s'élevant au-dessus de ce qui la piégeait. Ce journal elle l'avait commencé par défi. Et soudain, elle découvre quelque chose qu'elle n'attendait pas, elle entre dans un monde dont la nouveauté l'étourdit. Elle prend le chemin de sa vocation, elle entre en littérature. « J'étais le paysage et le regard ; je n'existais que par moi et pour moi. » Elle s'enthousiasme, elle se sent sauvée, justifiée : « Je me félicitai d'un exil qui m'avait chassée vers de si hautes joies. » Désormais, elle sait qu'elle est heureuse en face de la page blanche qui ne réfléchit rien d'autre qu'elle-même : « On écrit à partir de ce qu'on s'est fait être. » L'entreprise de vivre fournissait déjà la base à l'entreprise d'écrire. Elle commence à mettre en mots son expérience dans un récit où son héroïne, Éliane, exprime sa révolte contre « les mystifications » et son désir de se défendre contre autrui. Elle ne le termine pas mais l'été de la même année, à Meyrignac, elle entreprend et achève son premier roman.

*Jacques Champigneulles et le Surréalisme**

Désormais elle est sûre de ce qu'elle veut. L'entrée des filles à l'université était un sujet d'actualité. En 1929, elles étaient 2 560 en lettres et 1 080 en sciences. De cette première vague

* Jacques Laiguillon dans les *Mémoires*.

de pionnières, un petit nombre seulement se sentaient assez indépendantes pour sortir seules.

A Montparnasse il y avait les artistes, les intellectuels, les étrangers et les femmes peintres ou écrivains qui donnaient l'exemple d'une vie plus libre. L'austérité de sa vie pesait à Simone, elle avait envie de se mêler aux gens qu'elle voyait discuter avec animation aux terrasses des cafés, elle aurait voulu sortir, participer à la mutation profonde d'une société dont elle sentait qu'elle faisait partie.

Elle avait dix-sept ans, elle se dit qu'elle avait l'âge d'aimer et cristallisa un amour-admiration sur son cousin Jacques qui en avait dix-neuf. C'était un beau garçon qui promenait son inquiétude de riche adolescent dans les cafés de Montparnasse. Son grand-père paternel, Ernest Champigneulles, avait épousé la grand-tante de Simone*, Alice, qui écrivait des contes pour enfants. Ernest Champigneulles, comme son beau-frère Gustave Brasseur, s'était lancé dans des spéculations hasardeuses. Son fils Charles qui avait été le premier amour de Françoise de Beauvoir était au bord de la faillite quand il mourut dans un accident de voiture. Il laissait deux enfants, une fille Titite et un fils de huit ans, Jacques, héritier de la fabrique de vitraux du boulevard du Montparnasse. Depuis son enfance Simone admirait son cousin. A treize ans, il avait déjà des manières de jeune homme. Il traitait Simone « d'enfant précoce » et parlait d'égal à égal avec Georges de Beauvoir. Il vivait avec sa sœur et une vieille bonne dans leur grande maison du boulevard du Montparnasse. Sa mère s'était remariée et habitait la plupart du temps à la campagne. Jacques venait souvent passer la soirée chez les Beauvoir. Il aidait Simone à faire ses versions latines. Un soir, sur le balcon il lui récita la Tristesse d'Olympio, mais il préférait à tout l'hermétisme de Mallarmé.

Jacques était doué pour le dessin et la peinture, il rêvait de transformer la fabrique de vitraux, qui avait survécu grâce à la prudente gestion de son tuteur, en un centre qui renouvellerait l'art du vitrail à travers le monde. Il avait découvert le surréalisme naissant et suivait assidûment tous les mouvements d'avant-garde. Sur ses conseils, Simone et Hélène visitaient les expositions dans les galeries du quartier : Braque, Matisse, Picasso, toute la jeune peinture. « Je courais les expositions... Je me promenais dans Paris... en regardant tout. »

---

* La sœur de Mme Brasseur.

Jacques l'envoyait dans les hauts lieux de l'avant-garde de l'entre-deux-guerres : le studio des Ursulines, le Vieux-Colombier, le Ciné-Latin, l'Atelier de Dullin. Son meilleur ami connaissait Jean Cocteau et avait soumis une pièce à Dullin.

La maison du boulevard du Montparnasse était un lieu de refuge, Simone aimait la grande galerie vitrée où elle passait des heures à écouter son cousin lui parler d'art et de ses projets d'écrivain, car lui aussi écrirait. Jacques et sa sœur Titite l'aimaient beaucoup, avec eux elle n'avait pas l'impression d'être devenue un monstre, impression qu'elle ressentait de plus en plus souvent au milieu de ses autres cousins. Jacques oscillait entre la morale bourgeoise et la débauche. Il fréquentait les bars de Montparnasse, « ces lieux magiques où tout arrivait ». En 1925, les surréalistes faisaient retentir le boulevard de leurs chahuts. Ils avaient installé deux phalanstères dans le quartier, ils attiraient toute une jeunesse qui voulait « changer la vie ». Jacques Prévert et Marcel Duhamel venaient de louer à un marchand de peaux de lapins un pavillon entouré d'un petit jardin rue du Château. Marcel Duhamel, le futur directeur de la Série Noire chez Gallimard, était alors directeur du Grosvenor, un grand hôtel de la rive droite, où son oncle, un magnat de l'hôtellerie, l'avait placé ; il se chargea de l'aménagement du pavillon, il fit amener le gaz et l'électricité qui n'existaient pas encore rue du Château, une rue vétuste aux maisons abandonnées par les maraîchers et les loueurs de fiacres. A toute heure du jour et de la nuit, Yves Tanguy, Raymond Queneau, Michel Leiris, Robert Desnos, Roland Tual, Max Morisse et leurs amis s'y retrouvaient. Les cuisines du Grosvenor nourrissaient la bande qui venait là pour lire des poèmes, écouter des airs de jazz sur le phonographe. Pour scandaliser leurs voisins, ils ramenaient chez eux des clochards, des prostituées. Aragon habita là quelque temps, il y organisa une réception en l'honneur du poète russe Maïakovski, beau-frère d'Elsa Triolet.

Rue Blomet, le phalanstère surréaliste était moins provocant. Dans la maison croulante entourée de lilas, Juan Miró et André Masson avaient leurs ateliers. On y voyait souvent Georges Limbour, Michel Leiris, Antonin Artaud, Alberto Giacometti, Armand Salacrou, Picabia, Max Ernst, Joseph Delteil, Pierre Naville.

Jacques racontait les hauts faits surréalistes. Pour la première exposition de Juan Miró, en 1925, tous les invités s'étaient massés devant la galerie Pierre où le vernissage devait avoir lieu à minuit. Miró recevait en guêtres blanches, pantalon rayé, veston noir, monocle à l'œil, une élégance toute proustienne. La police, pensant que c'était une manifestation politique, intervint. Les policiers étaient habitués aux frasques des surréalistes. Peu avant, au banquet donné par le *Mercure de France* en l'honneur du poète Saint-Pol Roux à la Closerie des Lilas, on en était venu aux mains, parce que André Breton, le pape du surréalisme, n'aimait pas la romancière Rachilde, épouse d'Alfred Valette, directeur du *Mercure de France*. Pendant le banquet, Aragon avait déclaré que les surréalistes, étant des révolutionnaires, donneraient toujours la main à l'ennemi. Mme Rachilde lui répondit qu'une Française ne pouvait pas épouser un Allemand. Breton se leva en disant que ces propos étaient injurieux pour son ami le peintre allemand Max Ernst, et ajouta : « Voilà vingt-cinq ans que Mme Rachilde nous emmerde mais on n'ose pas le lui dire. » Une bagarre s'ensuivit, les fruits volaient, les verres se fracassaient sur le sol ; Breton arracha une fenêtre de ses gonds. Philippe Soupault, accroché aux rideaux, renversait des tables à coups de pied. Les passants s'étaient attroupés et commencèrent à protester avec fureur en entendant Michel Leiris crier « A bas la France ! » et Max Ernst répondre « A bas l'Allemagne ! » La bagarre devint générale. Leiris faillit être lynché. La police l'emmena au poste où il fut passé à tabac. Le lendemain toute la presse en parlait.

A Paul Claudel, alors ambassadeur de France, qui les avait attaqués, les surréalistes répliquèrent par une lettre ouverte : « Nous souhaitons de toutes nos forces que les guerres, les révolutions et les insurrections coloniales viennent anéantir cette civilisation occidentale dont vous défendez jusqu'en Orient la vermine... »

A la première du ballet *Roméo et Juliette*, de Serge de Diaghilev, Breton, Aragon et toute la bande surréaliste s'attaquèrent à deux des leurs qui, selon eux, avaient trahi. Max Ernst et Juan Miró avaient fait les décors pour cette entreprise capitaliste. Dès le lever du rideau, les surréalistes se mirent à souffler dans des trompettes, à lancer du balcon des tracts rouges. L'un d'eux se rua sur Lady Abdy, la femme de l'ambassadeur anglais, pour lui arracher sa robe. Les spectateurs jetèrent les surréalistes dehors un par un et à la porte, le secrétaire de Diaghilev les gratifia chacun d'un formidable coup de poing.

Ces démonstrations de casseurs étaient une partie inhérente des activités surréalistes. Ils fonçaient dans les bars qui leur déplaisaient, cassaient les vitres, les verres, les bouteilles.

Ces excès ravissaient Simone qui vomissait les tièdes. En deux ans ses goûts et ses dégoûts s'étaient affirmés. Elle adopta les doctrines surréalistes. Ces enfants terribles des années vingt étaient ostensiblement anti-catholiques, on disait dans le *New York Times* qu'ils insultaient les nonnes, crachaient sur les prêtres; ils proclamaient la destruction du langage et pratiquaient le dérèglement systématique de tous les sens, poussant leurs désespoirs jusqu'au suicide. Certains surréalistes seront un jour les amis de Simone de Beauvoir : Michel Leiris, Queneau; à dix-huit ans, ils lui donnaient les mots pour cerner sa révolte et se poser en s'opposant.

En mars 1926, Simone réussit avec mention « très bien » son certificat de littérature. C'était inhabituel, tout le monde la félicita. Jacques, qui venait d'acheter une voiture, l'emmena faire une promenade au bois de Boulogne. Les cheveux dans le vent, Simone sentait son cœur battre, Jacques venait de lui déclarer qu'une femme pouvait être très bien, quoique licenciée. Il lui parla de son héros préféré, *le Grand Meaulnes*, lui récita un poème de Cocteau.

A la session de juin, elle passa mathématiques générales et un certificat de latin. Ni les mathématiques ni les langues mortes ne l'intéressaient vraiment. Mlle Mercier lui conseilla de faire une licence de philosophie et de préparer l'agrégation. Cet été-là fut long. Beauvoir sentait en elle une tristesse, un ennui qui lui arrachaient des torrents de larmes. Un soir à la Grillère, dans une crise d'angoisse, elle eut l'impression que rien n'existait en dehors de l'instant, en prenant conscience de ce néant, une épouvante si violente la saisit qu'elle voulut appeler sa mère à l'aide et ne le put. Quelques jours plus tard, à Meyrignac, elle s'installa avec une lampe Pigeon dans le grenier et entreprit sa première autobiographie romancée.

En 1926, Simone se lance à fond dans la philosophie. Elle lit Platon, Schopenhauer, Leibniz, Hamelin, Bergson. Elle prépare deux certificats : histoire de la philosophie et logique. La philosophie fortifiait sa tendance à saisir le monde dans sa totalité. Hantée, comme Chateaubriand, par la finitude de sa vie, elle n'avait qu'une idée : réussir vite. Au printemps, à la bibliothèque de la Sorbonne, elle commença un nouveau roman. Elle se sentait seule. Elle avait bien lié des amitiés à

l'institut Sainte-Marie de Neuilly, mais seuls comptaient Zaza
et Jacques. Ce dernier la décevait, il n'écrivait pas, il n'écrirait
jamais, ses projets de rénover l'art du vitrail resteraient de
vaines chimères. Sa vie prenait la même tournure que celle de
Gustave Brasseur ou de Georges de Beauvoir*.

Tous les dimanches matin Simone rencontrait Zaza aux Tui-
leries ou aux Champs-Élysées. Les L... avaient déménagé rue
de Berri ; ils sortaient beaucoup, recevaient énormément. Élisabeth avait horreur de cette vie mondaine. C'était un être
extrêmement doué, excellente musicienne, elle aurait pu faire
une carrière de soliste, sa mère s'opposait à cette idée. Elle lui
laissait faire sans enthousiasme une licence ès lettres. Simone
voyait son amie passer de la révolte à la soumission, elle assistait à la répression d'un talent et s'en indignait. Quelquefois
Zaza, grande lectrice de Lamennais, soutenait que pour une
femme, rien ne valait la maternité. Dans son journal, Simone
se demandait : comment pouvait-on préférer les enfants à la
littérature ou à l'art ?

Depuis qu'elle connaissait Élisabeth, Simone de Beauvoir
nourrissait pour son amie un amour-admiration. Longtemps
elle s'était sentie « en état d'humilité » vis-à-vis d'elle. A dix-
huit ans, son amitié pour Zaza ne la torturait plus mais ne lui
suffisait pas. Un désir de nouveauté la tenaillait, elle se sentait maîtresse de son avenir, il fallait se jeter dans le monde.
Sous prétexte d'une séance de charité pour les Équipes sociales, elle extorqua à sa mère une permission de minuit et vingt
francs. Elle partit au théâtre Sarah Bernhardt, acheta un billet de poulailler pour voir les Ballets russes. C'était un geste
symbolique face au chauvinisme familial, elle se voulait cosmopolite. Pour la première fois, elle s'emparait d'une situation, elle baignait seule dans la fête nocturne dont elle avait
tant rêvé sur son balcon au-dessus de la Rotonde. Comme
alors elle se grisait dans la contemplation des soies, des fourrures, des diamants, mais aujourd'hui, elle faisait partie de
cette fête, elle s'y était faufilée à l'insu de tous. Jusqu'ici la
présence de ses parents formait un écran qui lui occultait le
monde. Elle n'avait pas connu pareil éblouissement depuis
l'âge de cinq ans. Elle renouait avec la petite fille gaie et indépendante que son père déclarait « insociable ».

---

* Jacques Champigneulles mourra à quarante-six ans, clochard et alcooli-
que, après avoir cascadé de faillite en faillite.

Désormais, pour s'enrichir de telles expériences elle se sent le droit de mentir. Les Équipes sociales lui fournissent des alibis faciles. Elle retourne aux Ballets russes, s'aventure à Bobino pour écouter Maurice Chevalier. L'âge de l'obéissance était passé.

III. L'âge des amitiés

« J'envisageais la vie comme une aventure heureuse. »

Mémoires d'une jeune fille rangée, p. 67.

Les étudiants de droite

Simone se lançait dans la vie au moment de la mutation la plus extraordinaire de « l'éternel féminin ». La nouvelle Ève était née, celle que le XXᵉ siècle voyait grandir avec surprise. Paul Morand, Victor Margueritte la célébraient. Schiaparelli, Chanel l'habillaient. Bugatti construisait pour elle la voiture décapotable qui faisait voler ses cheveux courts et ses longues écharpes. Boldini la dessinait, aviatrice ou agrégée. C'était le fol érotisme d'un frisson nouveau qui s'était emparé du jeune homme pressé et de sa compagne. Simone, un mètre soixante — ce qui était grand pour l'époque —, l'œil bleu, la tête couronnée d'une masse de cheveux bruns et courts, est l'image de cette nouvelle Ève. Elle traverse ses études comme un bolide, accumulant les mentions très bien, elle plaît, elle fascine, elle attire. Elle est entourée d'une cour de jeunes étudiants dont certains viennent de l'autre bout de Paris pour le seul plaisir de discuter quelques heures avec elle. Ses camarades féminines sont nombreuses. Sa voix rauque, son débit précipité, les séduisent comme les séduisent la hardiesse de sa pensée et la brutalité de ses opinions qui tranchent étrangement sur l'élégance de ses manières. Simone de Beauvoir n'est pas la vamp, la princesse lointaine, elle est l'image de la jeune fille moderne, belle, intelligente, indépendante et ambitieuse. Elle entraîne dans son sillage une volée de nouvelles amitiés au premier rang desquelles celle de Maurice Merleau-Ponty*.

A la session de juin 1927, elle avait été reçue avec mention très bien au certificat de philosophie générale. Trois noms qui deviendraient célèbres étaient en tête de la liste : Simone de Beauvoir, Simone Weil et Maurice Merleau-Ponty. Ce dernier, intrigué par ces deux étudiantes qui l'avaient dépassé, se fit présenter à Simone. Elle aima tout de suite son « visage limpide », son « regard velouté » et son « rire d'écolier ». Ils prirent l'habitude de se voir tous les jours dans les jardins du Luxembourg. Elle arrivait scrupuleusement à l'heure au lieu du rendez-vous devant la statue d'une reine de France, pour le seul plaisir de le voir accourir, rieur, « feignant la confusion ». Maurice Merleau-Ponty était normalien, il fit visiter à Simone le vieux couvent de la rue d'Ulm. L'École normale supérieure jouissait d'un prestige unique, pépinière de talents, elle formait les futurs professeurs d'Université, mais elle débouchait aussi sur les carrières de l'État : inspection des Finances, carrière diplomatique, postes de P.-D.G. dans les grandes entreprises, et sur la politique. Les élèves de l'E.N.S. se divisaient en deux groupes : d'un côté les socialistes ou socialisants, parmi eux Raymond Aron, Paul Nizan, Jean-Paul Sartre, Georges Lefranc, Simone Weil ; de l'autre les étudiants de droite, les « talas », ceux qui allaient à la messe, parmi eux, Pierre-Henri Simon, Robert Brasillach, Maurice Merleau-Ponty et son ami Maurice de Gandillac**.

Maurice Merleau-Ponty avait le même âge que Simone. Il avait un frère plus âgé et une sœur. Orphelin de père à trois ans, il avait grandi à La Rochelle entre une mère et une sœur qui l'aimaient tendrement ; en 1947, il confiait à Sartre qu'il ne s'était jamais guéri d'une incomparable enfance. Après de brillantes études au lycée de La Rochelle, à Janson-de-Sailly et à Louis-le-Grand, il était entré à l'École normale supérieure. Il

---

* Jean Pradelle dans les *Mémoires*.
** Clairaut dans les *Mémoires*.

continuait à vivre chez sa mère, rue de la Tour, dans le XVIe arrondissement.

Simone de Beauvoir lui exposait son âme, il écoutait gravement. Il voyait chez tout le monde un peu de bien, un peu de mal, il réprouvait le manichéisme intransigeant de Simone. A l'École normale on le classait parmi les « talas », il avait perdu la foi mais continuait à pratiquer pour ne pas peiner sa mère. Il estimait qu'il fallait reprendre l'examen du catholicisme, à quoi Simone répliquait qu'on connaissait encore moins le bouddhisme. Il l'accusait de préférer la quête de la vérité à la vérité même. Tous les systèmes boitaient mais il fallait faire confiance à la raison, elle les démolissait l'un après l'autre.

Maurice Merleau-Ponty, comme Simone, avait horreur des chansons obscènes, des plaisanteries grivoises, de la brutalité, de la débauche. C'est, chose étrange, ce qui lui avait valu l'amitié de Sartre, ce normalien iconoclaste. Un jour qu'un groupe d'élèves de l'E.N.S. chantait des chansons antimilitaristes et particulièrement grossières, Merleau-Ponty et Maurice de Gandillac s'étaient mis à siffler ; aussitôt les chahuteurs s'étaient jetés sur eux, Sartre s'interposa et leur ménagea une sortie sans concessions et sans dommages. Merleau-Ponty aimait Claudel, était indifférent à Proust et cherchait avec anxiété la vérité. Beauvoir le jugeait trop gidien, son inquiétude était purement cérébrale alors que la sienne était un véritable déchirement.

Se promenant dans les allées du Luxembourg en l'attendant, elle se disait que s'il avait voulu l'épouser, il ne lui aurait pas plus convenu que Jacques. Elle pesait le souriant optimisme de Maurice Merleau-Ponty et l'opposait au nihilisme de son cousin Jacques. Elle sentait que la violence de sa nature la séparait de l'un comme de l'autre, et se renforçait dans la conviction qu'elle demeurerait seule. Elle écrit dans son journal : « Je suis si sûre qu'il n'existe pas, celui qui vraiment serait tout, comprendrait tout, profondément, le frère et l'égal de moi-même. »

Merleau-Ponty ne confondait jamais sentiments et idées. Simone trouvait que souvent ses propres états d'âme lui tenaient lieu de pensée. Elle demanda à ce lucide compagnon de l'aider à se garder de tous les mensonges. Il serait sa conscience vivante et elle l'assura avec sa violence naturelle qu'elle travaillerait « comme une brute » jusqu'à ce qu'elle trouvât la vérité.

Mais en compagnie de Merleau-Ponty tout devenait léger, il

lui apprenait la gaieté, elle en oubliait ses angoisses métaphysiques. Lui s'étonnait, il lui écrivait : « Malgré votre frénésie qui me gêne comme inconscience et qui m'est si contraire, j'ai pour vous l'amitié la plus grande et la moins explicable. »

A Meyrignac cet été-là, Beauvoir installée au grenier sous la lucarne entretient une énorme correspondance avec Merleau-Ponty. Épaulée par sa sœur, elle a osé une démarche qui desserrait encore davantage le contrôle familial, elle a prié sa mère de ne plus lire son courrier.

Son entente avec Merleau-Ponty lui donna l'élan nécessaire pour entreprendre un autre roman. Seule dans son grenier, elle écrivit à la lumière de sa lampe Pigeon l'histoire d'une jeune fille qui entrait en conflit avec son entourage, puis faisait amèrement le tour de tout : action, amour, savoir.

En septembre, Zaza l'invita à Gagnepan, une propriété des L... près d'Aire-sur-l'Adour. Ils possédaient aussi le château de Haubardin*, près de Dax. Les Beauvoir lui permirent de partir seule en train, pour la première fois**. Que fit-elle de cette grisante liberté ? Elle s'arrêta à Bordeaux pour visiter la patrie de François Mauriac. Comme on finit souvent par brûler ce qu'on a aimé, vingt ans plus tard ces deux romanciers s'opposeront sur la nature même du roman. Ce 10 septembre 1927, Simone marche dans les rues le long des quais en se récitant des pages de l'Adieu à l'adolescence de Mauriac. Sur les allées de Tourny, elle boit un chocolat, puis s'attable au Petit Marguery, un restaurant proche de la gare, sans se préoccuper du qu'en-dira-t-on qui dicte toute la conduite des héros mauriaciens. Il était insolite de voir une jeune Parisienne de dix-neuf ans déjeuner seule. Simone poursuivait son dialogue intérieur, elle songeait à Zaza qu'elle allait retrouver. Elle avait compris que, sous un vernis de résignation et de bonnes manières, Zaza était un être de passions. Pour éviter les innombrables réceptions de l'été, ne s'était-elle pas donné un coup de hache sur le pied afin de se ménager des moments de solitude ? Jamais Simone n'aurait eu ce courage, la sourde violence qui bouillonnait chez son amie lui faisait peur et la fascinait.

Dès son arrivée au Pays basque, elle se sentit tout à fait déclassée, plus que jamais une parente pauvre. « Mal attifée,

---

* La propriété de Laubardon dans les *Mémoires*.
** Beauvoir racontera ce voyage et ce séjour dans *Quand prime le spirituel*.

peu soignée », elle était mal à l'aise. Tendue, elle ne mesurait ni ses gestes, ni ses rires, ni ses mots, ni ses silences. La conversation revenait inlassablement sur le conflit entre l'Action française et l'Église qui venait de condamner les doctrines de Maurras. On ne manquait jamais d'attaquer la laïcité et les intellectuels en général. Simone se sentait en exil, ses succès universitaires ne compenseraient jamais le fait que sa famille n'avait pas le sou. A la Grillère, quelques semaines auparavant, ses cousins Robert et Madeleine avaient organisé des pique-niques et des soirées pour leurs amis. Simone avait joué plusieurs parties de tennis avec le même partenaire. La mère de celui-ci s'en était alarmée. Elle était allée trouver Françoise de Beauvoir et l'avait avertie que son fils n'épouserait jamais une fille sans dot. Simone, toujours nébuleusement amoureuse de son cousin Jacques, avait ri de la démarche. Mais le coup était dur, il rappelait aux Beauvoir qu'ils ne faisaient plus partie de la bourgeoisie, on les fréquentait à cause de leurs alliances familiales, pas pour eux-mêmes. Georges de Beauvoir s'en agaçait et projetait ses déceptions sur ses filles. Il ne jurait que par sa nièce Jeanne, le parangon de la parfaite jeune fille, et l'héritière de Meyrignac.

Solitude, exil, rejet, ces mots reviennent dans son journal où elle constate : « Je ne suis pas comme les autres, je m'y résigne » ; ou encore : « Toujours ce conflit qui semble sans issue ! une ardente conscience de mes forces, de ma supériorité sur eux tous, de ce que je pourrais faire ; et le sentiment de la totale inutilité de ces choses ! Non, ça ne peut pas durer ainsi. »

A la rentrée, pour s'assurer une certaine indépendance financière, elle accepta de remplacer Mlle Mercier dans la classe de philosophie de l'institut Sainte-Marie. Elle avait résolu de terminer en mars sa licence de philosophie et en juin celle de lettres. Vastes plans d'études, minutieux horaires, elle préparait sa campagne universitaire.

Une étrange période commençait pour elle. Si étrange qu'il lui arrivait de se dire avec fierté et avec crainte qu'elle était en train de devenir folle. Tous ses amis acceptaient de se conformer à leurs familles, à leur milieu, et celui auquel elle tenait le plus, Merleau-Ponty, était aussi peu tourmenté que les autres. Pendant l'été il avait retrouvé la foi. Maurice de Gandillac l'avait emmené faire une retraite à l'abbaye de Solesmes, il s'y était confessé et avait communié. Elle l'écoutait raconter son expérience, la gorge serrée, et se sentait exclue. Poussée par

Maurice, elle lut Plotin et une série d'études de psychologie mystique en se demandant si une mystique ne lui serait pas acceptable. Elle arriva à cette conclusion : « Je veux toucher Dieu ou devenir Dieu. » Par intermittence ce qu'elle appelait son délire la prenait, elle oscillait de l'apathie à des accès de joie sans motif. Elle errait à travers Paris en pleine nuit, grimpait les escaliers du Sacré-Cœur, pleurait en regardant Paris illuminé à ses pieds « parce que c'était si beau et parce que c'était inutile ».

Brusquement elle s'enfermait et se remettait à écrire son roman. Elle suivait cette année-là un cours de Jean Baruzzi, auteur d'une thèse sur saint Jean de la Croix. Elle entreprit une énorme dissertation sur la personnalité. « Une véritable somme », dira Jean Baruzzi en la lui rendant. Il la félicita publiquement et déclara qu'il voyait là l'amorce d'une œuvre de poids. Parmi les élèves de Baruzzi se trouvaient René Daumal, un poète surréaliste qui tentait la transcription directe des expériences de l'esprit, et Roger Vailland qui se plaisait à choquer ses lecteurs ; dans *le Grand Jeu*, il revendiquait pour tous les hommes le droit à la bestialité. Simone de Beauvoir évitait de leur parler car si son imagination n'avait peur de rien, la réalité lui répugnait. En littérature elle admettait toutes les dépravations, en fait elle était d'une extrême pruderie. La liberté des mœurs de certains étudiants la gênait, elle se contractait dès qu'on lui parlait de la vie privée de ses camarades et des mœurs de quelques-uns. « Les mots crus, les mauvaises manières me rebutaient. » Les normaliens de bonne famille qui l'invitaient à prendre le thé dans les arrière-boutiques de boulangeries l'ennuyaient vite.

Dans ce milieu feutré, sa personnalité était si forte et ses opinions si absolues qu'elle étonnait. Plusieurs fois par semaine, Michel Pontrémoli* venait de la porte Dauphine discuter avec elle. Fils d'Emmanuel Pontrémoli, le célèbre archéologue, il écrivait un roman et encouragea Simone à continuer le sien. Il admirait Gide, elle admirait les surréalistes, chacun restait sur ses positions.

Les conversations avec Maurice Merleau-Ponty, avec Maurice de Gandillac, avec Michel Pontrémoli n'apportaient pas à Simone ce qu'elle voulait. Avec un entêtement tout beauvoirien, elle se mit en quête d'autres horizons. Elle soumit à de véritables questionnaires tous ses condisciples à la Sorbonne

* Michel Riesman dans les *Mémoires*.

mais dans l'ensemble leur légèreté la décevait, Simone ne prenait rien « à la légère ».

Les étudiants de gauche

Un groupe d'étudiants de gauche avec qui Simone s'était liée après avoir passé avec mention très bien son certificat d'histoire de la philosophie lui demanda de signer une pétition. La revue *Europe* venait d'ouvrir une campagne de protestation contre un projet de loi militaire décrétant la mobilisation des femmes. Simone était pour l'égalité des sexes et trouvait normal que les femmes soient appelées à participer à la défense du pays. Elle rendit la pétition en déclarant : « Eh bien ! c'est du bon nationalisme. » Cette remarque fut accueillie par des ricanements, le mot nationalisme étant honni par les étudiants de gauche. On lui expliqua que ce projet de loi n'avait rien à voir avec l'égalité des sexes, mais visait la mobilisation générale des consciences. La liberté de pensée étant pour elle un principe sacré, elle signa la pétition.

L'affaire Sacco et Vanzetti, deux anarchistes italiens condamnés à mort sans preuves suffisantes pour un double assassinat, soulevait de violentes protestations à travers le monde. Simone était contre la peine de mort, elle signa en leur faveur. Mais l'action politique ne l'intéressait pas, la littérature demeurait son seul avenir, elle continua à analyser dans son journal les gens qu'elle rencontrait, les événements de sa vie, ses lectures. Elle voulait que la raison gouvernât les hommes, tous les conformismes lui faisaient horreur, toutes les étiquettes lui déplaisaient. Elle se méfiait des socialistes qui poursuivaient, selon elle, « des objectifs profanes et limités », leur modération l'ennuyait. L'extrémisme des communistes l'intéressait davantage. Elle avait remarqué à la bibliothèque un étudiant plus âgé qu'elle, toujours vêtu de noir, qui ne parlait à personne. Elle l'aborda. Il s'appelait Pierre Nodier et faisait partie du comité de rédaction de la revue de gauche *l'Esprit*. « Mes conversations avec Nodier commencèrent à m'ouvrir l'esprit. Je lui posais beaucoup de questions. » Grâce à Nodier, membre d'un groupe de jeunes intellectuels, « Philosophies », Beauvoir fit la connaissance de Pierre Morhange, Georges Friedmann, Henri Lefebvre, Georges Politzer.

Georges Politzer s'intéressait à la psychologie scientifique et à la psychanalyse qui étaient encore des domaines inexplorés. A la demande du parti communiste, il allait se spécialiser dans l'économie politique. En 1928, il publie la *Critique des fondements de la psychologie*. Il refusait la définition de l'inconscient donnée par Freud. Pour Politzer, l'inconscient était simplement le « vécu* » : on vit plus de choses qu'on ne s'en représente. La psychanalyse permet de trouver un sens nouveau à telle ou telle attitude, mais, contrairement à Freud, Politzer pensait que le sens de « ce second récit » n'était pas inconscient et ne préexistait pas au fond du sujet. Beauvoir qui essayait de clarifier ses propres idées accepta cette théorie de la primauté du « vécu » qui allait dans le sens de ce qu'elle sentait elle-même. C'est le vécu qu'elle s'efforcera de dépister dès ses premières œuvres.

Le jeune Politzer, aux cheveux roux flamboyants, lançait des définitions qui faisaient grand bruit à la Sorbonne; celle qu'il donna de la vie eut un certain succès : « La vie triomphante, brutale du matelot qui éteint sa cigarette sur les Gobelins du Kremlin, elle vous effraie et vous ne voulez pas en entendre parler : et pourtant c'est ça, la vie ! »

Henri Lefebvre, comme la gauche française, était cartésien et rationaliste. Il se référait volontiers à la philosophie du siècle des Lumières, philosophie du progrès, du bonheur, de la liberté sous toutes ses formes. En 1947, il publiera un essai sur Descartes où il soutiendra que le *Discours de la méthode* était objectivement révolutionnaire. Pour lui, l'idéalisme cartésien était le précurseur du matérialisme dialectique. Plus tard, en 1951, le parti communiste français se définira comme l'héritier légitime de Descartes.

Ces jeunes intellectuels se désintéressaient de la philosophie officielle à base d'idéalisme kantien et de bergsonisme. Ils cherchaient une doctrine qui pût leur donner une explication globale du monde et justifier leur propre révolte. Le passé récent pesait encore lourd, d'un côté il y avait la France des élites, des conseils d'administration, ou, comme disait Alain, « la France des importants », de l'autre côté la France de la démocratie qui faisait confiance au mérite et au talent. Ce clivage tellement net entre la droite et la gauche n'avait pas disparu avec la guerre de 1914 qui avait pourtant transformé la société. Le débat se poursuivait entre les lecteurs de Barrès, partisans de l'héritage et de la dynastie familiale des éli-

---

* Terme employé ici, et plus tard, par les existentialistes dans son sens philosophique.

tes, et les partisans d'Édouard Herriot qui croyaient qu'il était légitime d'arriver au sommet de l'échelle sociale par le mérite, le travail, les concours et les bourses.

L'attrait du communisme venait en partie du fait que le marxisme était encore à découvrir. Jusqu'en 1939, il semble que les dirigeants eux-mêmes connaissaient mieux les écrits de Lénine et de Trotski que ceux de Karl Marx. Les intellectuels communistes entreprirent les premières études sérieuses du marxisme. Les œuvres de Marx commençaient à peine à être connues en France. De petits groupes, comme le cercle « Philosophies », les étudiaient, ils adhérèrent au parti en 1928-1929. Ces jeunes philosophes marxistes venaient à Marx par Hegel et leur interprétation de Marx était humaniste. Le marxisme n'avait pas droit de cité à l'Université et était largement ignoré par les milieux intellectuels.

Le premier groupe à se rallier au parti communiste, en 1927, fut celui des surréalistes : André Breton, Louis Aragon, Paul Eluard, Benjamin Péret. Ils voyaient dans le communisme la forme organisée d'une révolte totale contre la société. Breton sera exclu du parti en 1933 et Aragon en deviendra le maître à penser.

Beauvoir se lia d'amitié avec Jean Miquel*, un jeune communiste, ancien élève d'Alain. Jean Miquel s'intéressait à tout, au cinéma, au théâtre, à la peinture, au music-hall. Grâce à lui, elle découvrit à Bobino, Damia, la chanteuse réaliste, moulée dans une robe noire qui mettait en valeur ses bras blancs dont tout Paris parlait. Admirateur de Romain Rolland qu'il fit connaître à Simone, il n'eut pas de difficulté à la rallier au pacifisme.

Il la présenta à des disciples d'Alain qui, à la Sorbonne, formaient une véritable coterie. Ils lisaient et discutaient assidûment les articles du maître publiés dans l'École libératrice ou la Nouvelle Revue française. Tous étaient attirés par le communisme. Le personnage le plus intéressant de ce groupe était Simone Weil. Le futur auteur de la Pesanteur et la Grâce et le futur auteur du Deuxième Sexe suivaient les mêmes cours à la Sorbonne. Simone Weil, bizarrement vêtue, circulait avec l'Humanité et les Libres Propos dépassant toujours de ses poches. Politiquement engagée, elle prenait à cœur tous les malheurs de l'humanité, ses convictions la pousseront à deve-

* Jean Mallet dans les Mémoires.

nir ouvrière chez Renault, à s'engager dans les brigades internationales, puis dans les bureaux de la France combattante à Londres. Simone voulut la connaître, elle l'aborda. La conversation s'aigrit brusquement quand Simone Weil déclara que la seule chose qui comptait c'était la Révolution qui donnerait à manger à tout le monde. Beauvoir lui rétorqua avec la même brutalité que la seule chose qui comptait était de trouver un sens à l'existence humaine. Avec un cinglant « Vous n'avez jamais eu faim ! » Simone Weil mit fin à leurs rapports. Pourtant un terrain d'entente existait entre cette fille de médecin qui n'avait pas connu de privation et Beauvoir qui tirait toujours le diable par la queue.

Si la discussion avec Simone Weil tourna court, celles que Beauvoir poursuivait avec ses nouveaux camarades pouvaient durer des jours, quelquefois des semaines, jusqu'à ce que l'un d'eux cédât. Simone de Beauvoir était prête à accueillir la pensée de gauche. A quatorze ans, elle avait lu l'*Histoire des deux Restaurations*, de Vaulabelle, qui l'avait fait pencher vers un libéralisme réprouvé par son père ; maintenant, au désespoir de sa mère, elle lisait Jean-Richard Bloch que le messianisme juif avait conduit au marxisme.

En mars 1928, sa licence de philosophie terminée, Beauvoir décida de préparer son diplôme d'études supérieures et le concours de l'agrégation, ce qui était possible à l'époque. Si tout allait bien, en juin 1929, elle serait agrégée. C'était un défi pour une étudiante de la Sorbonne car neuf agrégés sur dix sortaient de l'École normale supérieure. Beauvoir alla trouver Léon Brunschvicg dont elle avait suivi un séminaire et lui exposa son plan. Léon Brunschvicg et Bergson, qui avaient reçu le prix Nobel de littérature en 1927, dominaient la pensée philosophique en France. Brunschvicg régnait à la Sorbonne, son interprétation du kantisme qui tendait à ramener la philosophie à une théorie de la connaissance marqua des esprits aussi divers que Paul Nizan, Jean-Paul Sartre, Raymond Aron, Maurice Merleau-Ponty, Simone de Beauvoir. « Nous ne connaissons, disait-il, que le monde construit par notre esprit et il n'existe pas de mode d'appréhension qui permettrait d'aller au-delà de la physique. En ce sens il n'y a pas de métaphysique. La science ne laisse pas à la philosophie d'objet propre en dehors de la science elle-même. » Selon cet enseignement, la philosophie réfléchissait sur toutes les activités humaines. Pour le jeune écrivain qui voulait « tout dire » le néo-kantisme de Brunschvicg était une interprétation attirante. L'autre aspect de cette conception était l'idéalisme et l'attitude morale. Brunschvicg acceptait les théories d'Einstein qui renouvelaient les notions d'espace et de temps : « L'esprit construit la réalité par la science et celle-ci consiste essentiellement non à élaborer des concepts ou à en déduire les conséquences mais à juger. » Pour lui le progrès moral s'exprimait par le détachement de soi, chacun se mettant à la place de l'autre. Il disait à ses étudiants que la pensée était jugement, que les concepts n'étaient pas des absolus mais des étapes provisoires de la conquête de la vérité et de la construction de la réalité. Brunschvicg, en préfaçant le livre de Georges Gurvitch, *les Tendances de la philosophie allemande contemporaine*, attira l'attention sur les philosophes allemands si peu connus en France.

Il accepta de diriger le diplôme d'études supérieures de Beauvoir. Elle avait fait mathématiques générales, il lui donna à traiter *le Concept chez Leibniz*. Désormais elle passe ses journées à la bibliothèque Victor-Cousin où elle alterne la lecture de Leibniz et l'écriture de son roman.

La soirée des dupes

Le soir, au 71, rue de Rennes, elle étouffait. Elle avait envie de se fracasser la tête contre les murs. Surmenée par ses études, elle ne trouvait chez elle aucune détente. Elle se répétait : « Je ne suis pas comme les autres » et pensait que la distance n'était pas grande entre une solitude tenace et la folie. Lasse de se poser des questions sans réponse, elle se tourna à nouveau vers le vert paradis des amours enfantines. Son cousin Jacques allait partir faire son service militaire en Algérie et passait toutes ses soirées dans les bars. Il s'en justifiait en citant Marc Chadourne qui venait de publier un best-seller, *Vasco*, où il prônait l'aventure pour l'aventure, et Philippe Soupault qui affirmait que l'aventure était au rendez-vous à chaque carrefour de Paris. Toute une génération de romanciers à la suite de Paul Morand célébrait la bouleversante poésie des bars et des rencontres sans lendemain. Dans la galerie de la fabrique de vitraux, Simone assise sur un divan rouge écoutait son cousin qui, dans des volutes de fumée bleue, lui parlait de lieux inconnus et de gens auréolés d'une ineffable différence. Elle se reprenait à cet amour jamais défini et jamais oublié. Jacques, très charmeur, s'amusait gentiment du sentiment qu'il provoquait chez sa cousine. Il ne lui dit jamais qu'il l'aimait.

Cette construction sentimentale imaginaire était encouragée par Françoise de Beauvoir. A l'âge de Simone elle avait été amoureuse de son cousin germain, le père de Jacques. Un mariage entre leurs enfants serait une belle histoire romantique qui rendrait à Simone sa vraie place dans la société.

Huit jours avant le départ de Jacques, un dîner d'adieu eut lieu au boulevard du Montparnasse. Françoise de Beauvoir attendit toute la soirée une demande en mariage qui ne vint pas. Après le dîner, Jacques voulut emmener Simone au cinéma. Les Beauvoir refusèrent, la mère du futur soldat insista, ils se laissèrent fléchir.

En 1928, le boulevard du Montparnasse brillait de tous ses feux. Ce soir-là, Simone goûta la poésie des bars et l'enchantement ne s'éteignit jamais plus. C'est au Stryx, rue Delambre, qu'elle but son premier cocktail, un dry-Martini. Elle se sentait bien dans ce décor art-déco, aux murs ripolinés, à la clientèle élégante qui venait chercher une bouffée d'exotisme dans ce bar suédois. Perchée sur un tabouret, elle eut vite fait d'adopter les rites des habitués : appeler le barman par son prénom ou, d'un geste désinvolte, fracasser deux ou trois verres. Après le Stryx, Jacques l'emmena au bar des Vikings, un élégant restaurant scandinave, elle y découvrit le gin-fizz. A 2 heures du matin, elle s'initia à la menthe verte au bar de la Rotonde. Le cercle était bouclé, elle se retrouvait sous l'appartement où elle était née. Il est toujours quelque peu artificiel de voir un événement plutôt qu'un autre marquer une vie. Mais ce soir-là dans un bar de Montparnasse Simone de Beauvoir jette le dernier lest de son éducation, elle découvre la liberté ! Ni « ça ne se fait pas » ni « qu'en dira-t-on » ne l'empêcheront désormais de faire ce qui lui plaît.

Rue de Rennes, 2 heures du matin. Ses parents l'attendaient dans le bureau ; ils revenaient du boulevard du Montparnasse où ils avaient tambouriné et carillonné à la porte de la fabrique de vitraux. Ils avaient réclamé à grands cris leur fille que Jacques déshonorait ! Simone essaya de mentir, raconta qu'ils étaient bien allés au cinéma et s'étaient attardés ensuite devant un café-crème. On était en 1928, une jeune fille ne sortait pas le soir, seules les femmes faciles en quête d'aventures circulaient sans chaperon ! Beauvoir reniait sa classe, son éducation ! L'algarade se termina par une crise de nerfs collective.

Les bars

Dès le lendemain, elle retrouvait son cousin au Sélect, un bar à la réputation douteuse fréquenté par des Américains, des pédérastes et des drogués. Jacques lui donna l'adresse de son meilleur ami : que Simone lui fasse signe si elle s'ennuyait. Simone vit dans cette connivence et la soirée de la veille une déclaration d'amour voilée. Jacques partit. Simone s'enhardit, elle allait boire seule des cocktails à la Rotonde ou aux Vikings. Elle emmena sa cousine Madeleine rue Lepic dans un café, rendez-vous de prostitués homosexuels. Mais c'est au Jockey, boulevard du Montparnasse, qu'elle établit ses quartiers et dépensa l'argent gagné à Sainte-Marie. C'était un endroit à la mode qui avait remplacé en 1923 l'Académie du Caméléon. Hilaire Hiler, un peintre américain, patron du Jockey, l'avait décoré lui-même. L'extérieur était peint en noir avec des silhouettes de Peaux-Rouges. A l'intérieur, des affiches d'acteurs de cinéma et de music-hall étaient collées à la diable sur le plafond et sur les murs. Des poèmes scabreux, en argot américain, étaient placardés sur de petits écriteaux. Un saxophoniste jouait des airs de jazz, relayé par deux guitaristes hawaiiens ou un phonographe. Quelquefois, le peintre Pascin, cet ange du bizarre, toujours vêtu de noir, constamment ivre, s'installait à la batterie du Jockey, entouré de sa cour de modèles, de gitans, de Noirs. Le Jockey attirait les gens célèbres : Cocteau, Aragon, Crevel, Kisling, Hemingway, Scott Fitzgerald, les vedettes de cinéma, des femmes peintres; tout le monde se connaissait, il y régnait une ambiance bon enfant et décontractée. Le soir, des plus belles voitures de l'histoire de l'automobile, descendaient des hommes en smoking au foulard de soie blanche négligemment porté autour du cou, des femmes ruisselantes de paillettes et de perles. Ils fuyaient le luxe banal des boîtes de la rive droite et s'attendrissaient quand le saxophone jouait *The Saint Louis Blues*. On y rencontrait aussi des élèves des Beaux-Arts, des carabins, des intellectuels en quête d'aventures. Les plus riches arrivaient dans des décapotables à deux places où l'on s'entassait à six ou huit. On y voyait des prostituées de luxe, maquillées avec art, richement habillées de robes de soie couvertes de sequins et de franges. Elles fascinaient Beauvoir qui a toujours été sensible à la beauté féminine, elle les écoutait débattre le tarif de leur nuit. Perchée sur son tabouret devant un gin-fizz, elle se racontait qu'elle prenait des notes pour son œuvre future et qu'elle étudiait « le vice aux multiples visages ». A partir du deuxième gin-fizz, la quête du matériel pour l'œuvre cédait la place à la quête de l'aventure. Les bars étaient bien ces lieux magiques où tout pouvait arriver, il suffisait de faire n'importe quoi. Elle se livrait donc à ses incantations, elle cassait des verres, faisait voler les chapeaux des hommes qui entraient, en criant de sa voix rauque « chapeau ». Rien ne choquait qui que ce soit. Jean Oberlé raconte qu'un soir au Jockey on avait vu une fille danser complètement nue sans provoquer le moindre étonnement. Dans tous les bars de Montparnasse la cocaïne était chose commune, les dames des lavabos en faisaient commerce sans se cacher. De nombreux artistes, écrivains ou intellectuels se droguaient au su de tout le monde.

Kiki y faisait son tour de chant, deux fois dans la soirée, débitait d'une voix de stentor des chansons de corps de garde, puis faisait la quête en passant le chapeau d'un client. Kiki était le modèle le plus célèbre de Montparnasse grâce aux peintures de Foujita, Modigliani, Derain, Soutine, Friesz et Picasso. Elle vivait avec Man Ray un amour fou ponctué de coups de revolver. Elle tourna dans l'Étoile de mer, le premier film surréaliste, Man Ray la photographia une rose entre les dents, la photo se vendit à trois cent mille exemplaires.

Dans l'air enfumé du Jockey Simone vivait ses fantasmes, elle y venait régulièrement, les habitués la connaissaient. Dès le premier cocktail, sa solitude fondait, elle interpellait les clients, leur racontait sa vie fictive, suivant les jours elle se disait modèle de peintre ou prostituée. Elle ne trompait personne, on s'efforçait de la scandaliser par des gestes ou des dessins obscènes. Enfermée dans son monde imaginaire, rien ne l'atteignait. Sur la piste de trois mètres carrés où l'on dansait le charleston, le shimmy et le fox-trot, des inconnus l'entraînaient. Simone aimait sentir l'étreinte de ces danseurs anonymes et sur sa nuque des caresses sans lendemain. « Mon corps pressentait des évasions, des abandons plus faciles et plus apaisants que mes délires. » Elle se grisait d'être « radicalement hors la loi ».

En ces premiers temps de l'émancipation féminine, on voyait des apprenties, des employées de bureau ou des grands magasins qui découvraient le plaisir d'avoir un salaire et de le dépenser à leur gré, dans les innombrables bars et bals musette de Montparnasse. Une clientèle hétéroclite de touris-

tes américains, d'étudiants, de voyous, de jeunes travailleuses
venait là pour s'amuser. Il était d'usage d'accepter de danser
avec n'importe qui, mais à la fin de la danse on se séparait
sans avoir échangé un mot. Engager la conversation classait
immédiatement la femme parmi celles qui cherchaient l'aventure. Les jeunes filles de la bourgeoisie ne sortaient pas. On se
rencontrait dans les appartements familiaux pour de petites
sauteries appelées « matinées ». Les parents envoyaient des
invitations : « Monsieur et Madame X. recevront les amis de
leurs enfants le... de 5 à 9. On dansera. R.S.V.P. » On dansait
au son d'un phonographe ou d'un piano. Pour des occasions
spéciales, on faisait venir un orchestre amateur. En 1927, des
élèves de Janson-de-Sailly, Ray Ventura, Coco Aslan, Paul Mis-
raki, avaient formé un orchestre de jazz. Ce fut le premier. Il
ne fut jamais question pour Simone et Hélène de Beauvoir
d'organiser une matinée chez elles. Point de distractions
autres que les rares pièces ou films que l'on voyait en famille.
Intellectuellement chauffée à blanc, Simone de Beauvoir mettait la même violence à dépenser sa vitalité et à lâcher les
brides à son imagination qu'à acquérir des connaissances.

Vivre dangereusement

Beauvoir initia sa sœur aux mystères des bars. Hélène
venait de passer brillamment son baccalauréat de philosophie, elle voulait devenir peintre. Son enfance avait été moins
heureuse que celle de Simone, elle avait plus souffert de la
pauvreté et s'était rebellée plus ouvertement contre les contraintes de son éducation. Elle suivait des cours de dessin à la
Grande Chaumière*, à deux pas du Jockey, et partageait avec
sa sœur la certitude que l'artiste doit se débarrasser des
convenances et de l'autorité.

Les deux sœurs, l'une brune, l'autre blonde, reprenaient
dans les bars leurs jeux préférés, elles inventaient des personnages et des situations. Elles aimaient étonner. Feignant de ne
pas se connaître, elles simulaient une dispute, puis en
venaient aux mains, se tiraient les cheveux, criaient à tue-tête

---

* Célèbre académie de peinture. On y préparait l'entrée aux Beaux-Arts. Les
étrangers s'y pressaient. Tous les lundis, à l'angle de la rue de la Grande-
Chaumière et du boulevard du Montparnasse se tenait la foire aux modèles.
En 1930, le modèle recevait 15 francs pour une séance de trois heures.

d'effroyables injures, ravies quand leur mystification provoquait des remous dans la salle.

Bientôt le Jockey devint trop familier et perdit son aura d'aventure, de risque et de bravade. Il fallait aller plus loin. Simone commença à se laisser accoster dans les rues, elle allait boire dans des troquets avec des inconnus. Un soir, une automobile la suivit, le conducteur lui proposa d'aller faire un tour à Robinson, elle accepta. Après avoir bu plusieurs cocktails place de la Bastille, il essaya de l'embrasser, elle ouvrit la portière et s'enfuit en se félicitant d'avoir vécu un acte gratuit.

Cette aventure lui donna tout à fait confiance en elle. Avenue de Clichy, dans une fête foraine, elle passa la soirée avec un voyou à la joue barrée d'une cicatrice récente. Ils burent des cafés-crème et tirèrent à la carabine. Un autre voyou se joignit à eux. A l'heure du dernier autobus, elle tenta de leur fausser compagnie, ils la rattrapèrent. On palabra longuement, ils s'obstinèrent à la raccompagner chez elle. De l'avenue de Clichy à la rue de Rennes le trajet est long. Avant de la quitter, le voyou balafré essaya de l'embrasser, le passage d'une ronde de police permit à Simone de se dégager. Le garçon furieux menaça de lui donner une leçon. Beauvoir lui offrit l'argent qu'elle avait. Il l'accepta tout en l'insultant ; elle avait eu chaud.

Personne n'était au courant de ces frasques, sa mère n'aurait jamais franchi le seuil d'un bar, pour son père une femme qui fréquentait les bars était une dévoyée. Zaza et Merleau-Ponty n'auraient rien compris au démon qui la poussait. Elle continuait à vivre sur plusieurs niveaux, justifiée à ses propres yeux.

Dès les premiers beaux jours, elle se sentait un besoin d'air et de verdure qui ne la quittera jamais. La nostalgie des vacances à Meyrignac la prit, elle entraîna au bois de Boulogne Hélène, Zaza, Merleau-Ponty, Gandillac. Puis tous ensemble ils allèrent assister aux oraux de l'agrégation de philosophie. On se pressait dans l'amphithéâtre pour écouter Raymond Aron, reçu premier à l'agrégation. A la stupeur de ses condisciples, Jean-Paul Sartre avait échoué au concours. Il avait eu l'imprudence d'exposer ses propres idées sans se soucier du programme. Raymond Aron raconte dans ses *Mémoires* qu'en recevant les félicitations de Sartre et de Nizan il avait été plus heureux qu'en recevant celles de Brunschvicg. Tel était le prestige de ces deux normaliens auprès de leurs camarades.

Stépha

Comme chaque année les Beauvoir partirent pour Meyrignac et Simone put se donner sans réserve aux joies de la campagne. Ne possédant pas de maillot de bain, elle se baignait en camisole et en jupon dans les eaux de la Vézère, se séchait sur l'herbe en lisant, explorait les bois, et sortait avec sa cousine Madeleine qu'on invitait dans les manoirs des alentours.

A la fin de l'été, elle retourna dans les Landes en s'arrêtant à Bordeaux pour y passer une journée avec Merleau-Ponty. Dès son arrivée au château de Gagnepan elle sentit qu'elle n'était pas la bienvenue. Au lieu de lui permettre de partager la chambre de Zaza, on l'installa avec la nouvelle gouvernante des enfants. Simone savait que les L... trouvaient qu'elle avait une mauvaise influence sur Élisabeth, qu'elle la poussait à préparer un diplôme d'études supérieures contre leur gré.

Zaza était démoralisée. Elle avait écrit pendant l'été que « tout lui était indifférent et qu'il lui semblait être déjà dans la mort ». Chaque fois que Simone pensait pouvoir lui parler tête à tête, un membre de la famille surgissait et coupait court aux confidences. Reléguée avec la gouvernante, Simone se lia d'amitié avec elle. Stépha était une étudiante polonaise de son âge dont le père avait une grosse fabrique de bonbons. En Pologne, elle avait milité pour l'indépendance de l'Ukraine, prise dans une rafle, elle avait fait quelques jours de prison. Ses parents l'avaient envoyée poursuivre ses études à Berlin, puis à Paris où elle suivait des cours à la Sorbonne. Elle voulait observer la vie quotidienne d'une famille française et s'était engagée comme gouvernante.

Le soir, elle s'habillait pour dîner, ses épaules nues scandalisaient. Elle se mettait au piano et chantait de langoureuses chansons ukrainiennes. Le mère de Zaza trouvait que cette gouvernante étrangère ne se tenait pas à sa place. Son élégance détonait. Simone se prit pour Stépha d'une grande amitié qui dure encore. Elle la revit à Paris. Stépha menait une vie très libre, elle fréquentait des artistes, des intellectuels, tout un milieu qui se réunissait à Montparnasse. Elle passait des heures à la Closerie des Lilas à discuter politique ou art avec des Ukrainiens en exil. A Berlin, Stépha avait rencontré un jeune peintre espagnol exilé, Fernando Gerassi, ils vivaient dans le même hôtel rue Saint-Sulpice. Très cultivés, ces étrangers connaissaient la langue et la littérature françaises. Ils étaient pacifistes, internationalistes et révolutionnaires.

Beauvoir fut aussitôt intégrée, on adopta aussi Hélène de Beauvoir et son inséparable amie Gégé* qui suivait des cours de dessin. Merleau-Ponty les trouva trop bohèmes et refusa de les fréquenter.

Leur maturité politique et sexuelle amenait Simone à se mettre elle-même en question. Elle continuait à partager avec Zaza et Merleau-Ponty la certitude que garçons et filles devaient arriver vierges au mariage, une façon d'envisager l'égalité entre les sexes. Elle abhorrait la tradition qui voulait que les garçons jettent leur gourme avant le mariage, c'était une tricherie. Aussi tomba-t-elle de haut quand, un soir au Stryx, elle entendit par hasard une jeune femme très élégante qui se plaignait : Jacques Champigneulles l'avait plaquée. Simone avait paré son cousin de toutes les vertus et ce héros, l'incarnation de l'Inquiétude, n'était en réalité qu'un fils de famille ordinaire. L'exubérante Stépha faisait son éducation sentimentale, elle lui racontait des anecdotes qui démystifiaient l'amour physique « Mais quoi, Simone ? C'est la vie. » En veillant à ne pas trop l'effaroucher, Stépha l'amena à reconsidérer sa vision volontariste du monde. Simone aimait Claudel parce qu'il glorifiait dans le corps la présence de l'âme, le plaisir devait être un avatar de l'esprit. Stépha ne donnait aucune primauté au spirituel. Elle avait pour les réussites universitaires peu d'admiration. Beauvoir vacillait : d'un côté ses camarades de la Sorbonne avaient leurs voies toutes tracées : carrière, famille, succès. De l'autre il y avait le milieu libre, créateur et sans racines où Stépha évoluait. Beauvoir ne voyait d'absolu ni dans le travail ni dans la débauche, « décidément je ne voyais de salut que dans la littérature ». Là, tous ses amis étaient d'accord avec elle.

A la Rotonde, au Jockey, on discutait interminablement politique, art, littérature. Certains avaient l'ambition d'être un jour célèbres. Stépha avait lu des passages du roman de Simone et comme Zaza elle l'avait encouragée à continuer. Dans ce groupe cosmopolite la jeune Beauvoir avait trouvé un milieu ouvert où elle n'avait plus l'impression d'être en porte à faux, elle n'y était pas une « déclassée » comme chez les L..., en marge de la société bourgeoise, elle se sentait à sa place dans ce milieu auquel l'avenir appartenait.

---

* Germaine Pardo. Son fils Frédéric Pardo, filleul de Sartre, a peint le portrait officiel de François Mitterrand.

L'envoûtement du jazz, de l'alcool, des frôlements, des aventures, l'avait reprise... Pour quatre francs, elle allait à l'Européen, un music-hall populaire, où des comiques et des diseurs débitaient des gaudrioles. Elle se sentait bien parmi les couples débraillés qui s'embrassaient. Ses promenades la conduisaient le long du boulevard Barbès où elle contemplait les prostituées et les voyous « avec une espèce d'envie ». Elle allait seule ou en groupe à la Jungle, le nouveau dancing à la mode qui venait de s'ouvrir. Une naine y chantait des chansons obscènes en montrant ses cuisses.

D'où lui venait cette passion des endroits mal famés ? Dans son journal elle note : « Il y a en moi je ne sais quel, peut-être monstrueux, désir depuis toujours présent de bruit, de lutte, de sauvagerie et d'enlisement surtout. »

A l'hôpital de la Salpêtrière, le mardi et le samedi, Simone suivait assidûment les cours de Georges Dumas*, l'auteur du célèbre *Traité de psychologie*. L'étude de la folie faisait une timide entrée dans le curriculum des étudiants en philosophie. On commençait à envisager la psychologie comme une science indépendante de la métaphysique, et à en faire une science objective, fondée sur la biologie. Cette façon nouvelle d'aborder le mental la séduisait. La différence entre le normal et l'anormal lui paraissait très mince. Elle avait l'impression qu'elle-même flottait dans cette zone imprécise. Elle se voyait comme un Janus attiré d'une part vers la clarté de la connaissance et d'autre part fasciné par le désordre des sens. Merleau-Ponty l'accusait de prêter à la vie trop de noblesse, alors qu'elle écrivait dans son journal : « Je veux la vie, toute la vie. Je me sens curieuse, avide, avide de brûler plus ardemment que tout autre fût-ce à n'importe quelle flamme. »

Le Castor

En novembre 1928, à la Sorbonne les cours reprennent. Dernière année d'études, année charnière pour Simone qui n'a pas encore vingt et un ans. Cette année-là, parmi les candidats peu nombreux à l'agrégation de philosophie il y a un petit groupe de normaliens connus pour leurs audaces intellectuelles,

---

* Georges Dumas, philosophe, médecin et psychologue, fonda avec P. Janet le *Journal de psychologie normale et pathologique*.

leurs beuveries et leur agressivité, ils s'appellent : Paul Nizan, Jean-Paul Sartre, René Maheu*. A la dernière fête de l'E.N.S., Sartre avait provoqué le scandale en apparaissant nu suivi de Nizan à peine vêtu. Ces blagues d'étudiants rabelaisiens choquaient Simone de Beauvoir. Elle se lia d'amitié avec René Maheu, le moins tapageur des trois. Auteur de poèmes et de plusieurs articles, il voulait devenir écrivain. Il était marié. Rue d'Ulm on l'appelait « le lama ». C'était une tradition de l'École que de se donner des surnoms, il baptisa Simone « Castor », « les castors, lui dit-il, vont en bande et ils ont l'esprit constructeur ». Ce surnom restera à Simone de Beauvoir, Sartre l'appelait ainsi, les amis de cette époque l'appellent toujours « Castor ». Sans faire partie d'aucun groupe, Beauvoir connaissait tout le monde. Toujours en conversation avec l'un ou avec l'autre, elle recueillait les confidences de ses camarades et se tenait au courant de tous les potins grâce à une de ses amies, « véritable concierge proustienne ». Maheu méprisait le dilettantisme en amitié. « Vous perdez votre temps avec des gens qui n'en valent pas la peine, ou vous êtes psychologue ou vous êtes inexcusable ! »

Avec Maheu, « j'eus, dit-elle, l'impression de me trouver moi-même : il m'indiquait mon avenir ». Elle voyait en lui un être entier, et non un être divisé comme la plupart de ses camarades entre le spirituel, l'intellectuel et les passions du corps. Maheu avait un corps qu'il ne reniait pas. « Comme il sentait fièrement dans ses veines la fraîcheur de son sang ! »

Si depuis la puberté, la sexualité de Simone l'avait laissée en repos, « l'angélisme » commençait à lui peser, or Maheu démontrait qu'on pouvait être un intellectuel sans être un pur esprit, qu'on pouvait sans honte assumer son corps. Là s'arrêtait leur entente car Maheu ajoutait que cette liberté ne s'appliquait qu'aux hommes. Beauvoir, qui avait depuis longtemps revendiqué théoriquement la liberté de son corps n'admettait pas qu'il y eût deux poids et deux mesures. Contemporaine de *la Garçonne*, elle « accordait aux femmes comme aux hommes la libre disposition de leur corps ». Maheu lui répondait qu'un homme ne respectait plus une femme « qu'il avait eue » et qu'« aucune femme ne subit impunément le contact des hommes ». Beauvoir s'entêtait : chaque être existait en tant qu'individu. Et si la société ne respectait

---

* André Herbaud dans les *Mémoires*.

que les femmes mariées, il fallait changer la société. Antireligieux, anticlérical, antinationaliste, antimilitariste, Maheu la poussa à liquider définitivement les contraintes de son éducation catholique.

Au printemps de 1929, trois agrégatifs, tous trois nés la même année, effectuaient leur stage au lycée Janson-de-Sailly : Claude Lévi-Strauss, Maurice Merleau-Ponty et Simone de Beauvoir. Une femme dans un lycée de garçons ? Le fait était nouveau, la mixité était suspecte et la séparation des sexes rigoureusement appliquée dans les lycées. Simone était la première femme à faire un cours de philosophie au sexe fort. Une femme alibi, dirait-on aujourd'hui, une pionnière disait-on alors. Beauvoir raconte avec humour comment un de ses professeurs lui prédit, l'air accablé, « vous réussirez ». On disait alors dans les couloirs de la Sorbonne qu'une femme devait se présenter quatre ou cinq fois avant de réussir à l'agrégation. En arrivant à Janson-de-Sailly, elle se rappelait son émotion quand, autrefois, elle marchait le long des murs du collège Stanislas où son père, ses oncles, Jacques, avaient fait leurs études. Cela lui paraissait alors tellement inaccessible, « une classe de garçons ».

Tout lui souriait. A la Sorbonne, à Montparnasse ses amis la rassuraient : beauté, intelligence, volonté de réussir, elle avait tout. Elle prit une décision : « Même si j'étais recalée, je ne resterais pas à la maison, et si j'étais reçue, je ne prendrais pas de poste, je ne quitterais pas Paris : dans les deux cas, je m'installerais chez moi et je vivrais en donnant des leçons... Gagner de l'argent, sortir, recevoir, écrire, être libre... J'entraînais ma sœur dans cet avenir. Sur les berges de la Seine à la nuit tombée, nous nous racontions à en perdre haleine nos triomphants lendemains : mes livres, ses tableaux, nos voyages, le monde. Dans l'eau fuyante tremblaient des colonnes et des ombres glissaient sur la passerelle des Arts : nous rabattions sur nos yeux nos voiles noirs* pour rendre le décor plus fantastique. »

Cette année qui s'annonçait tout bonheur devait s'achever par deux événements capitaux dans la vie de Simone de Beauvoir : l'amour de Sartre et la mort de Zaza.

---

* Simone et Hélène étaient en deuil de leur grand-père Beauvoir qui venait de mourir à Meyrignac.

L'amour, la mort

Simone avait présenté Maurice Merleau-Ponty à Zaza et avait remarqué qu'une discrète complicité s'était établie entre eux aussitôt. Ils riaient souvent, taquinaient Simone qu'ils appelaient « la dame amorale ». Au printemps, Simone de Beauvoir et Merleau-Ponty passent brillamment l'oral de leur diplôme d'études supérieures, Zaza est dans la salle, rose d'émotion. Pour fêter leur succès, elle les emmène goûter dans un bistrot, les Yvelines. Ils se retrouvent plusieurs fois pour canoter au bois de Boulogne. Maurice a son regard le plus velouté, Zaza ne parle que de lui. C'est évident, ils sont tombés amoureux. Simone est heureuse du bonheur de son amie d'enfance, elle songe qu'elle va se marier selon son cœur et échapper à la tyrannie de sa mère. Mme L... n'avait-elle pas envoyé Zaza passer l'automne à Berlin pour l'empêcher de préparer un diplôme d'études supérieures, l'éloigner de Simone, de la Sorbonne, et lui faire accepter l'idée d'un mariage de raison ? Dans le Berlin des années vingt, Zaza avait trouvé une liberté inimaginable à Paris. Confiée à l'ambassadeur de France, elle avait rencontré le Tout-Berlin. A l'université, elle s'était liée avec des étudiants des quatre coins du monde, avec eux elle avait dîné dans de petits restaurants fréquentés par des ouvriers. Simone avait retrouvé une jeune fille épanouie, sûre d'elle, qui avait entrepris la traduction d'une œuvre de Stephan Zweig, et projetait d'écrire un roman.

Élisabeth et Maurice avaient décidé secrètement de se marier deux ans plus tard quand Merleau-Ponty aurait passé l'agrégation et accompli son service militaire. Mais Mme L... détestait « la liberté de mœurs » des étudiants de la Sorbonne et elle interdit à sa fille d'aller canoter au bois de Boulogne, Zaza ne se sentit pas le courage de braver ouvertement sa mère, elle lui parlerait de Maurice après l'été, en attendant ils s'écriraient. Connaissant les L..., Simone trouva cette prudence raisonnable.

Une longue lettre de Zaza la jeta dans la perplexité. Zaza lui laissait entendre que les choses n'allaient plus du tout. Sa mère avait décidé de la marier à un candidat de son choix et s'acharnait à le lui imposer. Zaza avait déclaré qu'elle ne se marierait jamais sans amour. Mme L... avait répliqué que c'était à l'homme d'aimer sa femme. Une de ses tantes était venue à la rescousse en affirmant que le sacrement du mariage déclenchait infailliblement l'amour de l'épouse. Puis les choses s'étaient apaisées. Élisabeth décrivait à Simone la joie que lui donnaient les lettres de Maurice. « La vie est merveilleuse », lui disait-elle. Vers la fin de l'été, une lettre de Zaza lui fit comprendre que les malentendus avaient resurgi. Soudain, les lettres de Maurice étaient devenues ambiguës et la jetaient dans le désespoir. Elle ne comprenait plus le fond de sa pensée. L'aimait-il assez pour l'attendre deux ans ? Déroutée, elle était allée se confier à sa mère qui lui avait interdit d'écrire à Maurice, car, lui affirma-t-elle, pour elle la chose était claire, il n'avait aucune intention de l'épouser.

Zaza appela Simone à son aide. Elle lui envoya des passages de la dernière lettre de Maurice dont les réticences et les appels au pardon révélaient un profond désarroi.

Inquiète, Simone va trouver Maurice et lui demande s'il aime encore Zaza. Il l'aime. A-t-il renoncé à l'épouser ? Non. Alors tout est simple, que Maurice aille demander la main de Zaza aux L... qui doutent de ses intentions. Il refuse de le faire. Simone s'emporte contre lui mais ne peut rien obtenir. Il aime Élisabeth mais il faut attendre : sa sœur vient de se fiancer, son frère aîné part pour le Togo, s'il apprend à sa mère que lui aussi va se marier, elle en mourra de chagrin. Une excuse aussi insensée ne peut convaincre Simone. Elle s'obstine, lui peint le désespoir de Zaza, rien n'y fait.

Chacun semblait tenir sa vérité, et la vérité des uns n'était pas celle des autres. Mais qu'avaient donc les L... contre Maurice Merleau-Ponty ? Il était catholique pratiquant, fils d'un officier de marine, un brillant normalien, il n'avait besoin de personne pour réussir. Les L... auraient dû se féliciter du choix de leur fille et se réjouir de son bonheur.

Simone rencontra Zaza, elle était très malheureuse, ne comprenait pas sa mère et s'affolait. Elle avait du mal à tenir tête à ses parents qu'elle aimait ; les discussions, les interdits, les conseils, les ordres, les supplications la ravageaient, elle maigrissait, elle avait de violents maux de tête, elle ne savait plus s'il fallait lutter pour sauver son amour ou capituler dans le désespoir. Simone s'efforçait de raisonner logiquement pour l'aider à choisir une conduite. Il était évident que les L... n'aimaient pas les intellectuels, la Sorbonne laïque, les incroyants, les étrangers, l'École normale. Sans doute craignaient-ils qu'un normalien n'entraînât leur fille dans l'erreur des idéologies modernes. Mais Maurice n'avait rien d'un révolutionnaire, il avait fait une retraite à l'abbaye de Solesmes où il avait retrouvé la foi de son enfance. Que Zaza

explique donc cela à sa mère, qu'elle parle clairement, raison-
nablement, les malentendus seront balayés.

Mais les L... et Merleau-Ponty restaient sur leurs positions.
Ce marivaudage tragique était incompréhensible. Le désespoir était en train de détruire Zaza. Simone tenta de la sauver.
Dans cette intrigue où chacun agissait avec un tel entêtement,
où tout le monde avait l'air de souffrir cruellement et d'être
aux prises avec des arrière-pensées, Simone proposa une
autre solution : que Maurice se rende chez les L... sans en rien
dire à sa mère et fasse une demande en mariage secrète,
qu'on annonce les fiançailles après le service militaire.
Mme Merleau-Ponty aurait le temps de se remettre du
mariage de sa fille et du départ de son fils aîné, mais que Maurice se déclare ! Mme L..., excédée de voir Simone constamment mêlée à cette affaire, lui interdit de remettre les pieds
rue de Berri.

Les L... trouvent enfin une solution : Zaza ira passer un an
en Allemagne, après, on verra ! En attendant, on adoucit la
rigueur des interdits, on permet à Élisabeth de revoir Maurice, rue de Berri. Le jour où il devait venir, Zaza reçoit *in
extremis* un pneumatique de Maurice : son oncle vient de mourir, il estime que son deuil est incompatible avec la joie de la
revoir. Puis il remet un autre rendez-vous : son frère vient de
s'embarquer. Il lui écrit pour l'assurer de ses sentiments.
Zaza est de plus en plus abattue, Simone tente de la pousser à
la révolte, rien ne semble l'atteindre, elle excuse tout le
monde.

C'est en sortant de la Bibliothèque nationale qu'elle la rencontra pour la dernière fois. Elle la trouva exubérante, follement gaie, optimiste. Elle faisait des courses, elle entraîna
Simone. Elle parlait des livres qu'elle redécouvrait, de son
amour dont elle commençait à peine à comprendre l'intensité.
Quand elle quitta Simone, elle lui laissa une impression de
malaise. Quatre jours plus tard, un mot de Mme L... l'informait que Zaza avait été transportée d'urgence dans une clinique. Pendant plusieurs jours elle délira, elle réclamait « mon
violon, Maurice, Simone et du champagne ». Elle mourut.

Quelle était la raison de cette tragédie ? Pourquoi avoir
tourmenté Zaza à ce point ? Mme L... sanglotait, M. L... parlait
de la volonté de Dieu, Simone n'y voyait que l'oppression
insensée d'une famille de la grande bourgeoisie catholique qui
avait tyrannisé, étouffé son amie, et provoqué un désespoir
aussi fort que la mort. Longtemps, elle garda au fond de son

cœur une profonde rancune contre Maurice Merleau-Ponty qui, par son attitude compassée, était lui aussi responsable de ce drame.

Plusieurs fois, dans ses romans de jeunesse, Beauvoir essayera de recréer ce récit de mort et d'amour où les protagonistes évoluent dans une zone d'ombre. Sous le nom d'Anne, Zaza lui inspira une série de personnages. Sartre, qui déclarait « la famille est une poche à merde », voulut en faire l'héroïne de son premier roman qui resta inachevé. Elle est l'autre héroïne des *Mémoires d'une jeune fille rangée* que Beauvoir termine par cette phrase : « Ensemble nous avions lutté contre le destin fangeux qui nous guettait et j'ai pensé longtemps que j'avais payé ma liberté de sa mort. »

A la parution des *Mémoires*, trente ans s'étaient écoulés. Une sœur de Zaza vint raconter à Beauvoir ce qui s'était passé. Quand Élisabeth avait rencontré Merleau-Ponty ç'avait été le coup de foudre. Ils avaient fait immédiatement des plans d'avenir et Élisabeth présenta Maurice à ses parents. Tout parlait en sa faveur. Les L... qui avaient neuf enfants voyaient sans déplaisir leur troisième fille prête à se marier et parfaitement heureuse.

A cette époque, la bonne bourgeoisie se souciait de ses alliances. On pouvait s'allier à une famille peu fortunée, mais encore fallait-il qu'elle fût honorable. Les L... se conformèrent aux usages de leur milieu en faisant faire une enquête prénuptiale.

Les Merleau-Ponty avaient longtemps vécu à La Rochelle. Ils avaient trois enfants. Le père, officier de marine, naviguait au loin. Quel fut le saisissement des L... lorsque l'enquête leur révéla que Mme Merleau-Ponty avait été pendant des années la maîtresse en titre d'un professeur d'Université, et que ses deux cadets étaient le fruit d'un double adultère, le professeur étant marié !

Mme Mancy, la mère de Jean-Paul Sartre, qui avait vécu à La Rochelle avec son second mari, confirma ces faits à Simone de Beauvoir. La liaison était de notoriété publique. Aux grands dîners de La Rochelle le professeur était assis entre sa femme et sa maîtresse. Maurice et sa sœur portaient le nom du mari de leur mère, ils étaient légalement ses enfants. Leur père naturel s'occupait d'eux avec beaucoup de tendresse. Il passait à leurs yeux pour un ami de la famille. Devenue veuve, Mme Merleau-Ponty s'était installée à Paris. Maurice et sa sœur étaient très attachés l'un à l'autre et passionnément dévoués à leur mère. Élevé dans une ambiance feutrée et voilée, Merleau-Ponty ne savait rien ce jour d'été où M. L... l'emmena au bois de Boulogne pour avoir une conversation d'homme à homme. Il lui apprit la vie scandaleuse de sa mère et qu'il était un enfant naturel, un enfant du péché. Il ne pouvait pas lui accorder la main de sa fille. Maurice fut foudroyé par ces révélations. Sa sœur était fiancée, il ne fallait pas que la famille du fiancé le sût. L'enquête avait jeté le trouble chez les Merleau-Ponty, le frère et la sœur se solidarisèrent avec leur mère. Pour que le scandale n'atteignît pas sa sœur, Merleau-Ponty assura les L... qu'il renonçait à Élisabeth. Mais il l'aimait. Elle ne comprenait pas pourquoi subitement il la fuyait, pourquoi ses lettres étaient si ambiguës. Lui s'arrachait à cet amour, désespéré de la faire souffrir et de ne pouvoir lui dire la véritable raison de ses réticences. Les raisons peu convaincantes qu'il lui donnait ne la trompaient pas. Mme L... qui voyait combien sa fille se tourmentait, essayait maladroitement de l'arracher à cet amour en substituant à Maurice un autre fiancé. Dans sa famille on avait toujours fait des mariages de raison.

Tout se liguait contre l'amour de Zaza et chacun dissimulait une vérité qu'elle ne parvenait pas à saisir. Son trouble, son désarroi, sa dépression devenaient si graves que ses parents prirent la décision de tout lui révéler. Pour cette famille très croyante et très engagée, qui allait à Lourdes chaque année servir les malades, la morale catholique était sacrée. Pour eux, l'adultère était un péché mortel. On donnait un baiser au lépreux, on n'épousait pas Maurice Merleau-Ponty.

Mais l'amour de Zaza était si profond, si passionné que le détruire c'était la détruire. Tout en comprenant les raisons de ses parents, elle refusait le suicide du cœur qu'on lui demandait.

Maurice ignorait que Zaza savait tout, Élisabeth ne voulait pas qu'il sût qu'elle connaissait le péché de sa mère. Incapable de renoncer à lui, incapable de désobéir à ses parents, mais se souvenant d'avoir lu chez le janséniste Nicole que l'obéissance pouvait dans certains cas devenir un péché, Élisabeth se sentait de moins en moins capable de raisonner et de prendre une décision. Elle ne faisait à Simone que de fausses confidences.

Elle devint la proie d'un tel désarroi, de telles contradictions qu'elle glissa peu à peu dans la folie. La veille de la crise finale qui devait la conduire chez Mme Merleau-Ponty, Élisabeth arracha ses vêtements et elle descendit entièrement nue, l'escalier de l'appartement des L... Son père la ramena dans sa chambre. Avait-elle voulu jeter ses vêtements dans un geste symbolique pour refuser le mensonge, le secret, et se retrouver enfin dans la pure lumière de sa propre vérité ? Le lendemain, elle se présenta chez Mme Merleau-Ponty, lui demanda si Maurice était déjà au ciel et pourquoi elle la détestait. Bouleversée par l'aspect de cette jeune fille brûlante de fièvre et sans chapeau, Mme Merleau-Ponty la rassura : elle ne s'opposait pas du tout à ce mariage. Maurice la reconduisit chez elle en taxi, on la transporta dans une clinique de Neuilly. Les L... s'expliquèrent avec Maurice, ils n'étaient plus hostiles à ce mariage. C'était trop tard, Élisabeth délirait, Élisabeth se mourait.

Simone de Beauvoir était la seule à qui personne n'avait rien dit et elle avait assisté angoissée au déroulement d'une tragédie. « Seigneur, que de vertus vous me faites haïr ! »

IV. Jean-Paul Sartre

> « Sartre était le double en qui je retrouvais, portées à l'incandescence, toutes mes manies. »
>
> La Force de l'âge, p. 482.

Jean-Paul

Pendant que se déroulait la tragique histoire d'amour d'Élisabeth, Simone préparait le concours. En mai 1929, son grand-père de Beauvoir mourut. Il avait quatre-vingt-onze ans. Avec lui disparaissaient les longues vacances heureuses qui n'avaient existé pour Simone que grâce à son grand-père et à la propriété de Meyrignac. Dans le train qui emmenait les Beauvoir vers le Limousin, elle songeait combien les circonstances l'avaient éloignée de la vie qu'aurait dû avoir une demoiselle de Beauvoir. Pour ses tantes et ses cousins le mot « agrégation » et les réalités qu'il recouvrait étaient aussi étranges et étrangers que les rites de passage chez les Indiens d'Amérique. Au milieu d'eux Simone se sentait différente, « exilée, rejetée », aujourd'hui à Meyrignac « son passé se défaisait », l'abandonnait, une page était tournée. Elle regardait sa nombreuse famille réunie pour l'occasion, pour chacun d'eux les chemins de la vie étaient tracés d'avance. Quels seraient les siens ?

« Dans cet avenir, dont je commençais à sentir l'imminence, l'essentiel demeurait la littérature. J'avais eu raison de ne pas écrire trop jeune un livre désespéré : à présent, je voulais dire à la fois le tragique de la vie et sa beauté... J'étais prête à présent pour quelque chose d'autre : dans la violence de cette attente, les regrets s'anéantissaient. » Dans son journal, en mai 1929, elle décrivait sa joie d'être au monde, il lui semblait grisant tout simplement d'exister, de sentir le soleil sur sa peau, d'entendre le bruissement des châtaigneraies dans le vent.

René Maheu n'était pas étranger à ce plaisir de vivre : « J'ai eu pour Maheu une amitié amoureuse, nous dira Simone de Beauvoir, mais jamais il n'y eut entre nous le moindre baiser, le moindre geste. » Dans ses *Mémoires*, elle écrit : « Il me plaisait de plus en plus et ce qu'il y avait d'agréable, c'est qu'à travers lui, je me plaisais à moi-même. »

Ensemble ils travaillaient. Maheu lui faisait de discrètes scènes de jalousie sur ses amis : Maurice de Gandillac qui venait de lui donner à lire son premier roman, Bandi, un journaliste hongrois qui la poursuivait à la Bibliothèque nationale, Stépha dont les manières provocantes le choquaient. Quand il voyait Simone en conversation avec quelques camarades, il se tenait dédaigneusement à l'écart, il trouvait qu'elle était trop séduisante. Discrètement, il éloignait de Simone les autres normaliens qui s'intéressaient à elle, en particulier Sartre qui faisait des travaux d'approche. Par l'intermédiaire de Maheu, il lui avait envoyé un dessin représentant *Leibniz au bain avec les monades*. Décidément Simone traînait tous les cœurs après soi. Son amitié avec René la comblait de joie, même si par moments elle en ressentait « avec détresse, la fragilité ». Il était marié et Simone n'avait aucune envie d'être « la seconde ». Amoureuse de l'amour, elle trouvait indécent que les époux soient « rivés l'un à l'autre par des contraintes matérielles : le seul lien entre les gens qui s'aiment aurait dû être l'amour ». Le sentiment qu'elle avait pour Maheu ressemblait à celui qu'elle avait pour son cousin Jacques. Devant le foisonnement de son cœur, elle s'exhortait à « vivre au jour le jour, sans espoir et sans crainte, cette histoire qui, au jour le jour, ne lui donnait que de la joie ».

Le sujet de l'agrégation en 1929 est « Liberté et contingence », une dissertation sur mesure pour nos futurs existentialistes. Les plumes de Sartre, de Nizan, de Maheu, de

Simone s'élancent sur le papier. Sur sa table, elle a posé une Thermos de café et une boîte de petits-beurre. Après les deux jours d'épreuves écrites, Georges de Beauvoir emmène sa fille passer la soirée dans un cabaret célèbre pour ses diseurs : la Lune rousse. Ce n'est pas l'une des moindres contradictions de ce père qui prône la femme au foyer et glorifie « la vraie jeune fille » que de récompenser sa fille par une soirée au cabaret comme si elle était un garçon ! Qu'on la traitât comme un garçon paraissait normal à Simone, plusieurs fois dans des réunions quand les femmes et les hommes se séparaient comme c'était la coutume, elle était restée tout naturellement avec les hommes qui parlaient de ce qui l'intéressait.

Son père l'invita ensuite à manger des œufs sur le plat chez Lipp. Hommage de Georges de Beauvoir à l'intelligence et à la beauté de sa fille qu'il était fier de montrer dans ce haut lieu de la vie parisienne.

Il fallait préparer l'oral du concours. Sartre, par l'intermédiaire de Maheu, invita Simone à le préparer avec lui. Beauvoir et Sartre ont souvent raconté cet épisode de leur vie : la turne de Sartre, la fumée des cigarettes, Nizan, Maheu et Beauvoir bûchant le programme, les fins d'après-midi passées dans les fêtes foraines. Le petit groupe rejoint par Rirette Nizan, s'entassant dans sa torpédo et faisant le tour de Paris en buvant çà et là une bière. Pendant ces promenades, Sartre qui avait une belle voix de ténor léger chantait tous les airs de jazz à la mode. Ils allaient chez les Nizan qui habitaient rue Vavin, un immeuble 1925 recouvert de faïences blanches. Leur chambre était décorée d'un grand portrait de Lénine. Nizan fréquentait les auteurs de la N.R.F. et emmenait le petit groupe au café de Flore où se retrouvaient les jeunes espoirs de Gallimard.

Le jour des résultats de l'écrit Simone de Beauvoir arrivait à la Sorbonne comme Jean-Paul Sartre en sortait. Il lui annonça : « Vous êtes reçue » et dans le même élan : « A partir de maintenant, je vous prends en main. » Maheu avait échoué.

Pendant les quinze jours de la préparation de l'oral ils ne se séparèrent que pour dormir. Ils sortaient avec les Nizan, avec Raymond Aron, avec Politzer. Sartre « dont la munificence était légendaire » les abreuvait de cocktails jusqu'à des heures avancées de la nuit. Il vantait à Simone *les Pardaillan, Fantomas,* les westerns. Elle avait fréquenté surtout les cinémas d'art, elle aimait l'art abstrait, les poèmes hermétiques, avec Sartre elle découvrait le foisonnement de la vie, tout était intéressant. Pendant des heures, ils causaient et s'éblouissaient mutuellement. L'un et l'autre avaient la même « passion tranquille et forcenée » qui les jetait vers leurs livres à venir. Sartre lui disait qu'il fallait préserver à tout prix son goût de la liberté, son amour de la vie, sa curiosité, sa volonté d'écrire. Il lui proposait de l'aider. Il lui montra « Er l'Arménien » qu'il venait de terminer, elle lui fit lire son roman sur les années vingt « où elle disait tout ». Ils firent de leurs essais une critique franche, impitoyable et constructive. Elle trouvait que Sartre se servait de déguisements vieillots : dieux et titans, pour exposer ses théories ; il lui expliquait que le roman posait « mille problèmes ». Leur relation avait dès le début trouvé sa véritable base : une entente intellectuelle qui durerait aussi longtemps qu'eux-mêmes. Rien n'arrêterait plus cette conversation commencée pendant les oraux de l'agrégation. Ils furent reçus tous les deux premiers avec le même nombre de points. En 1929, il existait une étrange classification : les garçons étaient classés normalement. Pour les filles, peu nombreuses, on n'avait pas mis en place une agrégation féminine, elles étaient donc classées en surnombre et parallèlement, elles ne disputaient pas leur place aux candidats. Comme Ève, elles étaient égales et surnuméraires !

Et la plus jeune agrégée de France prit le train pour ses dernières vacances en Limousin. Sartre devait venir l'y rejoindre, le prétexte était qu'ils allaient écrire ensemble. C'est René Maheu qui arriva le premier. Il l'attendait à Uzerche, Simone voulait le rejoindre. Les Beauvoir, choqués, refusèrent de financer le voyage, ils n'approuvaient pas une amitié, si innocente fût-elle, avec un homme marié. Simone n'allait plus se laisser arrêter par ce qui dérangeait les projets auxquels elle tenait. Elle emprunta l'argent à sa cousine Madeleine et partit pour Uzerche où elle passa trois jours. Maheu, féru de préhistoire et de paléontologie, faisait naître sur les landes des dolmens, des menhirs, il peuplait les forêts de druides. Le passé laissait Simone de glace. Elle s'étonnait de son respect de certaines conventions et de son esthétisme.

En août, Sartre arriva et s'installa à l'hôtel de la Boule d'Or à Saint-Germain-les-Belles, ils reprirent la conversation amorcée à Paris, et bientôt Beauvoir se rendit compte « que, se poursuivît-elle jusqu'à la fin du monde, le temps lui semblerait trop court ». Au petit matin, Simone partait à travers champs rejoindre Sartre; la cloche du château de la Grillère la rappelait pour le déjeuner. « Sartre mangeait du pain d'épices ou du fromage que ma cousine Madeleine déposait avec mystère dans un pigeonnier abandonné. » A la nuit, il regagnait son hôtel. Après quatre jours de discussions aux champs, Georges et Françoise de Beauvoir apparurent et prièrent courtoisement le jeune agrégé de quitter les lieux car on jasait sur « l'apparente inconduite » de Simone. Sartre rétorqua qu'ils travaillaient en tout bien tout honneur et n'abrégea pas son séjour. Les deux écrivains se cachèrent plus avant dans les châtaigneraies. Le roman d'amour le plus singulier du XXe siècle venait de commencer.

Les Sartre et les Schweitzer

Le jeune homme qui venait d'entrer dans la vie de Simone de Beauvoir en arborant une chemise d'un rose agressif était né dans le XVIe arrondissement, à l'angle de la rue Mignard et de la rue Guy-de-Maupassant, à deux pas du bois de Boulogne, dans un de ces immeubles cossus où habitait la bourgeoisie aisée d'avant la guerre de 14-18. Son père, Jean-Baptiste Sartre, avait fait l'École navale. A sa sortie de l'école, il fut envoyé comme lieutenant en second en Indochine. Depuis 1897, la France administrait l'Union indochinoise qui regroupait le Cambodge, le Laos et le Vietnam. Paul Doumer, qui en était le gouverneur général, avait dû à plusieurs reprises faire intervenir l'armée pour briser des rébellions locales. En Asie, l'armée française découvrait les charmes des plaisirs artificiels et de nombreux officiers ne se déplaçaient pas sans leur fumerie d'opium; ils attrapaient aussi toutes sortes de fièvres tropicales. Jean-Baptiste Sartre repartit d'Indochine avec une santé fortement ébranlée.

En mai 1904, à trente-quatre ans, il épousa à Cherbourg Anne-Marie Schweitzer. Anne-Marie avait vingt ans, elle était la cadette de trois enfants. Son frère aîné, Georges Schweitzer, était polytechnicien et suivait une confortable carrière; le second, Émile, passait pour un être étrange. Il était professeur d'allemand et ne se maria jamais. A sa mort, en 1927, on trouva un revolver sous son oreiller et, dans ses malles, cent paires de chaussettes trouées. Ces Schweitzer étaient tous d'excellents musiciens, même s'ils ne s'illustrèrent pas comme leur cousin germain le célèbre Albert Schweitzer, le médecin musicien qui reçut le prix Nobel pour son œuvre en Afrique.

Jean-Baptiste Sartre et Anne-Marie Schweitzer s'installèrent à Paris. Le 21 juin 1905 naissait Jean-Paul Sartre. Quelques mois après, le père et le fils furent atteints d'une maladie intestinale qui mit leurs jours en danger. Le père de Jean-Baptiste Sartre était médecin à Thiviers, il les soigna tous deux; il sauva son petit-fils, mais son fils mourut le 17 septembre 1905.

Le docteur Sartre était un être taciturne. Il avait épousé la fille d'un riche propriétaire périgourdin, Marie-Marguerite Chavois. Peu de temps après son mariage, il apprenait que son beau-père était ruiné. Outré par ce qu'il considérait comme un abus de confiance, il n'adressa plus la parole à sa femme pendant quarante ans, communiquant avec elle par signes. Elle l'appelait « mon pensionnaire ». De cet étrange mariage naquirent trois enfants, Jean-Baptiste (le père de Sartre), Joseph, qui était bègue et vécut toujours chez ses parents, et Hélène qui épousa un officier de cavalerie qui devint fou.

Anne-Marie Sartre, après la mort de son mari, n'envisagea pas de vivre chez son beau-père, dans l'étrange atmosphère de la maison de Thiviers. Elle retourna chez ses parents. Son père, Chrétien Charles Schweitzer, était un Alsacien bon vivant, un homme couvert de femmes comme le sera plus tard son petit-fils Jean-Paul. Cet homme vigoureux qui ne pouvait supporter l'oisiveté se plaisait à rappeler la longévité des Schweitzer. Docteur ès lettres, il avait écrit en 1887 sa thèse de doctorat sur le poète allemand Hans Sachs*. Il s'était spécialisé dans la méthodologie des langues vivantes — un de ses élèves a publié les notes prises à ses conférences à la Sorbonne. Membre de la Société pour la propagation des langues étrangères en France, il avait publié en collaboration avec le grand angliciste Louis Cazamian une histoire de la civilisation anglaise longtemps en usage dans les classes terminales.

Il était l'auteur d'une série de manuels pour l'enseignement de l'allemand et de l'anglais utilisés dans les écoles primaires supérieures et les écoles normales primaires et aussi d'une méthode originale pour l'enseignement des langues; des générations de lycéens ont grandi avec sa *Méthode directe pour*

---

* En 1889, il publiait sa thèse secondaire : « De Poemate Latino Walthario thesim proponebat Facultati Literarium parisiensi ad gradum doctoris promovendus », Paris, Berger-Levrault.

l'enseignement de l'allemand ou sa *Méthode directe pour l'enseignement de l'anglais.*

Jean-Paul Sartre avait cinq ans quand son grand-père fonda, 1, rue Le Goff à Paris, l'Institut des langues vivantes. Parmi ses élèves se trouvaient de nombreux étudiants étrangers qui apprenaient le français dans sa *Méthode directe pour l'enseignement du français.* Il avait la Légion d'honneur et les palmes académiques.

Les Schweitzer vivaient bourgeoisement : ils employaient une cuisinière, une femme de chambre et, à la campagne, à Meudon, un jardinier. L'été, ils passaient deux mois à Arcachon. Ils allaient fréquemment en Alsace. Les Schweitzer étaient bilingues. Jean-Paul Sartre apprit l'allemand en même temps que le français. Son grand-père dirigeait son éducation, et sa mère ses loisirs. Tous les jours, elle l'emmenait au Luxembourg, au cirque, au théâtre et souvent au cinéma qu'elle adorait. Très tôt, il commença à écrire des histoires, *Pour un papillon, le Marchand de bananes,* il mit en alexandrins les fables de La Fontaine et l'été il correspondait en alexandrins avec son grand-père. Il n'avait pas dix ans. Dans ce milieu d'universitaires, personne ne doutait que cet enfant précoce ne fût un jour « un prince des lettres ». Jusqu'à huit ans, une gouvernante s'occupa de lui, il entra alors au lycée Montaigne, puis au lycée Henri-IV.

En 1916, Sartre avait onze ans quand sa mère se remaria avec M. Mancy, un polytechnicien qui lui faisait la cour depuis des années. Il était directeur des chantiers navals Delaunay-Belleville à La Rochelle. Sartre dira : « Il gagnait des sommes importantes et par conséquent nous vivions très bien. » Sartre suivit sa quatrième, sa troisième, sa seconde au lycée de La Rochelle. Son beau-père s'occupait attentivement de ses études et lui faisait faire ses devoirs de maths. On le destinait aux grandes écoles, on l'envoya donc à Paris en 1920 pour préparer son bac au lycée Henri-IV. En 1921, ses professeurs le présentèrent au concours général, il fut reçu à l'École normale supérieure en 1924, en même temps que Raymond Aron, Daniel Lagache et Paul Nizan. Ce dernier était depuis le lycée Henri-IV l'ami inséparable.

Dans leurs longues promenades à travers Paris, ils construisaient leur avenir. Nizan était un être nerveux, tourmenté, renfermé, Sartre un extraverti. Au lycée, ils amusaient la galerie, on les avait surnommés Nitre et Sarzan. Sartre avait gagné en outre le titre de S.O. ou « Satire Officiel », c'est qu'il avait la dent dure, le verbe agressif et cynique. Ils mettaient au point des scénarios à deux où ils faisaient le procès du monde, de leurs camarades, de leurs professeurs; Robert Wagner, fils d'un banquier protestant ami de Sartre qui les invitait à dîner chez son père, racontait : «Ils étaient hilarants. Jusqu'alors, seuls les films de Charlot avaient réussi à dérider mon protestant de père. Nizan et Sartre se renvoyaient la balle, c'était irrésistible... »

A l'École normale supérieure, ils partageaient la même chambre. Nizan était l'incarnation du Grand Meaulnes. Il disparaissait mystérieusement pendant des jours, revenait les yeux rougis, les vêtements en désordre; il partit pour Aden, y resta un an. Il jugeait sans tendresse ses condisciples : «leur légèreté sinistre, leur agressive futilité vient de ce qu'ils n'ont pas de charges et sont par nature irresponsables ». Il voyait leur adhésion politique aux partis extrémistes comme des divertissements sans grandes conséquences car, écrivait-il, «ces fils de banquiers et d'industriels pourront toujours rentrer dans le giron de leur classe ». Sartre avec son honnêteté coutumière dira dans *Situations IV* qu'à l'École normale la colère de Nizan contre le monde était vraie, la sienne n'était qu'une bulle de savon, de la «fausse monnaie». Nizan était issu d'un milieu ouvrier; son père était devenu ingénieur des Chemins de fer en montant par le rang et les concours internes, puis avait eu sa carrière cassée pour fautes professionnelles. Il ne s'en était jamais remis et parlait souvent de suicide. Nizan fut très marqué par cette rétrocession sociale : il était pour Sartre la personnification de l'Inquiétude qui ne comprenait pas les quêtes et les errances de son ami, son dédain de l'École; il souffrait silencieusement de ses brouilles avec Nizan, cela transparaît dans un de ses textes, *la Semence et le Scaphandre.*

Sartre était installé au cœur de sa sécurité. Dans ses conversations avec Raymond Aron le long du boulevard Saint-Germain, il mesurait sans vanité, sans hypocrisie, son génie : «S'élever au niveau de Hegel ? bien sûr, l'ascension ne serait ni trop ardue ni trop longue. Au-delà peut-être faudrait-il besogner. L'ambition s'exprime en moi par deux images, l'une c'est un jeune homme en pantalon de flanelle blanche, le col de la chemise ouvert, qui se glisse, félin, d'un groupe à l'autre sur une plage au milieu de jeunes filles en fleurs, l'autre image, c'est un écrivain qui lève son verre pour répondre à un toast d'hommes en smoking debout autour de la table. » Il aimait l'ambiance da la rue d'Ulm où il prenait volontiers la tête des « bizutages » des nouveaux élèves avec, quelquefois, une dureté étonnante. On admirait l'extraordinaire fécondité de son esprit, on le plaisantait sur sa facilité d'écriture. « Comment, pas plus de 350 pages en quinze jours mon petit camarade ? » lui disait Raymond Aron ébloui par la richesse de son imagination.

Sartre voulait vivre sa jeunesse comme une jeunesse de grand homme : « J'étais très conscient, écrit-il dans les *Carnets de la drôle de guerre*, d'être le jeune Sartre, comme on dit le jeune Berlioz ou le jeune Goethe. » Aussi ne comprit-il pas le mariage de Nizan et son adhésion au parti communiste. Pour lui, le grand homme devait se garder disponible selon le principe gidien. L'influence de Gide sur cette génération fut déterminante, il était l'image même de l'homme libre, car il était contre tout : famille, Église, partis, nationalisme, dogmatisme, convenances, autorité et fanatisme. Mais Nizan voyait dans ce négativisme une attitude bourgeoise, un écrivain devait s'engager dans l'action ; il soutenait cependant les entreprises de Sartre. Dans le journal de l'École, ce dernier avait écrit plusieurs textes violents et injurieux contre l'armée française et contre l'obligation faite aux normaliens de se soumettre à la préparation militaire spéciale. La presse s'était emparée de l'affaire. Sartre et quelques autres furent convoqués devant le conseil de discipline présidé par Gustave Lanson, le directeur de l'École. Nizan qui était en Arabie quand l'affaire éclata jura qu'il était l'instigateur des articles.

Sartre et sa bande, Péron, Larroutis, Baillou, Catan, Nizan, étaient connus pour leurs chahuts et pour leurs beuveries.

Sartre était de tous les canulars organisés rue d'Ulm. Lui et d'autres firent circuler le bruit que le jeune aviateur américain Lindbergh était nommé « docteur *honoris causa* » de l'École normale supérieure pour son premier vol transatlantique. Toujours fourmillant d'idées, Sartre organisa pour ses petits camarades une parodie de sa soutenance de thèse sur « l'image dans la vie psychique ». Déjà, il rejetait la psychanalyse. Le concept d'inconscient équivalait pour lui à « un cercle carré ». Psychisme et conscience ne se séparaient pas. Dans un séminaire de Brunschvicg, Sartre avait évoqué sa vision du monde, il avait esquissé l'opposition entre l'en-soi et le pour-soi : « Ces tables, disait-il, ne signifient rien, elles sont ici sans raison, sans but et sans contrepartie. La conscience à chaque instant signifie et donne signification à ces réalités aveugles qui la nient et pourtant ne sont que par elle. »

Sartre était prodigue. Dès l'enfance, pour acheter des gâteaux à ses camarades, il prenait de l'argent dans le sac de sa mère. Simone de Beauvoir qui, en 1981, se souvenait encore avec quels soins attentifs Mme de Beauvoir notait les moindres dépenses de sa famille dans son cahier noir, demanda, étonnée, à Sartre : « La vôtre ne comptait pas, elle ne savait pas ce qu'elle avait dans son sac ? » « Non », lui répondit Sartre qui gardera toute sa vie des rapports de privilégié avec l'argent. Étudiant, il ne mangeait jamais au restaurant universitaire, mobilisé en 1939, il refusait la popote de l'armée. Sa mère le renflouera chaque fois qu'il en aura besoin. Toute transaction d'argent entre la mère et le fils était aussi alambiquée qu'entre Proust et sa mère. Elle prenait des précautions infinies pour payer sans qu'il le sache les impôts élevés que, devenu célèbre, il avait oublié de régler. Toute sa vie il a donné sans compter ; il aimait se promener les poches bourrées de billets qu'il distribuait en gros pourboires ; il se désintéressait des contingences vestimentaires, laissant à sa mère, à Beauvoir ou à quelque amie le soin de lui offrir un manteau, une cravate, une paire de chaussures, un costume. Dans les *Carnets de la drôle de guerre*, Sartre parle de ses rapports avec l'argent : « Il y a une sorte de périssabilité de l'argent que j'aime. J'aime le voir couler hors de mes doigts et s'évanouir. Mais il ne faut pas qu'il soit remplacé par quelque objet solide et confortable. Il faut qu'il file en feux d'artifice insaisissables. Par exemple en une *soirée*. Aller en quelque dancing, y dépenser gros, circuler en taxi, etc. Partout où je passe je soulève le scandale par ma façon de dépenser — et cela chez les personnes les plus généreuses. »

A l'intérieur de l'École normale, on pratiquait le négligé vestimentaire et Sartre allait un peu plus loin que les autres. Mais on a exagéré la légende, Sartre jeune se souciait de son apparence, même s'il n'arriva jamais au dandysme de Nizan qui portait monocle et canne de jonc. Il parlait volontiers de sa laideur, une laideur qui disparaissait dès qu'il s'animait. Il était très soucieux de sa ligne, il cultivait ses muscles. Au gymnase, il montait à la corde raide les jambes en équerre avec une rapidité qui étonnait ses camarades. Excellent nageur, il abattait facilement un kilomètre.

Sartre était un séducteur. A six ans, il rêvait déjà au prestige de l'homme fatal à travers les livres qu'il avait lus. A onze ans, au lycée de La Rochelle, devant ses camarades qui se vantaient de faire des conquêtes, Sartre pour les épater renchérissait en leur racontant qu'il allait à l'hôtel avec sa maîtresse. Lycéen, il avait rejeté la notion de « belle âme » et lui avait substitué celle des « corps en proie au désir ». Il s'entraînait aux conquêtes dans le jardin du Luxembourg dont les bosquets cachaient ses fugaces amours. Cette volonté de séduire se colora d'une volonté de puissance, il voulait « conquérir une femme presque comme on conquiert une bête sauvage » mais, ajoute-t-il, « c'était pour la faire passer de l'état sauvage à l'état d'égalité avec l'homme ». Déjà se fait jour ce côté Pygmalion de Sartre qui a toujours encouragé ses nombreuses conquêtes à se réaliser en écrivant, en faisant du théâtre. Adolescent, il avait la tête pleine de l'image de l'homme fatal du romantisme. Il prenait pour modèles les vies tumultueuses de Shelley, de Byron, de Wagner. S'il partageait les idées d'une partie de sa génération : marxisme, internationalisme, pacifisme, son canevas amoureux datait du temps d'*Hernani* et d'*Antony*. Du héros de Hugo il avait « une âme de malheur faite avec des ténèbres », du héros d'Alexandre Dumas, le côté fou et sublime.

A dix-neuf ans, Sartre découvrit la passion. Simone Jolivet* avait vingt-trois ans, se disait disciple de Nietzsche et écrivait. Elle éblouit Sartre par ses confidences et le non-conformisme de sa vie. Sa sœur de lait, Zina, une gitane, lui était passionnément attachée et ne la quittait jamais. Pour l'initier à l'amour Simone l'avait déflorée. Elle-même racontait qu'enfant elle avait été violée par un ami de sa famille. Adolescente, après avoir sagement embrassé ses parents, elle descendait par la fenêtre de sa chambre et passait la nuit dans le bordel élégant de la ville, toujours accompagnée de l'inséparable Zina. Elle aimait recevoir ses admirateurs nue, ses longs cheveux blonds flottant sur ses épaules, debout devant une cheminée, en train de lire l'*Histoire de la Révolution française* de Michelet. Ses amants sanglotaient d'admiration et la couvraient de bijoux. Sartre et Simone Jolivet se rencontrèrent à Thiviers à l'enterrement d'un cousin commun. Sartre, coiffé d'un chapeau de son grand-père trop grand pour lui, très mince dans ses vêtements noirs, ressemblait d'après Simone à Mirabeau dont il avait l'intelligente laideur. C'est le coup de foudre. Pendant quatre jours et quatre nuits ils disparaissent de Thiviers.

---

* Camille dans les *Mémoires*. Son nom était Simone-Camille Sans mais plus tard son nom de théâtre sera Simone Jolivet.

Oncles, cousins battent la campagne pour les retrouver. On les ramène au bercail. Elle repart pour Toulouse où son père est pharmacien, il réintègre sa « turne » à l'École normale d'où il lui écrit : « Dites-moi si vous préférez votre Jean-Paul à ce Percy Bysshe Shelley que les femmes aimèrent tant... Je vous aime de toutes les façons que vous pouvez souhaiter, mon cher amour. »

Aux premières vacances, Sartre prit le train pour Toulouse où, sans le sou parce que l'argent lui filait entre les doigts, il déambula dans les rues jusqu'à minuit en attendant que s'allumât au-dessus de la pharmacie la fenêtre de Simone Jolivet. Il repartait à l'aube et errait dans la ville. Après quatre jours de ce régime, épuisé de fatigue, il s'endormit sur le lit de Simone. Quand il se réveilla, elle lui récitait *Ainsi parlait Zarathoustra*, en insistant sur les passages où Nietzsche traite de la volonté qui permet à l'homme de vaincre ses instincts.

Pendant deux ans, Sartre prit le train pour Toulouse chaque fois que Simone le sommait de venir, il errait dans les rues entre les rendez-vous, il lui écrivait : « Je voudrais être non le premier mais *le seul* dans votre amour. »

Pour l'inviter à Paris, il faisait des traductions, empruntait de l'argent. A une fête de l'École où elle vint, elle étonna les camarades de Sartre par l'originalité de ses tenues et l'étrangeté de ses manières. Sartre n'avait pas les moyens de l'entretenir à Paris, l'année suivante elle revint cette fois aux frais d'un vieil amant. Elle tomba amoureuse de Charles Dullin. Pour le séduire, elle alla le voir jouer. Tous les soirs elle s'asseyait au premier rang, toujours à la même place. Il la remarqua. Elle devint sa compagne et le resta jusqu'à sa mort. Sartre exorcisa le démon de sa passion pour elle dans *Une défaite**, un roman qui racontait ses amours. Il écrivait aussi un récit, *Empédocle*, s'identifiant au philosophe d'Agrigente, médecin, prophète, magicien dont la cosmogonie fondée sur les quatre éléments était régie par l'amour et la haine. En 430 avant Jésus-Christ, Empédocle se jeta dans le cratère de l'Etna pour se prouver qu'il était Dieu. Sartre n'en fit pas autant mais il exposa dans des lettres à Simone Jolivet son idée de la contingence et de la conscience comme vide.

Ses intermittentes et tumultueuses amours avec Simone Jolivet n'empêchaient pas Sartre de poursuivre son rôle de séducteur. En 1927, ce don Juan était tombé amoureux de la

---

* Le roman inspiré des amours de Nietzsche et de Cosima Wagner fut refusé par Gallimard.

fille d'un riche négociant en produits alimentaires qu'il désignera plus tard comme « la fille d'un épicier ». Il voulut l'épouser et envoya ses parents demander la main de la jeune fille. Les parents de celle-ci ne furent pas séduits, l'enquête qu'ils firent ne les rassura pas. Leur futur gendre avait une maîtresse, et, ce qui était plus grave, il affichait des idées subversives. Quand Sartre échoua à l'agrégation, en 1928, les fiançailles furent rompues.

Sartre retrouva la « liberté du grand homme — libre-pour-son-destin ». A la Sorbonne on le voyait toujours en train de charmer une étudiante. Changeant, volage, il était l'image même de l'inconstance. Comme Chateaubriand, il voulait être l'Enchanteur, celui dont la présence donnait leur véritable sens aux choses et réalisait l'accord de l'art et de l'amour. Séduire et écrire découlaient de la même démarche intellectuelle. Plus tard, il s'étonnera de « la profondeur d'impérialisme qu'il y avait là-dedans ».

Après leur séjour en Limousin, l'été 1929, Sartre et Beauvoir s'étaient écrit tous les jours. En septembre, Simone s'installa chez sa grand-mère Brasseur, qui habitait toujours, rue Denfert, un cinquième étage sans ascenseur d'où l'on voyait le Lion de Belfort. Elle lui payait un loyer. Enfin elle avait une chambre à elle ! Une chambre qu'elle tapisse de papier orange. Finies les couleurs tristes ! Finis aussi les vêtements ternes, elle s'habille de tissus soyeux, de velours chatoyants, se chausse de souliers vernis. Elle se farde avec éclat et éblouit ses élèves au lycée Victor-Duruy où elle a obtenu un poste temporaire. Elle enseigne le latin à une classe de sixième. Ce ne sont plus les bachelières sages et disciplinées du cours Sainte-Marie de Neuilly. Ses petites élèves comprennent vite que ce jeune professeur débutant, élégant et souriant, ne sera pas sévère. Elles viennent sur l'estrade regarder ses colliers, toucher ses vêtements, bavardent, s'agitent. Il faut sévir, elle donne un mauvais point à la plus indisciplinée qui se précipite la tête en avant contre le mur en hurlant : « Mon père me tuera ! » Toute la classe intercède, Beauvoir décide qu'il ne lui reste qu'une chose à faire, crier plus fort qu'elles, et que celles qui veulent travailler travaillent ! La directrice du lycée Victor-Duruy la convoqua plusieurs fois dans son bureau, et, à la fin de l'année, refusa de lui renouveler son poste. Premier épisode des démêlés de Beauvoir avec l'administration, qui se termineront par son renvoi de l'Université en 1943.

A la mi-octobre, Sartre rentra à Paris, il devait partir faire son service militaire en novembre et vivait chez ses grands-parents, 200, rue Saint-Jacques. Il n'avait aucune hâte de devenir, selon la définition de son grand-père, « ce prince, un professeur de lettres ». Il rêvait de grands dérèglements, de voyages, il voulait témoigner de tout : « Ni les parias des Indes, ni les popes du Mont Athos, ni les pêcheurs de Terre-Neuve n'auraient de secret pour lui. » Faute de lamas tibétains, il trouvait dans les cocktails à l'hydromel des Vikings ou ceux à l'abricot du Bec de Gaz l'exotisme des grandes aventures.

Sartre avait trouvé en Simone de Beauvoir un compagnon de jeu : comédies, parodies, apologues, complaintes, comptines, épigrammes, madrigaux, poèmes éclair, fables express, ils étaient intarissables. Leurs tempéraments ludiques se donnaient libre cours. Simone retrouvait amplifiée la légèreté de sa petite enfance, la gaieté qui régnait dans l'appartement au-dessus de la Rotonde. Elle se perdait dans des joies qui faisaient dire à Sartre : « Voilà le Castor qui entre en transe », lui aimait à donner la comédie, ce qui était une façon de séduire les autres, mais il n'était pas enclin aux battements de cœur. Il avait inventé la théorie des « abstraits émotionnels », et voulait mettre en mots les émotions, ce qui réclamait le détachement et une constante maîtrise de soi. Il ne voulait pas sacrifier aux mouvements désordonnés une lucidité permanente.

Le serment du Carrousel

Pour Simone, la rencontre avec Sartre fut une explosion de joie et de tourments. Il était le compagnon dont elle avait rêvé. « Sartre répondait exactement au vœu de mes quinze ans : il était le double en qui je retrouvais portées à l'incandescence toutes mes manies. Avec lui, je pourrais toujours tout partager. » A ses yeux, Sartre justifiait le monde, comme autrefois ses parents, comme autrefois Dieu, il lui garantissait une définitive sécurité, il ne lui restait rien à souhaiter « sinon que cette triomphante béatitude ne fléchît jamais ».

Ce bonheur n'était pas simple. A vingt-quatre ans, Sartre voulait tout connaître sans rien perdre de cet amour qui venait de lui être donné. Il voulait l'essentiel et le contingent*, l'intemporel et l'éphémère, le meilleur et le pire, la variété dans ses rapports avec les femmes. Il n'avait pas perdu le rêve « de régner par l'amour sur une communauté gracieuse et oisive ». « J'imaginais volontiers, dira-t-il en 1976, des femmes successives : chacune étant le tout pour moi à un moment donné. Ce sont les qualités de Simone de Beauvoir qui ont fait qu'elle a pris dans ma vie la place qu'elle a et que personne ne pouvait prendre... nous avons compris ce que nous étions l'un pour l'autre. »

Sartre n'avait pas la vocation de la monogamie. Il expliquait que les rapports sexuels n'étaient pas liés à une organisation sociale particulière. La monogamie était une règle qui venait de l'Église et de sa conception du mariage. Il reconnaissait qu'entre eux venait de naître un rapport unique, leur entente durerait autant qu'eux mais elle ne pouvait suppléer aux richesses des rencontres avec d'autres êtres. Il était toujours sous-entendu que les hommes devaient avoir des rapports avec plusieurs femmes, ce qui était original dans leur conception de leur relation, c'est que la femme aussi devait avoir des rapports avec d'autres hommes. Avant d'être amants, ils étaient écrivains et leurs œuvres devaient se nourrir de leurs expériences conjuguées. « Entre nous, dit Sartre, il s'agit d'un amour nécessaire : il convient que nous connaissions aussi des amours contingentes. » Ce seraient des amours et non des aventures passagères qui, de par leur nature éphémère, n'entraient pas en ligne de compte. Les amours contingentes pourraient durer longtemps, être des passions sans que cela altérât en rien le lien essentiel qui les unissait.

Simone accepta ce plan parce qu'il correspondait à ses propres convictions. Deux événements l'avaient violemment marquée : la désagrégation du mariage de ses parents et la mort de Zaza. Elle rejetait les règles, les us et coutumes d'une société qui avait entraîné Élisabeth dans la mort. Elle refusait le mariage qui aboutissait immanquablement à des tricheries, des tromperies, des aventures extra-conjugales. L'individu ne pouvait rester authentique que dans une forme de rapports qui était encore à inventer, c'est ce qu'elle se proposait de faire avec Sartre. Son attitude était courageuse, refuser le mariage en 1929, c'était se marginaliser, même la bouillante

---

* Est contingente une chose qui peut changer, qui n'est pas d'une importance capitale, ce qui ne veut pas dire qu'elle soit sans importance.

et aguichante Stépha se proposait de convoler avec Fernando Gerassi. Simone envisageait de vivre sa vie avec la même indépendance qu'un homme. Économiquement, elle ne dépendait de personne. Son amour pour Sartre serait le garant de sa liberté et l'expression la plus parfaite possible du bonheur. Si un acte révolutionnaire consiste à aller à l'encontre des structures d'une société, son attitude était révolutionnaire. Celle du don Juan Sartre ne l'était pas, le discours qu'il tint à Simone sur la liberté du grand homme, il l'avait tenu déjà plusieurs fois. Ce qui changea, écrit-il dans les *Carnets de la drôle de guerre*, c'est que « je fus pris au jeu. Le Castor accepta cette liberté, et la garda... je fus assez sot pour m'en affecter au lieu de comprendre la chance extraordinaire que j'avais eue, je tombai dans une certaine mélancolie ».

Un soir qu'ils se promenaient dans les jardins du Carrousel, Sartre proposa à Simone de signer un bail de deux ans qu'ils passeraient « dans une intimité aussi étroite que possible », sans vivre sous le même toit. Ensuite il partirait passer deux ou trois ans au Japon. Il conseillait à Simone de trouver elle aussi un poste à l'étranger. Après quelques années, ils se retrouveraient quelque part dans le monde et reprendraient une vie plus ou moins commune.

Cette séparation qu'envisageait Sartre n'était pas sans effrayer Beauvoir mais elle ne voulait pas s'encombrer de soucis prématurés. Toute peur était une faiblesse qu'il fallait combattre. Simone faisait confiance à Sartre. Leur amour-admiration les liait autant qu'un serment de chevalerie.

Ils conclurent un second pacte : ils ne se mentiraient jamais et surtout ne se dissimuleraient rien. Tout serait commun : les travaux, les projets, les expériences. On informerait l'autre scrupuleusement des amours contingentes. C'était une alliance qui ne pouvait se conclure qu'entre deux êtres qui se considéraient comme égaux, deux êtres totalement transparents l'un pour l'autre.

C'était le serment d'amour le plus franc et le plus risqué que ces jeunes amants échangèrent sur un banc du Carrousel, adossés à la balustrade d'une aile du Louvre, pendant que tombait le soir sur cette ville qui quinze ans plus tard retentirait de leurs noms réunis. Le plus étonnant est que cet étrange pari ait été gagné. Parlant de son idée du séducteur et de son entente avec Beauvoir, Sartre dira en 1975 : « Il fallait que je tienne les deux idées ensemble. C'était assez difficile et cependant j'ai voulu les tenir et je les ai tenues. »

Pour Beauvoir c'est très clair, Sartre est le grand amour de sa vie, elle a touché le bonheur et, sauf la mort de Sartre, aucune circonstance ne pourra le lui arracher. Dans *la Force de l'âge*, elle explique à son lecteur : « Dans toute mon existence je n'ai rencontré personne qui fût aussi doué que moi pour le bonheur, personne aussi qui s'y acharnât avec tant d'opiniâtreté. Dès que je l'eus touché, il devint mon unique affaire. Si on m'avait proposé la gloire et qu'elle dût être le deuil éclatant du bonheur, je l'aurais refusée. Il n'était pas seulement cette effervescence dans mon cœur : il me livrait, pensais-je, la vérité de mon existence et du monde. »

Ils s'engagent donc pour deux ans, pendant lesquels ils n'auront pas d'amours contingentes. Sur ces vingt-quatre mois, Sartre en passera dix-huit à faire son service militaire dans la météorologie à Tours.

Ils font la navette entre Tours et Paris. Dès qu'ils se retrouvent sur le quai de la gare, Sartre saisit le bras de Beauvoir : « j'ai une nouvelle théorie », lui dit-il. Sartre, sous des dehors chaleureux, était un être peu doué de sensualité. « Je suis froid », écrivait-il en 1939. Pendant sa jeunesse sa sexualité l'avait peu troublé « non qu'à vingt-cinq ans j'ignorasse la chose mais elle me paraissait un scandale déraisonnable ». Il méprisait tous les désordres du corps. Au cours d'un voyage, Beauvoir, l'estomac ravagé par le mal de mer, entendit Sartre lui expliquer qu'elle n'avait pas su mobiliser sa volonté, qu'elle n'avait pas su se dominer. Un jour, en proie à une crise de coliques néphrétiques, il répondit à son médecin étonné qu'il ne souffrait pas. Douleur tu n'es qu'un mot !

Sous des dehors froids, Beauvoir est un être de passion. Sartre s'étonnait de ses violences devant les êtres et les choses. A travers elle il découvrait les crises de larmes, les sanglots, les hoquets d'angoisse. Il admirait sa faculté de plonger au cœur des choses, il racontait avec beaucoup de tendresse qu'à dix-huit ans le Castor, assise sur une chaise de fer au jardin du Luxembourg, pensait à la fuite du temps avec une telle intensité qu'« elle était le temps ». Si grande était sa faculté de s'abstraire qu'elle devenait le désert, le ciel, les arbres. Sartre, lui, ne perdait jamais sa lucidité. Il définissait son esprit comme « une salle d'opération hygiénique ». « Je traite mes sentiments comme mes idées », écrivait-il.

Beauvoir s'était bien entraînée à dominer son corps et croyait que le physique ne devait jamais l'emporter sur le spirituel. Ce qui l'étonna dans son amour pour Sartre ce fut la découverte de sa propre sensualité. Elle s'aperçut que ses appétits débordaient sa volonté. « Prendre corps est une grande fête », or cette fête, cette joie menaçaient de devenir un obstacle à son entente avec Sartre à qui elle n'osait pas parler de la violence de ses désirs. L'amour physique n'était plus un trait d'union privilégié. Elle se sentait la proie d'un besoin aussi élémentaire que la faim, la soif et le sommeil mais admettait mal de lui céder. Son désir était devenu une douleur et elle détestait souffrir, elle pensait qu'elle était seule au monde à connaître « cette torture ». Elle s'étonnait de n'en avoir découvert la description dans aucun livre. Chaque soir, l'obsession la reprenait, ses langueurs étaient dévorantes, si difficiles à contrôler que, dans la rue, dans le métro, un frôlement éveillait en elle des frémissements, des désirs. Dans ses lectures, elle trouvait mille raisons d'assumer sa sensualité avec allégresse, elle sentait profondément que son corps et son esprit n'étaient pas deux entités séparées, la sublimation claudélienne de l'amour physique lui avait paru, jusqu'à sa rencontre avec Sartre, satisfaisante. Maintenant elle était effarée de découvrir la suprématie de sa sexualité sur sa raison. A travers les exigences de sa chair elle découvrait que « l'humanité ne repose pas dans la calme lumière du bien ; elle connaît les tourments muets, inutiles, incléments des bêtes sans défense ».

Elle ne parvenait pas à se ressaisir. Sa passion pour Sartre l'avait arrachée à elle-même, elle n'était plus au centre de sa propre vie. Tout son équilibre était compromis, elle essayait de se reprendre en main pour mettre fin aux tourments qui la dévastaient. « Je roulais dans les abîmes de la mort, de l'infini, du néant. Je n'ai jamais su, quand le ciel redevenait calme, si je m'éveillais d'un cauchemar ou si je retombais dans un long rêve bleu. »

L'autre Simone

Sartre s'était entraîné à vivre en totale transparence* avec ses amis, « sans un voile, dans une nudité totale ». Il continua avec Beauvoir. N'avait-il pas établi qu'ils seraient transpa-

---

* La transparence, dans ce contexte, c'est la totale sincérité entre deux êtres qui s'efforcent de s'informer mutuellement de tout ce qu'ils disent, font ou éprouvent dans toutes les circonstances de la vie. Ce qui implique un effort de lucidité totale vis-à-vis de soi-même.

rents l'un pour l'autre ? Qu'ils mettraient en commun leurs expériences ? Ne devaient-ils pas tout se dire, tout analyser, les gens, les événements, enrichir leur vie d'écrivains, témoigner de l'homme, dévoiler le monde ? Cette transparence voulue et acceptée devait être aussi forte entre Sartre et le Castor qu'elle l'avait été entre Sartre et Nizan mais pour le Castor, ce cristal au cœur de leur amour n'était pas sans arêtes vives.

Il voyait toujours Simone Jolivet et lui en fit un portrait qui l'effraya. Ses amours avaient donné beaucoup de prestige au normalien Sartre. Simone Jolivet n'était pas un personnage ordinaire. Elle s'habillait somptueusement en s'inspirant des tableaux qu'elle aimait ; à Toulouse où elle habitait, elle donnait des fêtes dans une cave décorée en palais Renaissance, en château du Moyen Age ou en palais romain selon les circonstances. Certains amis de Sartre avaient été invités à ces soirées. René Maheu connaissait cette provocante jeune femme, il en parlait avec sympathie. Il raconta à Simone une orgie romaine à laquelle il avait assisté et où l'autre Simone vêtue en Messaline, à demi soulevée sur un sofa, Zina à ses pieds, présidait au festin alors que Maheu, vêtu d'un péplum, incarnait un empereur de la décadence.

Sitôt découvertes les joies dont un amour à la mesure de ses espérances la comblait, Simone de Beauvoir découvrait les tourments de la jalousie.

Sartre admirait l'audace de l'autre Simone, son intelligence, son ambition, son mépris de tous les tabous, ses extravagances vestimentaires, il le disait sans ambages. Il avait été fougueusement amoureux de cette fille à la fois passionnée et froide, capable de se servir de son corps pour piéger de riches amants ou pour se donner le luxe d'une aventure désintéressée, pleine d'orages, de querelles et de réconciliations avec lui.

Simone de Beauvoir s'efforçait d'écouter objectivement les anecdotes piquantes que Sartre lui rapportait. N'avait-elle pas elle-même cherché l'extraordinaire dans les bars, poussée par les impératifs surréalistes ? Elle se défendait mal d'un trouble et d'une souffrance qu'elle n'avait pas anticipés. Elle se dépitait d'être jalouse mais ne parvenait pas à demeurer sereine. Sa jalousie se doublait d'une inquiétude déchirante. Elle avait écrit des romans que seuls ses amis avaient lus, rien n'avait été publié, ni un article ni une nouvelle. Sartre l'encourageait, Sartre lui faisait confiance. Mais pour le moment, tout ce qu'elle avait, c'était une agrégation de philosophie, la possibilité d'assurer son indépendance financière. Elle n'était somme toute qu'une intellectuelle qui rêvait de devenir quelqu'un.

En revanche, elle lisait le nom de Simone Jolivet sur les affiches du théâtre de l'Atelier, sur les colonnes Morris, sur les faïences du métro. C'était une actrice qui commençait à faire son chemin, et sa liaison avec Charles Dullin mettait à ses pieds l'un des théâtres les plus en vogue de Paris, un théâtre d'avant-garde doublé d'un cours d'art dramatique dont les élèves en quête d'expression nouvelle lançaient un défi aux traditions du Conservatoire et de la Comédie-Française. Simone de Beauvoir était loin de sous-estimer les chances d'une jeune femme portée par un tel courant novateur. Sartre lui disait qu'elle voulait monter des pièces* pour se tailler des rôles à sa mesure, elle se voyait comme une jeune Sarah Bernhardt. Sous son vrai nom, Simone-Camille Sans, elle écrivait dans la revue *Correspondance* fondée en 1927 par Charles Dullin. Elle faisait partie du comité de rédaction avec quatre jeunes auteurs : Salacrou, André de Richaud, P.-A. Bréal et Morvan-Lebesque. Comment soutenir la comparaison avec une rivale qui ferait bientôt partie du Tout-Paris ?

Pourtant, Beauvoir savait ce qu'elle valait, ce qu'elle pouvait. Demain elle aurait écrit un grand roman, demain elle serait un jeune auteur célèbre, demain elle n'aurait plus rien à craindre. Mais en attendant ?

Dullin était marié, il avait installé Simone Jolivet dans un rez-de-chaussée de la rue Gabrielle à Montmartre, non loin de son théâtre. Elle y avait fait venir son inséparable petite gitane, Zina. Quand elle s'ennuyait, elle ramenait chez elle un homme qu'elle avisait dans un bar ou dans la rue et le traitait avec la désinvolture d'un garçon ramenant une prostituée pour la nuit. Zina agissait de même. Il leur arriva de se repentir d'un mauvais choix. Deux types cueillis au hasard les battirent et emportèrent bijoux et objets de valeur. Beauvoir écoutait ces récits et constatait avec dépit que ces conduites aventureuses fascinaient Sartre. Simone Jolivet était une inquiétante jeune femme. Ni les cours qu'elle suivait au théâtre de l'Atelier, ni les rôles qu'elle tenait, ni les nouvelles

---

* Simone Jolivet remportera deux énormes succès avec ses adaptations de *Jules César* de Shakespeare en 1937 et de *Plutus* d'Aristophane en 1938. En 1941 sa pièce *la Princesse des Urains* fut un échec. Son adaptation de *la Marâtre* de Balzac en 1949 sera la dernière pièce montée par Charles Dullin.

qu'elle écrivait la nuit, ni sa liaison avec Charles Dullin ne lui suffisaient. Elle repartait alors pour Toulouse où un vieil admirateur la comblait de cadeaux et renflouait généreusement ses finances. Elle revenait et Dullin préférait jouer celui qui ne savait rien. Soudain l'envie la prenait de ranimer les flammes de sa passion pour Sartre dont elle admirait l'intelligence. Elle l'invitait alors chez elle, le divertissait en lui racontant les intrigues des gens du spectacle. Elle l'emmenait aux répétitions de l'Atelier. Le travail de Dullin passionnait Sartre. Il étudiait les techniques du grand metteur en scène tandis que celui-ci dirigeait les acteurs, modifiait les décors, inventait les éclairages, les maquillages, les costumes. Sartre se plaisait dans les coulisses, il aimait la tension, les crises de nerfs, les querelles, les grandes démonstrations d'amitié, le survoltage passionnel qui y régnaient.

Beauvoir vivait son amour avec une telle violence qu'elle s'effrayait de sentir ses ambitions assoupies, son indépendance perdue. Elle essayait de mobiliser sa volonté. En vain. Tout son temps était pris par l'obsession de son amour. Elle se trouvait une excuse : elle devait vivre au jour le jour son bonheur puisqu'il était menacé, Sartre avait posé sa candidature pour un poste de lecteur au Japon. Elle serait bien obligée de se reprendre lorsqu'il partirait. Elle pourrait travailler alors sans distractions : une perspective dont l'austérité justifiait l'avidité avec laquelle elle profitait de chaque instant de bonheur, et, revenant à son point de départ, le cercle magique la ramenait à son amour éperdu et à sa peur de faillir aux yeux de Sartre.

Le Japon c'était l'avenir, mais Simone Jolivet c'était le présent. Elle incarnait une intolérable menace. N'avait-elle pas outre tous ses talents le charme d'un grain de folie ? Cette ensorcelante personne s'était vouée à Lucifer. Ses inconduites étaient, selon elle, une façon de rendre hommage à l'ange des ténèbres ! Elle affirmait que de grands écrivains, de grands artistes lui tenaient la nuit des propos mystérieux, et ses amitiés d'outre-tombe avaient une place privilégiée parmi ses relations. Elle avait surtout des échanges d'idées avec Dürer et avec Nietzsche.

Dullin était envoûté par elle et lui pardonnait tout, même d'être entrée ivre sur scène et d'en être sortie à quatre pattes, les jupes sur la tête. Cette faiblesse inouïe d'un grand homme achevait de convaincre Beauvoir qu'elle ne pourrait jamais triompher de cette femme fatale. Elle en était atterrée.

La liberté, l'amour, la mort avaient fondu sur elle en un seul automne. On a beau être héroïque, on n'en est pas moins humaine, les élans du cœur emportaient Beauvoir dans des tourbillons inconnus. Elle n'arrivait plus à écrire. Sartre s'alarmait de cette paresse imprévue chez son *alter ego* et tâchait de la stimuler en lui donnant Simone Jolivet en exemple. Alors les doutes la reprenaient. Sartre aurait-il en fin de compte plus d'affinités avec l'autre Simone ? Elle méprisait chez Simone Jolivet la façon dont elle utilisait son corps, tantôt à des fins vénales, tantôt pour des plaisirs purement physiques. Cette restriction lui fournissait de nouvelles raisons de se mettre en question. N'était-elle pas tout bonnement puritaine ? conditionnée par son milieu ? Pour elle l'amour était un absolu où l'âme et le corps puisaient à une même source. « Je ne suis plus sûre de ce que je pense, ni même de penser », notait-elle, désarçonnée, dans son journal.

Ces débats intérieurs étaient vains, les désespoirs naissaient les uns des autres. Il fallait mettre fin à cette torture, et aborder la situation de face. Il fallait voir Simone Jolivet et sortir du monde des fantasmes.

Sartre parlait à Beauvoir de Jolivet, il parlait aussi de Beauvoir à Jolivet. Il piqua sa curiosité, elle voulut la voir et l'invita rue Gabrielle. Elle l'attendait dans un costume théâtral : sur une tunique blanche qui balayait le sol s'ouvrait une longue robe de soie écarlate. Des bijoux scintillaient à ses poignets, à sa ceinture, à ses oreilles, ses cheveux blonds, en longues torsades, s'enroulaient autour de sa tête et retombaient sur ses épaules. Elle avait l'air de sortir d'un tableau de la Renaissance. Beauvoir examina son hôtesse : un visage rond, quelque peu enfantin, une voix flûtée, le geste joli. Elle parlait avec un désir de plaire évident et jetait de temps en temps un regard à son reflet dans le miroir. Elle était charmante, un peu minaudière. Elle parlait avec compétence de *la Célestine* dont elle écrivait une adaptation, Dullin lui en avait confié la mise en scène. Elle venait de voir un spectacle nô. Beauvoir savait-elle ce qu'était un nô ? Elle l'expliqua, mima, imita avec beaucoup de grâce. Elle exposait ses idées personnelles sur le théâtre, développait celles de Dullin avec assurance et simplicité. Elle ne ressemblait pas à la femme fatale que Simone avait créée d'après les récits de Sartre et de ses camarades. Il lui était difficile de l'imaginer nue, accoudée à une cheminée, lisant Nietzsche à ses amants dans un bordel de luxe. L'image et la réalité ne parvenaient pas à se superposer.

A mesure que la visite se prolongeait, Beauvoir éprouvait le sentiment croissant d'une défaite. « Seule une éclatante affirmation de moi eût rétabli l'équilibre. » Mais quelle affirmation de soi, sans œuvres à l'appui, pourrait sauver son orgueil du naufrage ?

Quand elle prit congé de Simone Jolivet c'était le soir. Pour se calmer elle se mit à marcher sans but dans les rues. Comme envoûtée elle revenait toujours vers l'Atelier, sur cette place qui est aujourd'hui la place Charles-Dullin. Elle était en proie à un des sentiments les plus désagréables qui l'aient jamais saisie. Jolivet était le modèle de la femme libérée, créatrice. Elle ne pouvait s'empêcher d'admirer cette fille de pharmacien de province qui s'était mise volontairement en marge de la bourgeoisie et triomphait dans ce milieu que Beauvoir voulait conquérir par sa plume. Un noir tourbillon l'emportait, elle était jalouse. Pendant des heures elle arpenta la Butte, révoltée contre elle-même, sans pouvoir détacher sa pensée de l'autre Simone.

« *Un* nous *qui n'est pas deux* tu »

Sartre s'inquiétait de voir Simone travailler sans conviction : « Prenez garde, lui disait-il, de ne pas devenir une femme d'intérieur. » Il la comparait à ces héroïnes de la littérature de l'époque qui, après avoir conquis leur indépendance, se contentaient d'être la compagne d'un homme. Sartre a répété jusqu'à sa mort : « La merveille chez Simone de Beauvoir c'est qu'elle a l'intelligence d'un homme... et la sensibilité d'une femme... C'est-à-dire que j'ai trouvé en elle exactement tout ce que je pouvais désirer. » Elle était l'Amante, elle était l'Amie et Sartre n'entendait pas perdre celle qu'il appelait son « petit absolu », son « doux petit », son « cher, cher amour », sa « douce petite fleur ». Amante, c'est à un homme, pourtant, faute d'autre point de référence, qu'il la compare quand il évoque la nature de leur alliance : « J'ai eu trois ''amis intimes'' et chacun a correspondu à une période déterminée de ma vie : Nizan, Guille, le Castor (car le Castor a été *aussi* mon ami et l'est encore). Ce que m'apportait l'amitié c'était, bien plus que l'affection (quelle qu'ait pu être celle-ci), *un monde fédératif* où nous mettions en commun mon ami et moi toutes nos valeurs, toutes nos pensées et tous nos goûts. Et ce monde était renouvelé par une invention incessante. En même temps chacun de nous étayait l'autre et il en résultait un *couple* d'une force considérable... Le résultat de cette fédération, lorsqu'elle fut aussi avec le Castor portée à son plus haut achèvement, fut un bonheur écrasant et semblable à l'été. »

Dans ses *Mémoires*, Raymond Aron témoignera de cette entente : du jour où Simone de Beauvoir entra dans la vie de Sartre, tous ses camarades — et quels camarades ! — furent relégués au deuxième plan. C'est avec elle qu'il élabora toute son œuvre philosophique dans une mise en commun de leurs idées. Les *Mémoires* de Simone de Beauvoir, ce chant d'amour à Sartre, ne le font pas ressortir.

A Madeleine Gobeil, une journaliste qui lui demandera, en 1966, ce que Beauvoir représentait pour lui, il dira : « D'une certaine manière, si vous voulez, je lui dois tout... Une fois qu'elle me donne en quelque sorte l'imprimatur, je lui fais une totale confiance et jamais les critiques des autres ne m'ont fait changer d'opinion sur une chose que j'avais faite. On peut dire que j'écris pour elle ou plus exactement pour qu'elle filtre la chose. »

Il n'y a pas une page qu'il ne lui ait soumise, il n'y a pas une page qu'elle ne lui ait montrée. Il n'y a aucun sentiment, aucun acte qui ne fût soumis au jugement de l'autre. Ils ont réussi ce tour de force unique de vivre leurs deux vies comme si elles n'en faisaient qu'une, mais duelle. « Nous ne faisions qu'un », dit Beauvoir, et Sartre explique en 1977 qu'« il existe un rapport en profondeur qui arrive à créer par moments presque une individualité, un *nous* qui n'est pas deux *tu*, qui est vraiment un *nous*. Ce *nous* je l'ai eu toute ma vie avec Simone de Beauvoir ».

Une telle entente n'est pas donnée, elle se construit : « Nous étions extrêmement attentifs l'un à l'autre et cela dès le début. » Le Castor et celui que des amis surnommaient le Kobra se reconnurent et s'aimèrent dans leur différence.

Simone de Beauvoir, romantique, passionnée, farouche, amoureuse du vent dans les châtaigniers, du soleil, de l'espace, torturée par l'angoisse de la mort, était capable d'entrer en transes devant un paysage. Un air d'opéra, un tableau, un instant de beauté lui faisaient verser des larmes. Elle poussait ses goûts et ses dégoûts jusqu'à leur point culminant. « Vous êtes une schizophrène », lui disait Sartre qui admirait la turbulence, les tumultes d'une personnalité si contraire à la sienne. Sartre détestait la chlorophylle, les champs, la nature. « Il n'arrête pas de penser », disaient ses camarades de promotion. « Face à un objet, au lieu de l'escamoter au profit d'un mythe, d'un mot, d'une impression, d'une idée préconçue, il le regardait ; il ne le lâchait pas avant d'en avoir compris les tenants et les aboutissants, les multiples sens... Obstinée, naïve, son attention saisissait dans leur profusion les choses toutes vives. » Ce qui lassait quelquefois la patience de son entourage, mais qui fascina Simone : « Seuls, dit-elle, certains fous m'inspirèrent une humilité analogue, qui découvraient dans un pétale de rose un enchevêtrement d'intrigues ténébreuses. » Ils avaient en commun leur vocation d'écrivains, encouragée dès leur petite enfance par leurs parents. Ils avaient le même désir de construire l'homme de demain à travers leurs livres. Ils avaient le même mépris des hiérarchies, des routines, des carrières, des droits, des devoirs, de tout le sérieux de la vie.

Ces deux amants s'étaient accordé dès le départ une entière indépendance, ils ne vivaient pas ensemble et ne vivront jamais ensemble. Pour eux le célibat allait de soi. Sartre vivait chez ses parents, Simone dans une chambre louée à sa grand-mère qui la traitait avec la même discrétion que ses autres pensionnaires. Cette chambre devint l'un des points de ralliement des amis de Sartre et de ceux de Beauvoir. Il y en avait d'autres : la Closerie des Lilas, le Falstaff et l'appartement de Mme Morel*, une riche Argentine qui recevait de jeunes écrivains dans son salon.

De 1929 à 1931, Simone de Beauvoir fut l'antithèse vivante d'une jeune fille rangée, titre ô combien ironique ! La liberté la grisait, elle passait des nuits sans dormir ; fumait des cigarettes anglaises, mangeait dans les restaurants de Montparnasse. Paris était une fête réglée par son seul caprice. Quand on demandait à Georges de Beauvoir ce que faisait sa fille, il répondait : « elle fait la noce ». Future George Sand ? Future Colette ? Il était certain que Simone marchait sur leurs pas.

Fernando Gerassi l'emmenait souvent au Café des Arts, à l'angle du boulevard Edgar-Quinet et du boulevard du Montparnasse, où des peintres, des musiciens, des artistes d'avant-garde, pour la plupart étrangers, tenaient des réunions. Il y avait là Vincente Huidobro, le poète chilien, ami d'Apollinaire et de Tristan Tzara, qui avait fondé le créationisme, le peintre Cossio, Varèse, le musicien franco-américain dont les compo-

* Mme Lemaire dans les *Mémoires*.

sitions faisaient scandale, et les deux enfants terribles de la peinture : Robert et Sonia Delaunay. Robert, grand, beau, blond, violent, passionné de théories, Sonia, l'une des femmes les plus célèbres de Paris depuis l'exposition des Arts décoratifs où ses robes, réalisées par Jacques Heim, avaient coulé l'empereur de la mode Paul Poiret. Ses tissus, ses revêtements muraux, ses coussins partaient à pleins wagons pour Londres, pour New York. Elle avait été invitée en 1927 à donner une conférence au groupe d'études philosophiques de la Sorbonne. Elle y avait parlé de l'influence de la peinture sur l'art vestimentaire, des extraits de sa conférence avaient paru dans toute la presse et Louis Jouvet en avait publié des passages dans le programme de la saison à la Comédie des Champs-Élysées. Robert et Sonia Delaunay donnaient le ton à la décoration, au théâtre comme au cinéma. Ils arrivaient dans leur célèbre torpédo peinte comme un de leurs tableaux. Quelquefois, leur vieil ami Blaise Cendrars les accompagnait. Cet aventurier moderne avait perdu un bras pendant la guerre où il servait dans la Légion étrangère. Il prônait toutes les hardiesses en littérature.

Ce groupe buvait sec. Dans leurs réunions, ils remettaient en question l'art, la littérature, la société. L'un d'eux voulait louer la tour Eiffel pour y écrire en lettres de feu « Merde », répondant ainsi à Citroën qui avait fait briller le nom de sa marque dans le ciel parisien ; d'autres voulaient mettre le feu aux puits de pétrole et brûler la terre. De l'U.R.S.S. soufflait un vent futuriste, Maïakovski et Serge Essenine ne voulaient-ils pas faire table rase de l'art ancien et repartir à neuf ? Beauvoir aimait les poèmes hermétiques, les films surréalistes, l'art abstrait, les masques nègres, elle écoutait, notait, réfléchissait. Elle était à la recherche d'une expression qui lui fût propre. Virginia Woolf, par ses réflexions sur le langage et le roman, recoupait ses préoccupations. Comme elle, Beauvoir voulait trouver une technique pour réduire la distance entre le mot et la réalité. Sartre trouvait ces recherches oiseuses, il pensait que l'écrivain devait jouer de cette distance, non essayer de l'abolir. Beauvoir n'était pas attirée par le réalisme, elle pensait que « les mots ne retiennent la réalité qu'après l'avoir assassinée ». Sartre soutenait que l'écrivain ne devait pas se laisser emporter par les battements de cœur, les vertiges, les mouvements désordonnés du corps, le trouble des passions, il devait les dominer s'il voulait les exprimer. Longtemps Beauvoir opposera ses conceptions à celles de Sartre. En 1930, il est certain qu'elle avait beaucoup plus d'affinités esthétiques avec le groupe du Café des Arts. Beauvoir allait souvent à leurs réunions. Un soir, toute la bande décida d'aller finir la soirée au Sphinx, le bordel qui n'allait pas tarder à devenir célèbre et qui venait d'ouvrir au 31, boulevard Edgar-Quinet, sur l'emplacement du chantier d'un marbrier funéraire. La façade aveugle était ornée d'un sphinx. La tenancière avait passé plusieurs années dans un *speak-easy* de New York et était rentrée en France juste avant le krach de 1929. Elle avait des conceptions d'avant-garde sur l'architecture des bordels. La grande salle du rez-de-chaussée était feutrée, élégante, et s'ouvrait sur un bar-dancing. Les chambres étaient d'un clinquant recherché. Comble de luxe, le Sphinx était le seul immeuble climatisé de Paris. Le tract publicitaire de la maison avait été rédigé par l'écrivain américain Henry Miller, qui touchait une commission quand il y amenait ses compatriotes. Le journaliste Albert Londres et Georges Simenon jouissaient du même privilège quand ils y venaient avec leurs amis. On consommait jusqu'à mille bouteilles de champagne par soirée. Les filles, dont beaucoup étaient des girls des Folies-Bergère et du Casino de Paris, ne se prostituaient pas toutes, elles faisaient partie du décor, de l'ambiance. Des peintres les prenaient pour modèles. Au Sphinx, des écrivains, des acteurs, se retrouvaient comme dans un club. Les meilleurs journalistes de Paris venaient y chercher les dernières nouvelles et flairer le dernier scandale, ces scandales étaient nombreux : le scandale Hanau, le scandale Oustric, le scandale de l'Aéropostale, l'enlèvement du général Koutiepov, un Russe blanc. Quant au Sphinx, la rumeur voulait que les capitaux aient été avancés par des banques et d'importants hommes politiques. On ne s'étonnait pas quand, du couple, c'était la femme qui montait avec une girl. Beauvoir, portée par ses souvenirs littéraires, évoquant Toulouse-Lautrec et Van Gogh, trouva que c'était un lieu de haute poésie. Plus tard, à Marseille, elle aimera flâner dans la rue Bouterie et regarder par les portes entrebâillées les chambres décorées d'affiches bariolées accrochées au-dessus d'un lit de fer. Dans tous ses nombreux voyages, elle ne manquera jamais de visiter les quartiers mal famés. Les romanciers et les journalistes de l'entre-deux-guerres affirmaient que c'était là que se révélait la vérité d'une culture. La poésie des bas-fonds, en Afrique comme en Amérique, à Madrid comme à Naples, gardera longtemps pour Beauvoir un étrange pouvoir de fascination.

Elle s'était liée d'amitié avec une jeune vendeuse des bijouteries Burma. Elles allaient danser dans des bals de la rue de Lappe, après s'être composé des maquillages violents, un teint tout blanc avec des lèvres rouge sang. Elles avaient un succès fou. Le danseur préféré de Simone était un garçon boucher. Avec sa sœur et Gégé elle continuait à aller au Jockey et à la Jungle. Elle acceptait toujours des rendez-vous avec n'importe qui, et deux ou trois fois se félicita de l'avoir échappé belle.

Il y avait aussi les amis de Sartre. Paul Nizan, après son agrégation, était entré aux Éditions du Carrefour, rue du Cherche-Midi. Il s'occupait de la revue *Bifur* qu'il dirigea bientôt tout seul. Nizan, comme Beauvoir, n'avait pas voulu prendre un poste titulaire, l'enseignement étant pour eux le dernier recours s'ils n'arrivaient pas à s'imposer rapidement dans le monde des lettres. Nizan s'était inscrit au parti communiste qui, au début des années trente, mettait en place une politique d'infiltration des maisons d'édition. Jean Servet, directeur de la section Agit-Prop, avait chargé les intellectuels du Parti de lutter contre la littérature psychologique et de privilégier la publication de la littérature marxiste, russe ou allemande. Chez Gallimard, Brice Parrain qui, en 1938, fera publier *la Nausée* de Sartre, et Bernard Groethuysen, essayiste et philosophe, s'acquittaient très efficacement de ce travail souterrain. Ils avaient tenté de faire entrer Nizan chez Gallimard, qui s'y était opposé. Paul Nizan s'occupait donc de la luxueuse revue *Bifur* qui reflétait toutes les tendances esthétiques des années vingt; il attaquait avec virulence la philosophie sorbonnarde : « Je dis : en philosophie "indifférent" veut dire satisfait. "Sans parti" veut dire exploiteur. La philosophie française est indifférente... Il est temps de demander des comptes à cette philosophie. » Il ouvrait sa revue à ses « petits camarades » de l'E.N.S., Georges Friedmann, Politzer, Sartre qui publia chez lui son premier texte, *la Légende de la vérité*, où il exposait que seul l'artiste, l'écrivain, le philosophe, avait le privilège de saisir sur le vif la réalité. Ce texte illustrait ce que Sartre appellera plus tard « sa névrose », c'est-à-dire cette certitude d'être *élu* pour sauver le monde par la littérature. Dans ses *Mémoires*, Beauvoir raconte qu'elle avait du rôle de l'écrivain et de la littérature la même conception que lui.

Quelquefois Sartre et Beauvoir allaient à Grandchamp, près de Saint-Germain-en-Laye. Paul Nizan vivait là chez ses beaux-parents, les Alphen, dans une maison modern style qu'ils venaient de faire construire. M. Alphen, dont la carrière de musicien avait été brisée à la suite d'une blessure de guerre, avait de nombreuses connaissances parmi les personnalités littéraires parisiennes. On discutait littérature, révolution, on s'amusait à tourner de petits films sous la direction du frère de Rirette Nizan qui était assistant metteur en scène. L'un d'eux s'intitulait *le Vautour de la Sierra*, un autre avait au générique Sartre, Beauvoir, Emmanuel Berl, sa femme, Nizan et sa femme. C'était un film surréaliste. On y voyait Sartre, pieux jeune homme, débauché par des filles, Simone et Rirette. Quand elles lui enlevaient sa chemise, un énorme scapulaire scintillait sur sa poitrine. Alors Nizan, habillé en curé et représentant le Christ, apparaissait. « Vous fumez ? » lui demandait-il, et il sortait de sa poitrine son cœur en guise de briquet.

Avec les Nizan, ils allèrent à la grande fête communiste annuelle à Garches. Ils s'amusèrent à faire tomber avec des balles de chiffon des marionnettes représentant les grands banquiers et les généraux de la IIIe République.

Raymond Aron finissait son service militaire à Saint-Cyr dans la météorologie. Il avait pistonné Sartre pour qu'il fût affecté dans ce service. Il avait une voiture. Quelquefois il emmenait Sartre et Beauvoir dîner à Versailles où habitaient ses parents, qui avaient fait construire une grande maison avec un court de tennis. Il était beaucoup plus politisé que Sartre et s'était inscrit aux Jeunesses socialistes. En 1925, il avait passé quinze jours à Genève, à l'assemblée générale de la Société des Nations, envoyé par sa section. Dans *Libres Propos*, il avait écrit un article contre le livre de Julien Benda, *la Trahison des clercs*, où celui-ci attaquait l'engagement des intellectuels dans l'arène politique. Benda dénonçait la nature partisane de leurs œuvres ; poètes, romanciers, philosophes, critiques étaient devenus les chantres des politiques. « Zola, expliquait Benda, était dans son rôle de clerc en rappelant le monde au respect de la justice. Anatole France ne l'était pas en se faisant le conseiller quotidien du ministère Combes. » Les polémiques autour du livre de Benda étaient violentes. Raymond Aron défendait le droit des intellectuels de s'engager dans des combats même douteux. Sartre et Beauvoir, très idéalistes, auraient plutôt défendu le mot de Renan : « Quand même l'Empire s'écroulerait, il faudrait encore philosopher. »

A cette époque, ils étaient anarchisants et pensaient que la société ne pourrait changer que par une convulsion violente. La politique du parti socialiste leur paraissait trop en demi-teintes. Blum récusait le matérialisme historique, le détermi-nisme économique et la conception léniniste de la dictature du prolétariat. Aussi évitaient-ils de parler politique avec Raymond Aron. Ils parlaient philosophie. Beauvoir affirme qu'elle se rangeait alors du côté de Raymond Aron qui s'appli-quait à faire voler en éclats « les téméraires synthèses de Sar-tre ». Habituellement chacun restait sur ses positions. Sartre se méfiait du logicisme de Raymond Aron, de l'esthétisme de René Maheu et du marxisme de Paul Nizan. Son ami le plus proche était Pierre Guille*, normalien comme lui, agrégé de lettres, qui sera d'abord secrétaire à la Chambre des députés puis à l'Assemblée nationale. Pour leur service militaire, Sar-tre et Guille s'étaient fait verser ensemble dans la météorolo-gie. Pendant leur stage à Saint-Cyr, ils suivaient les cours d'Aron qu'ils agaçaient en lui lançant des fléchettes de papier.

« Ni philosophe ni politique, Pierre Guille, dira Raymond Aron, nous charmait tous parce qu'il était aimable. » C'était un délicat épicurien qui croyait à un âge d'or de la bourgeoisie, il n'avait aucune ambition littéraire, et s'intéressait à tout. Sartre et lui pouvaient décortiquer pendant des heures une inflexion de voix, un geste. Beauvoir partageait avec eux la passion de comprendre les gens. Elle croyait que seul l'indi-vidu comptait, toutes les abstractions étaient des outres vides, il fallait saisir la réalité sur le vif. Pierre Guille aimait la vie. Goûter intelligemment le monde et y vivre heureux lui semblait suffisant. Sartre qu'ennuyaient les idées des autres appréciait chez Guille son sens des nuances qui équilibrait les emportements de sa propre imagination. Grâce à Pierre Guille, Beauvoir et Sartre se lièrent d'amitié avec Mme Morel qui devait rester leur amie jusqu'à la guerre d'Algérie, quand leurs divergences politiques brisèrent cette amitié.

Mme Morel, née en Argentine, était la fille de colons d'ori-gine française. Elle était l'image même de la riche étrangère mise à la mode par la littérature. Son père, médecin et libre penseur, avait élevé ses deux filles comme des garçons dans une immense propriété où elles galopaient et chassaient à tra-vers les pampas. Un précepteur leur avait enseigné le latin et les mathématiques. Elles avaient vécu isolées jusqu'à dix-huit ans quand leur père les envoya à Paris parfaire leur éduca-

---

* Pagniez dans les *Mémoires*.

tion. Ainsi faisait la haute société argentine. Après la liberté, la société parisienne leur parut une faune étrange. Elles se marièrent, l'aînée mourut en couches, la cadette épousa le docteur Morel. Petite, brune, Mme Morel était élégante et attirante. Les gens l'étonnaient, elle en parlait avec « un détachement d'ethnographe ». Guille puis Sartre donnèrent des leçons à son fils, « le Tapir* ». Ils devinrent des intimes de la maison. Très hospitalière, Mme Morel avait mis une chambre à leur disposition. Dans son salon, les conversations, les amitiés avaient des tons délicats et légèrement fin de siècle. Elle recevait les amis de ses amis, puis le quatuor : Mme Morel, Guille, Sartre, Beauvoir, passait au crible la vie des uns et des autres, lisait et commentait les lettres de chacun ou leurs manuscrits. Régulièrement, ils faisaient des séjours dans la propriété que leur hôtesse possédait près d'Angers ou dans sa villa de Juan-les-Pins. Ils firent ensemble un voyage en Espagne. L'amitié de Mme Morel restera longtemps un point d'ancrage dans la vie de Sartre et de Beauvoir, ils y intégrèrent tous les membres de ce qu'ils appelleront « la famille ». En 1930, elle recevait Nizan, Aron qui disait : « Mme Morel était charmante au sens que ce mot a perdu. Elle charmait par son intelligence et sa spontanéité. » Il est dommage que « cette dame** » n'ait pas tenu un journal, car elle a été l'un des témoins privilégiés de la vie de Sartre et de Beauvoir.

Parmi leurs amis il y avait un autre agrégé de lettres, originaire de Bône. De l'avis de tous il était très beau. « Brun, le teint ambré, les yeux brûlants, son visage évoquait à la fois les statues grecques et les tableaux du Greco. » Il s'appelait Zuorro***. Il voulait entrer à l'Opéra et travaillait sa voix chez les meilleurs professeurs « avec une assiduité fanatique ». Il aimait les garçons et ne se déplaçait jamais sans une cour d'admirateurs. Pour Zuorro, la vie était constituée d'intrigues, de demi-vérités, d'indiscrétions; dans le salon de Mme Morel il faisait surgir tout un monde proustien. Il ne doutait pas de sa gloire, et il évoquait sa vie future dans les palaces, son énorme voiture blanche, les aventures, les voyages. Beauvoir riait, elle refusait toutes les pompes du monde, tous les signes factices du succès. Elle récusait toutes les

---

* Nom donné par les normaliens aux élèves qui prennent des leçons particulières.
** Surnom donné par Guille et Sartre à Mme Morel.
*** Marco dans les *Mémoires*.

manifestations ordinaires de la gloire. Devenue célèbre, souvent on l'accusera de ne pas jouer le jeu, c'est que le vieil anarchisme n'était pas mort.

Pendant deux ans, Beauvoir écarte tout ce qui l'ennuie et se livre à une orgie de plaisirs : cinéma, théâtre, music-hall, livres. Elle ne se prive de rien. Au contact de ses amis, tous plus âgés qu'elle, elle prend conscience de ses lacunes, elle lit pêle-mêle les romanciers allemands, américains, russes, anglais. Les week-ends, elle rejoint Sartre à Tours et rentre par le train de 5 heures du matin. A 8 heures et demie elle est au lycée. Elle dort si peu qu'il lui arrive de perdre conscience pendant quelques secondes en donnant ses cours. Elle se nourrit à la diable de chocolat, de biscuits, d'un bortsch chez Dominique, le point de rencontre de la colonie russe de Montparnasse. A la Rotonde, elle passe de longues heures à ressusciter sur la feuille blanche, dans un roman inspiré d'Alain Fournier, de Virginia Woolf et de Rosamond Lehmann, la petite fille qui avait grandi au carrefour Vavin.

En 1930, la grand-mère de Sartre lui lègue 80 000 francs*. Ce pactole en poche, le soldat Sartre loue des taxis et emmène Simone dîner dans les meilleures auberges de Touraine ou chez Pierre, avenue d'Italie. « J'avalais sans sourciller tous les saucissons, un poisson en sauce, un civet de lièvre, les crêpes flambées. » Joies de la gastronomie qui ne se démentiront jamais.

Le temps passait très vite, le moment où il faudrait prendre un poste de professeur titulaire approchait inéluctablement. Quitter Paris lui paraissait une dure épreuve. Simone cherchait un moyen d'éviter cet exil. Elle se fit recommander par son cousin Choppin de Janvry à Mme Le Verrier** qui était, avec Louise Weiss, codirectrice de *l'Europe nouvelle*. Cette revue créée en 1918 était la tribune de ceux qui, après l'armistice, combattaient pour la liberté, pour le pacifisme, pour l'égalité des peuples et des sexes. Les positions considérées alors comme extrémistes de Louise Weiss auraient dû convenir au futur auteur du *Deuxième Sexe*.

En 1921, Louise Weiss, envoyée par *le Petit Parisien*, avait effectué un reportage sur la Russie des Soviets. La guerre civile, entre l'Armée rouge levée par Trotski et les Russes

---

* Le salaire d'un professeur agrégé était de 2 500 F par mois.
** Mme Poirier dans les *Mémoires*.

blancs aidés par la France, l'Angleterre et l'Amérique, ravageait la Russie. Des millions d'êtres mouraient de faim. Louise Weiss écrivit une série d'articles sur l'état de la Russie et révéla le sort des « demoiselles », les institutrices françaises des familles nobles déportées en Sibérie, fusillées ou émigrées. Ces Françaises oubliées dans le chaos révolutionnaire périssaient de misère. Louise Weiss réussit à en faire rapatrier cent vingt-cinq. Ensuite elle se fit l'apôtre de la Société des Nations, qui venait d'être créée, et des droits politiques des femmes.

Louise Weiss trouvait que les ligues des suffragettes étaient insuffisantes pour secouer l'apathie des parlementaires qui se désintéressaient du droit de vote des femmes. Elle mit sur pied une Association pour l'égalité des droits politiques des Français et des Françaises. Quand Simone de Beauvoir vint frapper à la porte de *l'Europe nouvelle*, on lui demanda ses idées sur la politique, les droits des femmes, et ce qu'elle pouvait apporter de nouveau. Simone fut vague. La politique ne l'intéressait pas, seuls comptaient l'œuvre de l'écrivain et l'art. L'engagement lui paraissait aussi vain que la religion, son expérience dans les Équipes sociales de Garric l'en avait convaincue. Que les jeunes mères salariées aient obtenu en 1928 le droit de travailler une heure de moins pour pouvoir allaiter leurs enfants, ou que dans la fonction publique elles aient droit à deux mois de congé de maternité avec plein salaire ne lui semblait pas essentiel. Une femme qui veut réussir réussit, pensait Beauvoir. Ses amies avaient acquis l'indépendance économique et vivaient comme bon leur semblait. Sa sœur, Stépha, Gégé, Simone Jolivet étaient toutes plus concernées par l'art et la création que par le pain quotidien, même s'il fallait mener parfois une existence frugale.

De plus, le milieu de *l'Europe nouvelle* lui parut terriblement mondain et bourgeois. A un cocktail où elle fut invitée, toutes les femmes portaient des robes de grands couturiers, alors qu'elle avait une robe de lainage rouge garnie d'un col de piqué blanc. Elle retrouvait cette gêne qu'elle avait éprouvée enfant lors des fêtes chez ses riches cousins, ou quand Zaza lui prêtait discrètement une de ses robes au château de Gagnepan pour lui éviter les ricanements de ses jeunes sœurs et de ses amies.

Le milieu de *l'Europe nouvelle* était intimidant. Louise Weiss, agrégée de lettres, grande, belle, imposante, dominait le Tout-Paris féministe de l'époque. Cécile Brunschvicg, future secrétaire d'État du Front populaire, Mme Paul Valéry qui était peintre, Hélène Vacaresco qui était déléguée à la Société des Nations, Yvonne Sarcey, la fondatrice des *Annales*, formaient un groupe d'intellectuelles et de femmes du monde redoutables.

Pour faire avancer « la cause », Louise Weiss et Cécile Brunschvicg n'hésitaient pas à organiser des entreprises publicitaires : elles s'étaient enchaînées aux grilles d'un square pendant que la police dispersait les manifestants sous les flashes des photographes dûment prévenus. A Noël, une escouade de jeunes et élégantes féministes avaient escaladé les réverbères autour des grands magasins, d'où elles chantaient des couplets contre les jouets d'inspiration militaire. Ce militantisme n'attirait pas Beauvoir.

Un poste à Budapest, que Bandi, le journaliste hongrois, lui proposait, un autre au Maroc ne la tentèrent pas davantage, d'autant plus qu'elle venait d'apprendre que Sartre n'avait pas obtenu celui de lecteur au Japon. Il était très déçu et se décida pour un remplacement au Havre où le professeur avait eu une dépression. Beauvoir demanda son affectation pour la rentrée de 1931, elle fut nommée à Marseille. Vivre à huit cents kilomètres de Paris ! Son désarroi fut tel que Sartre lui proposa de se marier, ils pourraient avoir ainsi un poste double. Il soutenait qu'il était stupide de sacrifier à des principes et que le mariage ne modifierait pas leur mode de vie. Simone de Beauvoir refusa. Le mariage n'était qu'une ingérence de la société dans la vie privée. Se marier c'était entrer dans le moule des obligations familiales et sociales, altérer leurs rapports personnels dont l'originalité lui paraissait inestimable. « Sartre se suffisait, il me suffisait. Et je me suffisais », déclarait la farouche Simone. A vingt-trois ans, elle choisissait Sartre dans la liberté.

Sartre et Beauvoir décidèrent de réviser leur serment du Carrousel. Ils abandonnèrent l'idée d'un bail provisoire et de lointains voyages solitaires. Leur entente durerait aussi longtemps qu'eux-mêmes. Leur transparence l'un pour l'autre était un garant d'amour. Ils ne se jurèrent pas une éternelle fidélité que ni l'un ni l'autre ne souhaitait.

En été, ils partirent pour l'Espagne, invités par Fernando Gerassi et encouragés par Hélène de Beauvoir qui y séjournait. Ces amants vivraient pour la première fois ensemble, et Sartre ne passerait pas tout l'été avec ses parents. Ils voyagèrent en première classe, seul luxe que leur permettaient « les derniers débris » de l'héritage de Sartre qui avait fondu en un an.

Partir à l'étranger ! Depuis qu'elle avait l'âge de rêver sur les pages de son atlas, voyager avait été un des désirs les plus brûlants de Simone. Se rappelant les voyages à Meyrignac, les lourds bagages, sa mère qui s'emportait contre les porteurs, Beauvoir s'était juré qu'elle réduirait au minimum tout le côté ennuyeux des voyages : « Nos valises ne pesaient pas lourd ! » Il faut se remémorer ce qu'étaient les voyages en 1930, la bourgeoisie seule se déplaçait pour son plaisir, munie de malles, de valises, de caisses voiturées par des porteurs aux casquettes galonnées. Alexandra David-Néel, l'exploratrice qui atteignit Lhassa, parcourut l'Himalaya emportant, dans ses bagages, ses robes du soir et sa baignoire portative. Simone de Beauvoir inaugurait la façon de voyager des étudiants-campeurs, des *Flower Children* des années 60, qui coururent le monde sac au dos, en espadrilles et en blue-jeans. Ce monde était à inventer, elle s'y appliquait.

Elle n'était pas attirée par les hôtels de luxe, les palaces, les beaux quartiers, elle voulait saisir un pays dans sa vérité : modestes pensions de famille, restaurants d'ouvriers, nourriture locale. « Chaque jour je me contraignais à avaler des tasses d'une sauce noire, lourdement chargée de cannelle, je mangeais des pavés de touron et de pâte de coing et aussi des gâteaux qui s'effritaient entre mes dents avec un goût de vieille poussière. »

L'Espagne était une République depuis le mois d'avril et « s'étonnait encore de son triomphe, on aurait dit qu'elle le célébrait chaque jour ». Fernando Gerassi les pilotait à travers Madrid et leur faisait connaître la gauche espagnole. A la Plaza del Sol ils virent Valle-Inclan, qui était pour la jeunesse espagnole de 1930 ce que Sartre sera en 1945 pour la jeunesse française. Le réalisme brutal de ses œuvres, l'audace de son style, son anticléricalisme en faisaient le héros du moment et on montre toujours la brasserie où il venait s'asseoir. « Barbu, manchot, superbe, il racontait à qui voulait l'entendre, et chaque fois d'une manière différente, comment il avait perdu son bras. »

Montparnassienne, Beauvoir n'avait fait que suivre les habitués des cafés du carrefour Vavin, en particulier les écrivains et les artistes américains qui découvraient la culture hispanique et profitaient de l'effondrement du cours de la peseta. Il y

avait foule dans les *bodegas*, on se pressait aux courses de taureaux où triomphaient Ortega et el Estudiante. Simone et Sartre qui la suivait, son éternelle pipe entre les dents, commu-
niaient dans cette fête d'amour et de mort tant célébrée par
Ernest Hemingway. Ils y allèrent tous les dimanches.

Septembre arriva. Il fallut se quitter, Sartre partit pour
Paris, Simone, noyée dans ses larmes, bifurqua sur Marseille.

V. Les professeurs

« Et quel plaisir de vivre sans consigne, sans contrainte ! »

La Femme rompue; l'âge de discrétion, p. 13.

Professeur de philosophie

1931. Vingt-trois ans et professeur. Simone de Beauvoir a franchi le pas et entre dans le monde académique. Il ne manquait pas de prestige. L'enseignement de la philosophie au lycée était la gloire de l'Éducation nationale. La France était le seul pays au monde dont les études secondaires se terminaient par une année de philosophie. La IIIe République avait fait de l'Instruction le pivot de son système social, c'était son Versailles. L'agrégation de philosophie passait pour être la plus difficile, et les professeurs de philosophie formaient une aristocratie intellectuelle. Nombre d'entre eux étaient devenus célèbres : Jules Lagneau, Henri Bergson, Alain, André Bellessort, Jean Grenier, Gustave Monod. Ces professeurs dont le plus grand nombre travaillaient au triomphe de la morale laïque et à celui des idées républicaines inquiétaient. Les familles de la bourgeoisie de droite surveillaient très attentivement cet enseignement, surtout celui dispensé à leurs filles. Quand au lycée Montgrand Simone de Beauvoir aborde la morale, c'est un tollé. Cette jeune anarchiste aux belles manières dit tout de go à ses élèves ce qu'elle pense du travail, du capital, de la justice, de la colonisation. Elle multiplie les provocations, parle de Gide et de Proust, donne à lire le texte intégral du *De Natura Rerum* de Lucrèce et le *Traité de psychologie* de Georges Dumas, son ancien professeur dont les travaux sont loin d'être acceptés par tous et dont les chapitres sur la sexualité et le plaisir choquent. Elle démolit avec rigueur les arguments soufflés par les parents. La fille d'un médecin, l'une de ses meilleures élèves, s'installe ostensiblement au dernier rang, les bras croisés, et refuse de prendre des notes. Les plaintes affluent, la directrice convoque Simone et lui conseille de s'en tenir au programme. L'affaire en reste là.

Elle choque aussi par la désinvolture de sa vie. Elle a choisi cette année de solitude pour se prouver qu'elle n'est pas tributaire des contingences. Elle veut aussi se prouver qu'elle est capable de se dépolariser intellectuellement de Sartre. Le jour de son arrivée à Marseille, au haut du grand escalier de la gare Saint-Charles qui surplombe la ville, elle n'a pas dit comme un Rastignac : « Marseille, à nous deux ! », mais : « Simone, à nous deux ! » Elle s'est promis de se révéler à elle-même.

Tous les dimanches et tous les jeudis, vêtue d'une vieille robe, chaussée d'espadrilles, munie d'un cabas contenant quelques bananes et des brioches, elle part pour des marches de plus en plus longues. Elle ratisse systématiquement la région, se perdant dans un ravin du Lubéron, luttant contre le vent en escaladant la Sainte-Victoire, ou les chemins douaniers qui suivent les calanques. Parfois, rompue de fatigue, elle se couche sur le sol et dort. La marche est devenue pour elle une passion que seul l'âge atténuera.

« Chaque promenade était un objet d'art. » Comme les athlètes, elle préparait minutieusement des parcours qu'elle s'obligeait à faire jusqu'au bout. La discipline qu'elle avait imposée à son cerveau, elle l'imposait maintenant à son corps tout entier avec la même allégresse. Par ce dépassement continuel elle haussait ses promenades au rang d'obligation sacrée et elle éprouvait la même joie que les coureurs de marathon ou l'alpiniste qui atteint le sommet. Bientôt elle put couvrir quarante kilomètres en une journée.

Au lycée Montgrand on critiquait ces randonnées. Une femme qui marchait seule par monts et par vaux scandalisait.

Elle ne scandalisait pas moins en allant seule au café, seule au restaurant, seule au cinéma, seule dans les quartiers louches du port. Ses collègues la mettaient en garde contre les dangers qu'il y avait à se promener ainsi, elle pouvait se faire violer. Beauvoir n'avait peur de rien. Rien ne pouvait ébranler sa tranquille assurance. Elle n'hésitait pas à arrêter des camions, quitte à descendre au milieu de la route quand, une fois, un chauffeur se montra trop pressant. Simone de Beauvoir faisait de l'auto-stop avant que le mot n'ait été inventé*.

Aux vacances de Pâques 1932, elle entraîna Sartre dans de longues randonnées en Bretagne. En juin, en espadrilles et sac au dos, elle marcha de Nice à San Remo, en juillet elle partit de Marseille à pied rejoindre Sartre à Narbonne, pour leur second voyage en Espagne et aux Baléares.

Au printemps elle secoua encore le petit monde du lycée en venant faire ses cours en robe de tennis de tussor blanc, sa raquette sous le bras. Son extravagance ne déplaisait pas à tout le monde, son aristocratique indépendance impressionnait. Elle faisait naître des « flammes » parmi ses élèves, séduisait ses partenaires au tennis, et tourna la tête d'une de ses collègues mariée dont elle dut repousser les avances.

Alors qu'avec Sartre elle réprouvait tout narcissisme, à Marseille elle se regardait vivre et trouvait romanesque son personnage de femme seule. Elle commença un nouveau roman. Elle alla glaner des impressions dans les pires quartiers de Marseille : les docks, la porte d'Aix où les clochards revendaient des loques, et le quartier réservé où, par les portes entrebâillées, elle regardait les prostituées. « Étant donné mes mythes, la rue Bouterie m'enchantait. » Ce roman, elle l'écrivait au bar du Cintra, sur le Vieux-Port de Marseille, et quand elle marchait autour de l'étang de Berre, elle se le racontait. Dans ses immenses randonnées solitaires, elle poursuivait son dialogue créateur avec elle-même, à la fois romancière et critique, elle se suffisait. La nécessité, la beauté d'une œuvre qui naissait transfiguraient le paysage, le projetaient dans l'irréel. Elle se livrait à l'imaginaire avec exaltation. Elle abordait déjà le thème qui sera au cœur de *l'Invitée* : le mirage de l'Autre. Existentialiste avant la lettre, pour elle, « l'enfer c'était les autres ». On plongeait dans cet enfer quand on abolissait son moi pour n'en discerner l'image que dans le

---

* Le mot a été adopté en 1953 seulement (Petit Robert).

regard de l'autre. Beauvoir voulait dans ce roman éviter une équivoque : il ne fallait pas que le lecteur vît une histoire d'amour là où une analyse tout à fait neuve des rapports humains peignait une émotion dont les sources n'avaient pas encore été explorées par d'autres romanciers ; le mirage de l'Autre est devenu, à travers l'existentialisme, un concept familier de la psychologie romanesque. Beauvoir s'y attaquait avant tout le monde. « Non sans naïveté », dit-elle, elle choisit de prendre pour héroïnes deux femmes « pour préserver leurs relations de toute équivoque sexuelle ». Elle se dédoublait entre ces deux personnages et s'examinait dans un double miroir. L'une, Mme de Préliane, avait quarante ans, possédait toutes les séductions, toutes les élégances et un talent créa-teur : elle dirigeait un théâtre de marionnettes. Beauvoir aimait les marionnettes et « leur inhumaine pureté ». Plus tard, elle se passionnera pour le bunraku quand elle visitera le Japon.

L'autre femme, Geneviève, avait vingt ans, Mme de Préliane devint son modèle. Pour donner plus d'épaisseur à cette his-toire, Beauvoir y intégra l'histoire de Zaza qui demeurait pour elle une énigme. Sous le nom d'Anne, elle imagina Zaza mariée à un bourgeois bien-pensant et s'étiolant dans ce milieu fermé. Elle rencontrait Mme de Préliane qui l'encourageait à développer ses dons de musicienne. Écartelée entre son devoir et son besoin d'évasion, Anne mourait. A son enterre-ment, Geneviève prenait conscience de sa solitude et compre-nait que chaque être devait créer sa propre vie et assumer sa liberté.

Ce roman pourtant ne la satisfit pas, elle n'y trouva de vala-ble que la présentation des personnages à travers le regard de l'Autre. On y voyait Mme de Préliane et Anne par les yeux de Geneviève, et celle-ci était vue par Anne. Dans *Huis clos* Sartre utilisera magistralement cette technique du regard de l'Autre.

La séparation avec Sartre était jalonnée de rencontres à Paris, pendant les vacances scolaires et les congés illicites sous prétexte de grippes ou de crises de foie. Leur correspon-dance était presque quotidienne et préservait la transparence du couple. Sartre s'était lancé dans « un factum sur la contin-gence ». Dans une lettre à Beauvoir il lui racontait sa rencon-tre avec l'arbre qui allait devenir le fameux marronnier de *la Nausée*. Beauvoir essayait de le persuader de donner à ce texte une dimension romanesque, d'introduire du suspense comme dans les romans policiers, ce genre à la mode, qu'ils lisaient avidement. Le factum sur la contingence devint *la Nausée*.

Rouen

En 1932, pour se rapprocher de Paris, Beauvoir réussit à se faire nommer au lycée Jeanne-d'Arc de Rouen, à une heure de train du Havre. Avant même d'avoir posé sa valise elle achète un abonnement de chemin de fer pour Paris. Elle s'installe à l'hôtel de La Rochefoucauld, à côté de la gare. Les trains, les quais, les salles des pas perdus, étaient les mythes d'une génération réfléchis dans les films et les romans de l'époque, Simone de Beauvoir les avait faits siens et les vivait. « J'avais toujours des fourmis dans les jambes », dit-elle. Pendant quatre ans, la gare de Rouen fut au cœur de son existence, tous les matins elle prenait son petit déjeuner devant le hall des départs. Une routine s'établit, les jeudis Sartre venait à Rouen, ils passaient les week-ends à Paris.

Colette Audry*, alors professeur de lettres au lycée de Rouen, se souvient de cette jeune femme de vingt-quatre ans, « mince, au visage très clair » qui lui tendit la main un matin frileux d'octobre en se recommandant de Paul Nizan. « Elle nous apparut excessivement bien élevée, excepté sa parole rauque et précipitée qui ne l'était guère... Dès ce moment, on ne percevait plus que son regard inséparable de sa voix et de ce que disait sa voix, du tranchant de ses affirmations, de son attention naïve dans l'interrogation, d'une timidité un peu anguleuse dans la confidence... »

Colette Audry raconte son « humour sec et impitoyable dans l'anecdote » qui s'achevait par un grand éclat de « rire hardi ». « C'est bien ainsi qu'elle apparaissait, évoluant dans le bonheur, douée de solides appétits, d'une exceptionnelle ardeur au travail et à l'amusement, transmuant toutes les minutes en instants de bonheur, heureuse jusque dans ses crises de désespoir ou d'amertume, brusques et brèves comme des orages de juillet... Elle serait écrivain, cela ne faisait de doute ni pour elle ni pour nous. »

A Rouen, la vie quotidienne de Beauvoir change complète-

---

* Colette Audry sera écrivain, directrice de collection chez Denoël, présidente du Mouvement démocratique féminin et participera à la rédaction du recueil *la Femme du XXᵉ siècle*.

ment. Finies les grandes randonnées solitaires dans les garrigues et les calanques. La brasserie Paul devient son quartier général. La salle est un étroit boyau aux banquettes de moleskine déchirées, les garçons portent des tabliers blancs jusqu'aux pieds sur leur costume noir aussi vieux et poussiéreux que la brasserie. Il y a peu de clients, on y mange mal, mais Beauvoir en aime la tranquillité. Pendant deux ans, elle y travaille à un énorme roman dont les feuillets s'entassaient au milieu des copies qu'elle oubliait de corriger. Vaste tableau de la société de l'après-guerre, ce roman avait deux héros, un frère et une sœur, Pierre et Madeleine Labrousse, modernes émules de Julien Sorel et de Lamiel qui donnaient de leur époque un double point de vue : masculin et féminin. Dans *les Mandarins*, Beauvoir divisera aussi son point de vue entre Anne, Dubreuil et Henri. Les traits physiques ou intellectuels des personnages étaient calqués sur ceux des amis de Beauvoir : la tendre amitié platonique de Mme Morel et de Pierre Guille, les entôlages organisés par Simone Jolivet. Le héros, comme Charles Dullin, voulait rénover le théâtre et se demandait : quand l'art devient-il une trahison ? Question que se posait Simone de Beauvoir. Paul Nizan et les jeunes intellectuels communistes étaient peints sous les traits de Laborde et de ses amis. Le héros se liait avec eux mais refusait leur vision déterministe du monde et plaçait au-dessus de tout les valeurs individuelles. Les amours tragiques de Merleau-Ponty et d'Élisabeth L... illustraient l'idéalisme meurtrier de la bourgeoisie.

Le petit clan Morel l'encourageait à continuer. Pierre Guille trouvait que les premiers chapitres avaient le charme et les qualités d'un roman anglais. Sartre approuvait aussi. Après deux ans de travail, Beauvoir abandonna ce roman qui préfigure *les Mandarins*. C'était le cinquième roman qu'elle écrivait et rejetait en se disant que « ce n'était pas ça ». Peut-être est-il dommage que Sartre ne l'ait pas poussée à travailler ce roman comme elle le fit pour *la Nausée* qu'il récrivit quatre fois sur ses conseils.

Sartre bouillonnait d'idées, il écrivait *la Transcendance de l'ego*, son œuvre philosophique se préparait, elle était en pleine fusion, en pleine mouvance. Il entraînait Beauvoir, lui confiait pêle-mêle « ses nouvelles théories » qu'elle démêlait. Elle démolit une théorie du comique qui reposait sur un sophisme, elle poussait Sartre à poursuivre ses raisonnements, le mettant en face de ses contradictions, passait ses idées au crible, apportant ainsi sa contribution à l'œuvre. Sartre devait dédier à Simone de Beauvoir toute son œuvre philosophique. A Rouen, au Havre, à Paris, le travail en commun se poursuivait dans leurs conversations, leurs lettres, leurs carnets qu'ils se communiquaient. Discutant tout, remettant tout en question, l'homme, la société, l'art, leur point de vue de la veille était périmé le lendemain. Dans ce bouillon de culture intellectuel, il était difficile pour Beauvoir de fixer dans un roman un moment d'une histoire qui devenait fausse à mesure qu'ils se la racontaient.

Pour nourrir cette œuvre qui résistait, Sartre et Beauvoir au fil des jours analysaient, scrutaient, décortiquaient l'existence de leurs amis, de leurs collègues. Ils inventaient des vies aux gens qu'ils entrevoyaient dans les cafés, dans les trains, dans les rues. Toute nouvelle rencontre était prétexte à des pages de romans parlés. Ils s'interrogeaient sur les rapports des gens avec l'amour, la politique, l'argent. Installés au centre du monde, les gens gravitaient autour d'eux comme des pierres dans le cosmos. Beauvoir se moquait totalement de l'opinion, elle refusait d'admettre qu'il fallait se plier en quoi que ce fût aux règles de la société. Un jour, habillée à la diable, avec un gros trou à son bas, elle voulut aller prendre un verre dans un palace, Sartre refusa de l'y accompagner. Beauvoir soutenait que le regard de l'autre n'avait aucune prise sur eux, il lui répondait que les pensées qu'on formait sur lui l'attaquaient. Avec superbe, elle avançait dans la vie et choquait à Rouen comme elle avait choqué à Marseille. Elle avait du mal à envisager les gens autour d'elle comme des consciences, des sujets. Avec Sartre, elle cherchait une méthode d'explication du comportement humain. Ils rejetaient la classique psychologie française, le béhaviorisme, et accordaient peu de crédit à la psychanalyse freudienne qui commençait à être à la mode. Leurs amis, Politzer en tête, interprétaient tout selon Freud ou Adler. Eux cherchaient une méthode nouvelle, ce fut leur travail quotidien pendant ces quatre années à Rouen. De ce travail commun naquit la notion sartrienne de mauvaise foi qui « rendait compte de tous les phénomènes que d'autres rapportent à l'inconscient ».

La chasse à des cas de mauvaise foi devint un exercice permanent. Beauvoir découvrit ce qu'elle appela une « apparence ». Ils appliquèrent désormais ce mot aux personnes qui montraient des sentiments ou des convictions qu'en réalité ils n'avaient pas. Ces «apparences» peuplent les romans de Beauvoir et les pièces de Sartre.

Pour étendre le champ de leurs enquêtes ils se plongèrent avec passion dans la lecture des faits divers. Les monstres, tous les anormaux les fascinaient. Ils retrouvaient, amplifiées, les passions des gens normaux. Les crimes et les procès mettaient en question les rapports de l'individu à la collectivité. Leur anarchisme se plaisait à voir dévoilées les tares d'un système social qui fabriquait des assassins. La société de 1933 ne leur paraissait pas plus éclairée que les plus primitives. Ils entreprirent «un recensement des pensées prélogiques».

Le crime des sœurs Papin, le 2 février 1933, illustrait leur théorie. Ils y voyaient, portés à l'extrême, les défauts de la bourgeoisie. Pendant six ans, les deux sœurs placées chez un avoué du Mans avaient donné toute satisfaction. Quand leurs patrons n'étaient pas là, elles se défoulaient d'une vie d'humiliations dans un véritable psychodrame où elles jouaient, tour à tour, la patronne. Surprises un soir dans leurs jeux par la femme de l'avoué et sa fille, rentrées plut tôt que prévu, elles furent saisies d'un délire de folie meurtrière. Les deux sœurs les torturèrent, les mutilèrent, les mirent à mort, se faisant «les instruments et les martyres d'une sombre justice». Un autre crime alimenta les analyses de Beauvoir et de Sartre, celui de Violette Nozières qui assassina son père. Celui-ci abusait d'elle et la presse opposa aux accusations portées par la fille «le caractère sacré du père».

Pour transformer cette société aliénante, Beauvoir pensait qu'il fallait abattre la classe dirigeante. Elle supportait «encore plus mal ses mensonges, sa bigoterie, ses fausses vertus». Sartre se demandait s'il n'aurait pas dû se solidariser avec les marxistes qui travaillaient à la révolution. Beauvoir ripostait que cette lutte n'était pas la leur, qu'ils n'étaient pas des prolétaires. Elle demeurait convaincue que par leurs écrits ils apporteraient leur contribution à la transformation de la société. Ils devaient rester libres car seule «la liberté est une source inépuisable d'inventions». Prendre la carte du parti, militer, c'était s'engager dans un moule qui les aurait privés de leur indépendance. L'exemple de Nizan ne lui paraissait pas encourageant. Militant discipliné, actif et orthodoxe, ses livres, *Aden Arabie* (1931), *les Chiens de garde* (1932), où il clouait au pilori la philosophie enseignée à la Sorbonne et la société bourgeoise, furent mal accueillis. «Enfantillage primaire», disait Gide et un critique de *l'Humanité* l'accusait de donner «plutôt le spectacle d'un exercice littéraire, d'un débat superficiel n'ayant pas de véritable rapport avec la lutte des classes », au lieu d'apporter sa contribution à l'étude du prolétariat.

Le parti se méfiait des intellectuels, de l'idéal romantique vague et généreux qui dans les années vingt les avait poussés en masse dans ses rangs. Il leur demandait maintenant d'entrer dans une organisation rigide et d'adhérer à une doctrine rigoureuse.

Beauvoir ne voulait pas d'un tel engagement. Nizan avait eu son sourire le plus moqueur quand elle lui avait parlé de son roman : «Un roman d'imagination?» Ni elle ni Sartre n'auraient écrit *les Chiens de garde*.

Les trotskistes dissidents qu'elle connaissait s'interrogeaient sur l'opportunité d'une nouvelle révolution. C'était une voie qui ne l'intéressait pas. Au lycée de Rouen, nous l'avons vu, elle avait sympathisé avec Colette Audry qui était une amie de Nizan, de Simone Weil et de Boris Souvarine*, mais tous les engagements lui semblaient des entreprises limitées puisque le monde était encore à inventer.

« Je t'ai été fidèle à ma manière, Cynara **. »

En septembre 1933, Sartre partit comme lecteur à l'Institut français de Berlin. Beauvoir avait vingt-cinq ans. Pour élargir le champ de ses lectures, et pour lire les philosophes allemands dans le texte, elle prenait deux ou trois fois par semaine des leçons avec un communiste allemand réfugié en France. Le professorat l'ennuyait. Ses amis Zuorro, Colette Audry, Simone Jahan*** et elle-même constituaient au lycée une avant-garde qui choquait par la liberté de leurs mœurs, l'élégant non-conformisme de leurs vêtements, leurs coiffures, leur mépris de l'*establishment* universitaire et rouennais. Pour eux, l'enseignement et Rouen étaient le purgatoire avant Paris. Les activités politiques de certains provoquaient des plaintes au rectorat. Nizan qui enseignait à Bourg-en-Bresse,

---

* Boris Souvarine, exclu du parti communiste, directeur de la revue *Est-Ouest*, spécialiste de l'anticommunisme.
** «Cette phrase du film *Cynara* devait devenir pour nous pendant des années une espèce de mot de passe. » *La Force de l'âge*, p. 165.
*** Simone Labourdin dans les *Mémoires*.

s'était fait rappeler à l'ordre, il avait alors quitté son poste et dirigeait la librairie de *l'Humanité*.

Beauvoir était à nouveau sur la liste noire du lycée. On l'avait vue avec Sartre, on la voyait avec Pierre Guille qui lui rendait visite ou l'attendait à la gare, on la voyait avec Zuorro qui vivait avec un jeune éphèbe blond et, par intermittence, avec une collègue qui était tombée amoureuse de ce couple. Dans ses cours, Beauvoir tenait des propos qui scandalisaient. Les professeurs avaient reçu une circulaire leur enjoignant de faire une propagande nataliste, elle en parla avec ironie et déclara à ses élèves que la femme n'était pas exclusivement destinée à mettre des enfants au monde. Une rumeur courait dans les couloirs du lycée : elle aurait conseillé à ses élèves de faire comme elle, de se libérer, de prendre des amants, on l'accusait d'avoir exigé de chacune de ses élèves une approbation et seules les plus vertueuses auraient protesté !

La Commission départementale de la natalité et de la protection de l'enfance envoya au préfet un rapport dénonçant « l'enseignement qu'un indigne professeur dirigeait contre la famille ». Elle se défendit dans une longue lettre composée avec l'aide de Pierre Guille. Elle contre-attaqua en accusant les parents d'élèves de soutenir les doctrines hitlériennes. L'inspecteur d'académie prit son parti, mais au lycée certains de ses collègues la dénonçaient avec fureur dans leurs cours. Les affrontements entre la droite et la gauche devenaient de plus en plus fréquents. Si Beauvoir ne faisait pas la grève et n'entraînait pas ses élèves dans les Jeunesses communistes, comme Colette Audry, elle avait autour d'elle un groupe de jeunes adolescentes qui lui vouaient un attachement passionné et une admiration fanatique.

Mais Beauvoir détestait toutes les formes de pouvoir et refusait d'exercer celui qu'elle avait sur ses élèves comme elle refusera plus tard le vedettariat. Elle traitait celles pour qui elle avait de la sympathie en camarades. Refusant la hiérarchie dans les rapports humains, elle s'émut quand elle remarqua parmi les candidats au baccalauréat les élèves de l'académie militaire de La Flèche qui transpiraient dans leurs lourds uniformes de drap bleu, ils avaient l'air traqué, elle eut l'impression d'assister à « une sauvage cérémonie » ; elle mit la moyenne à tout le monde.

De Berlin, Sartre lui écrivait. C'était l'époque de la montée du nazisme : défilés géants, manifestations enthousiastes, drapeaux partout. Hitler, au pouvoir depuis janvier, s'était fait octroyer les pouvoirs spéciaux et avait imposé une série de mesures d'exception : dissolution du Reichstag, censure de la presse, interdiction des réunions publiques. Afin de brider toute opposition à son régime, il se servit du prétexte de l'incendie du Reichstag pour envoyer dans des camps de concentration des milliers de communistes.

Sur cette toile de fond Sartre écrivait la deuxième version de *Melancholia (la Nausée)* et l'*Essai sur la transcendance de l'ego*. Et il tomba amoureux de la femme d'un de ses collègues. Il la connaissait depuis ses années à l'E.N.S. La personnalité de celle qu'il appelait « la femme lunaire » l'attirait. Elle ne croyait pas au bonheur et pouvait s'enfermer pendant des jours pour rêver en fumant. Depuis qu'ils se connaissaient c'était le premier « amour passionnel* » de Sartre et Beauvoir s'inquiétait. Marie Girard était-elle une autre Simone Jolivet ? Sartre allait-il s'éloigner, emporté par de tumultueuses amours, au pays de Nietzsche ? La jalousie lui mordait le cœur. Leur entente reposait sur un échange immédiat d'idées, de projets, or une autre avait la primeur des théories que Sartre élaborait dans cette période particulièrement créatrice.

En février 1934, elle décida d'aller voir Sartre à Berlin, se fit donner sans peine un certificat médical en se déclarant nerveusement épuisée et partit pour quinze jours. Fidèle à elle-même en cas de crise, elle faisait face, ne pouvant souffrir de s'enliser dans des doutes, des questions, des angoisses.

L'accueil de Sartre la rassura. A peine arrivée, il la prit par le bras et commença à raconter : « Mon ego est lui-même un être du monde, tout comme l'ego d'autrui... » Elle se lança, heureuse, dans leur dialogue coutumier, elle en avait été quitte pour la peur. Elle vit sa fausse rivale, elle ne dérangeait rien. Elle savait que, proche ou lointain, Sartre partageait sa vie avec elle et que tout passait par leur dialogue réel ou mental : « ... jamais votre pensée ne me quitte et je fais de petites conversations avec vous dans ma tête ». Tous leurs actes et tous leurs soucis avaient toujours ce que Sartre appelle « un entêtant fumet d'idée ».

Ils vivaient leurs livres avant de les écrire. La matière de leurs œuvres était « eux-mêmes », ils se la livraient réciproquement sans rien dissimuler. « Lecteur, je suis moi-même la matière de mon livre. » Montaigne peut aider à comprendre ce

---

* C'est ainsi que Sartre parlait des amours qui comptèrent dans sa vie.

que l'alliance de ces deux écrivains a de singulier et de profondément « moral » sous des apparences de cynisme ou de perversité.

L'alerte passée, Beauvoir se donna à la découverte de Berlin. Depuis trois ans qu'elle connaissait Sartre, sa curiosité passionnée les avait conduits deux fois en Espagne au milieu des remous qui précédaient la guerre civile, au Maroc espagnol, à Londres et dans l'Italie fasciste. Dès le premier soir, un camarade de Sartre spécialiste des bas-fonds les entraîna dans l'exploration de Berlin la nuit. Les nazis avaient bien fermé quelques lieux de plaisir mais l'ordre moral était loin de régner. Leur guide aborda un travesti aux longues jambes gainées de soie, qu'ils suivirent dans des boîtes crapuleuses. Certains cabarets étaient entièrement peints en noir : murs, plancher, plafond ; des nains grotesques servaient les consommations dans des verres noirs. La drogue était partout. Kisling, qui était à Berlin en 1934, racontait qu'on servait de la cocaïne dans de petites boîtes d'allumettes en même temps que les boissons, et que dans certains clubs privés on pouvait se faire injecter des produits hyperesthésiques hallucinogènes ; les clients portaient des masques. Dans les caves de ces clubs spéciaux avaient lieu des scènes de tortures, les victimes étaient des malades mentaux achetés à leur famille sous prétexte de les soigner. On les saturait de drogue. Kisling prétendait avoir assisté à une trépanation suivie d'expériences où l'on avait appliqué des électrodes directement sur le cerveau. Les perversions, les trafics de toute sorte se pratiquaient secrètement et celui des devises était une activité banale parmi les étudiants étrangers.

Sartre connaissait surtout des intellectuels antifascistes qui se persuadaient de l'imminente débâcle de l'hitlérisme. Ils ne s'inquiétaient pas de l'antisémitisme qui leur semblait « un parti pris trop gratuit, trop stupide ».

De Rouen, Colette Audry écrivit à Beauvoir qu'au lycée son absence était mal vue. Sartre s'inquiéta, il voulait qu'elle rentrât pour éviter des ennuis, elle n'était pas en odeur de sainteté auprès de l'administration, pourquoi aggraver son cas ? Alors Beauvoir, à la seule pensée qu'une volonté autre que la sienne pourrait disposer de sa vie, explose, prise d'une colère qui la fait trembler de rage, et refuse de modifier ses plans. Défier le monde est sa règle de conduite, elle n'en déviera jamais. Ombrageuse et rebelle, elle rentra à son heure à Rouen. Il ne lui arriva rien.

Aux premiers beaux jours elle repartit pour l'Allemagne. La situation s'y dégradait, son bel optimisme aussi, le nazisme ressemblait de moins en moins à un feu de paille. A Nuremberg pavoisée de drapeaux à croix gammée, les bataillons de chemises brunes faisaient résonner d'acclamations les vieilles pierres; pour la première fois elle eut peur. Le jour où elle devait se rendre avec Sartre à Vienne, le chancelier Dollfuss fut assassiné. A l'université les nazis défenestraient étudiants et professeurs juifs, la terreur régnait. C'est avec soulagement qu'ils quittèrent l'Allemagne.

Ils partirent à pied à travers l'Alsace, avec tout leur bagage dans leurs poches. Sartre composait des chansons sur la situation mondiale. L'une d'elles, *la Rue des Blancs-Manteaux*, sera un jour sur toutes les lèvres. Sartre s'arrêta à Mulhouse chez ses oncles, Beauvoir partit en Corse avec Pierre Guille et ses sœurs, et découvrit les joies du camping. Enfant, elle avait rêvé d'habiter une roulotte, à vingt-six ans vivre avec sa maison sur le dos lui parut une des formes les plus délicieuses de la liberté. Un mouvement commençait à pousser la jeunesse sur les routes. Beauvoir se trouvait encore en tête avec le groupe des pionniers de cette révolution des loisirs. En 1936, la notion de « loisirs pour tous » deviendrait une loi. Mais en 1934, les premiers campeurs soulevaient de violentes réactions, la mixité de cette jeunesse constituait pour l'époque et dans tous les milieux une rupture scandaleuse avec les habitudes solidement établies de ségrégation des sexes. Ces garçons et ces filles qui passaient la nuit sous le même toit ou la même tente choquaient. Souvent on leur lançait des pierres, le maire de Fontainebleau fit passer un arrêté qui en dit long sur les mœurs dans les années trente. Il interdisait : « dans l'intérêt de la sécurité publique et du respect de la décence » le port des shorts, considérant que « l'usage des bains de Seine et des bains de soleil ne doit pas servir de prétexte à des exhibitions inconvenantes, et favoriser des licences de nature à offenser généralement la morale et souvent l'esthétique ».

Le « salut les copains » que se lançaient les marcheurs et les campeurs était un cri de ralliement, une affirmation du droit de vivre autrement et du droit au bonheur. Beauvoir comprenait ce désir d'air, de soleil et de liberté. La mer ? Elle avait passé quelques jours sur une plage normande à la suite d'une maladie, elle avait huit ans. La montagne ? Elle avait fait un court séjour à Cauterets, invitée par son oncle Gaston, quand elle avait dix-neuf ans. Elle avait envie de toute cette nature qu'elle ne connaissait pas. Aussi se lança-t-elle sur les pentes enneigées avec Sartre qu'elle avait entraîné. Ils avaient des skis en bois sans carres, ils descendaient et remontaient à la force de leurs jarrets. Pas de remonte-pente, pas de moniteur, pas d'équipement, pas de pistes, ils étaient seuls, devançant les trains de neige qui, en 1936, transporteraient cinquante mille skieurs novices. Beauvoir skiera régulièrement pendant plus de vingt ans, à l'époque héroïque du chasse-neige, du christiania et de l'arrêt Briançon.

Charles Dullin

Après la soirée où elle avait erré en proie au plus sombre désespoir autour du théâtre de l'Atelier, de solides liens d'amitié s'étaient créés entre Simone de Beauvoir, Charles Dullin et Simone Jolivet. Pendant le séjour de Sartre à Berlin, Beauvoir les voyait beaucoup. Ils possédaient une maison à Férolles, près de Crécy-en-Brie. Charles Dullin venait chercher Simone à la gare dans une vieille carriole. Dans la ferme restaurée aux poutres apparentes, à la grande cheminée rustique, meublée d'objets choisis, l'autre Simone, artistiquement vêtue, les attendait. Elle régalait Beauvoir dont la gourmandise amusait ses amis : grives, terrines, foie gras, plats raffinés défilaient sur la table pendant que Dullin racontait des histoires de théâtre et chantait les vieilles chansons qu'il avait interprétées avant la guerre au Lapin agile. Gaieté de ces journées où la gentillesse de Dullin, les histoires rocambolesques de Jolivet, l'humour à l'emporte-pièce et les grands éclats de rire de Beauvoir permettaient d'oublier la marche de l'histoire. L'été, le petit groupe passait de longues heures dans le jardin. Beauvoir renouait par-dessus le temps avec les chansons et les rires de Meyrignac, ou du 103, boulevard du Montparnasse. Leur amitié ne se démentit jamais. En 1945, Dullin, menacé de perdre la direction du théâtre Sarah Bernhardt, demandera à Beauvoir de défendre son adaptation du *Roi Lear*, violemment attaquée par la critique. De sa plume la plus agressive, elle contre-attaquera dans *Action*, défendant la mise en scène de Dullin et de Jolivet en accusant les critiques de mauvaise foi : « Ils ne parlent que d'eux-mêmes, un article c'est pour eux un exercice de style, ils essaient de se montrer spirituels, mordants, ils n'ont d'autre but que de manifester leurs qualités de polémistes... » Elle concluait : « C'est Shakespeare qu'ils n'aiment pas. » On ne faisait pas en vain appel à l'amitié de Simone de Beauvoir.

Une aventure d'André Malraux

A Rouen, Beauvoir s'était liée d'amitié avec une journaliste, écrivain et professeur de collège, qui faisait partie d'un mouvement trotskiste, elle devint sa confidente. Renée Ballon* connaissait toute l'intelligentsia de la N.R.F. et était invitée aux célèbres Décades de l'abbaye de Pontigny où chaque été des écrivains et des artistes débattaient un sujet. En 1932, le débat portrait sur la génération d'avant guerre. André Chamson et André Malraux** s'affrontaient en un combat verbal, sous l'œil des vedettes de Pontigny : Gide, Martin du Gard et Schlumberger. André Malraux séduisait « par son ardeur, son éloquence, sa nervosité ». Séducteur, il feignait de lire dans la main des dames ce qu'il avait observé d'elles. Renée Ballon était grande avec un corps élégant, des yeux brillants.

Une idylle s'était nouée dans les jardins de Pontigny où elle prétendait avoir mordu Malraux à l'épaule. Il devint son premier amant, ce qui lui aurait arraché ce cri accablé : « Nom de Dieu ! Elles sont toutes vierges ici ! » Renée Ballon tomba éperdument amoureuse de l'écrivain et se persuada qu'il divorcerait pour l'épouser. Après quelque temps, Malraux qui venait d'avoir une fille lui écrivit une lettre de rupture qu'il terminait par ces mots : « Laissons au hasard le soin de nous rencontrer. »

Simone de Beauvoir vit peu à peu Renée s'enfoncer dans une espèce de paranoïa ; elle refusait la réalité. Elle avait tapissé sa chambre de reproductions des tableaux préférés de Malraux, ne lisait plus que ses livres, « elle essayait de deviner ce qu'en chaque circonstance il aurait dit, pensé, senti ». Poursuivant son illusion, elle lui envoyait des télégrammes, des lettres exprès, des coups de fil. Après une soirée au théâtre avec l'écrivain André Philip***, elle s'imagina que celui-ci l'avait soupçonnée de vouloir le séduire et l'avait raconté à Malraux. Elle lui écrivit aussitôt pour le détromper. Mais sur l'en-tête

---

* Louise Péron dans les *Mémoires*. Beauvoir raconte son histoire dans *la Force de l'âge*, p. 192-206.
** J. B. dans les *Mémoires*.
*** « Un ami de J. B. » dans les *Mémoires*.

de son papier à lettres était imprimée une petite vasque en or, et, d'après elle, Malraux avait certainement compris qu'elle lui annonçait avec défi : « j'ai un amant », car, disait-elle, la vasque a un sens bien défini dans le langage psychanalytique. De signes en interprétation, Renée sombrait dans la folie. Dans *les Mandarins*, Simone de Beauvoir attribuera ce délire de l'interprétation à Paule lorsque Henri se détache d'elle. Elle reprendra la scène du dîner où Renée Ballon avait dressé une table de douze couverts et n'avait lancé que deux invitations : l'une à Alexandre, l'ancien directeur de *Libres Propos*, et l'autre à Colette Audry qui se retrouva toute seule en face d'elle. Il n'y avait rien pour dîner.

Dans un moment de lucidité, Renée, comprenant que tout était fini avec Malraux et voulant l'oublier, avait écrit à un quinquagénaire socialiste qui lui avait fait la cour aux Décades de Pontigny. Il l'emmena passer une nuit dans un hôtel à côté de la gare du Nord. Cet épisode est à l'origine de la nouvelle de Sartre *la Chambre*.

Un matin, Renée sonna à la porte de Clara Malraux qui sut la persuader d'entrer dans une clinique. Guérie, elle adhéra au parti communiste et pendant la guerre se distingua dans la Résistance. Longtemps, elle hanta les rêves de Beauvoir, elle la voyait entrer dans sa chambre l'écume aux lèvres, elle réussissait à l'enfermer dans un étui à violon posé sur la cheminée, et se réveillait angoissée par cette « chose vivante tordue de haine et d'horreur ».

La petite Russe

Parmi ses élèves, Simone de Beauvoir avait remarqué Olga Kosakiewicz*. Tous ses professeurs lui trouvaient de la personnalité, on l'appelait « la petite Russe ». Elle était interne et Beauvoir lui offrit de la sortir quelquefois le dimanche après l'avoir vue pleurer à un examen où elle avait rendu une feuille blanche. Olga, avec son visage pâle, ses longs cheveux blonds, avait beaucoup de charme. Elle réussit à son bac, ses parents la poussèrent à entreprendre sa médecine à Rouen et la logèrent dans une pension pour jeunes filles.

---

* Olga Dominique à la scène, Zazoulitch dans les *Lettres au Castor* de J.-P. Sartre.

Originale avec quelque chose d'insaisissable, Olga intéressait Beauvoir. Ses amis étaient des réfugiés roumains, polonais, des juifs chassés d'Europe centrale par les nazis, tous des étrangers en exil qui se débrouillaient comme ils pouvaient pour faire leurs études à Rouen où tout était moins cher qu'à Paris. Beauvoir écoutait Olga lui raconter son enfance. Son père appartenait à la noblesse impériale. Il avait épousé une jeune Française. Pendant la révolution ils avaient réussi à fuir en France où ils se sentaient en exil et déclassés. Une atmosphère nostalgique régnait dans la maison familiale. Olga et sa sœur Wanda, de deux ans sa cadette, étaient pensionnaires depuis qu'elles allaient au lycée. Ces petites filles savaient qu'elles auraient été élevées à l'Institut des jeunes filles nobles si la révolution ne les avait pas dépouillées et jetées dans un milieu qui n'était pas le leur. Elles tenaient de leurs parents un profond mépris des superstitions, des conventions et des vertus bourgeoises. Aux vacances, elles baignaient dans une ambiance fabuleuse que leurs parents créaient en leur racontant la féerie des dernières années de la cour de Russie, en leur lisant Pouchkine, Tourgueniev, Tchekhov, et de mélancoliques histoires du folklore russe. On leur mettait entre les mains la Bible, les Évangiles, Homère, des légendes hindoues, sans leur indiquer ce qu'elles devaient tenir pour vrai ou pour fictif.

Olga avait les mêmes colères frénétiques que celles qui avaient secoué Beauvoir enfant. « Elle demeurait capable de fureurs qui lui faisaient presque perdre le sens. » Beauvoir tenait toujours la fureur en haute estime ; elle découvrait aussi en Olga la vertu qu'elle et Sartre prisaient par-dessus tout : l'authenticité.

Avec une absolue confiance, Olga s'abandonnait entièrement à l'affection qu'elle vouait à Beauvoir. Petit à petit cet attachement devint plus profond et prit des allures d'envoûtement. Beauvoir subit le charme « de son visage, de ses gestes, de sa voix, de son langage, de ses récits... il y avait quelque chose d'impétueux et d'extrême qui me conquit ».

Olga jetait un défi à toutes les tyrannies. Olga dansait jusqu'à s'évanouir, « ses émerveillements gardaient la fraîcheur de l'enfance... C'était un plaisir de lui parler car elle m'écoutait avec passion ». Olga prenait une place de plus en plus grande. Elle détonait par un côté exotique et charmait par ce je-ne-sais-quoi que Sartre plus tard appellera, faute d'un terme plus subtil : « de la classe ».

Il y avait peut-être dans l'inconscient de Simone, l'éveil d'une nostalgie étouffée par le temps, celle de son père, Georges de Beauvoir, l'aristocrate, tombé du haut de sa distinction et de son raffinement dans la petite bourgeoisie dont la vulgarité le mettait en fureur. En face d'Olga, la toute petite Simone s'éveillait et se regardait au miroir.

Le bilan du Havre

Sartre, rentré d'Allemagne, était déprimé de se retrouver dans la peau d'un professeur. Il avait le sentiment que la biographie du grand écrivain ne se dessinait plus. Alors avec Beauvoir, ils établissent longuement leur bilan : ils ne sont pas célèbres, ils n'ont rien publié. Le roman-fleuve de l'entre-deux-guerres et *Melancholia (la Nausée)* sont abandonnés. Beauvoir décide de ne plus rien écrire, au moins pendant quelque temps. Georges de Beauvoir qui attendait le succès de sa fille déclarait brutalement : « Si elle a quelque chose dans le ventre, qu'elle le sorte ! »

Pendant tout l'hiver, les deux écrivains, assis dans les cafés du Havre, se lamentent, rien de nouveau ne va désormais les arracher à leur routine. Leurs amis et leurs camarades de l'E.N.S. sont engagés dans la politique, ils écrivent, ils publient, ils produisent : Nizan, Aron, Politzer, Lévi-Strauss, Merleau-Ponty, Colette Audry, Simone Jolivet progressent, Hélène de Beauvoir prépare une exposition et fréquente les milieux de la jeune peinture. Fernando Gerassi expose à la galerie Bonjean. Tout bouge autour d'eux mais ils sont au creux de la vague, ils ne voient pas quel livre va les tirer de là. Sartre se débat contre l'ennui, « cet orage et cette contemplation terrifiée du désert des jours à venir », il y sombre de plus en plus ! Beauvoir verse des torrents de larmes chaque fois qu'elle prend un verre de trop. Ils s'abîment tous deux dans les angoisses de la vieillesse, dramatiquement annoncée par la perte de quelques cheveux de Sartre. Il a trente ans, elle en a vingt-sept. Beauvoir est tiraillée entre « la gaieté d'exister et l'horreur de finir ».

Le professorat où Sartre voyait s'enliser sa liberté n'avait cessé de représenter pour elle une libération. Si leurs destins étaient parallèles, les données en étaient différentes : « Sartre était "son propre ciel", donc toujours en question parmi les choses incertaines ; mais non pas en question pour moi ; pour moi son existence justifiait le monde que rien ne justifiait à ses yeux. » Les exercices d'analyse psychologique qui avaient occupé tant de leurs heures ne les intéressaient plus ni l'un ni l'autre. « Nous étions las de nos examens de conscience exacts d'intellectuels, las de cette vie vertueuse et rangée que nous menions, las de ce que nous appelions alors "le construit". Car nous avions "construit" nos rapports sur la base de la sincérité totale, d'un entier dévouement mutuel et nous sacrifiions nos humeurs et tout ce qu'il pouvait y avoir de trouble à cet amour permanent et *dirigé* que nous avions construit. Au fond ce dont nous avions la nostalgie c'était d'une vie de désordre et de laisser-aller trouble et impérieux... »

Sartre dans les *Carnets de la drôle de guerre* va au fond du problème. « Nous avions besoin de démesure pour avoir été trop longtemps mesurés. Tout cela se termina par cette drôle d'humeur noire qui tourna à la folie vers le mois de mars — et pour finir par ma rencontre avec O. qui était précisément ce que nous désirions et qui nous le fit bien voir. »

Saisis par l'ennui, Beauvoir et Sartre malgré tout continuent à travailler. Beauvoir lit Husserl dans le texte. Ses voyages en Espagne, en Italie et en Allemagne lui ont fait prendre conscience des lacunes de ses connaissances historiques. Dans son dernier roman, elle a achoppé à la description des milieux militants, elle entreprend un vaste projet de rattrapage. Sartre travaille à un traité sur *l'Imagination* où il met au point ses idées sur la conscience et son pouvoir de néantisation.

Par curiosité, Sartre demanda à un camarade médecin de lui faire une piqûre de mescaline. Il voulait voir ce qu'était une hallucination. La mescaline eut des effets inattendus, elle plongea Sartre, déjà fatigué, dans une sorte de folie qui se manifesta par une dépression et par des hallucinations qu'il devait attribuer plus tard à un personnage dans *les Séquestrés d'Altona*. Il voyait des crustacés autour de lui, des crabes, des homards. Un jour, une langouste l'avait suivi toute la nuit à travers les rues de Venise. Beauvoir voyait dans cette pseudo-folie une évasion. Mais le marasme de Sartre était profond. Dès qu'il était seul, ses angoisses l'assaillaient. Simone de Beauvoir lui organisa des distractions en invitant des élèves qu'ils avaient préparés au baccalauréat. Parmi eux, Jacques-Laurent Bost, Lionel de Roulet étaient devenus des amis, ils préparaient une licence de philo. Ils constituaient, avec Olga Kosakiewicz, le noyau de ce que Beauvoir et Sartre appelèrent « la famille ».

Jacques-Laurent Bost, que Sartre surnommait « son disciple », était le frère de Pierre Bost, romancier et scénariste déjà célèbre, lecteur chez Gallimard. Protestant, il descendait d'une famille de pasteurs ; son grand-père, le pasteur John Bost, avait fondé des organisations de bienfaisance pour les jeunes filles abandonnées, des maisons de repos ou de retraite pour les vieillards et les infirmes, des asiles pour les épileptiques et Bethseda, un centre pour les jeunes filles idiotes ou infirmes. Il avait publié de nombreux ouvrages d'érudition protestante, entre autres les œuvres de Laforce. Jacques-Laurent Bost avait dix-neuf ans, un sourire éclatant, une aisance princière, beaucoup de spontanéité et de drôlerie. Il sera le modèle de Gerbert dans *l'Invitée*, et de Boris dans *l'Age de raison*. Il traînait tous les cœurs après soi. On le surnomma « le petit Bost » pour le distinguer de son frère dont il suivit les traces. Tour à tour romancier, journaliste, scénariste, il fait toujours partie de l'équipe des *Temps modernes*.

Lionel de Roulet était suisse, protestant lui aussi. Excellent skieur, vivant, farfelu, il avait fondé un pseudo-parti politique : le parti des Mérovingiens, qui réclamait le trône de France pour les descendants de Chilpéric. Sans doute avait-il entendu parler d'une pièce d'Hervé qui avait eu un grand succès avant guerre et dans laquelle Marcelle Lender, l'actrice si souvent peinte par Toulouse-Lautrec, chantait :

> *Il est dix heures, c'est l'instant*
> *C'est l'heure où Chilpéric se lève*
> *Espérons qu'il a fait un rêve*
> *Qui le rende heureux et content.*

Lionel de Roulet fit carrière dans les services culturels, puis au Conseil de l'Europe. Il épousa pendant la guerre Hélène de Beauvoir.

Et puis il y avait Olga. Olga était slave jusqu'au bout de ses longs cheveux blonds. Extrémiste, généreuse, indépendante, elle avait des élans de cœur, un rêve d'absolu, une impétuosité qui agirent sur Sartre comme un philtre magique. Il tomba amoureux, follement amoureux de « la petite Russe ».

Quand elle était là, les cohortes de crustacés disparaissaient, il se mettait en frais pour lui plaire, retrouvait sa légèreté. Olga était devenue l'antidote de sa folie, une panacée vivante. Dans l'un des carnets qu'il tint en 1939-1940, il écrivit : « Je fus au plus bas au moment de ma folie et de ma passion pour O. : deux ans. De mars 1935 à mars 1937. »

Olga échoua au P.C.N. Ses parents qui voulaient qu'elle poursuive sa médecine décidèrent qu'elle redoublerait à Caen où elle serait pensionnaire. Cette perspective plongea Beauvoir et Sartre dans la plus grande tristesse. Sartre ne consentait pas à la perdre, Beauvoir avait peur de le voir retomber dans sa névrose, Olga la suppliait de l'aider. Pour éviter la séparation tant redoutée, ils eurent l'idée de persuader les parents d'Olga que leur fille, ne manifestant aucun goût pour les sciences, devait entreprendre une licence de philosophie. Simone de Beauvoir dirigerait ses études et serait son mentor. Olga serait en quelque sorte leur fille. Beauvoir et Sartre vivaient entourés de personnages imaginaires et s'étaient amusés à se créer un monde hors de la réalité. Ils avaient inventé « le petit Crâne », un personnage parfaitement beau mais dénué de vie intérieure. Ils parlaient de petites chaussures fabriquées par le Lepricorne, qui défiait le doute et le malheur par son travail de cordonnier. En fait ils parlaient ainsi de leurs propres œuvres. Il y avait le Baladin, éternel errant, auquel ils identifiaient Sartre. Ils rebaptisaient volontiers leurs amis, créant ainsi une distanciation avec le quotidien. Beauvoir était le Castor, Maheu et sa femme étaient le Lama et la Lamate; le Mops, le bel-Eute entouraient Mme Morel. Mme de Listomère était la vendeuse de chez Burma, amie du Tapir, Olga était Iaroslaw, Merleau-Ponty était le Pont-aux-Merles, etc.

Toutes les situations difficiles ou désagréables étaient transposées dans des psychodrames. Hors de la réalité, elles tournaient à la farce. Ils s'amusaient à ces comédies où ils se voyaient se voir et refaisaient le réel selon leur fantaisie. En adoptant en quelque sorte Olga, ils se racontaient une histoire.

Beauvoir demande donc un rendez-vous aux parents d'Olga qui l'invitent à dîner. La stratégie est au point, les acteurs en place, les parents sont sous le charme de cette jeune femme. Ses manières, sa distinction, sa façon de parler, tout en elle porte la marque d'une rare qualité. C'est une aristocrate. Quand elle présente le projet de s'occuper entièrement d'Olga à Rouen, de lui donner des cours, les parents sont enchantés. Ils trouvaient que leur fille sortait trop avec des réfugiés des pays de l'Est et passait plus de temps dans les fumées des cafés que dans les salles de cours. Son professeur de philosophie veut bien s'occuper d'elle ? C'est une chance. D'ailleurs en Russie Olga aurait eu des gouvernantes, des tuteurs, des cours privés, cet arrangement leur paraît tout à fait normal.

Ravi, Sartre part pour une croisière en Norvège avec ses parents ; et Beauvoir, sac au dos, s'en va marcher, seule, trois semaines dans l'Ardèche et les Cévennes. Munie d'un chandail, d'une couverture, d'un réveil, d'un Guide Bleu et de cartes Michelin, évitant routes et villages, elle vagabonde à l'aventure, dormant dans des granges parmi les senteurs du foin. Au matin, elle achète un pain, fait remplir sa gourde de vin et part à travers les pâturages. Parfois, roulée dans sa couverture, la solitude de l'immense désert de la nuit l'angoissait. A l'aube, grisée de vent et d'insomnie, elle repartait dans le soleil. Elle sentait dans ses veines, dans ses poumons, dans ses muscles, les odeurs, les lumières, les brises, le chant des cigales. Au mouvement des feuilles, elle reconnaissait l'arrivée des orages et aimait à se perdre dans les tempêtes. La nature était pour Beauvoir le lieu privilégié pour exorciser ses démons.

Sartre, bon marcheur quand il le voulait, n'aimait la rase campagne qu'à petites doses, il fallait que les marches aboutissent à un château, un musée, un lieu créé par l'homme. Beauvoir l'avait convaincu cet été-là de la rejoindre. Elle l'entraîna de la Haute-Loire aux Cévennes. Ils vivaient dans les champs, se nourrissaient d'œufs durs et de saucissons, philosophaient, chantaient. Le grand air acheva de guérir les nerfs de Sartre. Il en avait assez d'être fou, il ne le fut plus.

L'hôtel du Petit-Mouton

Olga était à Rouen. Sartre et Beauvoir avaient organisé minutieusement le programme de leur protégée. Dès la première dissertation, il fut clair que l'entreprise était vouée à l'échec. Sans cours officiels, sans camarades d'études, le travail ressemblait à des vacances.

Sartre renonça assez vite à ses leçons de philosophie, et Beauvoir y renonça à son tour. Olga était devenue « le plus agréable des compagnons ». Olga n'étudiait rien, Olga menait avec enthousiasme une vie de liberté, de caprice et de fantaisie. Elle lisait beaucoup, discutait avec Sartre et Beauvoir, elle allait avec eux dans les cafés, les brasseries. Beauvoir lui apprit à jouer aux échecs : tout en combinant leurs coups, elles buvaient de grandes rasades de Cherry-Rocher. « Nous avions pour cette liqueur un goût immodéré. » Elles jouaient au poker-dice, ce jeu mis à la mode par les soldats américains après la Première Guerre mondiale. Elles allaient au théâtre, au cinéma, écoutaient des disques, lisaient, faisaient des blagues. Ainsi vivait sous la houlette de ces deux illustres précepteurs ce nouvel Émile.

Beauvoir avait abandonné la gare et s'était installée dans la vieille ville à l'hôtel du Petit-Mouton, une bâtisse de style normand aux poutres apparentes et aux fenêtres à petits carreaux. Caché au fond d'une ruelle, cet hôtel modeste avait des chambres de passe et quelques chambres louées au mois, symboliquement séparées par l'escalier central. L'hôtel du Petit-Mouton devint le quartier général de la bande. On y fit venir Olga ; Zuorro, nommé au lycée de Rouen, emménagea dans l'aile bordelière ; Sartre, Poupette, Gégé, Simone Jolivet, le petit Bost, Lionel de Roulet, Pierre Guille y séjournèrent. La nuit dans son lit, Beauvoir pouvait suivre le trottinement des souris qui tiraient les papiers gras de sa corbeille à papiers, parfois de petites pattes sur sa figure la réveillaient. Elle aimait « la gaieté un peu crasseuse du couvre-lit, du papier des murs ». Dans la chambre à côté vivait un militaire qui battait régulièrement sa femme avant de lui faire l'amour, ce qui ne manqua pas de rappeler à Beauvoir la plus dévote de ses tantes qui, le soir, se faisait vigoureusement fouetter par son mari. Dès la tombée de la nuit, les couloirs « s'emplissaient de soupirs ».

Au Petit-Mouton on menait joyeuse vie. Zuorro s'amusait à courtiser la patronne, une maquerelle qui affectionnait les bas de coton rose. Il comptait toujours abandonner l'enseignement pour l'Opéra de Paris. Il était gai, insouciant, et n'attachait aucune importance à sa réputation. Avec lui tout devenait une aventure. Il déambulait volontiers la nuit avec Olga. Ils descendaient les rues en dansant sur le trottoir et en chantant à tue-tête. Zuorro inventait des blagues scabreuses. Un soir, dans un bar, ils décident d'entôler un client qui ne quittait pas Olga des yeux. Zuorro l'aborde et lui propose de passer la nuit avec Olga. Ils vont tous trois au Petit-Mouton où ils vident une bouteille de scotch. Pour demeurer maîtres de la situation, Zuorro et Olga versaient discrètement leur verre sur le lit, mais la victime gardait la tête claire et demandait à passer aux actes. Zuorro finit par s'en débarrasser en lui expliquant dans un torrent de larmes qu'il renonçait à lui vendre sa petite sœur.

Zuorro détestait l'un de ses collègues qui voulait devenir écrivain*. Toute la bande du Petit-Mouton organisa un méchant canular. Zuorro lui raconta qu'il était très lié avec Pierre Bost, qui allait venir à Rouen ; il proposa d'arranger un rendez-vous et se fit remettre le manuscrit du roman que son collègue venait de terminer. Le jour de la farce, chacun des comparses avait un rôle : Beauvoir était la collaboratrice de Pierre Bost et attendait dans le café-tabac à côté du Petit-Mouton, Olga, assise au bar, était une prostituée. Zuorro arriva avec le futur écrivain, le présenta à Beauvoir avec le plus grand sérieux et le laissa lui exposer le sujet de son livre. Enfin Sartre, qui était évidemment Pierre Bost, arriva avec le manuscrit sous le bras. Il en fit une critique sanglante et bouffonne, puis s'éclipsa, laissant l'auteur atterré. Quelques jours plus tard, celui-ci écrivit au vrai Bost chez Gallimard, pour lui demander de clarifier sa féroce critique. La réponse de Pierre Bost, furieux qu'on eût abusé de son nom, lui fit comprendre qu'on s'était joué de lui. Dix ans plus tard, l'auteur de cette farce s'en souvenait encore. Il le fit bien voir à Beauvoir et à Sartre dans les articles qu'il écrivit sur eux dans *Samedi-Soir*, à l'époque de l'existentialisme triomphant et de Saint-Germain-des-Prés.

Quand Simone Jolivet arriva au Petit-Mouton, on se mit en frais pour la distraire. Au minable dancing du Royal, elle commanda du champagne et, enlaçant Olga, l'entraîna dans un paso-doble de grand style, « ses bijoux cliquetaient, ses tresses voltigeaient », tout le monde s'était arrêté pour la regarder. Elle affirma qu'Olga appartenait comme elle à la race des anges noirs, et elle « la déclara sa filleule devant Lucifer ». Sur ses conseils, Olga suivra des cours chez Dullin.

Hélène de Beauvoir et son amie Gégé séjournèrent dans le fameux hôtel. Hélène fit le portrait d'Olga. Dans les chambres, on s'amusait avec l'étrange sentiment que la jeunesse se terminait et que demain il faudrait assumer l'âge adulte. En attendant, Gégé faisait la danse du ventre, Bost allumait des allumettes avec ses doigts de pied, Zuorro chantait des duos avec Sartre habillé en femme et coiffé d'une perruque blonde aux longues nattes.

---

* Il deviendra l'un de nos écrivains les plus connus.

La vie que Beauvoir menait à Rouen avec Olga, ses voyages continuels au Havre, à Paris, épuisaient ses ressources. Les fins de mois étaient difficiles, elle déposait au mont-de-piété la montre en or qui lui venait de sa grand-mère. Quand cela ne suffisait pas, Colette Audry lui prêtait généreusement son phonographe qui allait rejoindre la montre. Au début du mois on retirait le tout et on recommençait.

Les égarements du cœur et de l'esprit

Beauvoir et Sartre n'étaient plus des professeurs pour Olga. « Nous étions devenus un trio », écrit Beauvoir dans *la Force de l'âge*.

Cette histoire qui pendant deux ans allait être au centre de leur vie, de leurs discussions, qui fit naître chez Sartre la tentation d'abandonner la littérature, qui fit douter Beauvoir d'elle-même et de l'amour de Sartre, fut le combat de deux volontés. Amants, amis, alliés, ils s'affrontèrent pour mesurer leur puissance sur Olga. Ils idéalisèrent l'enjeu, Olga était le mythe de la pureté, de la jeunesse. Dans la violence de ses goûts, son mépris de l'ordre et de la bourgeoisie, ils virent, devenus chair, leurs propres fantasmes et leurs propres tendances anarchistes.

Ils furent pris au piège. Un piège qui les attirait depuis longtemps. Quand Sartre faisait son service militaire, en 1929-1930, c'est-à-dire peu après le début de leur liaison, ils avaient rencontré, une nuit, dans un bar de Montparnasse, « une très jeune fille, charmante, à demi ivre et passablement égarée. Nous l'avions invitée à boire un verre... En la quittant nous nous étions amusés à nous raconter que nous l'adoptions ». Beauvoir n'avait que vingt et un ans et Sartre vingt-quatre lorsque cette singulière tentation d'intégrer une jeune fille à leur existence chatouilla leur imagination. L'introduction d'un tiers dans un duo qui force chacun à se découvrir sous le regard de l'Autre est le thème qui apparaîtra dans *l'Invitée* comme dans *Huis clos*. Ce thème fascinait Beauvoir et Sartre. Ils avaient longuement analysé un fait divers étrange. Un jeune couple, marié depuis trois mois à peine, avait ramené un soir chez lui un couple rencontré au cabaret. Après une nuit d'orgie, les inconnus partirent et le jeune couple se suicida. Beauvoir et Sartre s'étaient longuement interrogés sur les motifs de cet acte de désespoir, sur les amours multiples, sur la fidélité, sur l'attraction sensuelle, sur les mystérieux interdits assez forts pour pousser au suicide deux êtres libres d'assumer leurs actes.

A Rouen, « ensorceleurs et ensorcelés », on s'aimait en rond, et la ronde tournait tantôt dans un sens, tantôt dans l'autre. C'est Olga qui donnait la direction, tantôt vers Beauvoir, tantôt vers Sartre. « Nous pensions que les rapports humains sont perpétuellement à inventer. » Ils organisèrent leurs rapports sur la base d'un trio parfait, sans préférences, dans une distribution égalitaire des sentiments. Ils investirent dans cette construction affective leurs émotions, leurs plaisirs, leur imagination. « Nous mîmes au point un système de tête-à-tête et de réunions plénières qui nous paraissait devoir satisfaire chacun d'entre nous. »

Et d'abord, ce défi aux conventions, cet amour réfléchi par trois miroirs qui devaient se renvoyer indéfiniment des sentiments, des passions, des émotions, parut une réussite qui faisait fi de toute psychologie, de toutes les analyses du cœur et de toutes les mises en garde de l'esprit. Ce fut d'abord un arrangement quelque peu diabolique qui apportait beaucoup de joie. « Rouen se mit à chatoyer. » Il y avait la cérémonie du thé dans la chambrette d'Olga au Petit-Mouton où ils inventaient des comédies, des histoires, des chansons. La vie devint encore une fois une joyeuse escapade. Au printemps, ils s'en allaient vers un café perdu dans la forêt, désert l'après-midi : pendant que Sartre et Olga causaient, à l'écart dans un coin ensoleillé Beauvoir écrivait *Primauté du Spirituel*, stimulée par un certain masochisme intellectuel et affectif.

Aux vacances, le trio filait à Paris, et c'était des balades à travers les rues, de longues causeries aux terrasses des cafés, des nuits dans les bars. Les parents d'Olga s'inquiétaient et réclamaient leur fille. Olga dut se résoudre à rentrer à la maison et crut qu'elle ne reviendrait jamais à Rouen. « Pendant deux heures, assis sur une banquette du Dôme, nous agonisâmes tous trois en silence. » Elle revint pourtant. A Rouen, Beauvoir et Sartre l'attendaient tous deux sur le quai de la gare.

Le trio commençait à inquiéter leurs amis. Olga était mineure, ils jouaient avec le feu. La situation devenait doucement de plus en plus éprouvante. « Sartre ne s'arrêtait pas à mi-chemin de ses entreprises ; ayant ébauché une amitié avec Olga, il fallait qu'il la conduisît jusqu'à une apogée. » D'autre part, dit Beauvoir, « il s'agissait pour Sartre d'un impérialisme purement sentimental... personne ne devait compter pour Olga autant que lui ».

Beauvoir n'avait pas voulu toutes les complexités de cet arrangement. « Il était l'œuvre de Sartre... Quant à moi, j'eus beau tenter de m'en satisfaire, je ne m'y sentis jamais à l'aise. »

Pour Sartre, le problème était simple. Il était passionnément épris d'Olga. Mais cette fois, il ne s'agissait pas de Marie Girard rencontrée au loin, à Berlin. Il s'agissait d'une jeune amie de Beauvoir à laquelle elle tenait beaucoup. L'ennui que lui causait l'astreignant métier de professeur s'envola dès qu'il fut amoureux. « Quant à O., ma passion pour elle brûla mes impuretés routinières comme une flamme de bec Bunsen. Je devins maigre comme un coucou et éperdu ; adieu mes aises. Et puis nous subîmes, le Castor et moi, le vertige de cette conscience nue et instantanée, qui semblait seulement sentir avec violence et pureté. »

Pour Beauvoir la situation était tout autre. « Il m'était trop nécessaire de m'accorder en tout avec Sartre pour voir Olga avec d'autres yeux que les siens. » Mais il lui semblait qu'elle allait « fausser son cœur ». Sartre n'était plus le même. Envoûté par Olga il s'interrogeait à l'infini sur un geste, un mot, une moue, il avait de furieuses colères, se chamaillait avec Beauvoir qui le voyait pour la première fois en proie à une passion. Il éprouvait des inquiétudes, des joies, des fureurs qu'il n'avait pas avec elle, et elle se demandait si son amour était construit sur un mensonge. Dans le trio, elle avait beaucoup perdu. Lorsqu'elle pensait à l'avenir, elle appréhendait de perdre encore davantage. « ... Si j'envisageais le trio comme une entreprise de longue haleine qui couvrirait des années, j'étais terrifiée. »

L'entente avec Sartre, sur laquelle Beauvoir avait fondé son avenir tout entier, à travers les ténébreux moments du trio prenait des tons imprévus. « Je m'avouai qu'il était abusif de confondre un autre et moi-même sous l'équivoque de ce mot trop commode : nous. Il y avait des expériences que chacun vivait pour son compte... Je trichais quand je disais : "On ne fait qu'un". »

Elle avait abordé le trio comme elle avait tout abordé jusqu'ici : avec l'intrépidité d'une femme qui se voulait l'égale de l'homme qu'elle avait choisi. Lucide, elle constatait que « la petite Russe » avait pris une si grande place dans la vie de Sartre qu'il « doutait du salut par la littérature ». Il y avait l'autre volet de ce triptyque. Olga aimait Beauvoir plus que Sartre, elle s'exaspérait à l'idée de la perdre, alors elle s'emportait contre Sartre, contre Beauvoir, très naïvement, elle s'efforçait de susciter sa jalousie en affichant davantage d'amour pour Sartre. Aussitôt, elle était terrifiée à l'idée que son stratagème pourrait réussir : on tournait en rond et on étouffait ensemble. La psychologie de l'amour à trois devenait un supplice. Ils vivaient à huis clos un singulier amour-haine. « Tour à tour Sartre, Olga m'exposaient leurs griefs. » Mais si Beauvoir prenait souvent le parti d'Olga, ce n'était, dit-elle, qu'en apparence car l'essentiel était de conserver intacte l'alliance avec Sartre. Elle constatait sans indulgence que la jeune Olga avait au fond perdu d'avance. « Son rôle était... celui d'une enfant, aux prises avec un couple d'adultes... »

Tout compte fait, le trio était impossible. Sartre ne trouvait pas le plaisir qu'il escomptait de cette affaire compliquée : les revirements continuels d'Olga, pathétique et partagée entre lui et elle, « le mettaient en rage ». Beauvoir perdait son calme en écoutant ce qu'elle ne voulait pas entendre. Elle se sentait dépossédée, elle refusait de l'admettre.

« La petite Russe », désaxée par ce désastre, eut recours à un geste symbolique singulier : un jour, sous les yeux de Beauvoir et de Sartre, elle se brûla longuement la main avec une cigarette, comme si un rite de purification magique s'imposait à elle dans son désarroi. Elle était victime d'une situation où elle tenait le rôle d'un être contingent. La marquise de Merteuil et Valmont n'en font pas beaucoup plus avec la petite Cécile.

Ce fut pour Beauvoir une expérience violente et pénible. Partagée entre sa tendresse pour Olga et son amour immuable pour Sartre, elle se voyait prise dans un cercle infernal, dans un envoûtement dont elle ne se délivra qu'en transposant cette histoire dans l'Invitée et en tuant Olga au dernier chapitre du roman, un roman qu'elle avait d'abord intitulé : Légitime Défense.

En 1985, quand nous avons demandé à Simone de Beauvoir si le trio avait été une expérience torturante, elle nous a répondu : « Il y a eu de très, très bons moments dans la mesure où chacun donnait beaucoup. Ça n'aurait pas duré si longtemps si on n'avait pas eu des moments très heureux Sartre et Olga ou Olga et moi. Mais ce n'était pas exactement torturant, un peu compliqué. Il y a eu de mauvais moments pour tout le monde. »

1936 : Paris

A Rouen, la bande commençait à sentir le soufre, heureusement pour eux, Beauvoir et Zuorro venaient d'être nommés à Paris. Pour rester à portée du petit groupe, Sartre refusa une promotion, une classe de khâgne qui l'aurait envoyé à Lyon, et accepta un poste à Laon.

Simone de Beauvoir allait enseigner pendant trois ans au lycée Molière, à Passy. Sa nomination était une promotion, en cinq ans elle était passée par deux des grands lycées de France, le purgatoire avait été court. Au lycée Molière, dans ce quartier bourgeois de la capitale, Beauvoir fit comme à Marseille et à Rouen, elle ignora les collègues qui ne partageaient pas son anarchisme. Ses élèves, habituées aux tenues discrètes des enseignantes, contemplaient étonnées cette femme de vingt-huit ans, image de l'élégance et de la liberté. Une de ses anciennes élèves se souvient : « Ce jour d'automne, Simone de Beauvoir franchit rapidement la porte et monta sur l'estrade. Elle était vêtue d'un chemisier de soie lilas, d'une jupe noire plissée soleil, portait des bas de soie et des escarpins à talons hauts. Ses cheveux châtains, relevés par deux peignes, lui faisaient un diadème à la dernière mode. Elle avait un teint frais et clair comme un teint d'enfant, ses yeux bleus étincelaient. De plus, elle était très maquillée : la bouche cerise, les yeux soulignés de traits bleus, les cils noircis, et les sourcils tracés. »

Au lycée, on parlait beaucoup d'elle, on chuchotait qu'elle avait une liaison avec un professeur qui, lui, affichait son anticonformisme en donnant ses cours sans cravate et sans veston, il portait un blouson et un chandail à col roulé ! On racontait qu'elle écrivait et refusait catégoriquement de faire le ménage ou la cuisine. Elle fréquentait des gens connus, on répétait volontiers qu'elle n'aimait pas l'enseignement et ne comptait pas y faire carrière.

Elle faisait ses cours en parlant très rapidement, sans notes. Elle citait les noms des philosophes et les termes de philosophie, très vite, il était difficile de la suivre. Elle débordait de toutes parts le manuel, et les élèves avaient toutes les peines du monde à la comprendre quand elle parlait de Husserl et de phénoménologie. Elles s'efforçaient d'assimiler ces idées tellement surprenantes : Votre conscience est conscience de quelque chose. Vous êtes libres. Vous êtes responsables de votre choix, de votre vie. Elle parlait le regard constamment attiré par les arbres au-delà de la fenêtre. Elle se passait les doigts sur les joues, jouait avec la courroie de son sac et pendant ce temps parlait sans reprendre haleine. « Nous ne nous attendions pas au choc de sa première classe. Mlle de Beauvoir s'habillait avec audace et imagination, cependant pour ses fonctions au lycée Molière, elle avait l'air trop soyeuse et trop maquillée », ce qui contrebalançait « l'éblouissante virtuosité de son esprit qui nous intimidait tellement ». Au bout de quelques semaines, celles qui n'étaient pas trop dépassées étaient des admiratrices fanatiques. Elles osaient aborder leur professeur et lui demander conseil. Simone de Beauvoir, aussi secourable qu'éblouissante, expliquait volontiers les idées trop difficiles, elle indiquait ce qu'il fallait lire à celles qui le lui demandaient. Ses élèves découvraient la littérature contemporaine, les auteurs américains, anglais. Tous les jeudis, elle apportait en classe *Marie-Claire* et posait ce nouveau magazine féminin à côté de son sac.

Dans la salle des professeurs où elle ne s'attardait guère, elle ne comptait pas beaucoup d'amies. Elle surprenait, elle inquiétait. Sa veste de velours beige était trop sportive, trop moderne. Ses éclats de rire trop spontanés. On la voyait tout le temps au café, elle y corrigeait les copies de ses élèves qu'elle rendait souvent décorées de taches. Heureuse de vivre, gourmande, secrète, informée des dernières nouveautés, elle déconcertait ses collègues. Pour elle, le bonheur n'était nulle part ailleurs que partout, et elle mettait à le chercher, à le trouver et à le garder, une force qui dérangeait.

Les longues années de travail fanatique pour se libérer de sa famille, pour trouver « ce que c'était que d'être moi », avaient porté leurs fruits. Fonctionnaire, elle n'aurait plus jamais froid, plus jamais faim, plus jamais peur des lendemains. Sa farouche indépendance avait été préservée, elle n'avait pas abdiqué son autonomie intellectuelle comme elle le craignait. Sartre, impressionné par la rapidité de Beauvoir à saisir Hegel et Heidegger et son aisance à en constituer des synthèses, la poussait à abandonner la littérature pour ne faire que de la philosophie. Elle-même n'avait-elle pas conseillé à Sartre d'abandonner la philosophie pour ne faire que de la littérature ?

Les années de 1936 à 1939 marquent la fin de leur apprentissage. Les menaces de guerre ne cessaient de grandir, mais Beauvoir dira : « C'est encore mes relations individuelles avec les gens pris un à un qui comptaient pour moi, et je voulais âprement le bonheur. »

Ce bonheur c'était d'abord Paris. Elle s'était installée à l'hôtel Royal-Bretagne, rue de la Gaîté, près de Bobino et du théâtre Montparnasse. Beauvoir aimait le music-hall, les chansons grivoises, le public composé en majorité d'étudiants, d'ouvriers, d'artisans, de petits commerçants de Plaisance et de Vaugirard, qui hurlait, sifflait, poussait des cris, passait du rire aux larmes, était sensible à la rogne, à la dérision. Autrefois, les spectateurs pouvaient consommer dans la salle où tous les bras des fauteuils étaient pourvus de petites tablettes pour poser les verres. Il était interdit évidemment de rien jeter sur la scène, où atterrissaient malgré tout des projectiles divers. Tous les grands du music-hall, Mayol, Chevalier, Mistinguett, Damia, Marie Dubas, Édith Piaf, débutèrent à Bobino où Simone de Beauvoir seule ou avec Sartre venait rire et s'amuser.

Depuis 1930 Gaston Baty montait des spectacles d'avant-garde au théâtre Montparnasse : *Maya, le Simoun,* une adaptation de *Madame Bovary,* une *Phèdre* d'inspiration janséniste. Beauvoir suivait tous les spectacles du Cartel*. Grâce à son amitié avec Charles Dullin et Simone Jolivet, elle assistait à toutes les générales, et parfois aux répétitions. Elle était aussi sensible qu'à six ans aux envoûtements de la scène.

Elle avait retrouvé ses habitudes de Montparnassienne, elle écrivait dans un box du Dôme. Elle avait renoué avec Poupette une intimité quotidienne. L'exposition d'Hélène de Beauvoir à la galerie Bonjean avait eu du succès, elle avait pu louer un grand atelier près de la Halle aux Vins. Avec sa sœur, Simone fréquentait les peintres d'avant-garde, en particulier un élève de Jacques-Émile Blanche, Francis Grüber qui influença Bernard Buffet.

Zuorro s'était installé rue Delambre, il travaillait le chant tout en enseignant au lycée Louis-le-Grand. Bost suivait des cours et écrivait des nouvelles. Olga, malgré ses parents qui refusaient de la laisser repartir, avait pris le train et rejoint Beauvoir au Royal-Bretagne. Pour gagner un peu d'argent, elle était serveuse dans un salon de thé-dancing du boulevard Saint-Michel. Quand Sartre arrivait de Laon, le trio se reconstituait avec les mêmes complications, les mêmes agonies. Le cycle des jalousies, des rivalités, des querelles recommençait.

---

* On appelait Cartel le groupe des quatre metteurs en scène d'avant-garde : Charles Dullin, Georges Pitoëff, Gaston Baty, Louis Jouvet.

Olga, désœuvrée, ne sachant que faire d'un avenir auquel elle croyait de moins en moins, se mit à boire des Pernod pour chasser ses angoisses. Beauvoir, navrée, ne pouvait accepter cette démission. Elle l'emmenait au théâtre, au cinéma, au concert, la poussait à lire. Elle l'encourageait à suivre ses cours chez Dullin qui comptait parmi ses élèves Célia Bertin, Madeleine Robinson, Jacques Dufilho, Sylvia Bataille, Lucienne Salacrou, Agnès Capri, Mouloudji, Olga Barbezat. Jean-Louis Barrault leur enseignait la pantomime. Beauvoir faisait répéter à Olga les scènes qu'elle devait passer. Dans *l'Occasion*, de Mérimée, Olga était l'image même de l'innocence, blonde comme on ne l'est que dans les aquarelles anglaises, pâle comme on ne l'est que dans les poèmes de Musset, souple et frêle elle incarnait l'abandon, la faiblesse, elle semblait à peine sortie de l'enfance. « Fais quelque chose ! anime-toi ! réagis ! » grondait Dullin en la terrifiant d'un regard, et Olga fondait en larmes et se sauvait*.

Zuorro nourrissait toujours pour « le petit Bost » des sentiments orageux et passionnés que celui-ci s'amusait à attiser. Zuorro bâtissait des projets d'avenir secrets. Ses espoirs s'effondrèrent le jour où il découvrit en regardant par le trou de la serrure Bost et Olga qui s'embrassaient. Il leur avait prêté sa chambre pour y écouter sa vaste collection de disques ; de retour plus tôt qu'il ne l'avait escompté, il voulut voir ce que cachait le silence qui y régnait, il le vit.

La foudre était tombée sur le petit clan. Sartre, pour qui Olga était l'image de la jeune fille inaccessible, gémissait sur la fin de son rêve, de plus Gallimard venait de refuser une première version de *Melancholia*. Zuorro eut une dépression. Il se promenait dans Montparnasse un revolver dans la poche. Ils étaient si déprimés tous les deux que Beauvoir les emmena skier à Chamonix. Pour empêcher Zuorro et Sartre de sombrer dans la désolation des nuits passées à ratiociner, Beauvoir loua un grenier avec trois lits. Le soir, Zuorro sanglotait en imaginant « Bost, son cache-nez blanc, la blancheur de son sourire, sa jeunesse, sa grâce, son inconsciente cruauté ».

De retour à Paris, leurs vies se compliquèrent davantage. Zuorro faisait scène sur scène à Bost, Olga était morose, son amour pour Bost ne réglait pas ses problèmes. Sa jeune sœur, Wanda, était venue la voir, et Sartre, éternel séducteur, déçu par son échec avec l'aînée, entreprit de séduire la cadette, et

---

* Entretiens avec une ancienne élève de Dullin.

réussit. Une nouvelle passion s'était emparée de lui et allait le tenir longtemps.

Beauvoir écoutait les plaintes et les confidences de tout le monde, passait de longues soirées avec l'un, avec l'autre, se levait tôt pour être au lycée à huit heures et demie, et s'acharnait à écrire. Elle était si lasse qu'elle s'endormait soudain dans le métro, dans un café, à la gare du Nord où elle allait attendre Sartre qui venait régulièrement de Laon. Un soir, au Select, elle fut prise de frissons. Elle n'avait jamais été malade, elle crut que c'était une grippe. C'était une congestion pulmonaire. On dut la descendre de sa chambre sur une civière, elle fut transportée en ambulance — sur la recommandation de Mme Morel — dans une clinique à Saint-Cloud.

A sa sortie de l'hôpital, Sartre l'installa rue Delambre, dans un hôtel plus confortable où vivait déjà Zuorro. A midi, il allait lui chercher le plat du jour à la Coupole, qu'il rapportait à petits pas, en essayant de ne rien renverser. Zuorro et Bost, réconciliés, accompagnèrent Simone dans sa première sortie au Luxembourg. Mme de Beauvoir, Poupette, Gégé, Mme Morel, Olga, Bost, Simone Jolivet s'étaient relayés à son chevet, « la famille » avait serré les rangs. Jamais aucun membre ne faisait défaut à l'autre en période de crise.

Dès qu'elle fut assez forte, Beauvoir prit son sac à dos et s'en alla marcher dans le Midi ; elle arpenta les Maures et l'Estérel. Trois semaines de silence, de solitude. La nature encore une fois était son refuge et la marche sa thérapie. Elle devenait pierre, soleil, nuages... seule catharsis possible pour Beauvoir qui se retrouvait.

Dans ses lettres, Sartre décrivait à son « cher Castor » les jeux auxquels il se livrait avec Bost. Ils s'étaient solennellement juré « avec pacte et mains étreintes » de partir huit jours déguisés en clochards puants, sans autre ressource que de mendier, de chanter dans les rues, de voler, d'ouvrir des portières. Leurs copains seraient des vagabonds, ils auraient peur de la maréchaussée, « ce serait infâme, a dit Bost aux anges, il y aura des petits vieux qui voudront nous tripoter », le huitième jour ils emmèneraient Beauvoir dîner chez Pierre et lui raconteraient tout.

Ce théâtre imaginaire les amusait toujours, ils y faisaient volontiers participer leurs jeunes amis. Ces jeux révélaient les fantasmes de chacun et alimentaient l'œuvre des deux écrivains. Tantôt on joue au barman qui expulse un ivrogne : Bost étant le barman et Sartre l'ivrogne, tantôt Olga et Bost jouent à celui qui dira à l'autre la plus grosse injure ! Bost qui écrit des nouvelles raconte à Sartre ses rêveries les plus cocasses : « Il a fignolé avec amour la fiction suivante : il a vingt-sept femmes. Il m'a pris Tania* et vous-même bon Castor, il vous traite d'ailleurs avec beaucoup d'honneur. Il a aussi Poupette et l'Oranaise de Roulet, Gégé, etc. Il rachète l'hôtel du Théâtre aux propriétaires et s'y installe avec ses femmes, une par chambre. Vous seule avez le droit de sortir pour changer vos livres chez Adrienne Monnier. »

Pendant que Beauvoir parcourait les collines provençales et recouvrait la santé, Sartre ne manquait pas de lui raconter en détail ce qu'il faisait, ce qu'il pensait, respectant ainsi le principe qui leur était essentiel, celui de la transparence. Il la tenait au courant de ses relations avec Wanda, des efforts d'Olga pour écrire une nouvelle, de l'aventure de Poupette avec Jean Giraudoux qui, amoureux d'elle mais craignant les indiscrétions, agissait de façon pour le moins cavalière, en amant pressé. Sartre grondait Beauvoir de faire des promenades de plus de vingt kilomètres. « Ce n'est pas ainsi qu'il faut faire, fou de Castor ! » Il lui prescrivait cinq kilomètres le matin et cinq l'après-midi.

Elle rentra à Paris guérie, *Melancholia* s'appelait désormais *la Nausée* et était dédiée « Au Castor ». La vie repartait, allègre et riche d'espérance.

* Wanda, la sœur d'Olga.

VI. Les amours contingentes

> « Vous m'avez dit tout de suite quand nous nous sommes connus que vous étiez polygame, que vous n'aviez pas l'idée de vous limiter à une seule femme, à une seule histoire, ça a été entendu... »
>
> Entretiens avec Jean-Paul Sartre, p. 378.

De l'amour

« Le mot amour n'a pas du tout le même sens pour l'un et l'autre sexe et c'est là une source des graves malentendus qui les séparent... L'amour n'est dans la vie de l'homme qu'une occupation tandis qu'il est la vie même de la femme. »

Beauvoir avait accepté d'emblée la clause des amours contingentes dans le « contrat » que lui proposait Sartre parce qu'elle avait l'intention de vivre l'amour comme un être libre. « L'individu qui est sujet, qui est soi-même... s'efforce d'élargir sa prise sur le monde... Pour la femme l'amour est une totale démission au profit d'un maître. » Il n'était pas question pour elle de démission au profit de Sartre mais d'égalité dans leurs rapports, une relation sans illusions allait les enrichir chacun de tout ce que l'*autre* vivait.

La règle de la transparence allait permettre à cette femme et à cet homme de comprendre aussi exactement que possible ce qu'était la vie et l'amour pour le sexe opposé. Si les écrivains masculins ont depuis les origines de la littérature puisé dans les confidences de leurs compagnes les détails sur l'amour au féminin, les écrivains féminins, pour des raisons de convenance, de pudeur et d'ignorance, n'ont jamais pu décrire l'amour au masculin. Les hommes ne confient pas leurs secrets d'alcôve à des amies qui écrivent, la réserve masculine les empêche de se confesser, de s'analyser dans les bras de leur partenaire.

La littérature féminine est restée longtemps limitée au domaine des sentiments. Pour parler sans réticence de l'amour physique il fallait être un homme, ou bien inventer cette extraordinaire clause, non de franchise, non de sincérité, mais de transparence qui va si loin qu'elle ne s'arrête qu'à la limite de la connaissance qu'on a de soi et du monde. C'est le don le plus magnifique que ces deux écrivains se soient fait. Leur écriture, qu'ils ont travaillée en commun, où l'expérience, le physique, l'authentique tiennent une place capitale, n'existerait pas dans son originalité sans cette ouverture totale sur eux-mêmes, sans artifice, sans vanité, sans réserve, sans fard.

Les *Lettres au Castor* ont étonné. Pourquoi Beauvoir livrait-elle au public les récits que Sartre lui faisait de ses expériences sexuelles ? En révélant la transparence qui avait régné entre eux, Beauvoir n'est pas plus « un voyeur » que l'étudiant en médecine dans une classe d'anatomie ou le médecin au chevet d'un malade. Grâce à Sartre c'est le « vécu » au masculin que cette femme écrivain pouvait aborder d'aussi près qu'il était possible. Pour comprendre davantage il lui aurait fallu être un homme. Les Grecs avaient inventé le personnage de Tirésias. Ce devin, qui annonça tous les malheurs qui devaient fondre sur Œdipe et les siens, avait reçu des dieux un privilège. Pour bien connaître les deux moitiés de l'humanité, pour bien les comprendre, il avait été tour à tour homme et femme. Cela lui avait permis de parler en connaissance de cause de l'amour tel qu'il est pour l'un et l'autre sexe. La transparence fut pour Beauvoir et pour Sartre l'expérience la plus proche de celle dont les dieux gratifièrent Tirésias.

En livrant au lecteur les *Lettres au Castor* Beauvoir révèle la profondeur d'une entente unique, et comment elle a pu verser dans son œuvre non seulement le « pensé » et le « vécu » d'une femme mais aussi le « pensé », le « vécu » d'un homme.

Après la parution des *Lettres au Castor*, Simone de Beauvoir s'étonnait des critiques de certains : Simone de Beauvoir aurait donc été semblable à n'importe quelle épouse dont le mari avait de nombreuses aventures ? « Cette vision de moi est fausse. J'avais à l'intérieur de mon pacte avec Sartre la même liberté que lui et j'en ai usé. »

A une journaliste, Sartre déclarait : « Il n'y a jamais eu de discussion entre Simone de Beauvoir et moi à propos de ses amours secondaires. Parce que je les considérais comme entièrement secondaires, sans me préoccuper de ce qui pouvait bien survenir dans ces aventures. »

Beauvoir parle aussi sans détour des amours de Sartre : « ... j'acceptai le fait sans difficulté ; je savais à quel point Sartre était buté dans le projet qui gouvernait toute son existence : connaître le monde et l'exprimer ; j'avais la certitude d'y être si étroitement associée qu'aucun épisode de sa vie ne pouvait me frustrer. »

Elle reconnaît cependant les dangers de la transparence appliquée à la vie passionnelle : « Il y a une forme de loyauté que j'ai souvent observée et qui n'est qu'une flagrante hypocrisie ; limitée au domaine de la sexualité, elle ne vise pas du tout à créer entre l'homme et la femme une intime compréhension mais à fournir à l'un des deux — à l'homme le plus fréquemment — un tranquille alibi : il se berce de l'illusion qu'en confessant ses infidélités, il les rachète, alors qu'en fait il inflige à sa partenaire une double violence. »

La transparence qu'ils cultivaient entre eux, ils en reconnaissaient l'un et l'autre la puissance. « Connaître avec quelqu'un une radicale entente, c'est en tout cas un grand privilège, à mes yeux, il revêtait un prix littéralement infini », écrit Simone de Beauvoir dans *la Force de l'âge*. Et Sartre fait écho : « Avec Simone de Beauvoir, c'est toute la vie. L'écriture évidemment. J'ai souvent dit qu'on s'engueulait comme des méchants. Chacun juge sévèrement l'écriture de l'autre... donc c'était ça, mais c'était aussi la vie quotidienne. C'étaient les réflexions perpétuelles sur ce qui se passait sous nos yeux... Et puis c'étaient les choses de la vie. Ce qui arrivait à chacun de nous deux... Nous mettions tout ça en commun. »

Ils vivaient leur propre vérité, ayant écarté toutes les justifications. Il n'était pas question d'imposer cette transparence à ceux qui les approchaient. Ils vivaient à deux leur vie, mais les autres n'en savaient rien. Ils étaient comme des dieux au centre de leur monde, ils voyaient, ils commentaient, ils décidaient ensemble sans que les autres fussent conscients de cette double lumière braquée sur eux.

Lorsqu'en 1929 Beauvoir avait fait de sa relation avec Sartre l'axe de sa vie, elle n'en avait pas prévu la complexité. En publiant les *Lettres au Castor* où l'on peut suivre Sartre qui va son chemin, elle a permis de saisir quelques aspects de cette relation qui leur était particulière : « ... Vous me faites regret et hier j'étais tout morose de n'être pas avec vous. Qui l'a voulu ? direz-vous... Moi, sans doute, mais vous me faites Paradis Perdu. Je vous aime. Présentement je me livre avec acharnement à ma vie personnelle. » Il ajoute : « Mais la vie personnelle ne paie pas. »

Quelle était cette vie personnelle ?

En 1937, aux approches de la trentaine, Simone de Beauvoir se voit comme une femme qui n'a eu qu'un seul amour dans sa vie, une femme qui n'a pas descendu en canoë les canons du Colorado ni traversé à pied les plateaux du Tibet. Faute d'aller conquérir l'Himalaya, elle part avec Jacques-Laurent Bost marcher dans les Alpes de Haute-Provence. Il était le seul à pouvoir la suivre dans ses randonnées. Elle a laissé à Paris Sartre et Olga face à face, décidés à se reconquérir, et marche du matin au soir, faisant des haltes au hasard des granges, des cafés de village. Bost aimait la compagnie de Beauvoir, « elle était comme un type, avec elle on pouvait se promener, se saouler, plaisanter, il ne fallait pas faire de manières, comme avec les autres filles. » C'était leur seconde grande randonnée.

Ils étaient partis à l'aurore, la nuit tombait, le vent soufflait, depuis deux heures ils grimpaient vers un hameau où ils espéraient trouver refuge dans une grange. Dans *l'Invitée*, Simone de Beauvoir décrira en des pages pleines de tendresse et d'humour comment Bost devint son premier amour contingent*.

« Je riais, lui dit-elle, en me demandant quelle tête vous feriez, vous qui n'aimez pas les complications, si je vous proposais de coucher avec moi... » Sartre, informé par lettre, approuva les liens nouveaux qui unissaient « son cher Castor » et celui qu'il appelait « le petit Crâne ».

« Bost n'a jamais aimé personne autant que Sartre, il était et restera le seul ami de Sartre », nous dira Simone de Beauvoir. Pour elle, il éprouvait un amour-amitié fait d'admiration, d'attirance, de confiance. Il s'intégrait sans difficulté dans le projet de Sartre et de Beauvoir de renouveler les bases de la

---

* « Ça s'est passé comme dans *l'Invitée*, exactement. »

société. Dans une lettre au Castor, Sartre écrivait que c'était « pour Bost », pour des garçons comme lui, qu'ils devaient « réinventer l'homme ».

Un trio s'établissait, très différent de celui qu'ils avaient tenté en vain de créer avec Olga en qui ils avaient pensé découvrir un nouvel Arthur Rimbaud.

Jacques-Laurent Bost incarnait la jeunesse. « Il en avait la grâce, presque insolente tant elle était désinvolte, et aussi la fragilité narcissique. » Sans ambition dévorante, gai, spontané, le sérieux de la vie lui arrachait de grands fous rires. Ancien scout, il savait tout faire : la cuisine, le ménage. Avec lui Beauvoir sillonna à pied, au cours des années, la France et l'Italie.

Après la découverte de leur mutuelle attirance, il s'agissait de prendre une décision vis-à-vis d'Olga. L'informer ? Elle n'était pas assez forte pour pratiquer la transparence qui requiert des qualités viriles et un équilibre difficile entre la philosophie et le « vécu ». On décida de la laisser dans l'ignorance.

A la fin de ce mouvementé voyage où Beauvoir glissa dans un ravin à pic et faillit se rompre le cou, les deux marcheurs rejoignirent Sartre qui les attendait à Marseille. Le trio s'embarqua pour la Grèce. Pendant trois semaines ils firent du cabotage d'île en île, couchant sur le pont des bateaux, sous les pins dans les collines, sur les terrasses dans les villages, partout à la belle étoile. Ils se délectaient des simples nourritures grecques, du café accompagné d'un verre d'eau fraîche. Ils arpentaient l'Hellade, coiffés de chapeaux de paille, armés de cannes et sac au dos. Un jour Sartre, épuisé, se mit en colère : « Je suis parti pour faire du grand tourisme et on me fait jouer au boy-scout ! » La chaleur avait eu raison de son stoïcisme. Les voyageurs venaient d'arriver dans un village endormi à l'heure de la sieste, personne dans les rues, seule une femme vêtue de noir. Elle s'enfuit à leur vue. Sartre s'en souviendra pour le décor d'Argos dans *les Mouches*.

Après trois semaines, Bost repartit, Sartre et Beauvoir continuèrent seuls leur voyage en Grèce. Au cours de leurs vies, ils se ménagèrent toujours des semaines de tête-à-tête, le plus souvent à l'étranger.

Rentrée de Grèce, Beauvoir partit aussitôt avec Olga pour une longue randonnée à pied à travers l'Alsace. Il n'était pas question d'abandonner Olga. Une fois pour toutes, elle l'avait prise en charge, et Beauvoir veilla toujours avec une extrême vigilance sur cette amitié, afin qu'elle ne s'altérât jamais. Les lettres inédites* que nous avons lues témoignent d'une tendresse qui ne fléchit pas au cours des années, d'un souci constant du bien-être de cette jeune amie dont Beauvoir disait : « Je ne savais pas comme il est émouvant de se sentir utile, bouleversant de se croire nécessaire. Les sourires que parfois je faisais naître sur son visage éveillaient en moi une joie dont je n'aurais pas supporté sans regret d'être privée. »

Tandis que Beauvoir découvrait l'amour d'un jeune ami, « qui lui avait paru si longtemps intouchable », Sartre rattrapait à sa façon l'échec du trio avec la sœur cadette d'Olga, Wanda, qui mourait d'envie de faire du théâtre. Sartre l'encouragea à suivre des cours chez Dullin, il lui promit de l'aider à travailler et à devenir une actrice. Il tint parole. Cinq ans après leur rencontre, il écrivit pour elle *Huis clos*, mais Raymond Rouleau, le metteur en scène, choisit des interprètes plus connus. Sartre persévéra. Wanda, devenue au théâtre Marie Olivier, joua Lucie dans *Morts sans sépulture*, Jessica dans *les Mains sales*, Catherine dans *le Diable et le Bon Dieu*, Anna Damby dans *Kean*, Véronique dans *Nekrassov*, Léni dans *les Séquestrés d'Altona*. Si contingent qu'il fût, cet amour était passionné et dura. Sartre s'occupa d'elle toute sa vie et en mourant lui assura une pension.

Ses amours avec elle furent tumultueuses. En 1939, pendant la « drôle de guerre », comme elle s'était mise à cracher du sang, Sartre, qui était mobilisé, résolut de l'épouser, pour avoir la permission d'aller la voir, puis abandonna le projet.

Wanda n'était pas la seule, il y avait toutes les autres. Dans ses lettres, Sartre ne les oublie pas et raconte au Castor ses séances amoureuses : « — Serre-moi bien, je veux me sentir toute petite, toute petite, toute petite. Moi, je me sentais idiot, j'ai serré consciencieusement pendant quelques minutes, puis je lui ai dit avec douceur : — Tu sais, je m'emmerde. » Il s'agit de Lucile, une élève du cours de Dullin. Le voilà, écrit-il, « tripoteur en titre ». Il précise pour Beauvoir que « finalement de toutes celles qui [l'] ont honoré de leur flamme ces derniers mois, il n'en est aucune qui soit si plaisante physiquement et si pathétique dans le passionné ».

---

* Lettres inédites à Nelson Algren de 1947 à 1960.

Il enlève à Maurice Merleau-Ponty Martine*, une étudiante dont il est amoureux. « Une fille de feu qui m'a pompé la langue avec la force d'un aspirateur électrique. » Tout en déplorant de l'avoir prise à son ami : « je me sentais aussi criminel que possible », il s'amuse de l'avoir enlevée à un autre collègue, Jean Wahl, qui tournait autour d'elle. Puis il s'en sépare après « deux belles nuits tragiques avec elle », il lui reste « un regret un peu amer de n'avoir absolument pas de place pour elle » dans sa vie.

Au café il raconte toute l'affaire à Olga qui s'émeut, et, pour achever l'imbroglio sentimental et les confidences, il lui avoue que c'est sa sœur qu'il aime passionnément. Olga lui promet de veiller : « Si Wanda fait la sotte, je tâcherai d'arranger ça. »

En fait, c'est Beauvoir qui veille à l'équilibre de son petit monde, elle fait remarquer à Sartre un peu plus tard que Martine a le visage ravagé, et qu'elle prend peut-être le chemin de la folie. Sartre nie aussitôt que la passion qu'il lui a inspirée puisse avoir des conséquences tragiques. Beauvoir s'inquiète même de la situation financière de tous les êtres dont elle se sent responsable. Elle touche le traitement civil de Sartre quand il est mobilisé et le répartit entre Olga et Wanda. Comme professeur elle gagne 3 000 francs. Sartre lui écrit : « Si Paris devenait intenable vous expédieriez Wanda à Rouen ou à Marseille et vous feriez de l'autre (Olga) ce que vous voudriez. »

Le seul but d'une existence absurde, disait Sartre, c'est de produire des œuvres d'art. « Pour la vie elle-même, il fallait la vivre à la va-comme-je-te-pousse, n'importe comment. » Pour Beauvoir, il fait le point : « Je n'ai jamais su mener proprement ma vie sexuelle, ni ma vie sentimentale. Je me sens profondément et sincèrement un salaud, et de petite envergure par-dessus le marché, une espèce de sadique universitaire et de don Juan fonctionnaire à faire vomir. »

Elle est sa « conscience morale » et son « petit juge ». Elle accepte la formule de Sartre « on n'a jamais d'excuse ». On porte à son compte toutes ses actions, toutes ses pensées. Mais, en assumant tout, elle choisit et elle paie les conséquences de son choix. Elle a choisi Sartre tel qu'il est, totalement, en bloc.

* Nom fictif. Étudiante à la Sorbonne, elle suivait aussi des cours chez Dullin.

Depuis qu'elle a quitté le 71, rue de Rennes, Beauvoir subvient seule à ses besoins. L'argent n'a rien de sérieux aux yeux de Sartre qui n'en a jamais manqué. Il donne généreusement, emprunte, rembourse ; chez lui on n'a jamais tiré le diable par la queue.

Les rapports humains n'ont pas beaucoup de poids non plus. Olga se sent malade et le lui avoue. Elle est atteinte de tuberculose mais ne le sait pas encore. Elle commence à s'inquiéter. Sartre rapporte sa conversation avec elle : « Seriez-vous mourante Zazoulich ? — Grand rire ironique... Pendant tout un moment elle joue discrètement le rôle d'une personne à qui tout semble extraordinairement absurde et lilliputien parce qu'elle est déjà pleine de mort. »

Elle finit par lui dire qu'elle avait craché du sang, ce que Sartre rectifie immédiatement : « Un tout petit peu de rose avait paru dans sa salive un jour qu'elle se lavait les dents ou se rinçait la bouche. J'ai respiré : devant ses inquiétudes et ses réticences, j'avais cru un instant qu'elle était enceinte de Bost et résolue, naturellement, à se tuer. Ça nous aurait coûté 1 500 francs. » « J'en ai assez des malades imaginaires », disait Sartre. Légèreté, cynisme et complicité absolue du couple, et aussi détachement de ce qui n'est pas eux et leur projet.

Il est évident que ces histoires amusent Beauvoir puisque les lettres de Sartre l'informent de la suite de l'aventure de Martine qui oscille « entre deux conceptions de son pucelage ». La première veut que l'homme lui donne tout de lui en échange de ce don. « Conséquence : elle garde indéfiniment son pucelage et ne peut se divertir à son gré. » La seconde conception est « réflexive ». « Qu'est-ce que le pucelage ? Un nid à complexes et à emmerdements. » Sans la moindre réticence, il décrit leurs longues séances au lit.

Zuorro aussi lui fournit une ample moisson d'anecdotes. Il a recueilli un garçon qui couchait sur les bancs publics et sous les ponts et son appartement est bientôt plein de puces. Alors Zuorro le fait mettre tout nu et l'asperge de Fly-Tox, raconte Sartre, qui ajoute une description du « dortoir pédérastique avec six ou sept lits dans un appartement misérable mais immense ».

Rien ne se perd, tout tombe dans l'écriture, et tout est immédiatement envoyé à cet autre lui-même dont évidemment il attend l'écho, écho qui nous manque, mais que nous pouvons imaginer puisque les récits continuent, pittoresques, frémissants de vie, enlevés avec un humour qui ne se dément jamais. C'est un jeu d'écrivains qui jouent à la balle avec la vie, avec les mots, avec les gens. « Mon charmant Castor, j'envoie ce bout de lettre sans queue ni tête et surtout sans la moindre petite *Erlebnis** pour que vous l'ayez plus tôt parce que je pense que vous êtes plus friande d'histoires que de protestations d'amour. Pourtant, sachez que ça grouille toujours pour vous dans mon cœur. »

Sartre avait ses « fans », Beauvoir avait les siens. Les élèves étaient subjugués par la nouveauté et la hardiesse de leurs idées. Dans *La nostalgie n'est plus ce qu'elle était*, Simone Signoret raconte comment Sartre bouscula les traditions du lycée Pasteur, où il avait été nommé à l'automne 1937, en emmenant ses élèves au café et en les traitant d'égal à égal. Certains ne les quittèrent plus. Beauvoir allait se promener avec ses élèves préférées ; elle les invitait au café, parfois au restaurant. Cette munificence, ce libéralisme inconnu dans les milieux de l'enseignement, achevaient de tourner la tête à ces adolescentes. Elle avait constamment une petite cour. A Rouen, à Paris, des jeunes filles s'attachaient à elle, parfois de façon pathétique. Dans une lettre, elle raconte l'histoire de A...**, une de ses élèves, passionnément éprise et qui avait une façon touchante de s'occuper d'elle. En 1939, quand Sartre fut mobilisé et Beauvoir bouleversée et angoissée par son départ elle l'invita chez elle en province. Elle lui prêta de l'argent pour qu'elle puisse vivre en attendant que la situation des enseignants soit stabilisée après l'invasion allemande. Cet amour dura, malgré tous les efforts de A... pour y trouver un remède. Elle se mit entre les mains d'un psychanalyste mais des mois, des années de psychanalyse n'apportèrent aucun changement. Alors elle se jeta dans un mariage, pensant y trouver le salut. Elle eut une petite fille, mais la maternité ne lui fut d'aucun secours, elle aimait toujours Beauvoir aussi profondément, aussi désespérément et Beauvoir trouvait que cet amour, inutile pour elle, était destructeur pour A..., qu'il fallait vivre pour soi et ne pas s'accrocher à la vie des autres quand il n'y avait aucune réciprocité.

---

* Au sens phénoménologique « expérience vécue » : Sartre l'employait pour signifier « émotion, élan du cœur ». (Simone de Beauvoir).
** Lettres inédites à Nelson Algren.

La vie qui va

A l'automne 1937, Beauvoir a terminé un recueil de cinq nouvelles intitulé *Primauté du Spirituel*. Elle se limitait cette fois-ci à faire le portrait de quelques personnes qu'elle avait connues et à essayer de rendre sensible une vérité qu'elle avait personnellement éprouvée. La cinquième nouvelle est autobiographique, elle y fait une satire de son enfance et de sa jeunesse. Le manuscrit fut refusé par Gallimard et par Grasset qui lui reprochaient de s'être contentée de décrire un monde en décomposition, on l'encourageait cependant à continuer, elle continua.

Après sa nomination au lycée Pasteur Sartre s'était installé au Royal-Bretagne, à l'étage au-dessus de Beauvoir. Libres de tous soucis ménagers, ils se donnèrent à l'écriture et à la douceur de vivre. Ils voulurent acheter une voiture et partir en voyage. Ils ne l'achetèrent pas, mais partirent quand même. Tandis que Beauvoir sac au dos courait les sentiers et arpentait les crêts avec Bost, Sartre découvrait le plaisir d'écrire juché dans un arbre, sur une petite plate-forme au milieu du feuillage, en compagnie des oiseaux.

A la rentrée de 1938, ils retrouvèrent un Paris exceptionnellement élégant. C'était l'une des saisons les plus brillantes depuis la guerre de 1914-1918. Paris, plus que jamais Ville-Lumière, se surpassait. Bals, réceptions, galas, premières éblouissantes.

Comme toutes les Parisiennes, Beauvoir était prise d'un désir d'élégance : « Je m'habillai avec un soin particulier cet hiver-là. » Elle commande un tailleur, des blouses ; elle arbore un petit canotier avec une voilette, elle trouve cette coiffure en hauteur qu'elle ne changera plus, les cheveux relevés et parfois retenus par un turban. Cette coiffure lui allait bien. Elle mettait en valeur la régularité de ses traits et faisait ressortir la beauté classique de son visage. Son enseignement ne l'ennuyait pas. Seize heures de cours par semaine étaient pour elle « des conversations d'individu à individu plutôt qu'un travail ». Elle s'habillait pour ses cours, elle se sentait élégante et cela lui plaisait. Elle avait déjà derrière elle sept années d'enseignement. Elle ne changea rien à ses habitudes. Le soir elle allait au café de Flore avec Sartre, Bost ou Olga. Les cafés demeuraient les salons de cette Montparnassienne. Au Flore, on gravitait autour de Jacques Prévert. Tout ce qui de loin ou de près touchait au cinéma se réunissait en face de l'église

Saint-Germain-des-Prés. Tout le monde ne se connaissait pas mais tout le monde se reconnaissait, et saisissait des bribes de conversations où passaient des noms illustres. Il y avait toujours de l'électricité dans l'air, une agitation extraordinaire autour de certaines tables. On parlait de films; Beauvoir les avait tous vus; elle allait à tous les spectacles; elle fréquentait les cabarets, les boîtes de nuit. Elle s'étourdit avec entrain dans le tourbillon de la vie parisienne jusqu'aux vacances de Noël. Dès qu'elle fut libre, elle entraîna Sartre à Megève.

Aux vacances de Pâques 1939, ils allèrent en Provence. Sartre lisait Heidegger au soleil tandis que Beauvoir selon son habitude arpentait les collines. Le soir, à l'hôtel, elle écoutait passionnément Sartre lui expliquer pour la première fois ce que l'homme, «cet être des lointains» était pour Heidegger. Aux vacances de la Pentecôte, elle parcourut le Morvan à pied avec Bost et poussa jusqu'à Genève pour voir l'exposition des peintures du musée du Prado.

La lecture des journaux avait beau être angoissante, toutes ces horreurs : terreur nazie, persécution des Juifs, emprisonnement des opposants au régime ne pouvaient se dérouler qu'au-delà des frontières. La France était forte, la France était civilisée, il n'arriverait rien. La guerre ne pouvait pas avoir lieu.

La descente dans l'horreur

A Paris s'était déroulé à l'ambassade allemande, en novembre 1938, un événement qui allait déclencher la déportation de 20 000 Juifs. Un jeune homme s'était présenté et avait demandé à voir l'ambassadeur. Reçu par le secrétaire d'ambassade, Ernst von Rath, le visiteur, un jeune israélite tchèque, avait tiré sur lui pour venger les Juifs persécutés en Tchécoslovaquie. La mort de von Rath déchaîna aussitôt des pogroms en Bohême et en Autriche. Dans la nuit du 10 au 11 novembre, les synagogues furent incendiées, les magasins des Juifs saccagés, les Juifs tués, torturés. Une élève de Beauvoir, Bianca, lui apprit ce qui se passait. Elle lui raconta qu'un de ses cousins venait d'arriver chez elle, il avait réussi à s'enfuir de Vienne. Pendant toute une nuit la Gestapo l'avait torturé. Il avait le visage couvert de brûlures faites avec des cigarettes. Il lui avait appris qu'après l'assassinat de von Rath, ses parents avaient été réveillés et sommés au milieu de la nuit de se rendre sur la place où tous les Juifs étaient rassemblés. On leur avait donné l'ordre de quitter leurs vêtements, on avait allumé des brasiers et les hommes avaient été émasculés au fer rouge. Partout on arrêtait, on déportait les Juifs. En voyant pleurer son élève, Beauvoir avait honte. Elle misait encore sur le bonheur, elle croyait que Hitler n'attaquerait pas la France, que rien ne la toucherait personnellement. Mais il ne lui était plus possible d'ignorer les persécutions, les tortures, les déportations. Elle songeait : « Une France en guerre, n'est-ce pas pire qu'une France nazifiée ? » Elle se souvenait de ce qu'elle avait entendu et vu vingt ans plus tôt : la guerre avait fait un million de morts, et dans les rues, après la victoire, elle avait croisé tant de mutilés, tant de femmes en voile de veuve, tant d'orphelins en noir !

Mais Sartre lui expliquait que leurs vies d'intellectuels n'auraient plus de sens sous un régime nazi, que les paysans, les ouvriers, les bourgeois, tous seraient traités en sous-hommes et sacrifiés à la grandeur de l'Allemagne. Beauvoir, convaincue enfin que la guerre aurait lieu, se sentit coupable. Jamais elle n'avait dit un mot, écrit une ligne, levé un doigt pour l'éviter, elle n'avait jamais pris position politiquement. Elle s'était désintéressée des événements et maintenant la guerre allait la rattraper et l'écraser. D'un seul coup elle renonça à son égoïsme, à son individualisme, au souci exclusif de son bonheur. « J'appris la solidarité, dit-elle. En 1939 mon existence a basculé... L'Histoire m'a saisie pour ne plus me lâcher. »

La petite Polonaise

1939. Beauvoir écrit *l'Invitée*, pendant que Sartre, à chaque occasion, lui décrit par le menu ce qu'il appelle ses « petites histoires de printemps ».

Le plus extraordinaire dans leur entente, c'est qu'elle n'a pas ces « intermittences du cœur » que Proust dénonce dans les plus belles amours. Les « nous ne faisons qu'un », « nous sommes inséparables » ne sont pas des formules creuses. Ce qui n'est pas moins étonnant, c'est que lorsqu'une très jeune fille s'attachait à Beauvoir, Sartre n'avait de cesse qu'il ne l'ait conquise.

Une série de lettres que Beauvoir a dû trouver importantes, puisqu'elle les a publiées, alors qu'elles sont adressées à une autre, laisse entrevoir encore une fois l'expérience d'un trio.

Ces lettres sont écrites à une juive polonaise identifiée par une note brève de Beauvoir : « Une amie à moi avec qui Sartre ébaucha une liaison, vite brisée par la guerre. »

Louise Védrine* semble avoir été coulée dans le moule de « la petite Russe », même vulnérabilité, même attachement à Beauvoir. Le couple s'intéressait à elle. Beauvoir envoyait à Sartre les lettres de Louise, Sartre assurait sa « chère petite Polack, mon amour » que « notre avenir c'est *ton* avenir » et que « le Castor vit dans un monde où tu es partout présente à la fois ».

Dans la première lettre à Louise, datée de juillet, Sartre lui écrit qu'il a pensé tout le dimanche qu'elle souffrait « et le lundi déjà je pensais que ça allait un peu mieux ». Le Castor ne l'avait pas quittée, ce qui semble le rassurer tout à fait ; il l'appelle « pauvre petite martyre », mais, dit-il, avec les heures qui passaient elle souffrait moins et ça le soulageait : « Ça me faisait tout un coin de mon horizon bouché par une vraie douleur. » Il annonçait sa visite, mais « le bon Castor » la verrait chaque jour, il ajoutait : « Je suis bien content de penser que tu es toute plate. »

Après avoir veillé sur Louise dans les moments critiques, Beauvoir était partie faire une longue randonnée à travers les Basses-Alpes. Sartre et elle allaient tenir Louise sur le gril de leur double affection pendant leurs vacances. Louise ne comprenait pas que Beauvoir l'ait quittée et Sartre la consolait en lui affirmant que dès que les beaux jours arrivaient le Castor était irrésistiblement aspiré par les bois et les plaines : « Ça devient un besoin terrible et impérieux pour elle de voir du vert... aussi violent que son besoin de manger quand elle a faim... ne prends pas ce qu'elle fait pour un manque de tendresse. Je sais moi, plus que tu ne peux savoir, combien le Castor t'aime... Si tu es un peu endolorie dans ton amour pour Simone, pense que je t'aime passionnément en attendant. »

Tout en comblant Louise de tendresse et de promesses, Sartre vit sa passion tumultueuse pour Wanda, et Beauvoir, après sa longue marche à travers la Provence, retrouve à Marseille Bost en permission qui l'attendait.

Ce nouveau trio est surnuméraire. Surnuméraire mais amoureux : « Mon amour, ma petite passion, est-ce que tu peux sentir de loin comme je t'aime ?... ce que je voudrais

---

* Nom fictif.

t'affirmer avec toute ma force c'est que le Castor t'aime autant que tu peux le désirer... je te conjure de ne pas te torturer et d'attendre notre retour à tous deux. » Mais le moment du retour est vague. Sartre est avec ses parents à Saint-Sauveur, où il va visiter la maison natale de Colette, il cueille des digitales dans les prés et écrit pendant que son beau-père somnole et que sa mère s'inquiète du bien-être de « Poulou* ».

Il organise ses semaines de vacances avec Beauvoir et établit un plan de dépenses : il va toucher 4 000 francs en juillet, Beauvoir 3 000 francs le 1er août. Il s'alloue 3 000 francs pour promener Wanda dans le Midi et 1 800 francs au Castor. Mais « Gégé veut 1 200 francs » et il faut 700 francs pour Poupette. Donc il ne leur restera pas assez d'argent pour faire le voyage à l'étranger qui tente le Castor. Sartre, qui n'est plus à une lettre de charme près, tâche de dorer la pilule et propose à Beauvoir une randonnée à pied et en autocar à travers les Causses et les Pyrénées. Beauvoir déteste qu'on la prive d'un projet qu'elle a soigneusement préparé, elle ne renonce pas à son voyage à l'étranger de gaieté de cœur.

Sartre se promène en compagnie de Wanda avec qui il se querelle passionnément avant d'informer Beauvoir, au nom de la sacro-sainte transparence, qu'en Avignon, enfin, Wanda s'est donnée à lui et qu'il a déchiré les lettres de Beauvoir pour que Wanda ne les voie pas. Il a sacrifié les lettres de Beauvoir qui, comme les siennes, pouvaient servir de notes à l'écrivain et comme les siennes pouvaient être publiées un jour : « ... J'ai reçu à la fois vos deux petites lettres, la triste et la sereine. Figurez-vous que je les ai déchirées vite — je les ai toutes déchirées, y compris celles que vous vouliez que je garde — c'est impossible de les conserver : nous avons la même chambre et Wanda se balade tout le temps le matin, pendant que je dors. »

C'est ce que Beauvoir appelle l'irresponsabilité de la jeunesse que Sartre avait, dit-elle, tant de mal à dépasser. C'est aussi une éducation sentimentale qui, dans le Deuxième Sexe, servira de base à ses réflexions sur la condition de la femme.

« La sincérité littéraire n'est pas ce qu'on imagine. »

Si la littérature commence à partir du moment où quelque chose se détraque dans l'existence et où tout ne va plus de soi,

---

* Surnom de Jean-Paul Sartre.

la ronde des amours contingentes, le trio ébauché plusieurs fois, tant d'expériences et de réflexions sur l'amour, tant d'analyses et tant de considérations sur les conduites humaines devaient aboutir à cette œuvre qui dérange.

A mesure qu'elle écrivait, Beauvoir retrouvait la joie de se sentir telle qu'en elle-même enfin l'écriture la changeait. Le temps des exercices de style et des analyses psychologiques était révolu. Sartre était en train de devenir un écrivain remarqué, après *la Nausée*, qui se vendit peu avant la guerre, *le Mur* avait du succès. Beauvoir termina *l'Invitée*.

Elle et Sartre se livraient dans leurs écrits avec la franchise qui animait leurs discussions. Mais ce que le lecteur de Gallimard acceptait chez Sartre le choqua chez Beauvoir. Il lui demanda de couper les deux premiers chapitres de *l'Invitée*. Elle y racontait l'enfance de son héroïne et son éveil à la sexualité.

Olga Kosakiewicz avait été leur catalyseur, Beauvoir lui dédia *l'Invitée* et Sartre *le Mur*. Sartre poussait Beauvoir à se mettre davantage dans ses écrits et à abandonner les recherches purement stylistiques et romanesques. Elle était plus intéressante que ses personnages, lui disait-il. La rapidité avec laquelle elle saisissait l'essentiel, la clarté de ses critiques, la pertinence de ses analyses, qui avaient étonné ses professeurs de la Sorbonne, lui valaient la confiance admirative et absolue de Sartre. Lui l'étonnait par le foisonnement de son imagination, par ses fulgurants traits de génie, par les évidences qui le frappaient. Dans une rue de Venise ou dans un sentier rocailleux des Pyrénées, dans un café, dans une gare, tout à coup jaillissait la phrase magique : « Castor, j'ai une nouvelle théorie. » Et les deux compères l'empoignaient, la pétrissaient, la malaxaient, la ciselaient, chacun apportant sa pierre à l'édifice de l'autre.

J.-P. Sartre : « Je dirai qu'on s'est influencé totalement. »

S. de Beauvoir : « Je dirai au contraire que ce n'est pas une influence, mais une espèce d'osmose. »

J.-P. Sartre : « Si vous voulez. Enfin pour les cas où il ne s'agit pas seulement de la littérature, mais de la vie, nous décidons toujours ensemble, chacun influençant l'autre. »

S. de Beauvoir : « C'est ce que j'appelle une osmose. Les décisions sont prises en commun, les pensées sont développées en commun. »

Ce dialogue eut lieu à Rome en 1973, Sartre avait soixante-huit ans et Beauvoir soixante-cinq. Les deux enfants terribles de la littérature, avec une bonne volonté évidente, essayaient d'exprimer encore une fois pour leur public comment ils étaient identiques et différents.

Influence totale ? Osmose ? Ce qui est sûr c'est qu'ils ont dialogué à travers leurs œuvres comme à travers leur vie. Ils ont aussi écrit en collaboration une grande partie de ce qu'ils appelaient la littérature alimentaire. « Si j'ai dû rentrer à Paris à la mi-juillet c'est parce que Sartre avait besoin de moi pour travailler à un scénario tiré de sa dernière pièce*. Je vous ai toujours dit que je voulais l'aider quand il me le demandait et c'est aussi une façon de gagner ma vie; mes livres ne me suffisent pas pour vivre et des trucs comme les dialogues de films m'aident beaucoup. »

Séparés, Sartre et Beauvoir demeuraient liés par des lettres quotidiennes, ils échangeaient les moindres détails sur leur travail, leurs pensées, leurs sentiments, leurs amis, les autres, c'est là que se trouvent les sources de leurs romans. Pas un de leurs personnages qui ne soit un composé de traits physiques, de traits de langage, de détails biographiques saisis dans leur entourage : Gerbert de *l'Invitée* a hérité de l'enfance de Mouloudji, Roquentin *(la Nausée)*, de la flamboyante chevelure rousse de Politzer, Xavière est Olga et Nadine *(les Mandarins)* parle comme Nathalie Sorokine.

Dans leur habit d'Arlequin, ces créatures mi-réelles, mi-fictives, sont ces êtres mystérieux : des personnages de roman. Et les vies de Beauvoir et de Sartre sont aussi fascinantes qu'une aventure fictive car ils se vivaient et se voyaient comme des personnages, aussi leur mode de vie étonnait-il leur entourage.

Leur amie, Mme Morel, leur suggérait d'avoir un enfant « pour voir ce qu'il serait ». Elle s'offrait de l'élever, pour ne pas déranger le cours de leurs existences. Ils renoncèrent à cette expérience toute gidienne, mais continuèrent à fouiller leurs cœurs et ceux des autres membres de leur « famille » dont les aventures devenaient un butin indivis.

Ils ont ainsi dialogué à travers les gens, écoutant les échos de l'amour qui s'adressait tantôt à l'un, tantôt à l'autre, provoquant l'émotion, le trouble, le mesurant, l'enregistrant, le passant au crible pour le faire ressurgir dans une œuvre comme *l'Invitée.*

---

* Lettre inédite à Nelson Algren. La pièce mentionnée est *la Putain respectueuse.* Cette pièce est enregistrée à la Société des Auteurs sous les noms de Jean-Paul Sartre et Simone de Beauvoir.

L'Invitée a été pour Beauvoir une catharsis et une prise de conscience. « Dans ce roman, je me livrais, je me risquais au point que par moments le passage de mon cœur aux mots me paraissait insurmontable... » Elle se livrait plus qu'elle ne le fera jamais dans aucun de ses romans ou même dans ses *Mémoires*. Les personnages sont à peine transposés : Labrousse c'est Sartre, Françoise est Beauvoir, Gerbert c'est Bost et Xavière est Olga. Pierre Labrousse et Françoise Miquel vivent la même relation que Beauvoir et Sartre, « ensemble ils se tenaient au centre du monde qu'ils avaient mission de dévoiler ».

Parmi toutes les chances dont elle se félicitait, son héroïne, cet avatar d'elle-même, « mettait au premier rang celle de pouvoir collaborer avec lui ; leur fatigue commune, leur effort les unissaient plus sûrement qu'une étreinte. Il n'était pas un moment de ces répétitions harassantes qui ne fût un acte d'amour ». Ce roman est un psychodrame semblable à ceux que Sartre et elle se jouaient dans des situations difficiles, l'imaginaire exorcisant le « vécu », le meurtre de Xavière, « le moteur et la raison d'être du roman tout entier », délivrait Beauvoir. En l'écrivant elle s'y mettait entièrement et sa gorge se nouait comme si elle était en train de commettre un crime.

Écrire *l'Invitée* ne fut pas une entreprise facile, il fallut quatre ans à Beauvoir pour terminer le roman. Entre-temps de nouvelles amitiés, de nouvelles amours sartriennes s'étaient greffées sur sa vie et la roue de l'histoire avait inexorablement tourné.

VII. La guerre

« ...Mai qui fut sans nuage et juin poignardé
Je n'oublierai jamais les lilas ni les roses
Ni ceux que le printemps dans ses plis a gardés. »

LOUIS ARAGON.

Les premiers jours de la fin d'un monde

Le 15 mars 1939, violant les accords de Munich, l'armée allemande entre à Prague et la Tchécoslovaquie perd son statut d'État indépendant.

Le 22 mars, Hitler, qui a suscité des agitations sécessionnistes à Memel, ville en majorité allemande, contraint la Lituanie à la lui céder. La France et l'Angleterre réarment et signent un accord de soutien à la Pologne. Cette guerre, dont on ne voulait pas, se rapproche continuellement.

Le 6 avril, l'Italie envahit l'Albanie et le roi d'Italie, empereur d'Éthiopie, devient aussi roi d'Albanie.

Le 23 juin, la France, l'Angleterre, la Turquie signent un traité d'assistance mutuelle.

Chez Mme Morel, à Juan-les-Pins, sur ces plages encore aristocratiques et désertes, où seules s'avançaient les terrasses de quelques somptueuses villas, il était facile de croire à la paix et à la civilisation. Sous les grands pins dont l'ombre sentait bon, dans le parc ouvert sur la mer, Sartre écrivait, Beauvoir lisait, pensait, et mûrissait ses projets.

A 2 heures, quand la chaleur plombait, on rentrait dans la grande villa. Les volets étaient clos, l'ombre était douce comme un bonheur. Déjeuner, sieste, rires, jeux, courses et plongeons dans la mer. Juillet s'écoula, le mois d'août apporta des nouvelles alarmantes. On commençait à goûter le bonheur les dents serrées et sans plaisir. Simone de Beauvoir s'impatientait, elle sentait souffler les vents de la guerre, et le calme moelleux de la vie dans la riche propriété lui paraissait hors de propos. « Le Castor n'aime pas la vie de château », disait Sartre. Alors, pour l'occuper, il lui apprenait à nager, et riait de « sa drôle de tête » toute tendue dans l'effort.

Le 23 août 1939, Staline et Hitler signent un pacte de non-agression qui prend tout le monde par surprise. Officiellement la Russie était en pourparlers avec la France et l'Angleterre, après avoir été exclue de la conférence de Munich. C'est avec stupeur qu'on apprend que toutes les questions idéologiques ont été balayées et que l'Allemagne nazie a signé ce pacte avec la Russie soviétique. La guerre est inévitable.

Ce que nul ne savait c'est que, le 29 août, Einstein envoyait au président Roosevelt une lettre confidentielle dans laquelle il l'informait qu'il était possible scientifiquement d'envisager la production d'un explosif atomique.

Dans la villa Sull Onda comme dans toute la France, on ouvre désormais les journaux avec appréhension. Le temps s'est aboli, on est à l'heure zéro. Beauvoir et Sartre prennent congé de leurs amis le cœur serré. Quand nous reverrons-nous ? et nous reverrons-nous ?

Maintenant, il fallait sauver le cœur même de leur propre vie. Ils partent pour les Pyrénées. C'est en marchant dans des chemins de montagne qu'ils veulent faire le point.

Mais sur le quai à Juan-les-Pins, ce fut le premier saut dans l'absurde. La gare envahie, le train bondé, les compartiments pris d'assaut par des jeunes gens qui s'emparaient des banquettes, puisqu'ils allaient se faire tuer sur la ligne Maginot.

Sartre et Beauvoir se préparaient à faire face, le malheur était là, mais ils étaient ensemble pour l'affronter et ça c'était encore un bonheur. Dans un dernier effort pour se tenir à l'écart de l'histoire, ils visitent Carcassonne, ils boivent sous les charmilles des petites villes méridionales encore paisibles sous un ciel qui déjà renonce à l'été. Il pleut et voilà sur les murs les affiches qu'ils redoutaient : c'est la mobilisation, il faut rentrer à Paris.

Encore un instant ! Foix est une si jolie ville et ce sera leur dernière fête au cœur de la paix. Ils s'offrent un superbe déjeuner dans un restaurant fameux pour sa cuisine : quelques heures d'euphorie. Vin du pays, « hors-d'œuvre, truite, cassoulet, foie gras, fromage et fruit ». Et, porté par la griserie de ce sursis, Sartre raconte les *Chemins de la liberté* à Simone de Beauvoir. Puis c'est une promenade le long de la rivière, souvenir de leurs promenades le long de la Seine, dix ans plus tôt, quand ils étaient de jeunes agrégés. Paris souffrira peut-être, mais la province restera intacte. Plus tard, quand tout sera passé, ils reviendront et retrouveront le calme des petites villes, la paresse de l'existence, la lenteur, cette éternité inscrite dans les paysages. Sans le croire, ils se jouaient tendrement la comédie de la confiance et de la tranquillité.

A Toulouse, la guerre est déjà là. La gare n'est éclairée que par quelques ampoules bleuies de peinture. Une cohue se pousse et remue dans les ténèbres. Le rapide pour Paris passe, bondé. Il faut attendre le prochain. C'est la ruée d'une force brute, d'un troupeau sauvage qui frappe, se bouscule, s'accroche. Beauvoir et Sartre se battent contre les autres, mieux que les autres. Ils se jettent sur deux coins de banquette.

C'était fini, la paix était morte, la civilité s'était écaillée, on vivait déjà aux dépens des autres, tout allait être possible bientôt et d'abord la peur.

Dans un Paris vidé par les vacances du mois d'août, l'atmosphère était singulière. Les journaux communistes étaient interdits. Dans la presse et aux terrasses des cafés, Beauvoir découvrait des symptômes « d'espionite », et s'en alarmait. On parlait d'une « cinquième colonne » qui voulait livrer la France aux nazis. La France était divisée : la droite et une partie de la gauche accusaient le gouvernement d'avoir mené la France à la guerre, alors que des compromis étaient possibles. La droite accusait le Front populaire d'avoir affaibli et appauvri la France par les réformes sociales, en particulier par la semaine de quarante heures, au lieu de donner la priorité au réarmement. Dans *l'Action française,* on pouvait lire :

> *S'ils s'obstinent ces cannibales*
> *A faire de nous des héros*
> *Il faut que nos premières balles*
> *Soient pour Mandel, Blum et Reynaud.*

Il ne se passait rien. On ne savait rien, mais tout le monde appréhendait quelque chose. Sartre et Beauvoir apaisent leurs nerfs en marchant inlassablement dans les rues d'un Paris au calme étrange. Chaque nouvelle édition des journaux est aussitôt enlevée par des gens qui attendent une détente quelconque. Le cinéma demeure la seule évasion possible, ils s'y engloutissent. Dès la sortie, c'est la dernière édition de *Paris-Soir* et l'attente d'on ne sait quoi.

Beauvoir songeait qu'on lui dérobait un avenir à peine entamé. Elle avait horreur du temps perdu. Or, on entrait dans le gâchis, dans le gaspillage de tout ce qui avait une valeur : talent, amour, amitiés. La paralysie gagnait du terrain, on tournait en rond, on attendait. Les journaux donnaient des nouvelles contradictoires et non fondées. On espérait que Mussolini allait s'offrir comme médiateur. On disait que la menace d'envahir la Pologne était un bluff de Hitler. Et quand, à l'aube du 1er septembre, l'armée allemande entra en Pologne, les journaux du matin ne le dirent pas.

Le 2 septembre, Beauvoir prend son café matinal au Dôme. Un garçon de café annonce la nouvelle qu'il tient d'un client qui l'a lue dans *Paris-Midi*. Les gens quittent la terrasse, on assiège le kiosque à journaux le plus proche. Beauvoir court vers son hôtel pour avertir Sartre : le Conseil des ministres a décrété la mobilisation générale et l'état de siège en France et en Algérie.

A l'hôtel, Sartre se prépara à aller voir sa mère et son beau-père avant de rejoindre son régiment. Beauvoir ne voulait pas se séparer de lui, ensemble ils allèrent à Passy, elle l'attendit au métro pendant qu'il faisait ses adieux à ses parents. Les Mancy n'ont jamais reçu Simone de Beauvoir. Agrégation ou pas, elle n'était à leurs yeux qu'une gourgandine. La mère de Sartre l'invitait quelquefois dans un salon de thé mais jamais M. Mancy ne consentit à l'accueillir sous son toit. Les Beauvoir, préférant sans doute ne pas s'interroger sur la vie privée de leurs deux filles, voyaient leurs amis. Leur situation financière était toujours chaotique. Simone les aidait quand il le fallait. Sartre leur avançait de l'argent et le réclamait sans ménagements : « Faites-moi vite envoyer six cents francs par votre mère, elle a oublié, la salope, de me les donner. » Mais ce jour-là Simone de Beauvoir ne pensait pas à l'ostracisme dont elle était frappée, elle attendait Sartre.

La nuit tomba. Les Parisiens qui le pouvaient faisaient des paquets, des valises, et envoyaient les femmes et les enfants chez des parents, des amis en province. Paris serait sûrement la première cible des bombardements aériens. De la rue Sébastien-Bottin, une caravane de cinq voitures emportait Gaston Gallimard et les manuscrits des auteurs de la N.R.F. Cette nuit-là, dans un Paris aux rideaux tirés, aux réverbères éteints, aux vitrines noircies, l'irréel s'installait doucement.

Comme tant d'autres couples, Sartre en uniforme et Beauvoir descendent dans la rue noire. Ils vont prendre un café au Dôme. En attendant le départ, Sartre écrit une dernière lettre à Louise Védrine, datée du 2 septembre 1939.

« Mon amour,
« C'est donc la connerie qui a triomphé. Je pars cette nuit à 5 heures. Le Castor m'accompagne jusqu'à une place nommée Hébert, porte de la Chapelle... Mon amour, je ne crains pas pour ma vie ; je n'ai même pas peur de m'emmerder et je ne plains pas trop le bon Castor qui est tout courageux et tout parfait comme toujours. Ce qui me déchire le cœur, c'est ta petite douleur solitaire, là-bas, à Annecy. »

Il emporte dans son paquetage ses photos, il l'assure qu'il est « un fidèle » et qu'elle le retrouvera « juste pareil » à celui qu'elle a quitté à Annecy. « Rien ne peut nous changer, mon amour, ni toi, ni le Castor, ni moi !... je voudrais que tu saches que je t'aime passionnément et pour toujours... et le Castor me charge de te dire qu'elle ira te voir avant la fin de septembre. »

C'est l'aube quand un taxi les dépose à la gare de l'Est. Un dernier moment de vie normale : s'asseoir à la terrasse du café en attendant le train. Autour d'eux des gens comme eux. Tout le monde tient des propos rassurants. D'abord, la guerre ne sera pas longue. L'Allemagne a déjà des cartes de rationnement, elle va s'effondrer. Puis le danger n'est pas grand, Sartre est dans la météorologie ; il ne sera pas en première ligne.

Le plus lentement possible, les gens se dirigeaient vers le train entré en gare. Bientôt il fut plein de militaires. A chaque fenêtre, ils se pressaient, se poussaient pour dire un dernier mot, faire un dernier signe. Sartre passa comme tous les soldats de l'autre côté de la chaîne qui barrait le quai. Beauvoir resta du côté des civils. Encore un mot. C'était le dernier lambeau du quotidien qui s'effilochait en propos qui ne collaient plus au réel. Sartre partit. Finies la liberté, l'initiative. Un pion parmi d'autres, désormais il sera là où des volontés étrangères le placeront.

Beauvoir remonta vers Montparnasse à pied. On ne savait toujours rien, les journaux mentionnaient des manœuvres diplomatiques, ce n'était pas assez pour donner de l'espoir, c'était assez pour maintenir une torpeur générale. Sur un mur on pouvait lire : ABRI. On voyait apparaître dans quelques vitrines, dont les noms des propriétaires alsaciens auraient pu prêter à confusion : « Commerce français — Père mobilisé en 1914 — Fils mobilisé ». Les Juifs avaient peur. Il n'y avait rien à faire. Restait le cinéma, on peut y pleurer discrètement tout en se sentant au milieu de gens comme vous.

On craignait que l'Allemagne n'emploie les gaz contre les populations des villes. On annonça la distribution des masques à gaz : une cagoule avec un groin, et deux hublots pour les yeux. Ça se portait dans un étui. Il fallait l'avoir sur l'épaule où qu'on aille. Le soir tombait. Beauvoir ne rentra pas dans sa chambre d'hôtel ; elle dormit chez Gégé, sur un divan.

Le temps intemporel

Beauvoir était désemparée, il lui était impossible de supporter la solitude et ses propres pensées. Elle commença à vivre un temps qui n'était plus le sien : elle n'avait plus de prise sur la durée, elle ne la divisait plus à sa guise, elle ne la remplissait plus à sa fantaisie. Le temps lui échappait et charriait des heures lentes. Sartre était parti, Bost était parti. On était sûr que la ligne Maginot était imprenable, que l'armée était prête. « Nous vaincrons parce que nous sommes les plus forts », affirmait-on. Trois millions neuf cent soixante-dix mille hommes étaient mobilisés. On comptait sur le blocus pour affamer une Allemagne qui avait sacrifié le beurre aux canons. Il y avait dans l'air une résignation à l'inévitable et un désir d'en finir au plus vite. Cependant, les raisons de se battre n'étaient pas claires pour tout le monde. Il n'y avait pas comme en 1914 de raison simple, pas d'Alsace-Lorraine à reprendre.

Dans *Paris-Soir* Beauvoir apprend que la France a déclaré la guerre à 5 heures de l'après-midi et que l'Angleterre est déjà en guerre depuis quelques heures. Elle flotte comme tout le monde dans un univers où elle n'est rien. Elle va avec Hélène, Gégé et d'autres amis au Flore, où elle s'installe pour écrire des lettres aux membres de la petite famille, le château de cartes des amours contingentes ne sera pas soufflé par la guerre.

Le gérant du Flore décide de fermer son café. Reste le Dôme. A 11 heures, les cafés ferment, les gens déambulent dans les rues noires.

Nuit du 4 septembre : les sirènes ! Première alerte. Elle se penche à la fenêtre : dans le noir des gens se hâtent vers les abris. Elle descend, la concierge a mis son masque à gaz ; Simone de Beauvoir remonte se coucher avec le même mépris tranquille qu'avait montré son père vingt ans plus tôt quand la grosse Bertha pilonnait Paris. La fin de l'alerte ne sonna qu'à 7 heures du matin. Il faisait grand jour. Les gens rentraient chez eux en robe de chambre et en pantoufles. Ceux qui n'avaient pas encore de masque à gaz portaient des linges autour de la tête. On disait que ça filtrerait toujours un peu les gaz.

Sartre, lui, était à Essey-lès-Nancy avec la 70e division. Le 5, Simone reçut une première lettre datée du 2 septembre.

« Mon amour,
« Je vous écris de Toul... Pour ce qui est de mes sentiments, non seulement ils n'ont pas changé depuis que j'ai vu votre pauvre petite figure ravagée pour la dernière fois, de l'autre côté du portillon de la gare de l'Est, mais encore ils sont "occupants" et presque douloureux... Si vous couchiez sur la petite paillasse à côté de moi, je serais tout aise et j'aurais le cœur léger. Oh, mon amour, comme je vous aime et comme j'ai besoin de vous. Adieu. Je vais à présent écrire deux petits mots à mes parents et à Wanda. Je vous aime de toutes mes forces. »

Simone de Beauvoir s'installe aux Deux-Magots pour écrire son journal de guerre, Sartre lui a demandé de tout noter, elle lui décrira la vie à l'arrière. Tout est littérature, rien ne peut arrêter les deux incoercibles écrivains. « Les livres... écrit Sartre, j'ai toujours le même acharnement à les écrire. Sur ce point je suis rassuré, c'est ma nature — mais qui sait quand ils seront publiés ?

« Mais il est une chose qui ne change point, ni ne peut changer : c'est que quoi qu'il arrive et quoi que je devienne, je le deviendrai avec vous. S'il y avait eu besoin de sentir à quel point nous sommes unis, cette guerre fantôme aurait eu au moins ceci de bon qu'elle l'aurait fait sentir... elle apporte une réponse à cette question qui vous tourmentait : mon amour, vous n'êtes pas "une chose dans ma vie", même la plus importante — puisque ma vie ne tient plus à moi, que je ne la regrette même pas et que vous, vous êtes toujours moi. Vous êtes bien plus, c'est vous qui me permettez d'envisager n'importe quel avenir. »

Dans cet avenir dont fait partie la mort, Simone de Beauvoir a mandat de continuer leur œuvre, elle doit mener à bien leur projet commun.

Au cœur de la rive gauche la plume à la main elle regarde Paris qui s'enfonce dans la guerre. Ce sera la période la plus féconde de sa vie. *L'Invitée, Pyrrhus et Cinéas, le Sang des autres, les Bouches inutiles, Idéalisme moral et Réalisme politique, l'Existentialisme et la sagesse des nations, Tous les hommes sont mortels* seront écrits et publiés de 1940 à 1946, il faut aussi ajouter le journal tenu au jour le jour et les lettres quotidiennes au soldat Sartre.

La drôle de guerre

Les alertes se succédaient. Dans la nuit du 5 septembre les sirènes hurlent de nouveau : le 6, Beauvoir est au café des Trois Mousquetaires à côté de la gare Montparnasse, elle écrit. Brusquement les sirènes ! Le patron baisse le rideau de fer. Dans la rue, les gens continuent à causer, impassibles. Beauvoir rentre à l'hôtel où la patronne indifférente à l'alerte fait la vaisselle. Elle prend un livre et se met à lire. L'alerte finie elle repart vers le Dôme. « Je suis tendrement attachée à ce carrefour Montparnasse, ses terrasses de café demi-vides, le visage de la téléphoniste du Dôme, je me sens en famille et ça me défend contre l'angoisse. »

Le 7 septembre, une offensive française est lancée dans la Sarre. Les journaux parlent d'« amélioration de nos positions ». Dans les cafés on se raconte les fortins enlevés aux Allemands sur la ligne Siegfried, après avoir réglé les consommations car une alerte peut vous obliger à courir vers les abris avant d'avoir payé.

Au Dôme, beaucoup envisageaient de quitter la France pour l'Amérique. Beauvoir avait dîné chez Dominique, rue Vavin, avec Fernando Gerassi. Il avait rencontré André Malraux qui essayait de faire quelque chose en faveur des étrangers qu'on internait, et en particulier en faveur des Espagnols républicains que le gouvernement obligeait à s'engager dans la Légion étrangère. Gerassi avait passé quatre jours en prison, Malraux avec qui il avait combattu en Espagne avait réussi à obtenir sa libération et celle de quelques-uns de leurs amis espagnols. Il allait partir avec Stépha et son fils aux États-Unis. Malraux essayait d'aller se battre en Pologne après qu'on eut refusé de l'intégrer dans l'aviation, pour cause de troubles cardiaques.

Les lettres de Sartre arrivaient, rassurantes. Olga s'était installée avec Beauvoir dans l'appartement de Gégé qui était partie, mais Beauvoir se sentait prise au piège dans ce Paris à moitié vide aux vitres uniformément bleues. On annonçait l'internement dans des camps des Allemands résidant en France, les affiches « commerce français » se multipliaient dans les vitrines. Des sacs de sable s'entassaient autour des monuments. Les rues étaient de plus en plus désertes. Simone de Beauvoir prit le train et s'en alla à Crécy voir Charles Dullin. Malgré l'affection de ce vieil ami, elle ne tenait pas en place et repartit pour Paris où elle retrouva au Dôme Colette Audry qui venait de s'acheter une bicyclette, l'essence commençant déjà à manquer. Toutes deux se demandaient ce qu'allaient devenir leurs nombreux amis communistes, assimilés à des agents de l'étranger. Le 26 septembre, le gouvernement avait décrété la dissolution du parti communiste, la confiscation des biens et des locaux, la suspension de l'immunité des députés communistes, l'abrogation des garanties légales accordées aux fonctionnaires, la mise en résidence surveillée à la discrétion des préfets de tous les citoyens suspects de sympathies communistes.

Bianca suppliait Beauvoir de venir la rejoindre en Bretagne, Mme Morel l'invitait à La Pouèze. Beauvoir reprit le train, quelques jours en Bretagne, une semaine à La Pouèze, de longues marches solitaires, mais le grand malaise ne lâchait personne. Voilà un mois qu'elle vivait comme un sulfure sur une nappe d'eau. Enfin, sortant d'un mauvais rêve, fidèle à elle-même, elle fait face : « Maintenant je vais m'installer dans cette existence de guerre, et elle me semble sinistre. Cependant, ça m'a pris comme une panique ce matin, le désir de fuir tout ce calme, de ressaisir quelque chose. »

Enfin une lettre de Sartre lui fait savoir, dans le langage chiffré qu'ils avaient mis au point, qu'il est à Brumath, à côté de Strasbourg. Elle n'a plus un sou, elle emprunte de l'argent à Mme Morel et rentre à Paris.

Elle entreprend immédiatement des démarches compliquées afin d'obtenir un sauf-conduit pour aller voir Sartre, elle court à la recherche d'une concierge qui consente à lui donner un certificat de domicile. Le même jour elle obtient un poste d'enseignante au lycée Camille-Sée et elle emménage dans un hôtel de la rue Vavin. Il faut se remettre au travail.

La nécessité d'écrire, d'achever son roman, justifiait tout désormais : la patience, l'acceptation de l'inacceptable, l'attente. On la voyait tous les jours dans un box au Dôme. Marie Girard, « la femme lunaire » de Berlin, y reparut et retrouva Simone, elle l'emmena chez Youki Desnos, l'ancien modèle de Foujita. L'ambiance de Montparnasse renaissait en sourdine. La café de Flore avait rouvert. On avait appris à se camoufler, on pouvait de nouveau allumer toutes les lampes à l'intérieur des immeubles. La nuit, les chefs d'îlots sifflaient dès qu'une lueur filtrait derrière un rideau mal tiré sur les vitres bleuies. Même les automobiles avaient leurs phares peints en bleu. On avait la certitude que la moindre lumière pouvait servir à guider les bombardiers allemands vers leur cible. Mais les bombes tardaient. La flotte aérienne allemande ne surgissait pas au-dessus des villes françaises. La Pologne était écrasée, la Tchécoslovaquie conquise, c'était peut-être assez pour l'ambition de Hitler ? La vie n'augmentait pas, les salaires étaient bloqués. Les ménagères ne stockaient pas ou si peu : un peu de sucre, d'huile, de sel. Les valeurs immobilières qui avaient baissé à la déclaration de guerre remontaient ; il n'y avait aucune panique aux guichets des banques, pas de retraits massifs dans les caisses d'Épargne. En attendant l'infaillible victoire, on se morfondait. Les familles s'ennuyaient à la campagne et les hommes commençaient à s'ennuyer dans les villes, privés des leurs. Fallait-il envoyer les enfants en province ? Les déranger dans leurs études ? Rien ne se produisait. Les administrateurs transportés en province regrettaient Paris.

Dans les usines, on travaillait 48 puis 60 heures par semaine. On faisait de temps en temps une grève perlée. Sur la ligne Maginot les soldats s'ennuyaient et parfois jouaient au football. En face, les soldats de la ligne Siegfried les applaudissaient. On ne se battait pas sur les bords du Rhin, on attendait. La propagande allemande avait beau jeu dans ce climat d'apathie. Un poste diffusait en langue française à partir de Stuttgart des émissions destinées à ébranler les Français et à les retourner contre leurs alliés anglais. Tous les jours, c'étaient des appels en faveur d'une entente avec Hitler. Il ne voulait pas faire la guerre à la France mais à l'Angleterre. Les soldats du front étaient exhortés par haut-parleurs : « Il ne fallait pas qu'ils meurent pour Dantzig ou pour l'Angleterre. » Jacques-Laurent Bost venu en permission raconta à Beauvoir que les Allemands promenaient de grandes affiches pour dire aux soldats de la ligne Maginot que tout était de la faute des Anglais, qu'ils n'en voulaient pas aux Français. Des équipes de fraternisation passaient le Rhin en barque avec des messages de Hitler.

Les salles de spectacle rouvraient peu à peu. Les cinémas furent autorisés jusqu'à 22 heures, les cafés jusqu'à 23 heures. Le soir, avec Olga, Beauvoir retournait dans les lieux familiers : le Jockey, les autres boîtes de Montparnasse où elle allait s'ébrouer autrefois après ses heures de travail. Elle s'obstinait à retrouver sa normalité : écrire son roman, donner ses cours, voir ses amis, dîner au restaurant, aller au café, dans les bars, au cinéma; participer à la vie de tous, être de Paris et être de Montparnasse, avoir une identité, une place bien nette, bien déterminée dans cette société qui tanguait sur d'incontrôlables vagues.

Après la première angoisse un soulagement relatif gagnait peu à peu. L'avance de l'armée allemande sur le territoire français n'était pas même envisagée. On se préparait pour une longue guerre aux frontières; une seule peur hantait tout le monde : les bombardements aériens et les gaz. Les chefs d'îlots avaient à leur disposition des seaux d'eau et des sacs de sable dans tous les quartiers. A la radio, la propagande cherchait à atteindre les mères des soldats : « Ne sacrifiez pas vos fils ! », et toujours le même leitmotiv : « L'Angleterre, voilà l'ennemi ! » Le gouvernement ordonna la répression du défaitisme, tout individu dangereux pour la défense nationale ou pour la sécurité publique pouvait être mis en résidence forcée. La propagande allemande s'empara de cette « loi des suspects » pour attaquer le ministère Daladier qui assujettissait la France « aux banquiers de la City de Londres ».

Toute cette propagande atteignait plus facilement des gens qui s'ennuyaient, surtout les mobilisés qui attendaient sur le Rhin dans l'oisiveté la plus déprimante. Aussi multipliait-on les permissions. On favorisait le « théâtre aux armées », on tolérait les débits de boissons, on facilitait l'envoi de colis.

Les civils étaient également traités avec ménagement. Le gouvernement préconisait « la reprise de l'activité des stations de sports d'hiver ainsi que la saison hivernale sur la Côte d'Azur ». Et on donnait des sauf-conduits aux femmes des militaires pour aller voir leurs maris aux armées. Simone de

Beauvoir obtint du commissariat un permis de cinq jours et extorqua un congé de maladie à un médecin.

Le 31 octobre, à 6 heures du matin, elle s'embarque pour Brumath. Le train est bourré de permissionnaires qui regagnent leur poste. Beauvoir est jolie avec son turban jaune, ses boucles d'oreilles, ses talons hauts. On le lui dit. Elle a l'impression que tout est faux : une fausse guerre, de faux soldats. A Nancy, à la gendarmerie, c'est la cohue pour faire viser les sauf-conduits. Où va-t-elle ? Voir un copain ? Elle nie avec conviction mais sans convaincre le gendarme qui, bon enfant, lui accorde un laissez-passer de 24 heures, c'est une faveur, seules les femmes mariées ont un droit de visite. Elle avait espéré passer cinq jours avec Sartre, la colère lui serre la gorge.

Elle n'a pas pu avertir Sartre de sa visite. A Brumath, dans ce village éclairé par la lune où elle arrive en pleine nuit, elle cherche un hôtel où attendre l'aube. Au matin elle entreprend de trouver Sartre. C'est par hasard qu'elle le voit apparaître au bout d'une rue, ils peuvent parler une heure, puis il doit repartir, les gendarmes sont sévères. Où est leur liberté ? Il faut faire tamponner son sauf-conduit, à l'hôtel elle doit laisser sa chambre à un couple, à la Taverne du Cerf on la traite avec insolence, un soldat ivre la menace, mais si elle fait trop de bruit on peut annuler son sauf-conduit. Enfin Sartre arrive, il lui a trouvé une chambre pour la nuit, il l'emmène dîner au Lion d'Or. Il lui donne à lire les cent premières pages des *Chemins de la liberté* et ses carnets, elle lui montre son journal et ils continuent ce dialogue ininterrompu depuis dix ans. Elle se posait alors la question : « En quoi suis-je une femme, dans quelle mesure ne le suis-je pas ? » Sartre l'encourage à approfondir cette idée. A Brumath, au cœur de la drôle de guerre, Beauvoir jette les premiers jalons du *Deuxième Sexe*.

Vingt-quatre heures de sursis, et encore une gare noire, des sacs empilés partout, des soldats en masse compacte, des évacués, des femmes en pleurs ; elle se sent à nouveau traquée, « ce quai, c'est la guerre », pense-t-elle.

A Paris, on n'avait jamais si bien vu les étoiles ; au Luxembourg on entendait ululer les hiboux. Georges et Françoise de Beauvoir qui étaient partis à la Grillère venaient de rentrer à Paris. Hélène était restée en Limousin où elle peignait. Simone de Beauvoir allait les voir et écoutait en silence les analyses politiques de son père, elle avait renoncé à toute discussion avec lui. Les illusions de ce père tant aimé et tant haï, le monde de la publicité qu'il côtoyait, Simone de Beauvoir les a décrits dans *les Belles images*.

Enseignement, écriture, une énorme correspondance ne lui suffisaient pas. Elle se lance à fond dans l'étude de la musique. Elle emprunte un phono, des disques, se plonge dans des traités de musique, lit la vie des musiciens. Elle écoute dix fois de suite le même morceau : « J'éprouvais la même exaltation que devant mes livres neufs un jour de rentrée. » Elle s'installe pendant des heures au Chantecler, une de ces galeries où l'on écoute des disques à travers des écouteurs qui grésillent. Les samedis, les dimanches matin elle assiste aux répétitions dans la salle du Conservatoire que fréquentent Cocteau, ses amis, et Colette, « les pieds nus dans des sandales ». Dans les boîtes de nuit où elle allait avec la fidèle Olga, l'ambiance était patriotique : les girls portaient des cache-sexe tricolores et chantaient *la Marseillaise*. Les descentes de police étaient fréquentes, des policiers casqués vérifiaient les papiers des clients.

Dullin avait repris ses cours, Beauvoir y accompagnait Olga et Wanda. Elle se rendit à Férolles où il travaillait au décor de *Richard III*, et assista aux répétitions à l'Atelier. Aux vacances de Noël, Beauvoir partit dix jours avec Jean Kanapa, un ami de Bianca, ancien élève de Sartre, faire du ski à Megève. Seule Simone de Beauvoir pouvait qualifier cette vie d'« existence monotone jusqu'à l'austérité ».

1940

Février 1940. Sartre vient en permission. Il avait équitablement divisé son temps entre Simone, Wanda et ses parents, avec les recommandations d'usage : « Surtout ne dites pas que... » Sartre et Beauvoir avaient travaillé à une morale basée sur la notion d'authenticité. L'homme devait assumer sa situation, et la seule manière de le faire, c'était « de la dépasser en s'engageant dans une action : toute autre attitude était une fuite ». Dans son journal, Beauvoir admettait qu'ils s'étaient ingéniés autrefois à tenir leur situation « à distance par des jeux, des leurres, des mensonges ». Pendant ces quelques jours, ils explorèrent les chemins qui pourraient les mener hors de la mauvaise foi, vers l'authenticité d'une attitude nouvelle. Le 15 février 1940, Sartre repart vers le front, sur le quai de la gare, Beauvoir observe cet événement collectif : la masse des hommes d'un côté, la foule des femmes de l'autre. L'individu disparaissait, comme perdu, fondu dans l'espèce. Beauvoir pensait qu'il faudrait redonner à chaque individu le droit d'exister.

La neige tombait sur Paris, il n'y avait plus de main-d'œuvre, on ne déblayait pas. Il fallait escalader des congères, patauger dans des bourbiers de neige sale qui fondait et qui regelait. Les pieds trempés, frissonnants et inquiets, les Parisiens vivaient cet hiver comme une oppression. La température descendit à moins dix-sept. Le printemps amena les premières restrictions. Le pain de fantaisie disparut, les pâtisseries durent fermer trois jours par semaine, on interdit également trois jours par semaine la vente de l'alcool. Les restaurants n'eurent le droit de servir que deux plats.

Dans les milieux politiques, des dissensions éclatent. Maurice Thorez est déchu de la nationalité française. Le général Gamelin relève plusieurs généraux de leurs fonctions. Le maréchal Pétain apparaît comme le seul homme ayant assez de prestige pour créer l'unité nationale. Le colonel Charles de Gaulle avait adressé le 26 janvier un mémorandum à des parlementaires, à des ministres, à des chefs militaires, où il déclarait que l'ennemi pouvait bousculer les lignes françaises grâce à ses chars, qu'il fallait grouper en un corps cuirassé tous les chars dispersés, et en fabriquer le plus rapidement possible. Il prévoyait que le conflit pourrait être « le plus violent de tous ceux qui ravagèrent la terre ». On négligea ses avis.

Le 12 mars, la Finlande se résigna à signer la paix et à céder à la Russie un important territoire. Le 20 mars, le ministère Daladier tomba, Paul Reynaud lui succéda. On pensait qu'il ferait preuve d'énergie. En avril, l'Allemagne envahit le Danemark et la Norvège. Ce fut la stupeur générale et un marasme plus profond encore.

A la mi-avril, Sartre revint en permission, au front il avait ébauché une nouvelle philosophie.

Le 10 mai, Beauvoir achète le journal au carrefour Vavin et, sous le balcon d'où petite fille elle regardait passionnément le monde, elle se laisse tomber sur un banc et pleure en lisant la manchette : « Ce matin, aux premières heures de la matinée, les Allemands ont envahi la Hollande, attaqué la Belgique et le Luxembourg. L'armée franco-britannique a franchi la frontière belge. »

Le même jour, Hélène de Beauvoir, invitée au Portugal par la mère de Lionel de Roulet, arrivait à Lisbonne après un voyage de trois jours. Elle devait y rester bloquée pendant toute la guerre.

Le matin du 10 mai, un contingent allemand de 12 000 hommes aéroportés et 4 000 parachutistes s'étaient abattus brusquement sur les villes hollandaises. A Liège, 500 parachutistes étaient descendus sur le fort qui défend la ville. En quatre jours, les divisions blindées allemandes avaient traversé la forêt des Ardennes, percé le front à Sedan et encerclé les divisions françaises en Belgique. L'armée allemande pouvait alors prendre à revers la ligne Maginot. Les réfugiés arrivaient en masse dans les gares parisiennes, sur les routes les civils fuyaient devant l'armée. A Paris, on préparait l'évacuation du gouvernement. Partie des milieux officiels, la peur atteignait par degrés toutes les couches de la population. Dans la nuit du 15 au 16 mai, le général Gamelin annonce que les Allemands sont à vingt kilomètres de Laon. L'exode a déjà jeté sur les routes des milliers de gens épouvantés. Dans les jardins du ministère des Affaires étrangères, les huissiers brûlent les documents du Quai d'Orsay, les Parisiens qui partent peuvent voir de loin la fumée. A la radio, Paul Reynaud nie que le gouvernement s'apprête à quitter Paris ; il affirme que la capitale sera défendue. L'après-midi, la Chambre dans un élan tout jacobin affirme son patriotisme et son union.

Mais les Allemands ne se dirigeaient pas sur Paris, ils marchaient sur les ports de la Manche, menaçant de couper l'élite des armées française et britannique qui s'était portée au secours de la Belgique.

Depuis le 10 mai, Beauvoir ne pouvait plus détourner ses pensées du malheur démesuré, incontrôlable, qui l'investissait de toutes parts. Impossible de se concentrer et d'écrire, impossible de lire, rien n'avait de sens, on vivait de nouvelle en nouvelle et ces nouvelles rapprochaient, de manchette en manchette, d'émission radiophonique en émission radiophonique, l'inconcevable. Pour étouffer sa peur, elle allait au cinéma, au théâtre, à l'Opéra. Malgré la censure, on apprenait les événements tragiques qui se succédaient à un rythme affolant.

Le 29 mai, les journaux annoncent : « Le roi Léopold a

trahi. » La Belgique s'est effondrée. Hitler déclare qu'il entrera le 15 juin à Paris. Beauvoir sait que le pire est désormais certain.

La guerre venait de la toucher directement. Jacques-Laurent Bost était blessé, il avait reçu un éclat d'obus, on l'évacuait à l'arrière. Olga partit en Normandie rejoindre ses parents.

Le 31 mai c'est la bataille de Dunkerque. Toute l'armée britannique et une partie de l'armée française sont encerclées sur 45 kilomètres de plage. L'aviation allemande a ordre de liquider cette poche. Pour essayer de les sauver, bâtiments de guerre, de transport, chalutiers, bateaux de pêche, remorqueurs, yachts, canots à moteur, radeaux, tout ce qui flotte passe la Manche. Pendant un jour et une nuit les va-et-vient se poursuivent dans le fracas des bombes, le vrombissement des avions allemands. 235 000 Britanniques sur 250 000 et 110 000 Français sur 380 000 seront sauvés. La nouvelle de la débâcle atteint la capitale.

Simone de Beauvoir songeait à aller à La Pouèze, chez Mme Morel. De là elle pensait traverser facilement la Loire. On disait que l'armée se regrouperait au sud de la Loire, elle se mettrait à la recherche de Sartre, mais d'abord elle devait faire passer le baccalauréat, le 10 juin. Or, le 5 juin, le front sur l'Aisne et sur la Somme était attaqué. La bataille de Paris commençait. « La vie avait définitivement cessé de se plier à ma volonté », constate Beauvoir. Elle ne pouvait quitter Paris, les examens n'avaient pas été annulés et elle avait plus que jamais besoin de son salaire pour vivre. Elle aidait ses parents et sa grand-mère Brasseur qui vivait au 71, rue de Rennes, et il y avait toujours quelqu'un à dépanner.

Stépha et Fernando Gerassi partirent pour l'Espagne qu'ils espéraient traverser clandestinement pour s'embarquer vers les États-Unis. Bianca en tant que juive se sentait directement menacée. Un soir, en rentrant à pied de l'Opéra, Bianca lui dit qu'en cas de défaite, elle se suiciderait. Quelque part on entendait les tirs de la D.C.A.

Le 9, Beauvoir trouva un mot de Bianca à l'hôtel. Elle la suppliait de quitter Paris avec elle, elle l'attendait au café de Flore. Beauvoir s'y rendit aussitôt. Bianca avait appris que les professeurs étaient libérés, les examens n'auraient pas lieu, elle partait pour Angers. Tout à coup, Beauvoir comprit que la ligne Maginot n'avait pas tenu, où était Sartre ? Prisonnier ? Mort ? Quand le saurait-elle ? Toute sa vie se défaisait, elle eut une réaction d'une violence extrême, une vraie crise de nerfs : « ça a été pour moi le moment le plus affreux de toute la guerre ». Il n'y avait plus de temps à perdre.

Elle prend une valise, y met toutes les lettres de Sartre. Bianca l'emmène chez des amis au quartier Latin. Jusqu'à 4 heures du matin ils vident des bouteilles de champagne abandonnées par une Autrichienne que l'on venait d'arrêter. A 7 heures du matin, Beauvoir se rend au lycée Camille-Sée pour s'assurer qu'on ne passe pas le bachot. Quelques élèves sont là, inquiètes. Le lycée doit se replier sur Nantes, la directrice remet aux professeurs un ordre d'évacuation. Beauvoir court au quartier Latin rejoindre Bianca. Les lycéens, les lycéennes, libérés des examens, arpentent les rues du quartier, ils rient, s'amusent de cette journée de bachot qui a tourné en journée de vacances. Les rues se vident, les boutiques se ferment. Un interminable défilé d'autos surchargées de valises et de matelas suit le boulevard Saint-Michel. En attendant la voiture qui doit les emmener, Beauvoir et Bianca, assises à la terrasse du Mahieu, assistent à l'abandon de Paris par ses habitants, et au passage des réfugiés du Nord qui fuient devant les armées allemandes.

Six millions de Français étaient sur les routes. La route nationale était couverte d'autos, de charrettes, de vélos, de gens à pied, sac au dos. Ce courant avançait à un kilomètre à l'heure, il envahissait les bas-côtés, atteignait les maisons, les fermes, débordait largement sur les champs, glissait comme une seule masse. Partout des voitures en panne, des chevaux dételés.

L'auto qui emmenait Beauvoir était pareille aux autres. Le père de Bianca au volant, une employée, Bianca et Simone au milieu de valises, une bicyclette attachée au capot de la voiture. Dans les restaurants, les cafés, il n'y avait plus rien à manger. Des bruits alarmants couraient de groupe en groupe : les avions mitraillaient les fuyards sur les routes, l'Italie était entrée en guerre, les trains ne pouvaient plus circuler, Évreux était en flammes... On entendait des histoires dont l'absurdité faisait mal : sur certaines routes, les cantonniers continuaient à répandre du goudron et les malheureux réfugiés à pied, à bicyclette marchaient, roulaient sur ce goudron frais qui les éclaboussait, les maculait, leur brûlait la peau.

Le soir ils purent atteindre Illiers. Simone de Beauvoir passa la première nuit de l'exode dans le Combray de Marcel

Proust. Dès l'aube, l'insubmersible Beauvoir courait au café d'Illiers et écrivait à Sartre. Elle entendit à la radio que Paris venait d'être déclaré ville ouverte et ne put retenir ses sanglots.

Elle voulait s'installer à La Pouèze chez Mme Morel. Elle serait à côté de Nantes et pourrait reprendre ses cours dès que le lycée Camille-Sée serait en état de fonctionner. Elle laissa Bianca se diriger vers le sud. A Laval, le téléphone marchait encore, mais c'était la cohue. Elle déposa à la consigne la précieuse valise avec les lettres de Sartre. Elle se battit pour téléphoner à Mme Morel. En revenant à la consigne, elle ne trouva pas sa valise, toutes les lettres que Sartre lui avait écrites depuis 1929 étaient perdues. Il fallait prendre l'autocar pour Angers, Beauvoir se rua, se battit et monta. A 8 heures du soir, l'autocar la laissa à Angers. Elle réussit ce tour de force : s'emparer d'une chaise à la terrasse d'un café sur la place de la gare. Des milliers de gens étaient assis sur leurs paquets, d'autres tournaient en rond. Dans la cohue on avait perdu des enfants, il y avait eu des bombes, on avait été mitraillé. La voiture des Morel arriva.

A La Pouèze, le flot des réfugiés apportait les nouvelles en passant. Les Allemands arrivaient. Quand on apprend qu'ils sont au Mans, les rues se vident, les volets se ferment. Des colonnes de camions pleins de soldats français traversent le village, puis des voitures avec des officiers, puis des tanks, puis des soldats à pied, puis plus rien. Le village est vide, la route est vide. Soudain le silence est brisé par une explosion, quelques vitres volent en éclats, une voix gutturale, des mots qu'on ne comprend pas et des soldats en uniformes allemands marchent au pas à travers le village, suivis par des tanks, des camions.

Derrière ses volets clos, Beauvoir regardait. Tout s'imprimait dans sa mémoire et plus tard elle verserait cette douleur, cette angoisse dans les pages du *Sang des autres* et dans *la Force de l'âge*.

Le 21 juin, les clauses de l'armistice sont divulguées, les combats ont pris fin. Beauvoir s'inquiète, la situation des prisonniers n'est pas claire. Seront-ils tous emmenés en Allemagne jusqu'à la fin de la guerre ? Il était peu probable que l'Allemagne puisse interner et nourrir trois millions d'hommes. Des gens qui commençaient à rentrer chez eux lui disaient que des milliers de soldats auraient réussi à se cacher, à éviter les Allemands, à s'habiller en civils et à regagner leurs foyers.

Elle pensait que Sartre pouvait avoir glissé entre les mailles du filet et être déjà à Paris, il fallait à tout prix rentrer. Elle réussit à trouver un couple de Hollandais, teinturiers à Paris, qui s'apprêtaient à regagner la capitale. Sans perdre un instant, elle fait ses adieux à Mme Morel et à 5 heures du matin se glisse entre les paquets et les valises. La voiture, chargée d'un matelas sur le toit, refit le chemin de l'exode à contre-courant.

Au Mans, l'occupation avait déjà commencé. Des voitures tournaient autour de la place, leurs haut-parleurs diffusaient de la musique militaire et des communiqués en allemand et en français. Sous le soleil, c'était une énorme foire. Les Allemands entraient dans les cafés, saluaient, claquaient des talons, riaient, « soignés, épanouis, courtois ». Les journaux et la radio exhortaient la population à rentrer.

La foule des Français se déplaçait, impuissante, on achetait ce qu'on voulait bien vous vendre, on mangeait ce qu'on trouvait, on dormait n'importe où, on attendait une distribution d'essence.

Beauvoir ne se résigna pas. Paris était à 170 kilomètres, elle ferait la route à pied. Elle commence à marcher sur la route goudronnée, sous un soleil écrasant. Un camion allemand s'arrête, deux femmes se ruent à l'assaut, Beauvoir bondit et grimpe derrière elles. Elle étouffe sous la bâche, secouée, prise de nausée, mais heureuse d'avancer, de dépasser le malheureux cortège des réfugiés qui se traîne sur la route. Jamais elle n'accepte d'être victime d'une situation quelle qu'elle soit.

A Mantes, le camion s'arrête, elle avise une auto de la Croix-Rouge qui va démarrer, elle se précipite, se retrouve assise entre deux infirmières « ultra-chic ». Elle est surprise de leur violente anglophobie, et encore davantage par le désert autour de Paris. Des ponts détruits, des trous de bombes et partout un silence lunaire. On la dépose rue François-Ier devant la Croix-Rouge où une foule attend les nouvelles des prisonniers. A pied elle traverse un Paris vide, aux magasins fermés. Par-ci, par-là, quelques queues aux portes des rares boutiques ouvertes. A son hôtel, rue Vavin, la patronne lui avoue qu'elle a jeté toutes ses affaires parce qu'elle pensait qu'elle ne reviendrait jamais plus. Il ne lui reste plus rien, il faut repartir à zéro.

Beauvoir apprend alors qu'il existe d'énormes camps où les prisonniers vont selon toute vraisemblance rester bloqués pendant des années. « Je ne crois pas pouvoir jamais tomber plus bas que pendant ce retour dans les rues vides... pensant que Sartre était littéralement en train de mourir de faim. »

Elle s'apercevait que son amour entêté pour lui faisait d'elle une femme comme toutes les autres, rivées à un seul espoir : le retour de leur prisonnier. Elle les entendait autour d'elle, dans les cafés, dans la rue, dans le métro. Il s'agissait de « lui », il était revenu, il allait revenir, quand reviendrait-il ? Il fallait attendre. Il écrirait.

Beauvoir a retrouvé « le pays natal », le carrefour Vavin, après trois semaines de fuite dans une sorte de néant collectif, humiliant, terrifiant. La voilà dans un Montparnasse étrange, où une faune inconnue, des soldats en uniformes gris ou verts, semble s'être acclimatée. Elle leur trouve des airs de touristes, « je les regarde et ne sens rien », note-t-elle étonnée dans son journal. Elle s'est installée dans l'appartement vide de sa grand-mère, dans la chambre où dix ans plus tôt elle avait orgueilleusement découvert l'indépendance. Elle ne peut s'empêcher d'espérer de toutes ses forces un « après », « la preuve, dit-elle, c'est que j'ai acheté ce carnet, de l'encre et que je viens de noter l'histoire de ces derniers jours ». En attendant, elle fait ce qu'elle a toujours fait pour vaincre son angoisse, elle couvre, à pied, des kilomètres autour de Paris.

Olga put venir la voir et passa quelques jours avec elle dans l'appartement trop vide et sans voisins. Bianca fit une apparition et repartit aussitôt. Les pancartes « interdit aux Juifs » s'étaient multipliées dans les vitrines des magasins. Étrangers et Juifs étaient débauchés dans un grand nombre d'usines. Le père de Bianca avait confié ses affaires à un ami aryen et se préparait à se cacher. Bianca était en danger de mort. Devant sa détresse, Simone de Beauvoir éprouvait un malaise « qui ressemblait à du remords ». Elle se souvenait d'avoir dit, quelques années plus tôt, dans un bel élan d'humanisme et d'idéalisme : « Les Juifs, ça n'existe pas, il n'y a que des hommes ! »

Le 10 juillet, la IIIe République est abolie. Vichy est désormais le siège du gouvernement. Le 14 juillet, en présence du Maréchal, quelques soldats défilent devant le monument aux Morts. A la même heure, à Londres, quelques soldats français, décidés à continuer la lutte contre les nazis, défilaient sous les acclamations des Anglais. La France était désormais divisée en deux zones et plus rien n'était simple pour personne. La France accueillante aux proscrits, la France de la liberté devenait de jour en jour méconnaissable. On demandait à tous les fonctionnaires de signer une déclaration affirmant qu'ils n'étaient ni juifs ni francs-maçons. Beauvoir eut un moment de rage impuissante et signa. Enfin, une lettre de Sartre arriva avec un cachet de la poste et un cachet du Gouvernement de Paris.

« Mon amour,
« Je suis prisonnier et pas du tout malheureux. J'espère être rentré avant la fin du mois. »

Il était dans un camp à Baccarat. Il n'y avait eu qu'un mois de silence et d'angoisse, Sartre était vivant, il avait pu écrire, Beauvoir était parmi les privilégiés, elle n'avait perdu personne.

D'autres lettres de Sartre lui parvenaient. Elles étaient courageuses. Il écrivait « ... en somme ma captivité se borne à faire du camping ». Il espérait sa libération prochaine : « Mon doux petit, tant que nous serons tous deux nous pourrons vivre. » Il racontait : « J'ai commencé à écrire un traité de métaphysique : *l'Être et le Néant.* »

Beauvoir lui écrivait tous les jours. Sartre lui envoya une lettre-fleuve, il venait de recevoir sept lettres d'elle d'un seul coup : « Je suis si heureux de penser que vous êtes en sécurité. » Il lui affirmait qu'il avait subi les événements « avec le plus vif intérêt », la débâcle avait duré dix jours, il avait noté ce qu'il avait vu, entendu. Il continuait à tenir ses carnets, il écrivait *les Chemins de la liberté.* Il savait qu'elle pouvait le trouver admirable, il s'en défendait : « Je ne suis ni stoïque, ni authentique mais verrouillé, cadenassé comme un malade de Freud, sans effort aucun. » Il lui demandait deux paquets : un paquet de « mangeaille » et un paquet de livres. Il terminait sa lettre en disant à Beauvoir : « vous êtes toute ma vie » et en lui recommandant de ne dire ni à Wanda ni à Olga qu'il lui écrivait tous les jours.

Sartre misait sur l'avenir, il serait prêt. Les événements ne lui avaient dérobé ni une page ni une observation. En prise sur le monde, porté et non anéanti par les contingences, Sartre donnait à Beauvoir l'exemple de la liberté. Écrire, dira Beauvoir, était devenu un acte de foi. Tous les matins et tous les soirs, installée au Dôme, elle travaille.

Beauvoir avait mûri le projet d'aller voir Sartre, il la découragea : « Il est possible que nous partions d'ici », et pour lui redonner de l'espoir il lui dit : « Sûrement vous me verrez un jour apparaître derrière la statue de Balzac*. » Le 26 octobre, il lui écrit :

« Mon amour, c'est notre onzième anniversaire, je me sens tout près de vous. » Et il la gronde un peu : « Mon amour, il ne faut plus rêver que je ne vous aime plus... Jamais je ne vous ai tant aimée... Mon doux petit ayez confiance et patience. » Il lui racontait la vie dans le stalag d'où, dit-il, il avait une vue superbe. « Nous couchons à quinze sur le parquet et vivons principalement dans la position couchée. » Tous les matins il faisait de la gymnastique, il avait réussi à devenir interprète à l'infirmerie car il parlait l'allemand couramment. Il s'était chargé d'organiser une université populaire au camp et donnait des cours à un public « presque exclusivement composé de curés... je ne renonce pas aux disciples », écrivait-il pour faire sourire son cher Castor. Mais surtout, Sartre s'était mis à écrire des pièces pour distraire les prisonniers, quinze cents spectateurs lui avaient fait un succès, alors il s'engage à fond, et écrit *Bariona* qui compte soixante personnages joués en masques. « Sachez que j'écris ma première pièce sérieuse et que je m'y donne de toute ma personne... j'ai certainement du talent comme auteur dramatique, j'ai fait une scène d'ange annonçant aux bergers la naissance du Christ qui leur a coupé le souffle à tous. Dites-le à Dullin. »

Il disait qu'il avait trouvé « une forme d'art théâtral toute neuve ». Il allait de l'avant mais rassurait Beauvoir : « N'allez pas imaginer que je vive quoi que ce soit qui me sépare de vous et qui vous donne plus tard un retard à rattraper. »

Il demeurait fidèle à son compagnon de route : « Vous verrez comme ça sera passionnant pour *nous* quand je reviendrai... et toute cette vie intéressante que je mène ici, c'est avec vous que je la mène. Nous ne sommes pas séparés. »

Et perdue dans le texte, une petite phrase en dit long sur ses intentions : « ... J'attends... résolu, si le ciel ne m'aide pas, à m'aider moi-même. »

A Paris, la disette augmentait, Beauvoir mangeait dans de petits restaurants où on la connaissait bien. Les topinambours et les rutabagas oubliés depuis la guerre de 14-18 avaient reparu. En automne 1940, le rationnement commença à peser sur la population. Pain : 250 g par jour ; viande : 180 g

---

* La statue de Balzac par Rodin est au carrefour Vavin.

par semaine; matières grasses : 15 g par jour; fromage : 40 g par semaine; sucre : 500 g par mois.

Le marché noir, les fraudes devenaient nécessaires à la survie. Un repas servi sans ticket de rationnement coûtait 100 francs pour un plat de viande et un fromage. Le salaire moyen était de 1 000 francs par mois. Le tissu, les vêtements, le linge, tout vint à manquer. Le marché noir s'organisait et s'étendait. L'hiver 40-41 fut l'un des plus froids du siècle et les combustibles manquaient. Pour se protéger, les femmes se mirent à porter des pantalons; pantalon de ski, pantalon du mari refait, pantalon confectionné dans un vieux vêtement. Le préfet de Paris choisit ce temps de misère pour interdire le port du « vêtement masculin » aux femmes! Simone de Beauvoir s'en souviendra.

Elle rejetait en bloc le régime de Vichy. Au lycée, il fallait qu'on « pense bien ». L'enseignement moral, l'enseignement du civisme et Dieu, le grand absent de l'école laïque, étaient remis au programme. C'était l'ambiance du cours Désir. Tout ce que Beauvoir avait rejeté depuis son adolescence lui était imposé, mais elle continuait à parler de Hegel à ses élèves.

Son avenir d'écrivain paraissait compromis. Elle alla voir à la N.R.F. Brice Parrain qui ne la rassura pas. Toute la « rive gauche » s'était installée dans le Midi. Elle ne pourrait publier son roman qu'avec l'assentiment de la censure.

Elle se réfugia à la Bibliothèque nationale et se plongea dans la lecture de Hegel, « sa richesse m'éblouissait ». Sa soif de connaître l'aidait encore une fois. Mais les spéculations de Hegel ne résistaient pas à ce que la vie quotidienne lui imposait de colères, d'angoisses, et c'est à Kierkegaard qu'elle revint avec passion. Elle se retrouvait telle qu'elle était quand, étudiante, elle hésitait entre la philosophie et la littérature et se posait des questions à l'infini sur Spinoza ou Dostoïevski. « Intellectuellement il n'y avait rien que de banal dans cette confrontation de l'univers et de l'individu : mais pour moi, ce fut une expérience aussi originale, aussi concrète que la révélation de la conscience d'autrui. » Elle accomplissait un trajet qui l'amenait à constater qu'elle était liée à ses contemporains et ne pouvait plus considérer sa propre vie avec détachement en s'abolissant au profit de l'universel. Heidegger, dit-elle, l'a convaincue qu'en chaque être s'accomplit et s'exprime la réalité humaine.

Elle traversait sa nuit et débouchait, comme Sartre, au même carrefour des chemins de la liberté. Elle découvrait la responsabilité, la solidarité, elle voyait que, « dans cette France occupée, il suffisait de respirer pour consentir à l'oppression ; le suicide même ne m'en aurait pas délivrée, il eût consacré ma défaite : mon salut se confondait avec celui du pays entier ». Désormais elle est prête pour l'engagement.

Le Sang des autres

« Quand vous recevrez ce mot, prenez soin de rester en contact avec l'hôtel du Danemark car j'y téléphonerai dès l'arrivée pour vous donner rendez-vous. » Sartre allait être libéré. Un soir de mars 1941, en rentrant, Beauvoir trouva un mot de lui : « Je suis au café des Trois Mousquetaires. » Le plus dur était fini.

Elle court tout le long de la rue Delambre et de la rue de la Gaîté, elle entre dans le café. Personne. Un garçon lui donne un papier griffonné. Sartre avait attendu deux heures, il était parti marcher pour calmer ses nerfs, il allait revenir, il revint. Sa captivité avait duré de juin 1940 à mars 1941.

Paris étonna Sartre. Au camp, il s'était juré de ne pas plier. Il trouvait qu'à Paris il y avait trop de compromissions. Pourquoi Beauvoir avait-elle accepté de signer qu'elle n'était ni juive ni franc-maçonne ? Pourquoi acheter quoi que ce soit au marché noir ? Il avait hâte d'agir. Il se mit en rapport avec des camarades qui appartenaient à des mouvements de résistance. Simone de Beauvoir s'était installée à l'hôtel Mistral où elle avait déménagé ses quelques affaires sur une charrette à bras qu'elle avait poussée elle-même à travers les rues. C'est là qu'eut lieu la première réunion du groupe Socialisme et Liberté, un programme en même temps qu'un nom. Il y avait Jacques-Laurent Bost, Jean Pouillon, Cuzin, Jean-Toussaint Desanti, Maurice Merleau-Ponty. Il s'agissait de recruter des adhérents, de recueillir des renseignements, de diffuser des tracts, de se mettre en liaison avec d'autres résistants. Ils rencontraient Jean Cavaillès à la Closerie des Lilas et se réunissaient dans les turnes de l'École normale supérieure et dans des chambres d'hôtels. Dans le premier numéro de leur bulletin, ils proclamaient que si l'Allemagne gagnait la guerre, leur tâche serait de lui faire perdre la paix.

Les nouvelles étaient sinistres, la défaite finale semblait possible en 1941. En Afrique du Nord, en Grèce, les Allemands et les Italiens avançaient sur tous les fronts. L'Angleterre n'avait plus de base en Europe. En juin, Hitler attaqua la Russie et remporta victoire sur victoire : Kiev fut prise, Leningrad investie. Les nazis étaient maîtres de l'Europe, de la Norvège à la Méditerranée. Les Italiens étaient en Somalie, en Libye. Les Japonais avaient débarqué en Chine. Une grande partie de l'opinion ne voyait aucun moyen d'échapper à la puissance allemande et pensait que la collaboration était la seule sagesse. C'est alors que le V, symbole de la victoire anglaise, apparut sur les murs de Paris, dans les couloirs du métro, ainsi que la croix de Lorraine, l'emblème gaulliste.

Dès l'été, Beauvoir et Sartre se mirent en route pour prendre contact avec des écrivains repliés dans la zone libre afin d'obtenir leur caution pour Socialisme et Liberté. Nathalie Sorokine, une jeune Russe apatride, élève de Beauvoir au lycée Molière, leur procura des bicyclettes par des moyens peu conventionnels. Des amis leur avaient donné l'adresse d'un café d'où un passeur leur ferait traverser la ligne de démarcation. Le passeur avait été arrêté, c'est une femme qui le remplaçait, elle emmena son groupe en pleine nuit par des chemins détournés, à travers des bois, des prés.

Le lendemain matin, ils étaient en zone libre. En attendant les bicyclettes qui arrivaient par le train, ils se jetèrent sur les journaux mais furent déçus, rien ne les distinguait des journaux de Paris. Dès qu'ils eurent leurs vélos, ils allèrent à Bourg, où Sartre se fit démobiliser. A Lyon, ils eurent l'illusion de la liberté : on projetait des films américains, ils s'y précipitèrent. A Paris, il n'y avait que des films de propagande allemande. Pédalant en compagnie de Sartre, Beauvoir était heureuse. « J'avais tellement eu peur de tout perdre : sa présence et tous les bonheurs. » Elle n'avait plus cette âpreté qui lui faisait prendre les joies, les plaisirs, le bonheur comme un dû, comme un bien dont on s'emparait à force de volonté et de travail. Elle avait mesuré son impuissance relative et le pouvoir des autres. Elle s'étonna de son détachement quand un pneu en crevant interrompit leur randonnée. « Autrefois l'idée que ce voyage pût se terminer brutalement sans mon aveu m'aurait remplie de rage. » Ils avalaient des kilomètres, s'arrêtaient chez des gens dont des amis résistants leur avaient donné l'adresse, et le soir montaient leur tente et dormaient dans les champs ou les bois. Ils pédalèrent jusqu'à Grasse pour voir André Gide qui s'y était installé à l'hôtel. Il reçut Sartre, l'écouta en changeant de place sans arrêt pour éviter qu'on entendît leur conversation mais ne s'intéressa pas à son projet. Ils reprirent leurs bicyclettes pour aller voir Malraux au Cap-Martin. Sartre fut reçu dans la somptueuse villa La Souco où vivaient Malraux et Josette Clotis. Ils déjeunèrent d'un poulet à l'américaine servi par un maître d'hôtel. Malraux dit à Sartre qu'il ne voyait pas l'utilité pratique d'un engagement intellectuel. Pour lui on se battait ou on se taisait.

Ils prirent la route en direction de Grenoble où s'était repliée Colette Audry. Ils voulaient lui parler de Socialisme et Liberté. La route était étroite et sinueuse. Pour éviter des cyclistes, Beauvoir fit une chute et perdit connaissance. Sartre la ranima et ils atteignirent tant bien que mal la porte de Colette Audry. Beauvoir avait le visage écorché et très tuméfié, elle avait perdu une dent. Le lendemain, elle remonta sur sa bicyclette et put méditer sur la nature masculine : des hommes qui la croisaient éclataient de rire, un cycliste lui cria : « Et tu l'attends après ce qu'il t'a fait ! »

Près de Chalon, un passeur leur fit traverser la ligne de démarcation en plein après-midi. Il fallut passer par les bois, se glisser sous des fils de fer barbelés. Une vingtaine de personnes à bicyclette passèrent en même temps. Beauvoir et Sartre continuèrent vers Angers pour quelques jours de vacances chez Mme Morel avant la rentrée des classes. Ils avaient fait plus de deux mille kilomètres.

A Paris, le climat politique s'était assombri. Des affiches rouges ou jaunes en grand nombre se succédaient sur les murs, annonçant l'exécution de Français. Les Allemands avaient décrété que toute personne convaincue de propagande communiste serait fusillée. Un tribunal spécial jugeait les individus accusés d'activités antiallemandes. Il y avait des sabotages, des attentats contre les occupants et chaque fois les Allemands exécutaient des otages. Socialisme et Liberté était trop faible, trop isolé pour organiser une action efficace. L'équipe se défit petit à petit. Sartre tenta de prendre contact avec les communistes pour établir un front commun, mais il fut rejeté. Les communistes ne voulaient pas de lui, certains disaient que sa libération prouvait qu'il était un agent provocateur*. La littérature restait la seule forme de résis-

---

* Pierre Drieu La Rochelle, en contrepartie de son soutien à la politique de collaboration à la N.R.F., demandait qu'un certain nombre d'écrivains prisonniers en Allemagne fussent libérés. Parmi eux figurait Jean-Paul Sartre. In Herbert L. Lottman, *la Rive gauche*, Paris, 1981, Le Seuil, p. 311.

tance possible, c'est ce qu'avait toujours pensé Simone de Beauvoir. Elle commença son deuxième roman, *le Sang des autres*. Elle y racontait l'Occupation et la Résistance mais ne comptait pas le voir publié avant la victoire à laquelle elle s'efforçait de croire.

Elle était persuadée que l'écrivain se devait d'agir par ses œuvres. Elle n'a cessé de répéter : « Je suis un écrivain, une femme dont toute la vie est dominée par l'écriture. » « Écrire est demeuré la grande affaire de ma vie. » L'occupation déprimait tout le monde mais Beauvoir gardait intacte sa foi dans les mots, dans la littérature.

Le 8 juillet 1941, Georges de Beauvoir mourut. Sous-alimenté, accablé par la défaite, révolté par l'Occupation, il se laissa couler dans la mort, ayant perdu tout désir de vivre dans un monde qui n'était plus le sien. Il demanda qu'on lui épargnât la visite du prêtre et mourut détaché et méprisant, sa fille assise à son chevet. « Ce départ vers nulle part » laissa Beauvoir admirative, son père était retourné si paisiblement au néant. A Simone qui le veilla jusqu'au bout, il dit : « Toi, tu as gagné ta vie de bonne heure, ta sœur m'a coûté cher. » Il ne laissait pas un sou. Françoise de Beauvoir dut gagner sa vie. Elle trouva un travail à la Croix-Rouge. On lui dénicha une bicyclette et avec l'aide de Simone, elle put survivre.

Puisque la vie matérielle présentait les plus grandes difficultés, c'est à les vaincre que Beauvoir allait s'acharner, et dans ce défi, elle trouverait une distraction à ses idées les plus noires.

Elle n'aimait pas les tâches ménagères, elle allait leur appliquer son procédé familier : en faire une manie, un défi, un combat dont elle se devait de sortir victorieuse. A l'hôtel Mistral elle avait une chambre avec cuisine et s'improvisa cuisinière. Il fallait trouver des denrées en vente libre, rutabagas ou choux. Elle vivait ce qu'elle avait inventé comme un jeu quand elle était petite : « au sein de la pénurie, l'organisation d'une rigoureuse économie ». La pauvreté vécue au 71, rue de Rennes lui revint en mémoire et, avec le souvenir du courage passé, un surcroît de courage pour faire face au présent. La pauvreté était le lot de la plupart des gens, et à présent n'était pas humiliante. Elle faisait des kilomètres pour amasser des provisions. Paradoxalement, c'est pendant la guerre qu'elle découvrit la joie de sentir un pot-au-feu qui mijotait pendant qu'elle écrivait. « Je ne partageais pas la condition des femmes d'intérieur, mais j'avais un aperçu de leurs joies. Cependant, je ne touchais pas plus qu'autrefois au sérieux de l'existence. »

La mort de son père lui donna droit à des bons de tissu qui lui permirent de se faire une robe et un manteau. Mais à cause du froid elle avait adopté, sauf pour aller au lycée, le pantalon de ski. Les souliers à semelles de bois avaient remplacé le cuir introuvable. Il y avait de moins en moins de chauffage, Beauvoir prit l'habitude de s'installer au Flore pour y travailler. Elle y arrivait souvent à l'heure de l'ouverture et s'asseyait à côté du tuyau de poêle. D'autres venaient comme elle chercher au Flore un peu de chaleur. Thierry Maulnier, Dominique Aury, Jacques Audiberti, Arthur Adamov, Mouloudji. La plupart des clients étaient hostiles à la collaboration, au fascisme, certains participaient à la résistance active, d'autres non. Des journalistes collaborateurs fréquentaient aussi le café. Alfred Fabre-Luce racontait : « Sur les petites tables de marbre on voyait, au lieu de consommations, des encriers. Ils travaillaient là, entre le téléphone et les lavabos, dans des courants d'air et des odeurs douteuses. »

Quand Beauvoir se fut installée à demeure au premier étage, on l'imita et cet étage ressembla bientôt à une vraie salle d'études. Les nouvelles y circulaient, ceux qui avaient entendu Radio-Londres en faisaient part. C'était un lieu privilégié pour prendre le pouls des événements et des notes pour *le Sang des autres.*

La collaboration avec l'occupant indignait Beauvoir. Elle éprouva une désagréable surprise quand, chez Dullin qui écoutait en silence, Simone Jolivet déclara qu'il fallait vivre avec son temps et que le nazisme avait triomphé. C'était le premier discours en faveur de la collaboration qu'elle entendait chez des amis. Elle fut bouleversée de lire dans *Je suis partout,* qui reparut, un réquisitoire contre tous les hommes politiques de la IIIe République, tous les Juifs, tous les communistes, tous les écrivains qui, en zone libre, tentaient de maintenir leur dignité d'homme.

Son petit groupe d'amis se limitait à Olga, Gégé, Dullin. Bost rentra à Paris dès que ses blessures le lui permirent. Olga, gravement atteinte de tuberculose, dut partir dans un sanatorium, Bost l'épousa. Il pouvait ainsi faire des séjours auprès d'elle. Il y avait aussi l'irrépressible Nathalie.

Au lycée Molière, à Passy, la meilleure élève de Beauvoir

était Nathalie Sorokine. Ses parents avaient fui la révolution russe et s'étaient réfugiés en France. Nathalie l'avait amusée tout de suite par son agressivité. Elle posait sans cesse des questions et montrait une grande exigence intellectuelle. Elle aurait voulu poursuivre ses études de philosophie mais, n'étant pas française, l'enseignement lui était fermé. Son père voulait qu'elle devînt ingénieur-chimiste, Nathalie ne s'y résignait pas.

Encore plus qu'Olga, Nathalie se sentait en exil dans le monde où elle avait grandi. Le seul pays qu'elle connût n'était pas le sien. Sans patrie, elle n'avait ni la sécurité ni les privilèges qui pour les citoyens français vont de soi. Par besoin de compensation, elle se plaçait non en dehors mais au-dessus de tout.

Aux cours, elle interrompait, contestait, répliquait. Habituée à se défendre contre la cruauté facile de ceux qui l'humiliaient en lui rappelant qu'elle était sans nationalité, elle s'était créé une défense en pratiquant l'ironie. Même son allure trahissait un besoin d'affirmer sa différence. Vêtue de jupes trop longues, chaussée de gros souliers, Nathalie étonnait Beauvoir qui aimait sa rigueur intellectuelle et sa vision baroque du monde. Acceptée et comprise, Nathalie s'attacha à ce professeur aussi différent du reste du corps enseignant qu'elle l'était des autres élèves. Elle l'attendait à la sortie du lycée ou à la porte de son hôtel, et l'accompagnait en lui racontant ses aventures. Elle avait une riche imagination et un sens aigu du pittoresque. Qu'elle dît la vérité ou qu'elle inventât l'histoire de sa vie importait peu, elle amusait Beauvoir à demi incrédule.

Nathalie se vantait d'avoir dévalisé des magasins avec une copine quand elle avait quatorze ans, elle décrivait la pauvreté et la brutalité de ses parents, elle parlait des études de chimie que son père l'avait forcée à entreprendre et qu'elle faisait en furie, cassant toutes les éprouvettes. Beauvoir, qui avait été si mal dans sa peau pendant son adolescence, ne pouvait que sympathiser avec cette adolescente en marge de tout. Nathalie semblait perdue par moments, et la désarmait par ses larmes. Elle lui consacra de plus en plus de temps et Nathalie en réclama encore davantage.

De Brumath, Sartre avait commenté dans une lettre l'amour envahissant de Nathalie : « Pour Sorokine, je trouve comme vous son instabilité assez agaçante mais vous devez considérer qu'il y a des tas de gestes tendres qu'un homme, même bien né, peut se permettre dans un dancing avec une femme et qu'une femme avec une femme doit s'interdire. Ça doit faire un peu agaçant pour elle. N'empêche qu'elle vous aime à la hussarde, cette histoire me fait rire, mon cher petit. Que vous êtes donc gentille et plaisante au milieu de tout ça, petite trop aimée. Pas trop pour vos mérites, bien sûr, mais pour ce que vous en voudriez. »

Quand Sartre avait vu l'approche de la débâcle, il avait adjuré Beauvoir de ne pas attendre à Paris l'invasion allemande et c'est pour la petite apatride qu'il s'était senti particulièrement inquiet parce qu'elle était plus en danger que les autres. Il avait écrit au Castor :

« Vous savez, mon cher petit, si c'est pratiquement possible, il faut absolument que vous emmeniez Sorokine avec vous en cas d'évacuation. Tant pis pour la malédiction de la mère. Je ne songe pas du tout à l'affection qu'elle vous porte, mais vous pouvez faire tant en l'emmenant ; vous la sauvez de la pagaye d'une évacuation forcée, du manque total d'argent et puis elle sera avec vous et sinon elle resterait peut-être des mois sans pouvoir donner ni recevoir des nouvelles. Prenez-la avec vous et si ça nous coûte un peu de sous, tant pis, que voulez-vous. Et puis, surtout, nous sommes des privilégiés et ça fera la seule aide concrète que je comprenne et admette : l'aide complète à un individu. »

Possessive et jalouse, Nathalie n'aimait pas Sartre, ce personnage omniprésent à qui Simone écrivait tous les jours. Mais il était loin, quand il reviendrait, on verrait.

Nathalie mit en rapport le sculpteur Giacometti et Beauvoir, et permit ainsi la naissance d'une nouvelle amitié. Giacometti avait remarqué au Dôme cette grande fille blonde aux allures de Walkyrie, il lui avait parlé, elle l'avait séduit par son non-conformisme et sa vivacité. Il l'invitait à dîner au Dôme, parfois avec Picasso, parfois avec d'autres personnages aussi fascinants. Nathalie les trouvait tous superficiels et mal informés des théories philosophiques. Elle s'échappait aussitôt le repas fini. Comme elle avait un appétit de jeune géante et que les restaurants universitaires la laissaient affamée, Giacometti avait trouvé un moyen pour la retenir à table. A peine le dîner fini, il en commandait aussitôt un second que Nathalie dévorait avec allégresse. Elle l'amusait tellement qu'il lui permettait de se servir de la cour de son atelier pour repeindre des bicyclettes qu'elle semblait trouver comme par magie. C'était le seul moyen de transport pour la plupart des Parisiens depuis que l'essence avait été réquisitionnée. Après avoir donné une bicyclette mal acquise à Beauvoir, Nathalie en offrit une à Sartre à son retour à Paris. Elle en offrait à tous ses amis.

Nathalie s'intégra à « la famille », elle écrivit une parodie de la vie de la petite bande : *la Famille Sarbacane**. Un ancien élève de Sartre, Bourla, un jeune Juif, tomba amoureux d'elle, elle vécut avec lui jusqu'à son arrestation. Dans *les Mandarins*, Beauvoir s'inspirera de cet épisode et peindra Nathalie sous le nom de Nadine. *Le Sang des autres* lui est dédié.

La mère de Nathalie, mécontente de la vie que menait sa fille et attribuant sa conduite à l'influence de Beauvoir, accusa celle-ci de détournement de mineure. L'accusation était grave. Après douze ans d'enseignement, Beauvoir fut exclue de l'Université. Elle ne pouvait plus enseigner nulle part et elle n'avait plus de traitement.

En 1943, Beauvoir connaissait beaucoup de monde. Le scénario de Sartre, *Les jeux sont faits*, venait d'être accepté par le metteur en scène Delannoy, et Delange, un journaliste influent dans le milieu du cinéma, lui dit qu'il pouvait arranger, pour elle, un contrat à la Radio nationale : un sketch radiophonique par mois, un texte d'une heure payé 2 000 francs. Voilà douze ans qu'ils faisaient bourse commune et Sartre dit au Castor : « Enfin le scénario est pris, n'ayez crainte : vous n'aurez besoin d'aucun travail l'an prochain, nous vivrons pénardement. » Sartre signa un contrat avec Pathé pour une série de scénarios. L'argent commençait à affluer. Il écrivit à Beauvoir : « Vraiment nous pourrons dire merde à l'Alma Mater. » Gallimard publia *les Mouches* en avril, Sartre écrivit des articles pour *les Lettres françaises* qui paraissaient clandestinement. Il fit paraître un fragment de son roman, *l'Age de raison*, *l'Être et le Néant*, dédié au Castor, sortit chez Gallimard en juin. La bande publicitaire qui entourait le livre portait cette formule de Sartre : « Ce qui compte dans un vase, c'est le vide du milieu. » Cet ouvrage monumental passa presque inaperçu, les médias ne faisaient pas la part belle à la philosophie, seules des revues marginales comme *Confluences* ou *Fontaine* accueillirent favorablement le livre.

---

* Inédit.

En juin, Charles Dullin monta *les Mouches* au théâtre Sarah Bernhardt, rebaptisé Théâtre de la Cité, car Sarah était juive. La pièce fut jouée vingt-cinq fois, Charles Dullin y tenait le rôle de Jupiter et Olga, devenue Olga Dominique, jouait Électre. Beauvoir suivit toutes les répétitions. Pour son lancement Sartre avait donné une interview dans *Comœdia* et Dullin dans *la Gerbe*, un journal de la collaboration. Dans l'ensemble, la critique jugea avec dureté l'œuvre de Jean-Paul Sartre et personne ne parla du sens politique de la pièce. Au Flore, on ne se trompa pas sur le sens profond des *Mouches*. Ce fut cependant un demi-échec. Sartre s'était fait de solides amitiés en devenant membre du C.N.E., le Comité national des écrivains. C'était une académie clandestine qui rassemblait les plus prestigieux hommes de lettres d'affiliation communiste comme Aragon, ou non communiste comme Mauriac, le père Bruckberger et Paulhan. Beauvoir eut la caution de ce comité pour publier son premier roman, *l'Invitée*, qui parut en août. Le livre fut un succès de librairie. La presse clandestine et la presse collaboratrice l'accueillirent avec chaleur. Du jour au lendemain, Beauvoir était célèbre. Dans cette période de pénurie de papier où les éditeurs faisaient de petits tirages, *l'Invitée* tira à vingt-deux mille exemplaires. On parlait d'elle pour le prix Goncourt. Le C.N.E. lui fit savoir qu'elle pourrait l'accepter à condition de ne donner aucune interview.

« La nouvelle romancière », « l'espoir de la littérature française », enfourcha sa bicyclette et suivie de Sartre partit à la Pouèze passer quelques jours chez Mme Morel. Au retour, elle s'installa dans un meilleur hôtel, l'hôtel de la Louisiane, qu'elle contribuera à rendre célèbre. Quelques années plus tard, Gréco et Anne-Marie Cazalis demanderont à s'installer dans la chambre 50 qu'avait occupée Simone de Beauvoir. C'était une pièce en arrondi d'où elle voyait le ciel, un vaste parterre de toits : « Jamais aucun de mes abris ne s'était tant approché de mes rêves ; j'envisageais d'y rester jusqu'à la fin de mes jours. » Sartre logeait dans une chambre au bout du couloir quand il n'était pas à Montmartre avec Wanda qui jouait au théâtre Lancry. Nathalie et Bourla prirent une chambre à l'étage au-dessous.

La parution de *l'Invitée* marqua un tournant dans la vie de Simone de Beauvoir. Elle existait enfin en tant qu'écrivain. Les Leiris l'invitèrent, elle fit la connaissance de Raymond Queneau et d'Albert Camus. « Tout le bonheur auquel j'avais cru renoncer refleurissait ; il me semblait même qu'il n'avait jamais été si luxuriant. » Il fallait bien se résigner à se ranger du côté des importants, lui écrivait Sartre.

Albert Camus recrutait des adhérents pour *Combat* qui, avant de devenir un journal clandestin, fut un mouvement de résistance fondé au début de 1942. Il s'était donné pour tâche de trouver des renseignements sur les forces allemandes d'occupation, saboter leurs installations et abattre l'ennemi par les armes. La secrétaire de rédaction de *Combat*, Jacqueline Bernard, qui faisait le lien entre les équipes du journal, raconta à Herbert Lottman, le biographe d'Albert Camus, qu'à la fin de l'été 1943, Camus amena à leur réunion un couple de volontaires. Chacun usait d'un pseudonyme, ce n'est qu'en allant voir *Huis clos* qu'elle découvrit que Castor et Miro étaient Sartre et Beauvoir. Alors qu'ils participaient à ces réunions clandestines un tract anonyme circulait dans Paris traitant les écrivains existentialistes de « pseudo-résistants ».

Les fiestas

L'année 1944 apporta encore plus de raisons de croire au bonheur futur. « Nous attendions la défaite de Hitler avec une jubilation fiévreuse. » En janvier, Beauvoir partit avec Bost faire du ski à Morzine. Dès son retour les Leiris l'invitèrent à participer chez eux, le 19 mars, à une soirée qui devait commencer par la lecture du *Désir attrapé par la queue*, une pièce de Picasso. En janvier 1941, Picasso, qui avait trop froid pour peindre, s'était mis à écrire sur un cahier d'écolier. A la première page, il se dessina en train d'écrire emmitouflé. Sur la deuxième page, il fit la liste des personnages : le Gros-Pied, l'Oignon, la Tarte, la Cousine, le Bout Rond, les deux Toutous, le Silence, l'Angoisse Grasse, l'Angoisse Maigre, les Rideaux. C'était une farce surréaliste en six actes qui se passait dans le Sordid's Hotel. Les indications scéniques montrent combien cette pièce était difficile à mettre en scène. A l'acte II : « Un couloir dans le Sordid's Hotel. Les deux pieds de chaque convive sont devant la porte de leur chambre se tordant de douleur. » A l'acte VI, « dans l'égout-chambre à coucher-cuisine et salle de bains de la villa des Angoisses », il y avait une baignoire pleine de mousse de savon dans laquelle Oignon, Gros-Pied et le Bout Rond faisaient la cour à la Tarte et à la Cousine. Cette pièce avait été publiée par Marc Barbezat dans sa luxueuse revue *l'Arbalète* qu'il imprimait lui-même à Lyon sur une presse à bras. Sa femme, Olga la brune, étudiante chez Dullin, était une amie de Simone de Beauvoir, et d'Olga.

La représentation du *Désir attrapé par la queue* eut lieu dans l'appartement des Leiris, quai des Grands-Augustins, les fenêtres donnaient sur la Seine, les murs étaient couverts de chefs-d'œuvre de la peinture moderne : des Juan Gris, des Picasso. Zette Leiris était la belle-sœur de Kahnweiller qui avait sous contrat Picasso et la plupart des grands peintres contemporains. Camus était le metteur en scène et l'annonceur. A chaque changement de tableau, il apparaissait et frappait trois coups avec une grosse canne. Sartre jouait le Bout Rond ; Leiris le Gros-Pied ; Dora Marr, la compagne de Picasso, l'Angoisse Grasse ; Zanie Campan, la seule actrice de la troupe, jouait la Tarte et Simone de Beauvoir la Cousine. Parmi les spectateurs réunis dans le grand salon des Leiris il y avait Georges Braque, Jean-Louis Barrault et Madeleine Renaud, Armand Salacrou, Georges Bataille, Jacques Lacan et sa femme l'actrice de cinéma Sylvia Bataille, Georges Limbour. C'était l'élite de l'avant-garde.

Cette longue nuit de fête au milieu d'un Paris occupé, où le couvre-feu plongeait dans le silence et l'obscurité les rues désertes, enchanta tout le monde. Il fut décidé qu'on ferait désormais des « fiestas » nocturnes qui seraient des intermèdes de joie pour répondre à l'inquiétude et à l'incertitude du présent. C'étaient des conduites magiques, une fièvre qui anticipait la victoire prochaine. Les fiestas avaient lieu soit chez Simone de Beauvoir à l'hôtel de la Louisiane, qui devenait un haut lieu de l'intelligentsia, soit chez Jacques-Laurent Bost à Taverny, soit chez les Bataille, cour de Rohan. Chacun des convives s'arrangeait pour qu'il y eût de quoi manger et boire, on mettait des disques, on dansait. Chacun faisait de son mieux pour animer la fête : blagues, pitreries, bouffonneries de toutes sortes. Sartre débordait d'entrain, on lui réclamait des chansons, des sketches. Bost se souvient d'un dîner dans la chambre de Beauvoir à l'hôtel de la Louisiane avec Camus, Zette et Michel Leiris et Picasso. Beauvoir avait couru partout pour trouver du ravitaillement et n'avait pu acheter que des haricots. Pendant toute la matinée Beauvoir, Bost et Nathalie trièrent les haricots pleins de charançons. Bost était le cuisinier de « la famille » quand il y avait des invités. En voyant sur la table la gigantesque bassine, Camus croula de rire : « On se croirait à la caserne. »

La nourriture était un problème majeur. Mme Morel envoyait quelques colis de la campagne. Ils arrivaient souvent avariés. Beauvoir faisait tremper la viande dans du vinaigre. Un jour, Sartre jeta par la fenêtre un lapin trop faisandé sous l'œil désespéré de Bost et de Beauvoir.

Le 5 juin, c'est dans le vaste appartement rue de la Tour-d'Auvergne où Dullin s'était installé avec Simone Jolivet que Beauvoir et Sartre organisèrent la plus mémorable des fiestas. Le lieu se prêtait à la fête : c'était là que Victor Hugo avait jadis logé Juliette Drouet. Un salon circulaire s'ouvrait largement sur un jardin plein de fleurs. Simone Jolivet avait laissé libre cours à son imagination, les rubans, les guirlandes couraient sur les murs, le buffet était miraculeux, vins et alcools coulaient avec une prodigalité digne du temps de paix.

Beauvoir et Sartre avaient amené les amis et « la famille » au grand complet, la N.R.F. était représentée par les directeurs de collection, les jeunes Gallimard étaient là, Camus était venu avec Maria Casarès, l'interprète de sa pièce *le Malentendu* qu'on répétait au théâtre des Mathurins. Elle impressionna Beauvoir par son étrange beauté, et sa robe de chez Rochas aux rayures violettes et mauves. Elle avait surpris tout Paris par son talent de tragédienne, c'était une républicaine espagnole en exil, son père avait été ministre avant la victoire de Franco.

La fiesta fut d'une gaieté exceptionnelle. Les hommes, les femmes réunis là débordaient d'ambition, de talent ; c'était le groupe de la relève de l'après-guerre et ils semblaient avoir choisi cette date que le hasard avait choisie pour eux. Cette nuit-là, exactement à la quatre-vingt-dixième minute après minuit, les parachutistes américains commencèrent à tomber du ciel sur les plages de Normandie. Le jour D venait de naître, c'était le Débarquement. Quand, au matin, la fiesta prit fin et que les invités se dispersèrent, Beauvoir, Bost et Olga partirent vers Montparnasse. En passant devant la gare, ils furent saisis, sur une affiche on lisait : « tous les départs sont annulés ». Le cœur battant, Beauvoir courut vers l'hôtel de la Louisiane ; des gens parlaient dans l'entrée, dans l'escalier, un cycliste avait jeté en passant la nouvelle : les Alliés avaient pris pied en Normandie où la bataille faisait rage.

Beauvoir et tous ceux qui avaient festoyé cette nuit-là éprouvèrent l'impression qu'ils avaient, par prémonition, célébré le tournant décisif de la guerre, la défaite de l'Allemagne était désormais certaine. C'était la fin pour l'armée d'occupation allemande. Les conséquences se firent sentir immédiatement. La surveillance de tous les mouvements clandestins s'intensifia.

Jacqueline Bernard, en se rendant à une réunion du groupe qui écrivait et diffusait le journal clandestin *Combat*, fut arrêtée par la Gestapo*. Les hommes et les femmes qui appartenaient au groupe étaient désormais en danger. Elle réussit à faire prévenir Albert Camus qui avertit aussitôt Janine Gallimard. Dès le lendemain, Camus, Michel et Pierre Gallimard quittèrent Paris sur leurs trois vélos, Janine Gallimard se juchant à tour de rôle sur le cadre de chacun. Avant de partir, Camus avait averti Sartre et Beauvoir qu'ils devaient également se mettre à l'abri. Ils trouvèrent un premier refuge chez les Leiris, puis partirent par le train en emportant leurs vélos et se réfugièrent à Neuilly-sous-Clermont, dans un petit appartement au-dessus d'une auberge-épicerie. Ils y restèrent trois semaines pendant que les événements se précipitaient. Incapables de demeurer quelques jours sans écrire, ils finirent par s'installer dans la salle commune de l'auberge avec leur papier et leurs stylos, au milieu des habitants qui jouaient aux cartes ou au billard. Leiris et Jacques-Laurent Bost leur rendaient tour à tour visite et apportaient des nouvelles qui n'étaient pas dans les journaux : l'attaque du maquis du Vercors par les Allemands, les massacres de paysans, la destruction des villages, les exécutions de résistants.

Soudain, le 11 août, la radio et les journaux annoncent que les Américains approchent de Chartres. Aussitôt Sartre et Beauvoir bouclent leurs valises, enfourchent leurs bicyclettes et pédalent fébrilement vers Paris. Le soir, une fusée rouge signale le passage d'un V1 et Beauvoir songe qu'il va s'abattre sur Londres, tuer des civils. La route est encombrée par les troupes allemandes en fuite sous la mitraille des avions anglais. Il reste les chemins détournés. Sartre et Beauvoir pédalent avec une seule idée : ne pas rater la libération de Paris, ne pas être coupés de Paris, être là, en être ! Ils attrapent un train à Chantilly, le train est mitraillé mais ils arrivent à Paris à temps et déménagent immédiatement de l'hôtel de la Louisiane à l'hôtel Welcome, rue de Seine.

Ils se retrouvèrent avec Albert Camus à la terrasse du Flore. Camus était lui aussi rentré à vélo avec les Gallimard. Il leur annonça que tous les chefs de la Résistance étaient d'accord :

---

* Elle fut déportée à Ravensbruck.

Paris devait se libérer lui-même, dès que les Alliés seraient jugés suffisamment près de la capitale.

Les Allemands commençaient à partir, on voyait passer des convois militaires. La vie devenait très difficile, il n'y avait plus de ravitaillement. On attendait, on se préparait. Le premier numéro public de *Combat* était composé. Camus et ses camarades du *Combat* clandestin allaient offrir aux Français un nouveau type de journal, dire à ceux qui avaient souffert de l'occupation ce qu'ils désiraient entendre ; combattants de la Résistance, combattants de la liberté, ils allaient tenter de transformer la nation. Camus et son équipe voulaient offrir une nouvelle morale, une nouvelle politique, un espoir.

Camus demanda à Sartre et à Beauvoir d'assurer le reportage des journées de la libération de Paris et d'écrire une série d'articles. Ils convinrent que Sartre les signerait seul, mais que Beauvoir ferait le reportage en même temps que lui.

Le plan des Alliés était de forcer les Allemands à évacuer la capitale ou à se rendre sans combattre dans la ville. La IIIe armée américaine encerclait Paris. Il était entendu que les soldats français qui combattaient aux côtés des Alliés seraient les premiers à entrer dans la capitale pour recevoir la reddition des forces allemandes. Les chefs de la Résistance avaient décidé de reprendre l'un après l'autre les bâtiments officiels, les édifices publics. Les Allemands disposaient encore de forces considérables dans Paris. La mobilisation de la Résistance obligea le général Eisenhower à précipiter les mouvements de l'armée du général Leclerc. Le 21 août, le Comité parisien de Libération appelait les Parisiens à intensifier la lutte : « Abattez des arbres, creusez des fossés antichars, dressez des barricades. C'est un peuple vainqueur qui recevra les Alliés. »

L'insurrection coûta la vie à près de mille cinq cents personnes dont cinq cent quatre-vingt-deux civils. Les édifices publics furent pris d'assaut, des francs-tireurs postés sur les toits, aux fenêtres, rendaient la traversée des rues presque impossible, il fallait attendre un ordre et courir aussi vite que possible avant que le tir ne reprenne.

Simone de Beauvoir réalisait son reportage en parcourant les rues. Par moments, les balles claquaient contre les murs ; les dernières nouvelles étaient jetées aux passants par des cyclistes qui sillonnaient la capitale. Sartre était presque en permanence à la Comédie-Française avec le Comité des gens de théâtre.

Beauvoir et lui voulurent rejoindre Camus. Ils arrivèrent

rue Réaumur, au quartier général de *Combat* dont l'entrée était gardée par des résistants armés de mitraillettes. Le premier numéro du journal fut daté du 21 août, mais pour marquer sa longue existence clandestine, *Combat* portait le numéro 59 de la quatrième année. La devise du journal était « De la Résistance à la Révolution ». Beauvoir, comme tous les camarades de Camus, pensait qu'une France nouvelle allait naître avec eux. Dans ses *Mémoires*, elle commente sa propre attitude : « S'adresser aux hommes, c'était notre rôle à nous qui écrivions... Nous devions assurer la relève. »

Dans leur commun reportage, « Un promeneur dans Paris insurgé », qui parut dans *Combat* les 28, 29, 30 et 31 août, les 1er, 2 et 4 septembre, on trouve l'exaltante joie de la Libération de Paris et on suit pas à pas l'écrivain qui se fait écho, qui se fait miroir, qui met en mots les jours les plus vibrants de son existence, sa joie décuplée par celle des autres.

A la fin du volume de *la Force de l'âge* qui relate ces années, Beauvoir dit : « Chaque livre me jeta désormais vers un livre nouveau, parce que le monde s'était dévoilé à moi comme débordant de tout ce que j'en pouvais éprouver, connaître et dire. » Aujourd'hui c'est l'immense bonheur collectif qui la comble, demain sa vie si riche d'idées et d'œuvres débordera jusqu'à ajouter quelque chose à d'autres vies, c'est ce qu'on appelle : la gloire.

Violette Leduc

A la porte d'un cinéma des Champs-Élysées, une amie présenta à Simone de Beauvoir une femme grande, maigre, laide, très élégante, Violette Leduc. Elle voulait publier un roman. Violette Leduc lui demanda de lire le manuscrit de *l'Asphyxie*, qu'elle lui apporta au Flore. Beauvoir lui donna des conseils, lui fit récrire la fin et proposa le manuscrit corrigé à Albert Camus qui venait d'être chargé d'une nouvelle collection chez Gallimard, il l'accepta. Violette Leduc se prit d'une violente passion pour Simone de Beauvoir, elle l'invitait à dîner deux fois par mois dans les meilleurs restaurants, lui faisait servir de somptueux repas : langouste, champagne. Paris était libéré, le ravitaillement demeurait un problème, les restrictions étaient sévères, il fallait des tickets de rationnement pour tout. Violette Leduc avait vécu pendant la guerre en faisant des expéditions dans les fermes des environs de Paris d'où elle revenait avec des valises pleines. Elle revendait ses marchandises aux restaurants du marché noir.

Pendant les dîners, tandis que les plats se succédaient, l'appétit, la gourmandise, le joyeux épicurisme de Beauvoir avivaient la passion de Violette Leduc qui devenait pathétique. Elle s'efforçait de l'attendrir, lui peignait sa solitude, elle pleurait, l'implorait. Sitôt la dernière succulente bouchée avalée, la dernière bouteille de champagne bue, Beauvoir se sauvait dans la nuit, laissant Violette Leduc en larmes. Celle que Beauvoir appelle « la femme laide » menaçait de se tuer. « Qu'y puis-je ? écrivait Beauvoir, elle m'a donné son journal à lire, il est écrit avec un talent réel, elle y parle de son amour pour moi, c'est très gênant*. »

Beauvoir avait discerné son talent et ne refusait jamais de l'aider, de l'écouter. Violette Leduc était tourmentée, une femme de passion. Beauvoir la réconfortait quand, secouée de sanglots, elle venait lui raconter à quel point Jean Genet la faisait souffrir. Il la traitait de pédante, lui déniait tout talent. Jean Genet n'aimait pas les femmes, et encore moins celles qui écrivaient. A la première des *Bouches inutiles* de Simone de Beauvoir, assis à côté d'elle, il critiquera sans ménagement la pièce pendant toute la représentation. A la sortie de *Tous les hommes sont mortels*, il l'invitera à déjeuner, lui fera des compliments sur son livre et terminera le repas en lui demandant de l'argent : « Il avait un nouvel amant. »

Beauvoir défendait son amie contre les attaques de Genet. Tout en épaulant l'écrivain, elle repoussait les avances de « la femme laide ». Vingt ans plus tard, célèbre dans le monde entier, elle écrira une préface à *la Bâtarde* de Violette Leduc, et elle l'aidera ainsi à atteindre son propre public à une époque où ses livres étaient traduits en une trentaine de langues.

Cette préface, aux dimensions d'un essai, est l'analyse existentielle d'une femme à la dérive, culpabilisée par sa mère qui lui reproche d'être née fille et non garçon, et de s'être vouée ainsi aux malheurs de la condition féminine.

La littérature avait été pour Violette Leduc le salut et « la reprise d'un destin par une liberté », Beauvoir décrit ce salut par l'écriture qui a aussi été le sien : « Fabriquer de la réalité avec de l'imaginaire c'est le propre des artistes et des écrivains... L'échec du rapport à autrui aboutit à cette forme privilégiée de communication, une œuvre. »

---

* Lettres inédites à Nelson Algren, 1948.

VIII. L'Existentialisme

« L'homme est seul et souverain maître de son destin si seulement il veut l'être; voilà ce qu'affirme l'existentialisme; c'est bien là un optimisme. »

L'Existentialisme et la sagesse des Nations, p. 38.

« Nous devions assurer la relève. »

Dans la presse, à la radio, les responsables sont des amis, des connaissances ; les résistants sont au pouvoir et Sartre et Beauvoir font partie de ceux à qui la victoire ouvre l'avenir. La politique est devenue une affaire de famille. Beauvoir sait que son bonheur dépend des événements.

Après la Libération, il y eut un temps où il semblait que tous les chemins s'ouvraient. Mais cette euphorie résistait mal aux nouvelles et chaque jour des informations réveillaient l'horreur des jours d'occupation* : on lisait dans les journaux les récits des massacres, des déportations ; on révélait au public incrédule et atterré les charniers des camps, les chambres de torture, les chambres à gaz. On apprenait que les Allemands envoyaient encore des V 2 sur Londres, que leurs troupes en pleine retraite dévastaient la Hollande, massacraient au passage les habitants des villages belges. A la joie de la libération

---

* Georges Politzer avait été exécuté par les Allemands.

se mêlait la peur de quelque retournement de la situation et les restrictions au lieu de disparaître avaient empiré.

Beauvoir entre dans une période nouvelle, une période de réflexion qu'elle appelle sa « période morale ». En 1943 dans un essai philosophique *Pyrrhus et Cinéas*, elle opposait « à la raison inerte, au néant, au tout, l'inéluctable évidence d'une affirmation vivante. » Cet essai de 123 pages parut en automne 1944 et fut très bien accueilli. Le public avait été privé de littérature et de philosophie pendant quatre ans, la nouveauté de l'existentialisme et l'euphorie de la Libération se mêlaient, les idées nouvelles suscitaient une énorme curiosité. Beauvoir traitait aussi du rapport de l'expérience individuelle à la réalité universelle et montrait l'importance de l'idée de « situation* » que Sartre avait introduite dans *l'Être et le Néant*. En 1982 Beauvoir dira : « Nous avons beaucoup discuté sur *l'Être et le Néant* : je m'opposais à certaines de ses idées... Dans la première version de *l'Être et le Néant*, il parlait de la liberté comme si elle était aussi totale chez tout le monde. Ou, du moins, qu'il était toujours possible d'exercer sa liberté. Moi, au contraire, j'insistais sur le fait qu'il existe des situations où la liberté ne peut s'exercer ou n'est qu'une mystification. Il en a convenu. Et, par la suite, il a donné beaucoup de poids à la situation où se trouve placé l'être humain**. »

Dans *Pyrrhus et Cinéas*, elle opposait deux attitudes : celle de Cinéas qui dit : « A quoi bon partir si c'est pour rentrer chez soi ? A quoi bon commencer si l'on doit s'arrêter ? » et celle de Pyrrhus qui ne veut s'arrêter qu'après avoir conquis le monde et déclare : « C'est aujourd'hui que j'existe, aujourd'hui je me jette dans un avenir défini par mon projet présent. » L'attitude de Cinéas paraît sage mais elle conduit à l'immobilisme, à l'inertie. Contrairement à Cinéas, Pyrrhus veut choisir et agir, il résiste à la tentation de l'indifférence. Puisque l'homme vit, il faut qu'il donne un sens à sa vie. Beauvoir soutenait que les possibilités concrètes qui s'ouvrent aux gens sont inégales et qu'une activité était bonne quand elle visait à conquérir pour soi et pour autrui les moyens de se libérer, de « libérer la liberté ». Beauvoir dit qu'elle voulait concilier sa propre ten-

---

* Ensemble des relations concrètes qui, à un moment donné unissent un sujet ou un groupe au milieu et aux circonstances dans lesquels il doit vivre et agir. « Ma position au milieu du monde... voilà ce que nous nommons la situation. Il ne s'agit pas de choisir son époque mais de se choisir en elle. » (Sartre)
** Sartre a dédié à Simone de Beauvoir toute son œuvre philosophique.

dance avec les idées de Sartre. Sartre soutenait que les possibilités concrètes qui s'offrent aux individus n'ont de sens et de valeur que par le jugement qu'ils portent sur elles. Par exemple, même un esclave dans ses chaînes est libre, car il peut choisir de vouloir briser ses chaînes ou de vouloir rester esclave. S'il se veut libre il « se choisit un passé d'homme libre par nature injustement asservi ; s'il choisit de rester esclave, il se choisit un passé d'esclave par nature, par la volonté de Dieu, en vertu de l'ordre social immuable, etc. ».

Beauvoir arguait que le prisonnier dans sa cellule, la femme dans un harem ne pouvaient échapper à leur situation par le choix d'une liberté toute mentale : « Je rétablissais une hiérarchie entre les situations. »

La notion de liberté en situation telle que l'exposait Beauvoir dans *Pyrrhus et Cinéas* séduisit un grand nombre de lecteurs et contribua largement au succès de l'existentialisme. Jamais la France n'avait connu dans les milieux intellectuels pareille interférence entre littérature, philosophie et politique. L'immédiat après-guerre vit une floraison de revues politiques qui se réclamaient presque toutes de la gauche tout en se disant indépendantes de la S.F.I.O. et du P.C.F.

Le rejet de la IIIe République et du gouvernement de Vichy poussait les intellectuels à la recherche de formules nouvelles. Cet après-guerre aux difficultés immenses dans une Europe où tout était mis en question était favorable au tumulte des idées. 1945, c'était le premier automne de la paix, le Japon venait de capituler. Avec Leiris, Merleau-Ponty, Camus, Sartre et Beauvoir songeaient à donner au monde une idéologie nouvelle. Sartre voulait fonder une revue avec cette petite équipe ; ce fut *les Temps modernes*. Le comité de rédaction semblait réunir les forces les plus vives d'une France nouvelle. Maurice Merleau-Ponty en fut le rédacteur en chef et le directeur politique. Raymond Aron, revenu du quartier général de la France Libre à Londres et conseiller d'André Malraux, alors ministre de l'Information, faisait partie de la rédaction, ainsi que Jean Paulhan qui était l'héritier moral de la *Nouvelle Revue française* disparue, dont il avait été le rédacteur en chef. Albert Ollivier, l'un des trois directeurs de *Combat* avec Camus et Pascal Pia, se joignit à eux. Camus qui voulait se remettre à la littérature refusa d'en faire partie mais ouvrit largement aux collaborateurs des *Temps modernes* les colonnes de *Combat* qui tirait à plus de 200 000 exemplaires. Ce premier comité de rédaction s'était constitué fin

1944, en pleine guerre et en pleine pénurie. Pour paraître, il fallait obtenir une allocation de papier, Simone de Beauvoir s'était chargée de cette mission. Tout auréolée du récent succès de *Pyrrhus et Cinéas*, elle était allée trouver Jacques Soustelle, qui avait succédé à Malraux au ministère de l'Information, et avait réussi à le convaincre.

Le premier numéro des *Temps modernes* paraît le 15 octobre 1945. Sartre y expose son idée de la littérature engagée et du rôle révolutionnaire de l'écrivain qui consterne certains intellectuels. La notion d'engagement est attaquée par André Gide dans *Terre des hommes*. Ce premier numéro a pourtant un énorme succès. Sartre écrit dans *Situations II* : « Il n'est pas plaisant d'être traité de son vivant comme un monument public », Beauvoir constate : « Je fus projetée dans la lumière publique. »

Très vite des différences idéologiques apparaissent dans le comité de rédaction des *Temps modernes* dont l'histoire est celle des polémiques de Sartre et de Beauvoir avec les autres intellectuels. De 1945 à 1950 Raymond Aron, Maurice Merleau-Ponty, Camus s'éloignent des *Temps modernes*.

Les réunions avaient lieu dans un bureau des éditions Gallimard, jusqu'au jour où les sartriens attaquèrent André Malraux. Expulsés, ils s'établirent dans le grenier d'un éditeur rival, Julliard, rue de l'Université. Au départ il leur avait semblé possible de partager avec les communistes certains objectifs, de se joindre à eux dans certaines campagnes tout en demeurant indépendants. Mais dès la sortie des *Temps modernes* les idéologues du P.C. leur reprochèrent d'attirer les jeunes; Sartre fut qualifié de « disciple du nazi Heidegger », il devint la cible de la *Pravda* qui définissait l'existentialisme comme « des concoctions nauséabondes et putrides ». Pour les communistes, Sartre était « une hyène à stylographe ». Dans *les Lettres françaises* dirigées par Aragon, Garaudy attaqua « un faux prophète, Jean-Paul Sartre », un ancien ami de Beauvoir, Jean Kanapa, sous les auspices du P.C., publia un livre intitulé *L'existentialisme n'est pas un humanisme*, où il tournait les sartriens en dérision : « Le sartrien est-il simplement un petit animal déjà démodé, rageur mais inoffensif ? » Sa doctrine est « une petite déliquescence idéologique qui fait agressivement le jeu de la réaction ». Kanapa rangeait les existentialistes parmi les ennemis idéologiques des intellectuels communistes avec : « le surréalisme, le trotskisme des cafés littéraires, l'esthétisme à la Paulhan et à la Malraux... ».

Sartre contre-attaqua en prenant la défense de Paul Nizan qui avait quitté le parti en août 1939, quand celui-ci avait approuvé le pacte entre Hitler et Staline. Maurice Thorez avait alors traité Nizan d'indicateur de police et d'espion du gouvernement. La mort de Nizan au front, en 1939, ne mit pas fin à ces attaques.

En 1947 Sartre, Raymond Aron, André Breton, Julien Benda, Albert Camus, Jean Guéhenno et François Mauriac publièrent une déclaration intitulée « le Cas Nizan », où ils prirent la défense de Nizan, exigèrent des preuves des allégations du P.C. Aucune preuve ne fut jamais apportée. *Les Temps modernes* publièrent « le Cas Nizan » et la rupture avec le P.C. fut consommée.

Dès les premiers numéros des *Temps modernes* Simone de Beauvoir avait publié une série d'articles importants. Dans « Idéalisme moral et réalisme politique » qui paraît dans le numéro 2, elle soutient que réconcilier morale et politique c'est réconcilier l'homme avec lui-même, à condition qu'il s'assume totalement. Mais cela exige qu'il renonce à s'enfermer dans la subjectivité de la morale traditionnelle ou dans l'objectivité de la morale réaliste.

Elle fait le compte rendu de la thèse de doctorat de Maurice Merleau-Ponty et publie « l'Existentialisme et la sagesse des nations » dans le numéro 3.

Daniel Secrétan

En février 1945, le beau-frère de Beauvoir, attaché à l'Institut français de Lisbonne, l'avait invitée à venir au Portugal pour donner des conférences sur l'Occupation. Camus l'avait chargée de réaliser une série de reportages sur l'Espagne et le Portugal pour *Combat*. Elle n'avait pas franchi de frontière depuis six ans, il y avait treize ans qu'elle n'avait vu l'Espagne.

Une heure d'attente à la frontière, la barrière est levée et elle part à pied, sa valise à la main. Deux kilomètres de *no man's land* la séparent d'Irun où elle reprendra le train. Au bord de la route, une femme vend des oranges, des bananes, du chocolat. « Ma gorge s'est nouée de convoitise et de révolte : cette abondance à dix mètres de chez nous, pourquoi nous est-elle interdite ? »

La disette n'était pas fatale, Beauvoir prenait conscience du manque d'organisation, d'administration à l'échelle de la planète, il n'y avait pas d'économie rationnelle, universelle. Il n'y avait pas d'humanité. Seul existait ce système qui n'empêchait ni les guerres ni ces fléaux médiévaux : la famine, la mort en masse. Elle avait vu les photos que Bost avait rapportées de Hollande et que Camus avait étalées sur son bureau en disant : « On ne peut pas publier ça ! » C'étaient des photos d'enfants hollandais qui n'avaient plus ni corps ni visage, rien que des yeux énormes et fous. Les Hollandais rongeaient l'écorce des arbres, déterraient les racines. C'était l'Europe, la civilisation en 1945. Et voilà Irun ; Irun n'est qu'un tas de décombres depuis la guerre civile. Les Espagnols qui voient Beauvoir commentent l'aspect de cette Française, l'une des premières à venir chez eux : « C'est une pauvre femme, elle n'a pas de bas. » Non, elle n'a pas de bas, et elle ne se passe pas les mollets à la teinture d'iode pour avoir l'air d'en porter. Elle n'a pas de souliers de cuir non plus, elle porte des socques à semelles de bois. Ses vêtements sont vieux, la couleur, la texture, tout révèle des années d'usure. « Je me sentais rageusement solidaire de la misère française. »

Aux arrêts, des marchands ambulants offrent des fruits, des bonbons, du jambon, du pain frais, des boissons. Des éventaires débordent sur les trottoirs. Quel réveil après le sommeil de l'Occupation ! Là, de l'autre côté de la frontière, il y avait eu des gens qui mangeaient à leur faim et vivaient en paix. Oui, mais en 1936, quand l'Espagne était convulsée par la guerre civile et les réfugiés parqués dans des camps au nord des Pyrénées, c'était Beauvoir qui mangeait à sa faim. « Je savais à présent que mon sort était lié à celui de tous ; la liberté, l'oppression, le bonheur et la peine des hommes me concernaient intimement. »

A Madrid, les cafés aux terrasses pleines de monde, les boutiques remplies de vêtements de soie, de sacs de cuir, de manteaux de laine lui coupent le souffle. Elle comprend soudain qu'elle peut manger ce qu'elle veut, des brioches, des gâteaux, des écrevisses, des œufs frits, boire du vin, du vrai café, du chocolat. Alors elle est saisie d'une véritable crise de boulimie, comme dans son enfance dans le parc de Meyrignac, la nourriture et la liberté se confondent. Elle mange en marchant, elle entre dans les cafés, elle commande et elle mange. Et tout en mangeant, elle regarde ces passants qui n'ont rien su de son histoire comme elle n'a rien su des camps. Elle tombe en arrêt devant une vitrine qui exhibe de superbes photos... c'est un centre de propagande allemande. « J'étais là, je voyais de mes yeux les images d'héroïques croisés qui étaient des S.S. » Elle est saisie d'angoisse, une autre conscience que la sienne est au centre des choses, le fil de son temps reste brisé : « Jusqu'à cette minute le sujet de l'histoire, c'était la France. » Elle marche jusqu'à une colline jadis la Cité universitaire de Madrid et là, elle voit des pans de maisons détruites, des chantiers, des terrains vagues. Au nord de la ville, elle visite un quartier sordide. On est bien en 1945, ici comme ailleurs. Elle l'écrit. Dès la parution de son article, la presse espagnole réagit, Radio-Madrid accuse Beauvoir « d'avoir forgé de toutes pièces des calomnies sans quitter Paris » et de l'avoir fait pour toucher une grosse somme d'argent. *Combat* ne proposait pas de véritable ligne politique et voulait rester libre de critiquer tous les partis et tous les gouvernements. Le franquisme y était régulièrement attaqué ainsi que le gouvernement de Salazar, *Combat* commença à publier les articles de Simone de Beauvoir sur le Portugal. Pour ne pas compromettre son beau-frère, elle les signa d'un pseudonyme : Daniel Secrétan. Reçue officiellement par les services culturels français à Lisbonne, les portes s'étaient ouvertes devant elle et elle avait pu sans difficulté parler avec des Portugais. La misère de la population l'avait émue. Ce qu'elle écrit dans « Le Portugal sous le régime de Salazar » est un réquisitoire. « On m'avait dit : "Certes le régime de Salazar est un régime autoritaire, mais c'est un autoritarisme tempéré... ce qu'il a fait pour le Portugal est immense." J'ai visité le Portugal, j'ai cherché à voir ce que M. Salazar avait fait pour son peuple. Et j'ai vu.

« En ce pays sur sept millions d'habitants il y en a 70 000 qui mangent. J'entends encore la voix des enfants de Braga à la porte d'une confiserie où j'achetais des massepains : " Nous, on ne mange pas... "

« Ils sont privés à ce point de vitamines qu'ils sont atteints d'une espèce de scorbut qui fait tomber leurs dents et des morceaux de leurs gencives, de leurs oreilles, de leur nez...

« Je n'oublierai pas d'ici longtemps ces deux enfants vêtus de morceaux de toile à sac qui fouillaient les poubelles, un matin de pluie, à Porto... La petite fille que j'ai vue fouiller dans les poubelles de Porto cherchera à gagner de n'importe quelle manière quelques escudos... Sur 194 prostituées soignées dans un certain dispensaire, 43 % étaient des mineures : on accorde une carte professionnelle aux femmes à partir de 14 ans. Elles n'ont pas besoin de l'autorisation de leurs parents pour l'obtenir, la taxe perçue sur ces cartes constitue une source de revenus importante pour l'État... »

C'est le premier de cette longue suite d'articles, de préfaces, d'interviews qui, parallèlement aux romans et aux essais de Beauvoir, jalonne ses engagements et ponctue ses prises de position.

Les articles de Daniel Secrétan dérangèrent. A une époque où le journalisme était avant tout un journalisme d'opinion, Beauvoir avait écrit un reportage documenté, chiffres à l'appui, avec mise en situation des gens et des faits, inaugurant le journalisme tel que le pratiquent aujourd'hui tous les grands journaux.

C'était un constat impitoyable. L'ambassade du Portugal intervint, il y eut des pressions diverses et la direction de *Combat* arrêta la publication des articles, le journal, qui voyait ses allocations de papier diminuer, ne voulait pas s'attirer des représailles. Albert Camus, qui faisait alors une tournée de conférences aux États-Unis ne put intervenir, et la suite du reportage parut dans *Volontés* dirigé par Michel Collinet. Simone de Beauvoir avait l'étoffe d'un grand reporter, s'intéressant à tout, n'ayant peur de rien, sachant provoquer la confidence, elle donnera ces traits à Henri Perron, dans *les Mandarins*.

Littérature et métaphysique

En septembre 1945 paraît *le Sang des autres*. Son deuxième roman est accueilli encore mieux que le premier, Beauvoir écrit qu'elle reçoit « des bordées de compliments ». Camus, déjà considéré comme un jeune maître à penser, lui dit « avec élan » qu'elle a écrit « un livre fraternel ». En deux ans *le Sang des autres* est réédité trente-deux fois. Elle y parle de la Résistance, de la liberté, de la responsabilité, de la « malédiction originelle que constitue pour chaque individu sa coexistence avec tous les autres ».

Deux ans plus tôt, Beauvoir avait commencé un nouveau roman, *Tous les hommes sont mortels*, pour lequel elle lisait les chroniques de Sismondi. L'historien suisse y décrit ce qui se passait au XIVe siècle dans beaucoup de villes assiégées. Quand la longueur du siège amenait la famine, pour tenir plus longtemps, les autorités déclaraient que toutes les provisions seraient réservées aux combattants et *les bouches inutiles*, femmes, enfants, vieillards, invalides, seraient expulsés de la ville et chassés dans les fossés au pied des murailles. Elle songeait à ces hommes qui livraient à l'ennemi ceux qu'ils aimaient. L'horreur de cette action la saisit : « Je restai un long moment immobile, le regard fixe, en proie à une vive agitation. » Jeter hors des portes de la ville tous les faibles était chose courante, c'était non seulement un meurtre collectif sanctionné par l'usage, mais considéré comme un acte héroïque, comme un acte de sublime prudence et de haute vertu. Après une guerre où des millions de gens avaient été tués, ce sujet était d'une terrible actualité. Beauvoir s'efforçait de comprendre ce que ressentaient les hommes qui condamnaient leurs femmes, leurs enfants à mourir sous leurs yeux dans les fossés. Elle essayait de comprendre les pensées de ces morts en sursis, condamnés par leurs époux, leurs pères, leurs fils.

Elle écrit en trois mois une pièce : *les Bouches inutiles*, situe l'action en Flandre au XIVᵉ siècle, et met en scène une ville entière aux prises avec sa conscience. La pièce fut montée par un jeune metteur en scène, Michel Vitold, au théâtre des Carrefours. Le mouvement ininterrompu imaginé par Beauvoir, qui voulait mettre en scène une communauté entière agissant et réagissant, ne fut pas respecté. Le découpage en tableaux entraîna des temps morts entre les changements de décor. Il faisait froid, la salle était mal chauffée. Le métro aérien couvrait à chaque passage la voix des acteurs et ceux-ci n'étaient pas à la hauteur du texte qui passait mal la rampe. Beauvoir avait exigé que le rôle de Clarice fût joué par Olga. La pièce tint cependant pendant cinquante représentations.

Le critique Jacques Lemarchand vit dans *les Bouches inutiles* « un événement important ». Il admira la force du dialogue, la qualité violente et tragique du sujet. Il vit en Beauvoir un auteur dramatique qui allait s'affirmer, attribua les faiblesses de la représentation à l'inexpérience du metteur en scène et des interprètes. Mais la presse dans l'ensemble fut mauvaise. Beauvoir déçue encaissa les critiques et, après avoir constaté que la pièce n'avait pas eu toutes ses chances, passa outre.

La guerre avait tout remis en question et révélé un aspect effroyable de l'homme. Pour Beauvoir les hommes se définissaient par leur corps, leurs besoins, leur travail et seul le roman permettait d'évoquer « dans sa vérité complète, singulière, temporelle, le jaillissement originel de l'existence ».

Dans le roman commencé en 1943, *Tous les hommes sont mortels*, le héros, Fosca, devait vivre éternellement et tenter de s'identifier à l'univers et d'agir sur lui. Elle imagina l'étrange existence de cet homme qui demeurait vivant alors que tout passait autour de lui : ses amis, ses amours, les institutions, les religions, les sociétés, les nations. Il découvrait que le monde se résolvait en libertés individuelles dont chacune était hors d'atteinte. Il apprenait que la recherche du Bien universel menait aux persécutions, aux massacres, aux destructions, causait le malheur, faisait surgir le Mal. Finalement, il voyait que le Bien n'existait pas comme valeur universelle, qu'il n'y avait que des hommes divisés, hostiles, exploitants et exploités, conquérants ou conquis, et qu'on ne pouvait rien pour eux. Ses grands rêves de progrès, de liberté s'effondraient, il constatait que les hommes ne voulaient pas le bonheur. Malgré l'expérience d'une vie plusieurs fois centenaire, malgré le pouvoir qu'il avait exercé à maintes reprises, Fosca n'arrivait pas à améliorer la vie des hommes, à instaurer la justice, à faire triompher la raison, l'intérêt du plus grand nombre. L'histoire se déroulait et rien ne progressait, l'humanité revenait toujours à la violence, à l'oppression, à l'injustice sous toutes ses formes.

En écrivant *Tous les hommes sont mortels*, de 1943 à 1946, Beauvoir traversait une période qui l'incitait au pessimisme : la guerre, l'Occupation, la mort de ses amis dans la Résistance, les crimes de guerre, les camps de la mort, l'épuration. Elle ne voyait pas se lever l'aube d'une époque plus heureuse, ces millions de morts ne se justifiaient par aucun progrès vers le Bien universel. Le héros de Beauvoir, Fosca, sombre dans le désespoir parce qu'à longueur de siècles, les malheurs, les crimes de l'Histoire recommencent, se répètent. Sa mémoire se charge d'horreurs, son impuissance le torture. Selon Sartre, « l'homme est une passion inutile », le roman lui est dédié.

Ce roman métaphysique, Beauvoir le croyait « de loin le meilleur », supérieur à *l'Invitée*, supérieur au *Sang des autres*. Chez Gallimard, Raymond Queneau avait proposé de tirer tout de suite le livre à 75 000 exemplaires.

Ce récit qui couvre six siècles et conduit le héros autour de la terre en montrant que la dimension des entreprises humaines n'est « ni le fini ni l'infini mais l'indéfini » fut traduit presque aussitôt en Allemagne. La philosophie existentialiste avait son grand roman métaphysique. Fosca était un nouveau Faust. Un Faust avide non pas de savoir mais d'action et qui cherche à faire le bonheur des hommes.

L'offensive existentialiste

Un critique nota que, dans la même semaine, on jouait *les Bouches inutiles*, le premier numéro des *Temps modernes* parut et Sartre donna sa fameuse conférence : « L'existentialisme est un humanisme » qui fut la « bataille d'Hernani » des existentialistes, complète, avec femmes évanouies, spectateurs en venant aux mains, explosions d'enthousiasme ou de haine dans la presse et délire dans le milieu intellectuel qui se proclamait d'avant-garde. On appela cela l'« offensive existentialiste ».

Ce mot incompris : l'existentialisme, était le dernier mot à la mode. Sartre et Beauvoir étaient en passe de devenir les maîtres de cette philosophie qui montait comme une marée de tous côtés et s'infiltrait dans les coins les plus imprévus de la vie parisienne. Ni Sartre ni Beauvoir ne voulaient d'étiquette, celle-là les agaçait autant qu'une autre. « L'existentialisme, je ne sais pas ce que c'est », déclara Sartre au cours d'un colloque organisé par les dominicains. Leurs protestations se révélèrent vaines. « Nous finîmes par reprendre à notre compte l'épithète dont tout le monde usait pour nous désigner », écrit Beauvoir.

La philosophie existentialiste peut se définir, selon la célèbre formule de Sartre : « l'existence précède l'essence ». L'existence ne se démontre pas, elle est là, elle s'impose à la conscience. Pour justifier son existence et donner un sens à sa vie, l'homme « né pour rien » ne peut compter que sur lui-même. Certes, il est plongé dans un ensemble de conditions historiques et matérielles qui définissent sa situation. Mais chacun doit vivre sa propre expérience et se construire en recourant à ses seules forces. Pour Sartre, comme pour Beauvoir, l'homme est livré à lui-même et ne peut espérer aucun secours ni du ciel ni d'une doctrine toute faite, il en résulte « l'angoisse » qui est la conscience de « notre totale et profonde responsabilité ». Chacun doit assumer cette responsabilité en exerçant sa liberté. Dès qu'un être s'abrite derrière des traditions, des doctrines, des systèmes, des idéologies il devient « un salaud », il refuse de s'assumer*, il tombe dans la mauvaise foi. Le contraire de la mauvaise foi est « l'authenticité ». L'acte authentique est celui par lequel l'homme assume sa situation et la dépasse en agissant. Ses actes, une fois accomplis, le définiront sans recours : « L'homme est ce qu'il se fait. » « L'homme n'est rien d'autre que ce qu'il se fait. » Et il est constamment confronté à de nouveaux choix car la vie est un perpétuel devenir.

L'existentialisme athée de Sartre fut encore moins bien compris que l'existentialisme d'inspiration religieuse comme celui de Gabriel Marcel qui concilie l'existence de Dieu, source de valeurs, avec la liberté humaine.

Le snobisme s'en mêla. Tout devint existentialiste ; il y eut le crime existentialiste, le sweater noir existentialiste, les cheveux longs existentialistes, il y avait les caves existentialistes où l'on dansait, où l'on buvait, où l'on chantait des chansons existentialistes, Gréco était une chanteuse existentialiste et Mouloudji acteur, chanteur et romancier, le dauphin existentialiste, Sartre étant le roi et Beauvoir la reine de ce royaume hurluberlu qui n'existait que dans l'imagination des journalistes gouailleurs et des badauds ravis qui venaient béer devant la terrasse du Flore, et dévoraient les dernières sornettes écrites ou colportées sur les nouvelles idoles. Les photographes harcelaient Sartre et Beauvoir, les gens les suivaient dans la rue, on leur demandait des autographes.

Beauvoir donna deux conférences sur le roman et la métaphysique ; on ne s'y évanouit pas, mais le tumulte croissait autour d'elle et de Sartre, à la fois gloire et scandale. Il n'y avait plus qu'à assumer cette gloire fracassante. La réussite était totale. La littérature s'était brusquement imposée à elle comme un appel aux autres, comme une prise de position, la littérature descendait du ciel sur la terre, il s'agissait de réagir aux situations en toute authenticité.

Elle n'avait jamais écrit dans le silence ouaté d'un cabinet. Elle vivait au café, à l'hôtel, elle était de ces gens qui aiment vivre au niveau de la foule. Elle et Sartre n'appartenaient pas

---

* « Assumer ne signifie en aucune façon accepter encore que dans certains cas les deux aillent de pair. Quand j'assume, j'assume *pour* faire un usage donné de ce que j'assume... en outre, assumer signifie reprendre à son compte, revendiquer la responsabilité... la première assomption que peut et doit faire la réalité humaine en se retournant sur elle-même c'est l'assomption de sa liberté ; ce qui peut s'exprimer par cette formule : *on n'a jamais d'excuse...* » in Jean-Paul Sartre, les *Carnets de la drôle de guerre*, p. 143-144.

à un petit groupe fermé, isolé. Leur naturel plaisait aux uns, choquait les autres. Leur entente était connue, des échos scandaleux circulaient. Ils étaient liés, mais ne vivaient pas ensemble et pratiquaient une indépendance affective et sexuelle qui faisait pousser les hauts cris. Des commentaires surgissaient dans tous les journaux. On parlait d'eux à propos de tout et hors de propos. Le tapage atteignit l'étranger où bientôt l'existentialisme devint le miroir où l'on admirait l'image frondeuse et excitante de la France nouvelle. C'est ce que Beauvoir appelle « une gloire idiote ».

En fait, Sartre et Beauvoir offraient au public qui sortait de la guerre mondiale une idéologie qui lui permettait d'assumer sa condition et de surmonter les traumatismes infligés au monde entre 1939 et 1945. Il y avait eu l'horreur des combats, la découverte de l'abomination des camps de la mort, l'humiliation de l'occupation, le retour des fléaux qu'on pensait à jamais disparus : la famine, l'asservissement, la torture, la tyrannie, le meurtre et la délation. Il restait de tels remords dans les consciences, de telles monstruosités dans les mémoires que l'existentialisme arrivait comme le vent du large qui lève le brouillard, chasse les miasmes, désinfecte et rend la vie à « la terre gaste », il dissipait les enchantements maléfiques qui avaient pourri le monde pendant cinq ans. Faire face à l'horreur et la dépasser en l'assumant, ce n'était pas peu de chose. Concilier l'histoire, la situation et la liberté, c'était extraordinaire. Affronter l'absurdité de la condition humaine, dire qu'elle n'était ni imposée, ni fatale, ni définitive et proclamer que l'homme était libre et responsable et pouvait transcender ses actes passés et faire triompher le bien, c'était une nouveauté pour beaucoup d'hommes de bonne volonté. « Sartre les séduisait en maintenant au niveau de l'individu les droits de la morale. » Mais cette morale déroutait, et la notion de liberté jointe à celle de responsabilité individuelle était difficile pour un public habitué à penser par classes, par catégories, et selon les enseignements religieux. La notion d'authenticité — fuir tous les mensonges, tous les faux-fuyants, toutes les illusions entretenues, toutes les mauvaises fois, toutes les excuses, les bonnes comme les mauvaises — effrayait.

« En Sartre les bourgeois se reconnaissaient sans consentir au dépassement dont il leur donnait l'exemple. » Pour Beauvoir la situation était singulièrement désagréable. Femme, elle eut à subir le blâme que la société réserve à celles qui s'écartent des chemins tracés. Que de fureurs et que de bruit !

Vingt ans après, François Mauriac s'excusera d'avoir prononcé des mots malheureux et rectifiera : « Certes c'est une belle vie selon le monde que nous raconte Simone de Beauvoir malgré ses désordres et ses excès... ces vies de plaisir, celles de Simone de Beauvoir et de Sartre ne sont qu'une frange brillante. La réalité c'est un travail forcené, ininterrompu, et la soif de justice qui aura décidé du choix politique. »

L'existentialisme suscita l'animosité des catholiques d'une part et des marxistes d'autre part. Les attaques venaient de tous côtés : les penseurs attaquaient le principe, les littéraires l'esthétique. On accusa l'existentialisme de démoraliser la jeunesse, on l'accusa aussi de quiétisme. On l'accusa de misérabilisme, de décadence. Qu'est-ce qu'un existentialiste ? C'est un homme qui a la nausée, qui s'ennuie, qui est totalement détaché des joies et des devoirs de l'existence. Quant à la femme existentialiste, comment la définir ? D'une part on peignait Beauvoir comme une folle, une excentrique aux mœurs dissolues, pratiquant tous les vices et menant une vie de carnaval ; d'autre part on affirmait qu'elle passait son existence devant sa table de travail, qu'elle était un pur cerveau, avec des allures de cheftaine aux souliers plats et au chignon bien tiré. D'une manière ou d'une autre, c'était une anormale. Elle résistait à toute classification : à gauche, mais mal vue des communistes, vivant à l'hôtel mais nullement bohème, célèbre mais refusant de fréquenter le monde. Grâce à ses livres elle était riche, mais n'avait pas le train de vie généralement associé au succès. Elle avait traversé la guerre en travaillant, en écrivant, en se préparant pour la victoire et l'avenir. Elle avait traversé une jeunesse dure, pauvre et pleine d'humiliantes comparaisons avec ses cousines, ses amies, sans perdre le formidable élan grâce auquel elle s'était libérée et était devenue un écrivain de premier plan.

« On dira : l'époque existentialiste. »

Pendant l'Occupation, le quartier situé entre la rue de Seine, la rue des Saints-Pères, le Sénat et la rue Dauphine était demeuré presque provincial. Les maisons d'édition, Gallimard, Grasset, Plon, Stock, le Mercure de France, attiraient vers les cafés de nombreux écrivains connus, ceux qui rêvaient de le devenir, des artistes, des cinéastes, des acteurs. Les cafés Lipp, les Deux-Magots, le Flore, la Rhumerie, le bar du Pont-Royal, le Bar Vert de la rue Jacob, fréquentés par les intellectuels et quelques hommes politiques de l'arrondissement, gardaient un aspect désuet et se partageaient une clientèle d'autochtones.

A la Libération, ce quartier somnolent s'éveilla brusquement. Il devint le quartier général de la jeunesse. Ces jeunes avaient leur mode, ils succédaient aux Zazous* mais ne leur ressemblaient pas. Les garçons avaient découvert chez les fripiers du marché aux puces de Saint-Ouen les tonnes de vêtements expédiés par la communauté israélite de New York à leurs coreligionnaires dépouillés de tout. Les excédents étaient revendus.

Bientôt, des milliers de chemises à carreaux, de pantalons aux jambes étroites, de socquettes rayées horizontalement et de chaussures de basket — cette nouveauté — envahirent les rues de Paris. On les achetait pour rien. Il suffisait de se couper les cheveux en brosse comme les G.I.'s et une nouvelle silhouette était née. Les filles adoptèrent la jupe portefeuille noire, le sweater noir collant, les cheveux longs et plats selon la mode lancée par Juliette Gréco.

Au Bar Vert de la rue Jacob, un groupe déplorait de ne pas avoir un coin à soi où boire et danser. Il y avait là Anne-Marie Cazalis, qui venait de recevoir le prix Valéry de poésie, Juliette Gréco son inséparable amie, Alexandre Astruc, le futur cinéaste, le jeune comédien Marc Doelnitz et autour d'eux de jeunes acteurs, de jeunes peintres. L'un d'eux, Yves Corbassière, arrivait dans une torpédo 1922 peinte d'un damier rouge et noir qui se couvrait d'autographes. C'est la photo de cette voiture et de ses occupants que la gloire n'avait pas encore touchés qui décore aujourd'hui les faïences du métro à la station Saint-Germain-des-Prés, avec d'autres affiches qui célèbrent les riches heures du quartier. Le patron du Bar Vert dénicha pour ses clients le coin qu'ils cherchaient : la cave d'un estaminet. Quand Juliette Gréco, Anne-Marie Cazalis, Alexandre Astruc pénétrèrent dans ce sous-sol qui servait

---

* Les Zazous portaient des vestes qui tombaient jusqu'aux genoux comme des sacs et des pantalons qui descendaient en tuyaux de poële sur leurs chaussures à triple semelle qui avaient l'air de leur servir de socle. Été comme hiver un parapluie pendait à leur bras. Leur mise extravagante était vue comme une protestation contre l'Occupation et les collaborateurs leur donnaient la chasse pour tondre leur chevelure gominée ou leur faire boire de l'huile de ricin. Leur surnom venait d'une chanson de Charles Trenet, le refrain disait : « Je suis swing, zazou, zazou... » et se dansait en pointant l'index vers le ciel.

de fourre-tout, ils lurent sur l'une des poutres : le Tabou. Frédéric Chauvelot, jeune attaché d'ambassade, fut le financier de l'entreprise, Robert Auboyneau, neveu de l'amiral, se chargea du rôle de portier. Alain Quercy, fils du ministre socialiste Christian Pineau, en devint le pianiste. Il jouait des airs de jazz sur le piano descendu à grand-peine dans la cave où on avait aménagé un bar avec un éclairage tamisé, non par goût des ténèbres mais parce qu'il fallait dépenser le moins possible. Les tabourets étaient boiteux, les banquettes paraissaient très acceptables dans la pénombre. Cazalis, Gréco et Doelnitz étaient préposés aux consommations qui se limitaient aux cocas-rhum. Le Tabou agit comme un aimant. C'était un club privé. A 10 heures du soir la foule des amis dévalait dans la cave, se ruait sur la piste minuscule et dansait le be-bop. Dans cette cave de quinze mètres sur huit, Boris Vian, qui avait formé un orchestre avec ses deux frères, jouait de la trompette. Le Tabou rapportait à ses inventeurs tout juste de quoi se payer un repas par jour. Bientôt le Tout-Paris intellectuel s'aventura dans la cave au 33 de la rue Dauphine. Claude Mauriac fréquenta assidûment le Tabou, et son père, François Mauriac, s'y risqua. On y voyait Queneau, Merleau-Ponty, Camus, Lemarchand, écrivains, peintres, musiciens, tous ceux qui comptaient ou allaient bientôt compter — Marcel Duhamel, Jacques Prévert, Christian Bérard, Jean Cau, Vadim, Robert Hossein — s'y retrouvaient au milieu d'une horde de photographes attirés par la nouveauté et les noms célèbres. Le trio Gréco, Cazalis, Doelnitz se chargeait de créer à lui seul un pandémonium.

Le Tabou devint célèbre quand le rédacteur en chef de l'hebdomadaire à sensation *Samedi-Soir* envoya un reporter qui, avec l'aide de deux ou trois habitués, écrivit un article retentissant. Le 3 mai 1947, le Tabou entrait dans la légende et ses membres devenaient « les existentialistes ».

Le fameux article montrait en première page une jeune fille adossée au mur crevassé d'une cave et un garçon qui lui montrait le chemin à la flamme d'une chandelle : Gréco et Vadim. Sous la photo, cette explication : « Toute une jeunesse aime, dort et rêve de Bikini (la bombe atomique venait d'annihiler l'îlot de Bikini) dans les caves de Saint-Germain-des-Prés. » L'article sur six colonnes s'intitulait : « Voici comment vivent les troglodytes de Saint-Germain-des-Prés. » L'auteur, Jacques Robert, ce jour-là créa un mythe, une mode. « Il ne faut plus chercher les existentialistes au café de Flore. Ils se sont réfugiés dans les caves. Après les caves du Vatican, celles de Saint-Germain-des-Prés...

« Au début tous les existentialistes étaient pauvres; mais depuis, Sartre, Simone de Beauvoir, Camus ont gagné de l'argent dans la littérature; Jacques-Laurent Bost dans le cinéma; Mouloudji dans le réalisme prolétarien; d'autres dans le journalisme. Ces existentialistes riches ont pour Q.G. le Pont-Royal et ils boivent jusqu'à des cocktails. Chose curieuse, les existentialistes riches sont peu nombreux. Tandis que les existentialistes pauvres sont légion. Les existentialistes pauvres sont extrêmement pauvres. Ils ont entre 16 et 22 ans. Ils sont généralement de bonne famille. Presque tous ont été maudits par leur père. Presque tous se déclarent comédiens, Michel Radiguet, le neveu de l'auteur du *Diable au corps*, est du nombre. L'un des plus âgés d'entre eux, Michel de Ré, 22 ans, s'appelle en réalité Michel Gallieni; il est le petit-fils du général... il a deux mètres de haut et ne s'est pas peigné depuis un an. »

Le reporter notait que les jeunes actrices existentialistes se promenaient avec des souris blanches dans leurs poches et les faisaient courir sur leurs épaules. Elles ne se maquillaient jamais. Il relevait les graffiti existentialistes : « Quand vous entendez Allô! Allô!, ne pensez-vous pas à la Seine ? », « L'homme, cet animal qui chante *la Marseillaise* », « Demandez un arsenic-menthe pour apaiser votre soif d'éternité », « Un existentialiste est un homme qui a du Sartre sur les dents ».

Enfin, après avoir défini le Tabou comme le sanctuaire de la nouvelle génération où « les existentialistes, qu'on n'aperçoit plus qu'à travers un brouillard, se lancent en hurlant dans des jitterbugs et des boogies-woogies forcenés » ou « complètement prostrés restent assis en regardant fixement leur verre d'eau tiède », le journaliste donnait leur emploi du temps : « Ils se transportent entre 11 heures du matin et la fin de la nuit du Flore au Bar Vert, du Tabou aux Deux-Magots, du Bal Nègre à leur restaurant préféré, Aux Assassins. » Cet article devait faire le tour de la presse étrangère. Quand *Life Magazine* s'en empara, l'Amérique s'apprêta à diriger sur les caves existentialistes des armées de touristes armées de caméras et quand Ali Khan, Maurice Chevalier, Marlène Dietrich, Orson Welles et même Greta Garbo descendirent dans la cave, ce fut la consécration à l'échelle internationale. Le Tabou mourut de son succès même. Né comme une plaisanterie, il périt de la surexploitation par les journaux, de l'agression des touristes, et des protestations des voisins excédés qui réussirent à faire imposer l'heure de fermeture à minuit.

Boris Vian, dans son *Manuel de Saint-Germain-des-Prés*, constatait que le lancement du quartier était en grande partie dû au renom littéraire de Simone de Beauvoir et de Jean-Paul Sartre. On ne séparait plus ce couple dont la légende grandissait avec la popularité de Saint-Germain-des-Prés. « Si les tôliers du coin avaient trois sous d'honnêteté, Simone de Beauvoir et Sartre devraient consommer gratis dans tous les bistrots qu'ils ont lancés. N'est-ce pas, Castor, que c'est une bonne idée ? » Il décrivait la muse malgré elle de l'existentialisme des caves : « Jeune, vive, une voix plaisamment éraillée, le cheveu noir et l'œil de Delft, le visage clair et le soulier plat, elle aime également le voyage et la discussion, les quarante kilomètres à pied dans la journée et les quarante heures de discussion quand la discussion l'intéresse. » Et Vian prenait son parti contre un journaliste qui avait écrit : « intelligence prodigieuse dont le seul défaut est d'être trop organisée » : « Nulle intelligence, disait-il, ne saurait être trop organisée, et cette organisation certaine ne nuit en rien au charme de sa propriétaire. »

Les « caves existentialistes » commencèrent à se multiplier, les jeunes qui y dansaient furent baptisés « rats de cave », Jean-Paul Sartre fut couronné Pape de l'Existentialisme et Beauvoir reçut le titre de Notre-Dame-de-Sartre. Une confusion totale se fit entre une philosophie que beaucoup ne comprenaient pas et la façon de vivre d'une jeunesse. Les journaux français et étrangers entretenaient l'équivoque. « Les caves existentialistes abritent d'étranges et belliqueuses bacchanales », déclarait *la Presse*, le 3 janvier 1949. *La Gazette de Lausanne* du 24 novembre 1948 stigmatisait les habitués du Tabou : « Le Tabou... dans le fond un orchestre, vingt couples dansent, masse molle agitée de spasmes, sur un espace de trois mètres carrés. Néant, nausée. Quelqu'un dit : " existentialisme ". Les petits jeunes gens du Tabou ont trouvé un nom à leur écœurement. » Même la *Literaturnaïa Gazeta* s'y mettait : « C'est la jeunesse des bas-fonds de Paris : moisissure curieuse de la haine, de la jalousie, de la stupidité et de la plus vulgaire sexualité. Tel est le visage des existentialistes. » Les titres les plus contradictoires se succédaient : « Saint-Germain-des-Prés fait trop l'amour », ou « Isidore Isou* veut

---

* Inventeur du lettrisme.

enseigner l'Amour à Saint-Germain-des-Prés, le quartier le plus chaste de Paris », ou : « Dans l'intimité de l'existentialisme, il ne se passe rien, rien, absolument rien. C'en est révoltant.» C'était un concours d'anecdotes cocasses. Un journaliste assurait que sa femme de ménage avant de faire son bureau lui avait demandé de lui prêter *les Chemins de la liberté.* «Va donc, existentialiste!» devenait l'injure à la mode. On parlait de peinture existentialiste, d'économie politique existentialiste, de chapeaux existentialistes. La robuste gastronomie de Beauvoir et de Sartre était notoire, ce qu'ils aimaient : charcuterie, choucroute, bifteck-frites, fromages, devenaient des spécialités existentialistes. On se répétait les mots d'auteurs. Le poète Léon-Paul Fargue affirmait : « C'est la philosophie de la merde!», Yves Gandon : «L'existentialisme, c'est l'excrémentialisme.» A droite comme à gauche on définissait l'existentialisme comme une philosophie malsaine qui rejetait la joie de vivre et renversait l'échelle des valeurs. André Gide, agacé de se voir dérober le rôle de guide de la jeunesse, faisait chorus : « En 1920, après la Grande Guerre, il y eut le mouvement *dada*; en 1944, après l'autre grande guerre, il y a le mouvement *caca*.» Gabriel Marcel, philosophe existentialiste chrétien, donna une conférence dont le titre était : «Les techniques de l'avilissement de Buchenwald à Jean-Paul Sartre.» On affirmait que «la firme Sartre et Cie» dominait le marché littéraire grâce à la publicité: «Chaque jour les camions de l'absurde sortent en files serrées des fabriques existentialistes. Ils inondent de leur anthracite jusqu'aux marchés étrangers. Partout, aux devantures des librairies, dans les colonnes de la presse, dans les coulisses des salles publiques la noire marchandise s'amoncelle, c'est l'une des plus belles affaires du jour.»

« C'est une politique du silence à l'égard de tous ceux qui ne sont pas de la confrérie », écrivait un autre journaliste qui expliquait le succès de l'existentialisme par l'inculture, la lâcheté et une syntaxe sabotée. On se rassurait en écrivant que ce n'était là que jeux d'esthètes, nés sur les banquettes des cafés où les Roquentin en herbe éprouvaient leur première nausée devant leur tasse de café. Paul Guth affirmait dans *le Figaro* que «l'existentialisme était un mot sécrété par Saint-Germain-des-Prés entre la terrasse du Flore, la rue Saint-Benoît et la rue Jacob». Il mentionnait en une étrange pagaille les « ancêtres de l'existentialisme : Kant, Pascal, Heidegger, Jaspers, Kierkegaard, Schelling, Gabriel Marcel... ».

« Une abstraction philosophique qui porte le nom barbare d'existentialisme », c'est ce qu'on pouvait lire dans *Samedi-Soir* le 17 novembre 1945, dans un article sur trois colonnes consacré à Jean-Paul Sartre et Simone de Beauvoir, intitulé « Hôtel de la Louisiane, chambres 17 et 50, dans le décor de *Huis clos* en plus infernal. »

L'existentialisme est une philosophie, mais qui sont les existentialistes ? « C'est tout d'abord Mme Simone de Beauvoir. Elle est douée d'une particularité historique : elle habite à l'hôtel de la Louisiane dans la chambre n° 50. Elle aussi est professeur. Elle porte une natte universitaire et elle a de beaux yeux noirs très brillants. » Les yeux bleus de Simone de Beauvoir avait dû foudroyer ce journaliste d'un regard noir.

« Elle écrit des romans, des essais philosophiques, des pièces. *Les Bouches inutiles* se jouent actuellement à Paris. Un inconnu nommé Néron était venu lui offrir 100 000 francs pour monter la pièce. Elle accepta : c'était un escroc. Quelques jours plus tard la police frappait à la porte du numéro 50 à la Louisiane. On venait arrêter l'auteur des *Bouches inutiles.* A ce moment on vit remuer un drap et chose curieuse l'on découvrit dessous M. Sartre. »

Sartre et Beauvoir « composent au coude à coude sur des tables de café de lourds romans où se crée une mythologie de la nausée et de l'avortement à mi-chemin entre les hôtels borgnes et les boîtes de nuit, ils imitent pêle-mêle Heidegger et les romans américains ». Le journaliste décrivait Sartre au Flore assis devant sa tasse de café crème et parlant de « conception réalisante et chosiste », « de fissure intra-conscientielle » et de « dépassement des ustensiles », disant : « Je vis mon ipséité. Et tout le café de Flore est prêt à vendre son âme pour les splendeurs de l'ipséité. »

Un an plus tard, on lit dans le même journal : « L'existentialisme, nous informe-t-on, a colonisé les Éditions Gallimard, il possède sa revue mensuelle *les Temps modernes,* et son chef, M. J.-P. Sartre, avant d'occuper le cinéma par un film joyeusement intitulé *Typhus,* s'est emparé de deux théâtres. Au théâtre Verlaine, on donne *Huis clos,* tandis que le théâtre Antoine sème la terreur avec *la Putain respectueuse* et *Morts sans sépulture.* Tous les soirs des spectateurs se trouvent mal, d'autres crient, d'autres s'en vont en claquant les portes. Sur la scène montent les hurlements de douleur des résistants torturés par les miliciens. M. Sartre ne veut retenir du monde que ses aspects horribles et sa souffrance », etc. Une caricature sur trois colonnes illustre l'article. On y voit Sartre accoudé au bar du Pont-Royal tandis que Simone de Beauvoir écrit sur une table ; des pages à perte de vue jonchent le plancher à ses pieds.

Pourtant quelques voix s'élevaient : Et si Jean-Paul était aussi grand que Jean-Jacques ? Et si Simone était aussi grande que Germaine de Staël ou Colette ? Le côté caricatural donné par certains articles, s'il ne recouvrait pas la réalité, dépeint bien l'époque tumultueuse que fut l'après-guerre.

Simone de Beauvoir, Sartre et leurs amis allaient peu dans les boîtes de nuit, en revanche ils fréquentaient beaucoup les bars où ils retrouvaient selon les soirs Camus, Koestler, Vian, Merleau-Ponty, Manès Sperber, Romain Gary, Jean Cau, Jacques-Laurent Bost. Quand ils avaient trop bu, certains se montraient agressifs*. Jacques-Laurent Bost attaquait de prétendus rivaux, Sartre devenait belliqueux et refusait de se laisser mettre dans une voiture pour rentrer chez lui. Un soir Koestler claqua à la figure de Camus la portière d'un taxi et lui laissa un œil au beurre noir, Camus devenait irritable quand il avait bu. Koestler avait entrepris de séduire Simone de Beauvoir, Sartre s'intéressait à la femme de Koestler. Il avait un « amour passionnel » pour Michèle Vian et se promenait avec elle la main dans la main, suivi de Boris Vian ; Beauvoir eut un bref coup de cœur pour Arthur Koestler qu'elle décrira dans les Mandarins sous le nom de Scriassine.

Le groupe s'entraidait. Albert Camus qui dirigeait la collection « Espoir » chez Gallimard publia les amis de Beauvoir : le premier roman de sa collection est signé Violette Leduc et s'intitule l'Asphyxie, il publia ensuite un roman de Jacques-Laurent Bost, le Dernier des métiers et On joue perdant de Colette Audry. Beauvoir, Sartre et Camus étaient le trio le plus lu, le plus admiré, le plus commenté, le plus décrié ; ils étaient désormais les maîtres à penser de la jeunesse, on les aimait, on les haïssait, mais on ne parlait que d'eux.

Le 11 décembre 1945, Beauvoir donne une conférence au club Maintenant dans une petite salle des Sociétés savantes, rue Danton. Elle fait l'apologie du roman métaphysique qui consiste « à poser l'humain dans sa totalité en face de la totalité du monde » contrairement au roman à thèse qui subor-

---

* Lettres inédites à Nelson Algren.

donne événements et personnages à un système préconçu. Elle développa cette thèse dans un essai « Littérature et métaphysique », qui sera repris en 1948, avec trois essais déjà parus dans *les Temps modernes*, sous le titre de *l'Existentialisme et la sagesse des nations*. Ce volume fut publié par l'éditeur Nagel, car Gallimard n'arrivait pas à imprimer assez vite *les Temps modernes* qu'on s'arrachait littéralement chez les dépositaires. Simone de Beauvoir prenait la défense de l'existentialisme contre ceux qui le qualifiaient de « philosophie du désespoir ». Avec un humour aigu, elle raillait la sagesse des nations telle qu'elle s'exprime à travers proverbes et clichés. Elle montrait la faiblesse d'une civilisation qui se base sur l'intérêt et le mépris de l'homme. Elle en donnait pour preuve de nombreux proverbes qui sont des variations sur le thème « on ne fait rien pour rien » ou « charité bien ordonnée commence par soi-même ». On excuse toutes les faiblesses par un : « c'est humain ». « Car les hommes redoutent par-dessus tout les responsabilités... Ils ont si peur d'engager leur liberté qu'ils préfèrent la renier. » C'est ce qui explique, selon Beauvoir, la violence des réactions contre l'existentialisme basé sur la liberté et sur la responsabilité.

Dans une interview donnée au journal italien *Il Politecnico*, Simone de Beauvoir soulignait qu'elle croyait à une base universelle de la morale ; la liberté, disait-elle, est le respect des libertés. Elle insistait sur l'invention continuelle de règles nouvelles qui permettraient l'accord libre de tous les membres d'un groupe et éviteraient l'anarchie.

A trente-sept ans, Beauvoir, entrée dans la vie publique, s'en trouve bien. Pendant toute sa jeunesse elle s'est vouée à la poursuite d'un projet originel, incessamment repris et fortifié : savoir et exprimer. Désormais écrivain engagé, elle met en pratique une morale, celle qu'elle dégage de l'existentialisme sartrien qui la mène exactement par les chemins où elle voulait aller. Elle définit l'homme par l'action et le charge de responsabilités. Dans *les Lettres françaises* du 1er décembre 1945 Beauvoir répond à Dominique Aury que l'homme ne s'explique pas seulement par son comportement, il s'explique par ses rapports avec les autres et avec le monde. Elle dit aussi qu'aucune morale n'est impliquée dans l'existentialisme et ajoute : « J'ai cherché pour ma part à en dégager une. » Selon l'existentialisme Dieu n'existe pas, mais contrairement à ce que fait dire Dostoïevski à Ivan Karamazov : « Si Dieu n'existe pas, tout est permis », la conclusion existentialiste de Beauvoir est : « Dieu n'existe pas, rien n'est permis », Dieu n'étant pas là pour permettre ou punir, chacun est totalement responsable de ses actes. Chacun est ce qu'il se fait. « C'est au sein du monde donné qu'il appartient à l'homme de faire triompher le règne de la liberté. »

Pour répondre aux détracteurs de l'existentialisme et pour en dégager une morale, Beauvoir écrit un essai philosophique de 223 pages qui reçoit le même accueil que *Pyrrhus et Cinéas* et qui est immédiatement traduit aux États-Unis. Dans *Pour une morale de l'ambiguïté*, elle défend l'existentialisme contre ceux qui le traitent de « philosophie nihiliste, misérabiliste, frivole, licencieuse, désespérée, ignoble ». Elle critique la notion d'humanité monolithique, elle oppose la réalité collective à l'intériorité de chacun, et elle soulève une question brûlante à l'époque, celle de la fin et des moyens en affirmant que la fin ne justifiait jamais les moyens.

Albert Camus qui, selon Beauvoir, « se contentait souvent d'une pensée trop courte » au nom de « la clarté française », fit des réserves après avoir lu cet essai et reprocha à Simone de Beauvoir un manque de clarté. Alors qu'il demeurait profondément attaché aux valeurs classiques de la littérature française, Beauvoir s'en détachait, de plus en plus sensible à l'existence des masses et à la notion d'engagement et d'authenticité. Elle qualifiait d'irresponsables les écrivains qui croyaient à l'art pour l'art car pour elle, l'écrivain qui n'a qu'une seule vie à vivre doit concourir aux changements de la société qui l'entoure. Elle voulait transformer la condition sociale de l'homme et la conception qu'il a de lui-même. Plus révolutionnaire que Camus, elle trouvait qu'il « se protégeait » de la critique alors qu'elle la provoquait.

Dans les conférences qu'elle fait cette année-là aux États-Unis elle revient sur les idées exposées dans son essai : à Vassar, elle note l'abandon de la tradition de l'art pour l'art, déclare que l'écrivain doit reconnaître sa responsabilité vis-à-vis de ses lecteurs et souligne le pouvoir de la littérature comme force agissante politique et morale. Pour elle l'essentiel est de communiquer avec le groupe social auquel l'avenir appartient : celui formé par les masses qui ont déjà accepté l'idéologie marxiste. Les existentialistes ont pour but d'inciter le public à réfléchir sur la liberté, l'espoir et l'amour fraternel. « L'écrivain peut poser de nouvelles fondations pour un espoir qui se justifie et pour une action morale. »

Elle souligne la responsabilité de l'écrivain en rappelant que les intellectuels qui avaient trahi, collaboré pendant l'occupation allemande, ont été jugés sans merci par les tribunaux français, tandis que les collaborateurs sur le plan économique étaient parfois acquittés. Elle déclare que l'écrivain est obligé moralement de « prendre parti et s'engager dans les luttes mondiales, même si la guerre était finie ». En 1947, la littérature était jugée beaucoup plus sur son contenu politique et social que sur sa valeur esthétique. Les écrits de Beauvoir étaient une affirmation d'optimisme.

IX. L'amant américain

« Toute l'Amérique est une boîte à surprises. »

L'Amérique au jour le jour, p. 146.

Amérique, Amérique!

Le mythe américain faisait rêver Beauvoir depuis son adolescence. Elle avait vu tous les films de Hollywood, dévoré les romans de Faulkner, de Hemingway, elle avait cédé à la mélancolie des blues et ses yeux s'étaient embués quand au Jockey le saxophone sanglotait des airs américains. L'Amérique, c'était les gratte-ciel de Manhattan, le désert de l'Arizona, les plages de Californie, des paysages immenses ouverts sur l'infini; c'était la liberté, l'aventure, la violence, les gangsters qui se « descendaient » à la mitrailleuse à Chicago, les millionnaires qui donnaient des fêtes où les invités ivres tombaient en habits et en robes du soir dans la piscine géante.

D'Amérique venaient ces grands garçons «nonchalants et rieurs », ces G.I.'s qui avaient délivré l'Europe des nazis, et qui se baladaient maintenant en touristes à travers Paris.

Bost, revenu d'Amérique où il était allé réaliser un reportage pour *Combat,* exultait et ne cessait de raconter ce qu'il avait vu là-bas. Nathalie, fiancée à un G.I., metteur en scène à

Hollywood, allait partir le rejoindre, elle était folle de joie. Sartre, envoyé spécial de *Combat* et du *Figaro*, n'était rentré que pour repartir aussitôt pour une tournée de conférences dans les universités américaines.

Beauvoir voulait sa part d'Amérique. Elle entreprit des démarches. Elle était la romancière existentialiste dont tout le monde parlait, on lui réclamait des conférences sur le roman métaphysique, sur l'existentialisme, cette philosophie toute neuve qui excitait les imaginations et suscitait des débats. Elle partit faire une tournée de conférences pour l'Alliance française en Afrique du Nord. En rentrant à Paris elle s'y trouva seule : Sartre était à New York, Nathalie en Californie, Bost en Italie, Camus sur le point de partir lui aussi en Amérique. Elle s'occupa des *Temps modernes* avec Merleau-Ponty, passa de longues soirées à Saint-Germain-des-Prés avec Boris Vian. Enfin, en mai 1946, elle fit la connaissance de Soupault, il lui demanda si elle voulait aller en Amérique. « Bien sûr je veux, et j'ai insisté, et je crève d'envie d'y aller... »

Il s'agissait d'une tournée de conférences dans les universités américaines qui réclamaient les nouveaux écrivains dont on apprenait l'existence après les quatre années de famine intellectuelle causées par la guerre. Les contacts reprenaient, les échanges s'amorçaient, l'Amérique était avide de se mettre au courant des mouvements intellectuels français. C'est vers la France qu'on se tournait avec le plus de sympathie, c'est d'elle qu'on attendait des idées nouvelles.

Pendant que Soupault préparait son itinéraire américain, Beauvoir fut invitée en Suisse avec Sartre qui venait de rentrer de New York. Pendant trois semaines elle donna des conférences, des interviews, signa ses livres, alla à des dîners officiels. Elle remarqua avec humour que pendant les interviews on ne les séparait pas : « Nous siégions côte à côte, Sartre et moi, comme les rois catholiques. » *Tanto monta, monta tanto Isabel como Fernando*, c'était l'égalité dans le succès. Après la Suisse, la Hollande invita Beauvoir, les conférences se succédaient. Sa puissance de travail était peu commune : elle donnait articles, interviews et conférences tout en écrivant.

Enfin, une tournée de l'Atlantique au Pacifique est organisée, son billet l'attend. Le 25 janvier 1947 Beauvoir prend l'avion. Elle va parler des « problèmes moraux de l'écrivain d'après-guerre ». C'est un sujet qui touche tous les intellectuels; la responsabilité, l'engagement sont au centre des préoccupations de ceux qui veulent que les tueries, les camps de concentration, la torture ne soient plus jamais possibles.

Dès son arrivée, Beauvoir est assaillie par des journalistes qui lui demandent : Qu'est-ce que l'existentialisme? Elle refuse de répondre en trois lignes et charme tout le monde.

Le *New Yorker* consacre un article enthousiaste à « la plus jolie existentialiste ». On s'attendait à une conversation plutôt ardue, surprise! « la réplique féminine de Jean-Paul Sartre » est pleine de gentillesse, de modestie et aussi éblouie par New York qu'un fermier du Middle West. Elle a déjà couru par tout Manhattan, découvert Brooklyn, pris son jus d'orange dans un drugstore, son coca-cola dans un autre, son whisky dans un bar. On lui demande de parler de sa vie, on note scrupuleusement : lever à huit heures, quatre heures de travail sur une table du café de Flore. Le reste du temps elle déjeune, dîne et cause avec des amis. Elle est invitée de cocktail en cocktail par l'intelligentsia new-yorkaise : Harold Rosenberg, Harrisson, l'auteur de *Les généraux meurent dans leur lit*, Mary McCarthy. Elle fait la connaissance de Bernie Wolfe, le secrétaire de Trotski, qui lui raconte l'assassinat de Trotski en 1940, ce sera le sujet des *Mains sales* de Sartre.

A l'université de Princeton, Beauvoir parle en français et pendant une heure envoûte son auditoire : « L'écrivain doit s'engager, faire un choix et se sentir responsable parce qu'il est libre. » C'est une formule qu'elle répète d'université en université. Partout on note son élégance, sa vivacité, sa beauté, et les journalistes soulignent qu'elle voit l'existentialisme comme un optimisme et qu'elle le pratique en dissipant les mensonges et les mythes. Au *Partisan Review*, une revue de gauche, des journalistes lui disent que les intellectuels français faisaient le jeu de Moscou, ce qu'elle nia. On lui demande des articles; dans le *New York Times Magazine* du 25 mai 1947, elle explique : « Pour une existentialiste, l'existence humaine doit s'affirmer contre l'inertie du donné en dominant les choses, en les envahissant, en intégrant leurs structures dans le monde de l'homme. » C'est pour cela qu'elle aime les Prisunics, les drugstores, où tout indique que des projets humains se transforment en objets immédiatement utiles à tous et pour toutes les bourses. Cet éloge du pragmatisme plaît à son public. Le « dynamisme américain » la séduit. En deux cents ans à peine, un continent a été doté d'une histoire et d'une civilisation. « Une humaniste, dit-elle, ne peut que s'émerveiller devant ce magnifique triomphe de l'homme.»

Elle s'exprime avec clarté et simplicité et l'existentialisme semble la doctrine la plus normale et la plus morale du monde. Elle explique que l'homme n'est ni une pierre ni une plante, qu'il ne peut pas se justifier par sa seule présence au monde. L'homme n'est un homme que par son refus de demeurer passif, par la pulsion qui le projette du présent vers l'avenir et le dirige vers les choses pour les dominer et les modeler; pour l'homme, exister, c'est refaire l'existence.

Nous tenons, dit-elle, l'homme pour libre : mais sa liberté n'est réelle et concrète que dans la mesure où elle est engagée, où elle tend vers un but et s'efforce de réaliser quelques changements dans le monde. «C'est pour cela que nous approuvons la façon américaine de juger un homme par ses œuvres.» Elle apprend aux Américains qu'ils sont existentialistes sans le savoir et les en félicite.

Elle arrive le 15 avril à Smith College où se tient un colloque sur «le rôle de la femme dans la société contemporaine». Des femmes connues dans le monde des sciences, des arts, des affaires y participent. Beauvoir travaillait déjà sur le Deuxième Sexe, elle en profite pour poser des questions à ces Américaines. Elle vit sans temps mort. Les Gerassi sont à New York depuis le début de la guerre et la pilotent partout.

Sartre l'avait mise en rapport avec Richard Wright, l'écrivain noir, et sa femme Ellen. L'auteur de Black Boy était alors communiste. Il lui fait visiter Harlem et lui parle du problème noir. Elle retrouve aussi Claude Lévi-Strauss qui est directeur des services culturels français à New York.

Beauvoir parle avec les étudiants des universités où elle donne ses conférences et s'étonne de les entendre dire que Faulkner est démodé, qu'ils ne lisent plus Hemingway. Elle constate que non seulement le passé, mais le présent sont condamnés, dépassés en faveur de l'avenir. Les jeunes Américains n'ont pas le sens tragique de la vie, ils n'ont pas le sens du péché et du remords, le sens de l'angoisse comme les Français. Elle songe à ses dix-neuf ans, à sa propre inquiétude et elle est de plus en plus curieuse de connaître la réalité américaine. Comment le faire ? En écrivant un livre qui serait un reportage au ras de la vie quotidienne. L'Amérique, elle veut la saisir «avec ses mains, ses yeux, sa bouche». Elle regarde, elle marche, elle entre dans les magasins, dans les cinémas, les bars, les restaurants. Ses amis, débordés par son énergie, ne suffisent pas comme guides à cette infatigable exploratrice qui veut connaître les secrets des journées et des nuits américaines. « Je marche lentement. Je voudrais enrouler autour de mon cou ces lumières, les caresser, les manger... Je ne désire rien sauf un mythe : New York qui est partout et nulle part... Je ne croyais pas pouvoir tant aimer une autre ville que Paris. »

Nelson Algren

Sa tournée de conférences amena Simone de Beauvoir à Chicago où elle devait passer trente-six heures. Chicago était un mythe dont le seul nom la fascinait. A New York, Mary Guggenheim* lui avait donné l'adresse de Nelson Algren, un écrivain américain qui dans ses romans décrivait la vie des bas-fonds de Chicago, ses personnages étaient des marginaux, des drogués. C'était exactement ce que Beauvoir voulait voir. Elle l'appela.

Trente-cinq ans après, Nelson Algren se souvenait encore de ce coup de fil un soir de février 1947. Il préparait son dîner quand la sonnerie du téléphone retentit. Il entendit une voix rauque, précipitée, incompréhensible. « Faux numéro », dit-il. Il raccrocha et continua de préparer son dîner. Trois fois la même scène se reproduisit jusqu'à ce qu'une téléphoniste lui dît : « Une minute s'il vous plaît, ne raccrochez pas, on demande à vous parler. » Il entendit une voix féminine, un accent français très prononcé, un nom qu'il ne saisit pas. Elle l'attendait au Palmer House, le grand hôtel de Chicago, avec The Partisan Review sous le bras, il l'observa quelques minutes. Quatre fois il la vit se lever, aller à la porte, se rasseoir. Il l'invita au bar et ne sachant que lui dire, comme elle était française, il lui raconta la guerre, sa guerre. Elle lui avouera plus tard qu'elle n'avait rien compris. La langue de Nelson Algren était pittoresque, bourrée d'expressions qu'elle n'avait jamais entendues. Tels qu'ils étaient ils se trouvèrent sympathiques, elle promit de revenir à la fin de sa tournée de conférences, il lui promit de lui montrer « le vrai Chicago ». Elle revint.

Ils tombèrent follement, éperdument amoureux l'un de l'autre. Cette fois il s'agissait d'un amour violent, d'une

* Nelly Benson dans les Mémoires.

entente à tous les niveaux. Nelson Algren était beau, 1,85 m, un visage régulier, un grand front sous une masse de cheveux blonds, robuste, élancé, un Scandinave. C'était un aventurier, un homme libre, un révolté, un séparé. Algren semblait sortir d'un film, d'un roman. En le quittant, Beauvoir lui dit qu'elle reviendrait mais ajouta que « sa vie était faite en France pour toujours ». Algren ne comprit pas ce que cela signifiait et le genre de rapports qu'on lui réservait. Il aimait Simone de Beauvoir en toute simplicité, il l'aimait profondément.

En 1981, Nelson Algren répondait aux questions de W.J. Weatherby, un journaliste venu l'interviewer sur son dernier livre *la Chaussette du diable*. Il évoquait ses souvenirs, en abordant le thème de l'amour, il s'emporta contre Simone de Beauvoir. « Elle m'a décrit sous le nom de Lewis dans *les Mandarins*; dans un volume de mémoires elle a fait de notre amour une grande aventure internationale et littéraire, elle a donné mon nom, elle a cité des passages des lettres que je lui avais écrites. Son éditeur m'a demandé l'autorisation de les citer, j'ai dit OK, à regret, les lettres d'amour devraient rester dans le domaine privé. J'ai été dans des bordels partout dans le monde. Les femmes ferment toujours la porte, que ce soit en Corée ou aux Indes. Mais cette femme-là a ouvert la porte toute grande et elle a appelé le public et la presse... Je ne lui garde plus rancune, mais je trouve que c'est une façon d'agir horrible. Je suppose que c'est une façon européenne d'envisager les choses. »
Algren s'énervait de plus en plus, son interlocuteur, sachant qu'à soixante-douze ans il souffrait de troubles cardiaques, eut peur et tenta de le ramener au calme en lui parlant d'autre chose. Ce fut peine perdue, Algren était trop furieux. « Puisqu'elle a publié mes lettres je vais publier les siennes, elles ne sont plus sacro-saintes, criait-il. La moitié de notre correspondance* a été commercialisée par elle, pourquoi ne vendrais-je pas l'autre ? Toutes ses lettres sont là. » Il ouvrit un placard, tapa du poing sur une grosse boîte de métal. Sa fureur montait. Le journaliste s'éclipsa. Le lendemain, il y avait une réception chez Algren pour la sortie de son livre ; le premier invité qui poussa la porte trouva Algren étendu sur le sol. Il était mort, terrassé par une crise cardiaque. L'amour l'avait tué. Sa dernière colère avait été contre Simone de Beauvoir qu'il n'avait jamais pu oublier malgré deux maria-

* Seules quelques lignes ont paru dans les *Mémoires*.

ges suivis de deux divorces. Ce fut un adieu sans cérémonie que celui de l'amant américain qui mourut seul, après avoir fait ses dernières confidences à un journaliste effrayé de tant de violence et de tant de passion.

Quand elle avait rencontré Nelson Algren, il était considéré comme un écrivain important, un journaliste agressif, poète à ses heures. Il était la personnification de l'éternel rebelle, un vrai héros de cinéma. Ses parents étaient nés à Chicago, son grand-père paternel venait de Suède et s'appelait Nels Ahlgren. Ce Suédois non conformiste avait trouvé dans la Bible la vérité qu'il cherchait, il se convertit au judaïsme. Il émigra aux États-Unis où il se fit marchand de fourrures. Cette vie lui parut monotone. Il embarqua sa femme et ses enfants pour Jérusalem, se fit passer pour un rabbin et laissa libre cours à son imagination. Sa femme, excédée par les palabres et les chimères du faux rabbin, rassembla les dollars qui lui restaient, prit ses enfants et repartit pour les États-Unis. Au dernier moment, elle vit accourir son mari qui escalada la passerelle comme on la levait. Sur le bateau, Nels Ahlgren eut une nouvelle inspiration. Appliquant à sa façon l'interdiction biblique de faire des idoles, il décréta que l'homme ayant été fait à l'image de Dieu toute représentation de l'homme était sacrilège. Il arracha à sa femme les dollars qu'elle avait, montrant le portrait de Washington, il s'écria : « Sacrilège ! » et jeta le tout à la mer. Après cet exploit sa femme ne voulut plus le voir. Il disparut dans la foule dès qu'ils arrivèrent à New York. Il courut le monde, changeant de religion selon les lieux et les besoins, se présentant partout comme missionnaire. En son absence, sa famille se débrouilla. Après trois mois, les enfants quittèrent l'école et travaillèrent. Nelson Algren se sentait des affinités avec ce grand-père chimérique qui était revenu mourir dans sa famille. Il était le plus jeune et sa sœur aînée s'arrangea pour payer ses études à l'université de l'Illinois. Il aimait écrire et suivit des cours de journalisme. Impatient de vivre, muni d'un diplôme sans grande valeur, il partit au hasard des routes, faisant les métiers qui s'offraient. Son vagabondage le conduisit au Texas, où on le mit en prison parce qu'il n'avait ni argent ni métier. Un avocat lui offrit de le faire libérer pour deux cents dollars. C'était une fortune. Nelson choisit d'attendre le passage du juge qui ne venait que tous les deux mois, il fut jugé, libéré, et n'eut à payer que cinq dollars d'amende pour vagabondage.

Il s'en alla à l'aventure. A Alpine, au Texas, il s'installa dans un ranch abandonné. Il y avait dans cette petite ville une école normale d'instituteurs avec peu d'étudiants, Nelson Algren découvrit dans un bâtiment une salle toujours vide avec trente tables et trente machines à écrire. Il prit l'habitude de s'y installer et d'y écrire. Personne ne le remarqua.

Il ne pouvait pas continuer à vivre des quelques sous gagnés à faire n'importe quoi, il décida de rentrer à Chicago. Il s'était attaché à la machine à écrire dont il était seul à se servir depuis des semaines. Il la prit. Il alla chercher une boîte de carton et l'emballa avec amour, puis il courut à la poste et l'expédia à Chicago. Il prit le train. A un arrêt près de San Antonio il faisait très chaud, il sortit du wagon, roula une cigarette en attendant le départ. Un shérif s'approcha. Algren se mit à bavarder, il raconta qu'il venait de quitter Alpine. Le shérif lui demanda son nom et en l'apprenant, l'informa qu'il devait y retourner sur-le-champ sans lui dire pourquoi. Algren docilement retourna à Alpine. On avait découvert le larcin. L'employé de la poste n'avait pas expédié la machine à écrire, il avait averti le shérif. Algren fut mis en prison. Le juge ne venait siéger à Alpine que deux fois par an, Algren l'attendit sous les verrous. Il avait vingt-deux ans. Il trouva le temps long de novembre à mars, enfin il fut traduit devant un jury et un juge. Le juge lui infligea une peine de deux ans de prison avec sursis. Il devait quitter le Texas sans délai et y revenir deux ans plus tard pour jurer qu'il n'avait plus commis de crime. Nelson partit ; il ne remit jamais les pieds à Alpine et resta officiellement condamné à ces deux ans de prison avec sursis.

C'était en 1929. De l'autre côté de l'Atlantique, une jeune fille rangée venait d'être reçue au concours de l'agrégation.

Pendant trois ans, il continua à vagabonder à travers les États-Unis en se glissant dans des wagons de marchandises. Il fallait surtout ne pas être attrapé, ou c'était encore la prison. Il vivait tantôt seul, tantôt avec un groupe de vagabonds. Pour gagner quelques sous, Nelson s'était fait le complice d'un forain qui avait une loterie, son rôle consistait à faire celui qui joue et gagne, ce qui incitait les passants à jouer, ceux-ci évidemment perdaient leur mise. Un jour Algren vit venir le shérif qui faisait régulièrement sa ronde. Il joua et gagna comme convenu. Quand la somme fut rondelette, Algren, profitant de la présence du shérif, mit l'argent dans sa poche et s'en alla tranquillement pendant que son complice s'étranglait de rage.

Après les voyages en wagon de marchandises, Nelson fit de l'auto-stop. Il mangeait à l'Armée du Salut et dans d'autres institutions de bienfaisance. Il parlait avec des déclassés, des bandits, des paresseux, des malchanceux de toute espèce et tout en se passionnant pour tous ces désaxés, ces originaux, il écrivait des poèmes.

Son amour malheureux pour la machine à écrire qu'il avait volée provenait d'un profond besoin d'écrire. Nelson était un écrivain-né. C'est sur les routes qu'il avait découvert ce qu'il voulait décrire, ce qu'il voulait dire et de qui il voulait parler. Il avait vu mourir des gens, il avait vu des accidents, il avait vu la misère absolue de milliers d'Américains qui essayaient de survivre. C'était l'époque de la Grande Dépression, l'époque des migrations des malheureux qui cherchaient du travail dans les États du Sud, l'époque de la misère dans les grandes villes. Il constatait que tout ce qu'on lui avait enseigné était faux. On lui avait dit : « Tu vas à l'université, tu obtiens un diplôme, tu deviens journaliste, tu travailles dans un bon journal, tu épouses une jeune fille bien élevée, tu as de beaux enfants, et l'Amérique c'est ça. » Ce n'était pas ça du tout. La société était mal faite, la morale qu'on lui avait enseignée n'était qu'un mensonge, ce qu'on lui avait appris aux cours de journalisme ne servait à rien. Écrire, ce n'était pas ça.
Il avait vingt-quatre ans quand il retourna à Chicago. Il y trouva une machine à écrire et un endroit pour travailler, dans un petit club fondé par de jeunes écrivains. Le récit d'une des aventures d'Algren parut dans un journal. A la suite de cette publication, il reçut une lettre d'une maison d'édition lui demandant s'il écrirait un roman. Algren partit aussitôt pour New York en auto-stop. Il se présenta à Vangard Press où le directeur lui posa trois questions : « De quoi avez-vous besoin ? Que feriez-vous si vous aviez de l'argent ? Comment écririez-vous un roman ? » Algren donna trois réponses : « Il me faudrait trente dollars par mois. Je retournerais dans le sud-ouest des États-Unis. Je vous donnerais un manuscrit dans trois mois. » Il reçut donc dix dollars pour ses frais de voyage et quatre-vingt-dix dollars pour trois mois. Le roman n'eut pas de succès. Algren se maria. Il divorça quatre ans plus tard et écrivit un nouveau roman qui cette fois fut remarqué.
En 1942, comme de nombreux intellectuels de la gauche américaine, Algren s'engagea et resta dans l'armée jusqu'en

1945. Son régiment fut envoyé en Europe. Algren faisait partie d'un corps médical, il ne vit jamais le feu de près.

En 1945, en attendant de rapatrier les troupes aux États-Unis, un vaste camp fut érigé au nord de Marseille. Des dizaines de milliers de soldats y attendaient sous la tente le bateau qui devait les ramener chez eux. Algren y mena sa vie d'aventurier, il fit du marché noir pour avoir de l'argent à dépenser au jeu : cigarettes, souliers, vêtements, tout ce qu'il prenait dans le magasin du camp américain se vendait bien. Il s'amusait des ruses des gens qui cherchaient à l'exploiter : le coup classique était de dire à un G.I. :

— Vends-moi ta veste.

— Combien ?

— Vingt dollars.

L'acheteur laissait tomber l'argent, le vendeur se penchait pour le ramasser, il recevait un grand coup sur la tête et le type filait avec sa veste. Algren ne se penchait pas, il avait vu faire le coup trop souvent.

Dans les bars, il buvait prudemment. Un G.I. ivre était vite poussé dans un coin et délesté de ses souliers, de sa veste, de son argent. Il fallait toujours avoir l'air sobre. Algren s'amusait à regarder les soldats aller dans un bordel où toutes les demi-heures la police militaire faisait une ronde et traînait, à demi vêtus, ceux qui étaient pris. Assis sur les trottoirs, les Marseillais applaudissaient.

En 1945 Algren rentra à Chicago et commença un roman. Il s'installa dans un des quartiers pauvres de la ville. Pour dix dollars par mois il loua, rue Wabansia, une chambre et une grande cuisine sans électricité ni chauffage. Il s'arrangea pour y faire conduire des fils électriques. Il acheta un fourneau. Il allait tous les jours au Y.M.C.A.* nager une heure et faire de la culture physique. Il y prenait sa douche quotidienne, il n'avait pas de salle de bains chez lui.

Il était heureux dans son deux pièces-cuisine où trônait une machine à écrire qui, cette fois, lui appartenait. Après ses années de vagabondage, après ses années dans l'armée, il avait enfin un chez soi. C'est là que Simone de Beauvoir débarqua un jour de 1947. Il venait d'avoir son premier succès avec *Neon Wilderness (le Désert de Néon)*. Il y décrivait ces couches de la société américaine que les lecteurs ne connaissaient pas,

---

* Young Men Christian Association, une organisation charitable.

les habitants des bas-fonds des grandes villes, les gens que la société rejette : voleurs, drogués, prostituées.

« Ma petite Gauloise »

C'est le Chicago qu'il fit visiter à Beauvoir. Il l'emmena dans les bars mal famés, au poste de police, la nuit, quand les fourgons cellulaires y débarquaient toutes sortes de marginaux, il lui montra la chaise électrique. Ils allèrent voir des *burlesques shows*, le zoo, les courses. Algren lui expliqua la gauche américaine et ce qui se passait dans les milieux intellectuels. La cellule communiste de Chicago était secouée : un Noir était accusé d'avoir renié les enseignements du parti, qui organisa un « procès-confession » suivi par toute l'intelligentsia de gauche. Plutôt que d'être chassé du parti, le camarade Ross abonda dans le sens de ses accusateurs sans dire un mot pour sa défense. L'écrivain noir Richard Wright racontait dans *The God that failed* l'étonnement de nombreux écrivains américains communistes qui virent dans « le procès de Chicago » une autre forme de totalitarisme. C'était un monde nouveau pour Beauvoir. Grâce à Nelson Algren, elle pouvait saisir ce qui l'intéressait plus que tout : la réalité vécue.

Elle quitta Nelson Algren, en larmes, et arriva à Paris « chavirée ». Elle aimait ce grand Américain blond, cet écrivain-aventurier. Elle convint avec Jacques-Laurent Bost qu'ils ne seraient plus que des amis, sa relation avec lui avait perdu sa signification. Bost était alors journaliste à *Combat,* il avait publié un roman à la N.R.F. Le succès naissant, la Libération avaient jeté dans ses bras des multitudes de femmes. Le joyeux compagnon était devenu un personnage public. Quand Beauvoir rompit, il ne se fâcha pas. « Il savait que je ne *l'aimais* pas. Cependant il est demeuré un certain malaise entre nous*. »

Mais il y avait Jean-Paul Sartre. Il était empêtré dans une histoire passionnelle qui elle aussi était un don de l'Amérique. Il y avait rencontré Dolorès Vanetti**. C'était une actrice qui avait joué avant la guerre chez Gaston Baty, au théâtre Montparnasse. Beauvoir l'avait souvent admirée au Dôme où elle faisait des entrées remarquées. Au début de la guerre, elle partit pour les États-Unis, devint la maîtresse d'André Breton,

* Lettres inédites à Nelson Algren.
** M. dans *la Force des choses.*

puis épousa un riche médecin américain. Sartre avait fait sa conquête à New York. Elle résolut de divorcer. Il tenait beaucoup à elle, mais ne voulait rien changer à l'équilibre savant qui lui permettait de mener de front ses amours contingentes, sa carrière et son amour essentiel. Dolorès prétendait régner seule. Elle téléphonait des États-Unis, elle voulait venir. Elle vint. Sartre tenait à sauver ses heures de travail et préférait mettre Beauvoir hors d'atteinte de Dolorès.

Sartre et Beauvoir s'installèrent donc près de Port-Royal, aux environs de Paris, pour y travailler en paix. Sartre passait de temps en temps une soirée, une nuit à Paris avec Dolorès. Les autres soirs elle dérangeait le couple en téléphonant en larmes. Sartre finissait par céder. « Son excuse c'est que tout en refusant d'altérer ses relations avec moi il tenait violemment à elle et il aurait voulu croire possible une conciliation », explique Beauvoir dans *la Force des choses*. C'était un printemps gâché. Beauvoir écrivait avec nostalgie son essai sur l'Amérique. Elle pensait à Algren, elle voulait le revoir, l'argent, elle l'avait ! Pourquoi ne pas partir pour Chicago ? « Je me le demandais avec une anxiété qui touchait à l'égarement. » Étant toujours aussi violente et ses sens toujours aussi impérieux, « c'est l'enfer », écrivait-elle.

Enfin, Sartre accompagna Dolorès au Havre d'où elle repartit pour l'Amérique. Mais la douceur de vivre tarda à revenir. « Sartre se taisait, moi aussi et je me demandais avec terreur si nous étions devenus deux étrangers. »

Un voyage avec Sartre en Suède ramena un peu de sérénité. A peine rentrée en France, Beauvoir télégraphia à Algren. Voulait-il qu'elle vienne ? Il le voulait. Elle partit.

En retrouvant Algren dans son petit deux-pièces, Beauvoir sentit qu'elle avait eu « raison de revenir ». Ce furent deux semaines d'un simple et radieux bonheur. Elle lisait les premières pages du roman qu'il était en train d'écrire et ils les discutaient. Elle fit la connaissance de ses amis : des écrivains, des acteurs, des journalistes qui travaillaient à la radio, à la télévision, tous libéraux et non conformistes, elle se plaisait parmi eux. Elle compléta son reportage sur l'Amérique. Ils travaillaient côte à côte, ils étaient heureux. Algren découvrait la plénitude d'une vie partagée avec une femme qui était un écrivain comme lui, dont l'intelligence, le talent créaient entre eux des rapports à un niveau qu'aucune femme n'avait pu atteindre. Cette égale, ce merveilleux compagnon intellectuel était aussi une femme belle, passionnée, heureuse. Il lui demanda de rester pour toujours. Il n'avait pas compris la puissance du pacte signé entre Sartre et Beauvoir, il fut bouleversé par son refus.

Beauvoir et Sartre ne voulaient pas détruire leur entente, l'œuvre primait tout, mais par un étrange jeu de hasard, ils étaient tombés amoureux de partenaires qui exigeaient le mariage. Simone de Beauvoir allait tenter pendant quelques années d'établir une liaison transatlantique, et de concilier son amour pour le génie de Sartre et son amour pour Nelson Algren.

Lettres d'amour

Dans la boîte de métal que Nelson Algren avait montrée au journaliste venu l'interviewer la veille de sa mort, il y avait deux brins de fleurs séchées : des campanules cueillies dans un coin de France. Elles étaient blotties dans le pli d'une lettre, elles étaient restées là, conservées, préservées pendant trente ans. Elles sont toujours là, parmi les mille huit cents pages écrites par Simone de Beauvoir à Nelson Algren. Et de ces lettres d'amour, c'est une Simone de Beauvoir imprévue qui se lève, tendre, espiègle, subtile, tourmentée comme une héroïne de Musset et follement amoureuse.

Ces lettres ont quelque chose que les *Mémoires* de Simone de Beauvoir n'ont pas, elles sont les témoins spontanés d'une passion, elles sont écrites par un grand écrivain qui laisse aller sa plume où le cœur la guide ; à travers leur transparence on voit vivre une femme attachante, émouvante, sensible. L'une de ces lettres a été déchirée par un amant furieux et recollée par lui avec une minutieuse tendresse. Dans un moment de colère, Nelson Algren les avait toutes vendues, il les avait rachetées aussitôt. Dans leur boîte de métal, ces lettres sont restées à côté de lui jusqu'au bout.

« Nelson my love... » « Mon Nelson à moi... » « Mon amour chéri, je suis plus près de vous chaque jour », elle parle de son cœur « obstinément fidèle », et, de lettre en lettre, les mêmes mots reviennent, « Mon époux bien-aimé », « mon ami, mon amant, mon époux », « mon époux de printemps », « mon époux du Mississippi », et, mêlant le français et l'anglais : « Nelson, dearest you, mon cher amour », « je serai votre épouse de Wabansia ».

Dans une lettre qui voisine avec les campanules mauves :

« Je suis impatiente de fondre de nouveau dans vos bras... mon amour lointain. » Sur un papier déchiré, un appel : « Ne partez pas, restez près de moi, parlez-moi ! » et chaque lettre est signée « votre Simone ».

Elle raconte sa vie à Nelson. Elle lui parle de Sartre, de « la famille », des amis, de Bost, d'Olga, de Wanda, de Bianca, de Michèle Vian, de Gréco, de Violette Leduc, de Jean Genet, de Mouloudji, elle lui raconte les répétitions des *Mouches*, reprises par Dullin, le travail aux *Temps modernes*, ce qu'elle écrit, ce qu'elle voit, ses voyages. Elle lui dit qu'elle rêve à lui et de la chaleur de ses baisers ; elle lui dit : « Je vous cherche en vain de rue en rue à travers Paris. » Elle s'effraye à l'idée de la mort : « Je ne veux pas mourir... Je ne peux pas supporter l'idée que vous puissiez mourir avant moi. » Elle se souvient que Nelson lui avait dit : mourons ensemble à soixante-seize ans. Ce serait le mieux, dit-elle, mais à soixante-seize ans c'est un peu trop tôt. Elle l'appelle « Nelson mon seul amour », et lui affirme que leur rencontre a été la plus grande chance de sa vie. C'est un amour sans intermittences mais avec des séparations et la liberté de se donner à fond à l'écriture.

Elle lui écrit du Midi qu'elle le voit assis près d'elle, elle l'aime à la fois dans ce jardin français et à Chicago, « car je suis dans notre maison de Chicago comme vous êtes en France avec moi. Nous ne sommes pas séparés et nous ne nous séparerons jamais. Je suis votre femme pour toujours ». L'imagination toute-puissante de l'écrivain peuplerait-elle aussi réellement sa vie de présences chères qu'elle peuple ses romans de personnages ? L'imaginaire aurait-il ici une place privilégiée ? Si des êtres fictifs se lèvent des pages de la littérature, pourquoi l'esprit qui produit de telles illusions n'aurait-il pas une faculté d'actualisation hors du commun ? « Chaque jour, après le déjeuner, je m'étends un peu sur mon lit, sans lire, juste à rêver et chaque jour vous venez silencieusement et amoureusement, vous êtes dans mes bras aussi longtemps que je peux vous garder. Hier, c'était vrai, vous en souvenez-vous Nelson ? Chaque jour je m'en souviens et chaque jour je vous désire. »

Il est impossible de mettre en doute la sincérité de l'exhortation qui se répète de lettre en lettre : « Nous ne devons pas nous sentir séparés. Au contraire, quand nous nous retrouverons dans neuf ou dix mois, nous serons plus proches, plus intimes encore que lorsque nous nous sommes séparés. Ces mois, il faut essayer de les vivre ensemble. »

Sur le papier à lettres qui porte l'adresse de son logis, 11, rue de la Bûcherie, elle envoie l'horaire de ses journées : de 9 heures à 13 heures, elle écrit, puis elle déjeune avec Sartre, puis de 5 à 8, elle écrit encore. Elle traduit une nouvelle d'Algren, *Trop de sel sur les Bretzels*, qui paraîtra dans les *Temps modernes*. Elle travaille et veut que Nelson travaille aussi. Tout en sachant qu'il a besoin de Chicago comme elle de Paris, elle affirme ne pas pouvoir vivre séparée de lui. Lui, l'appelle « sa véritable épouse », « je le suis en effet », dit-elle.

Elle se décrit au premier étage du Café de Flore, devant les fenêtres ouvertes par lesquelles elle peut voir les arbres du boulevard Saint-Germain. Elle a donné les premiers chapitres de *l'Amérique au jour le jour* à lire à Sartre. Elle se désole que ce récit qui les concerne tous deux soit écrit dans une langue qu'il ne comprend pas. Et s'il apprenait quand même le français ? Elle lui envoie une petite version à faire, aussi simple qu'une rédaction d'enfant, aussi douce qu'une chansonnette et tout à fait fleur bleue : « Mon bien aimé est très loin... Je penserai à lui jusqu'à ce que je le retrouve et alors je n'aurai plus à penser... Il est très loin mais personne n'est plus près de moi parce qu'il habite mon cœur. Son nom est Nelson Algren. » Lui aussi est sentimental, il lui a envoyé un bouquet de fleurs blanches. Elle a pleuré en recevant ce message de l'amant lointain. Elle apprend ses lettres par cœur et tant mieux si elles sont longues. Elle l'aime de plus en plus, d'abord elle l'avait aimé pour sa façon de l'aimer, puis elle s'était mise à l'aimer pour lui-même. Son amour lui semble tout neuf. « Jamais je ne vieillirai, jamais je ne mourrai tant que vous me donnerez votre amour. » Elle lui écrit qu'elle pense à ses bras autour d'elle, qu'elle tremble et a mal dans tout le corps. Jour et nuit elle songe à cet amour qui l'enveloppe et la protège. Elle avait d'abord eu très peur d'admettre qu'elle était tombée amoureuse de lui « car aimer avec une telle intensité vous rend vulnérable ». Elle constate que son bonheur est désormais entre les mains de Nelson. « J'aurais préféré en conserver le contrôle. »

Elle badine en affirmant qu'elle le laissera travailler en paix, qu'il pourra rester seul pendant qu'elle lavera la vaisselle, balayera le plancher, ira chercher des œufs et du pain ; qu'elle ne lui caressera ni les cheveux ni l'épaule sans sa permission préalable. Elle lui promet de ne pas être morose s'il est de mauvaise humeur et de ne pas entraver sa liberté. Puis, quittant le badinage, dans un grand élan, elle lui demande s'il ne pourrait pas arranger ce qu'elle désire de toute son âme, de tout son cœur, de tout son corps : vivre auprès de lui pendant de longs mois.

A la fin de cette longue lettre il y a une gracieuse pirouette : « Vous souriez peut-être de me voir si sérieuse, peut-être pensez-vous que je suis une petite grenouille* bavarde. Peut-être avez-vous raison. Voilà pourquoi l'amour me fait peur ; il me rend plutôt stupide. » Elle se dit mécontente de cette épître, « c'est difficile de faire l'amour par correspondance », et termine en français « vous êtes mon amour ».

Quand elle s'installa rue de la Bûcherie, elle lui écrivit que cet appartement serait le leur, un seul homme y coucherait : lui, et, ajoutait-elle en soulignant : c'est *vous* qui ferez *la cuisine*. Sur l'une des feuilles bleues de son papier à lettres, à côté de l'en-tête « Simone de Beauvoir, 11, rue de la Bûcherie », elle avait ajouté « et 1523 W. Wabansia ». C'était l'adresse de Nelson à Chicago.

Il était difficile de faire admettre à cet amant tant aimé qu'il appartenait à la catégorie des amours contingentes et que c'était une situation normale et bénéfique pour le travail littéraire. Sartre, lui expliquait-elle, l'avait aidée, il avait besoin d'elle, elle ne pouvait pas le « laisser tomber », les liens qui les unissaient étaient indestructibles.

L'amant américain, choqué, n'avait que cette alternative : prendre ce qu'elle lui offrait, ce partage, ou la perdre totalement. Il l'aimait, il était subjugué par un amour-admiration pour cet écrivain aussi libre qu'un homme. Il se sentait dépassé par le non-conformisme de cette femme éblouissante.

Elle part, il l'attend. Elle revient en mai 1948. *L'Amérique au jour le jour* a paru en extraits dans *les Temps modernes*. Juste avant son départ elle a publié un extrait du *Deuxième Sexe*, « La femme et les mythes ».

Plus célèbre encore, plus controversée, elle arrive chez Nelson Algren et l'enlève à Chicago : elle veut voir le Mississippi, le Meschacebé de Chateaubriand, le Père des Eaux des Indiens, elle veut aussi visiter l'Amérique centrale. Nelson avait pensé l'intéresser par des visites dans les quartiers louches, il avait arrangé des entrevues avec des voleurs, des morphinomanes, mais elle avait déjà vu tout cela lors de sa visite précédente, elle avait déjà tout vu, tout retenu. Nelson déçu s'aperçut qu'elle s'ennuyait, il se hâta de prendre les billets

---

* Surnom donné aux Français par les Américains.

pour Cincinnati. Dès le lendemain ils embarquaient sur un bateau à palettes, avec une cheminée, une grosse cloche pour appeler les voyageurs, des cabines de luxe, un restaurant. C'était un des bateaux du XIXe siècle restaurés à l'usage des touristes qui remontent et descendent le Mississippi à la belle saison.

Beauvoir s'avoua conquise, émerveillée par la beauté de ce fleuve, « Old Man River », large comme un bras de mer, semé d'îles boisées, coupé de bancs de sables mouvants. De somptueux couchers de soleil grenat, des clairs de lune transparents et romantiques, toutes les pages sur les forêts du Nouveau Monde devenaient réalité, et le grand fleuve la portait au rythme des phrases de Chateaubriand.

Sur le pont, Nelson prenait des photos en vrai touriste et Beauvoir traduisait une de ses nouvelles qu'elle voulait publier dans les Temps modernes. Ils causaient, ils buvaient du scotch, « l'une des clés de l'Amérique », et ils s'aimaient.

Ils faisaient escale dans les villes du Sud, visitaient des vieilles plantations aux arbres géants d'où pendent des mousses aériennes, les maisons aux colonnades blanches qui datent d'avant la guerre de Sécession, tout le décor d'Autant en emporte le vent.

Ce fut la Nouvelle Orléans, puis le Yucatan, le Guatemala et Mexico. Ensemble ils tenaient un journal de voyage. Elle notait ses impressions sur une page et lui écrivait sur la page en face*. L'amant, déconcerté par tant de méthode et le souci constant de l'œuvre, boudait un peu, mais se résignait.

Il était malheureux, il avait les réflexes d'un Musset dépassé par une George Sand. Il faisait des caprices, il refusait d'accompagner Beauvoir quand elle partait explorer des ruines, des monuments, sans omettre la moindre pierre. Beauvoir ne voulait pas comprendre la cause profonde de ces bouderies, ou plutôt ne la comprenait que trop bien et se demandait comment ne pas achever de le désespérer. Il fallait pourtant lui annoncer qu'elle allait le quitter le 14 juillet pour rentrer à Paris, car Sartre lui demandait de venir travailler sur un scénario. C'était un renversement total des rôles ; la femme plus forte, plus célèbre, maîtresse de sa destinée, devait dire à son amant : ma carrière, mon travail, quelqu'un de suprêmement important m'obligent à partir, attends-moi.

Beauvoir aurait voulu pouvoir revenir à sa guise. Nelson se

---

* Ce petit carnet se trouve parmi les lettres inédites à Nelson Algren.

cabrait. A New York, Beauvoir s'emporta contre cet amant indocile qui se montrait de plus en plus désagréable. Elle lui déclara brusquement qu'elle allait partir sur-le-champ. Alors, acculé au pire, Nelson mit son cœur à nu : « Je suis prêt à vous épouser sur l'heure », murmura-t-il. Elle ne voulait pas modifier son mode de vie. Pourquoi Algren ne viendrait-il pas s'établir à Paris ?

Loin de Chicago, Algren sentait qu'il ne pourrait pas écrire, il refusa d'ajuster sa vie à la convenance de Beauvoir. La séparation fut pénible. A peine fut-elle rentrée à Paris pour retrouver Sartre que Dolorès revint à la charge. Elle téléphona à Sartre de New York, elle voulait le revoir. Sartre céda, Dolorès arriva. Sartre l'emmena dans le Midi pour un mois. Plus question de scénario, Beauvoir se retrouva seule. Elle télégraphia à Algren qu'elle était prête à retourner à Chicago. L'amant vexé répondit : « Non, j'ai trop de travail. » Quand Sartre revint, ils partirent ensemble en Afrique du Nord où ils se remirent de leurs amours américaines.

Algren, lui, ne semblait pas se remettre. Chaque semaine il envoyait une lettre à Beauvoir. Il lui avouait qu'il aurait aimé avoir une femme, même un enfant à lui. Il se trouvait très seul.

Beauvoir non plus ne surmontait pas la peine de la séparation, elle lui écrivait des lettres brûlantes et lui avouait qu'elle pleurait des nuits entières. Les lettres se croisaient, passionnées, désolées, enfin, au début de juin 1949, Algren débarqua à Paris. Beauvoir mit le manteau blanc qu'elle portait deux ans plus tôt à Chicago pour aller l'accueillir à la gare. Elle l'installa chez elle, 11, rue de la Bûcherie, dans le studio que lui avait cédé Mouloudji. Au mur il y avait un Picasso, mais Algren remarqua que l'eau de pluie passait à travers le plafond et que des seaux étaient disposés pour la recueillir. De la fenêtre, au cinquième étage, on voyait Notre-Dame, en se penchant on apercevait un café plein de Nord-Africains. La musique, les cris montaient jour et nuit.

Nelson ravi se laissa promener en touriste. Beauvoir l'emmena partout, de Montparnasse à Saint-Germain-des-Prés, de Notre-Dame à Montmartre et jusqu'au sommet de la tour Eiffel. C'était la grande époque existentialiste, elle lui présenta Sartre et la famille, tous les amis : Gréco, Boris Vian, Cazalis, Mouloudji, Giacometti, Genet. Elle lui apprit Paris comme il lui avait appris Chicago. Puis ils partirent pour l'Italie, la Tunisie, l'Algérie. Ils passèrent septembre à Paris.

Après ces mois de fête ce fut la séparation. Elle l'accompagna à Orly, certaine d'aller le retrouver l'année suivante. A la rentrée, il reçut le prix Pulitzer*, c'était désormais le grand succès, les cocktails, les interviews, la télévision. Il écrivait tendrement qu'il l'attendait. L'amour contingent semblait être enfin une parfaite réussite.

En octobre 1950, Beauvoir alla rejoindre Algren. Il avait une maison à Forrest Avenue, loin de Chicago. C'était son cinquième séjour. Elle se baigna dans le lac, se reposa, écrivit *Faut-il brûler Sade ?* Ils vécurent des semaines heureuses, mais à la fin d'octobre il lui annonça qu'il allait se remarier avec son ancienne femme. « Je ne savais pas ce que je regrettais le plus fort : un homme, un paysage ou moi-même. »

Il la conduisit à la gare. Ils ne parlaient pas. Enfin elle lui dit qu'elle était heureuse de conserver son amitié. Nelson la reprit brutalement : « Jamais je ne pourrai vous donner moins que l'amour. » Elle prit cela comme une défaite. L'ambiguïté de la situation lui était intolérable, était-ce ou non fini ? Allait-il se remarier ? L'aimait-il ? Elle pleura pendant des heures dans le taxi, le train, l'avion et à l'hôtel à New York. Nouvelle Bérénice, elle versait des pleurs raciniens *Invitus, invitam.*

A Paris, une lettre d'Algren lui apprit ce qu'elle ne savait que trop, il ne pouvait pas aimer une femme qui ne lui appartenait pas, qui faisait passer Sartre avant lui, sans lui laisser le moindre espoir d'être jamais le premier, l'unique. Il ne voulait pas donner toute sa vie à quelqu'un qu'il ne pouvait voir que quelques semaines de temps en temps.

La correspondance continua. Pendant des années Beauvoir écrivit à son « blond mari », à son « cher Crocodile », à sa « Brute de nulle part », à « Nelson mon amour », à son « Vieil Hibou ». Elle comprenait son besoin de partager son lit avec une femme, mais elle lui demandait de garder leur amitié intacte même s'il se lassait de leur amour.

Dans une longue lettre elle essaya de lui faire comprendre la place qu'elle tenait dans la vie de Sartre, elle mourait d'envie de travailler à son propre livre, mais n'avait pu le faire pendant tout un mois parce que Sartre lui avait demandé de « filtrer » son manuscrit de *Jean Genet comédien et martyr.* Elle décrivit ce pavé de 850 pages, la lecture concentrée, critique qui l'avait absorbée, passionnée, épuisée. En parlant de Genet, Sartre abordait la morale, les tabous, l'oppression,

* L'équivalent du prix Goncourt.

contestait les lois de la société, exposait ses idées, sa philosophie. Elle voulait qu'Algren comprenne que le manuscrit de Sartre passait avant son propre manuscrit, avant tout*.

Algren n'admettait pas que ce jumelage intellectuel, maintenu contre vents et marées, comptât tellement dans la vie de Beauvoir. Elle s'efforça de le retenir en lui décrivant très simplement, sans aucune jalousie, les amours de Sartre. Elle en parlait avec humour, avec détachement : il est persuadé, disait-elle, que ce n'est pas assez d'avoir une brune Arlette, une blonde Wanda, deux blondes artificielles Michèle et Évelyne, il lui manquait une rousse, il en a trouvé une au Brésil. Comme au Brésil il n'est pas admis que les jeunes filles « couchent avec un homme » si « ce fou de Sartre » va trop loin, il faudra qu'il l'épouse s'il ne tient pas à recevoir douze balles dans la peau.

Mais ni le détachement de Beauvoir vis-à-vis des conquêtes du don Juan philosophe ni ses explications au sujet des liens intellectuels qui l'unissaient à lui ne satisfaisaient Algren. Il se reprochait de lui avoir tant donné de lui-même.

« Disons-nous tout avec confiance », répétait-elle, comme si la transparence pouvait créer entre eux une sorte de sous-contrat à l'intérieur du contrat primordial avec Sartre. C'était inutile, il ne cherchait plus qu'à cicatriser ses blessures d'amour-propre et d'amour tout court.

Un jour, il écrira : « Mme de Beauvoir qui ne voulait pas risquer de perdre sa liberté sentit qu'elle pouvait compter sur l'infidélité de Jean-Paul Sartre. » Il ajoutera que quiconque peut éprouver un amour contingent a perdu la raison. Contingent ? Comment ? demande-t-il, et par rapport à quoi ? Il relève dans *la Force de l'âge*, le bail de deux ans, les libertés concédées, la fidélité que Sartre et Beauvoir appellent « une certaine fidélité », qui n'a que peu à voir avec la définition commune.

Mais cet amour ne voulait pas mourir et allait réunir les amants malgré le temps et d'autres amours.

---

* « Ceci est faux, nous a dit Simone de Beauvoir, je compensais mes départs par la chaleur de mes lettres et je mentais. »

X. Les chemins de la gloire

« On ne hisse l'écrivain sur un piédestal que pour mieux le détailler et conclure qu'on a eu tort de l'y jucher. Tout de même tant qu'il s'y cramponne la distance émousse la malveillance. »

La Force des choses I, p. 66.

« On ne naît pas femme, on le devient. »

En juin 1949, le tome I du *Deuxième Sexe* sort des presses de Gallimard et rien ne sera désormais tout à fait pareil.

Les Temps modernes avaient publié en février « Le mythe de la femme et les écrivains » ; en mai « L'initiation sexuelle de la femme » ; en juin « La lesbienne », et des cris d'indignation commençaient à monter dans la presse. Vingt-deux mille exemplaires du tome I s'enlèvent en une semaine. Le tome II paraît en novembre et se vend comme des petits pains. On s'était également arraché les numéros des *Temps modernes* et le scandale battait son plein.

Peu de livres ont suscité une telle avalanche de mauvaise foi, d'hypocrisie, de grossièreté, d'indécence. Dans *le Figaro littéraire*, François Mauriac s'indigne : « Nous avons littérairement atteint les limites de l'abject. C'est l'ipéca qu'on nous ingurgitait quand nous étions enfants pour nous faire vomir. Voilà peut-être le moment de la dernière nausée : celle qui délivre. » Il en appelle au peuple, il ouvre une enquête au nom des lecteurs. Il s'emporte contre Domenach, le collaborateur d'Emmanuel Mounier, qui dans *Esprit*, la revue chrétienne de gauche, a écrit que Mme Simone de Beauvoir venait de donner avec ses « courageux articles dans *les Temps modernes*, un cours de sexualité normale ». Domenach avait aussi écrit que les romanciers de l'espèce de François Mauriac étaient furieux parce que Beauvoir démythifiait les régions souterraines de la sexualité où ces romanciers s'approvisionnent.

Pour la bande de son livre, Beauvoir a choisi une formule qui suscite aussitôt des réactions : « La femme, cette inconnue. » Depuis qu'il y a des hommes qui écrivent, il n'y a guère eu de sujet plus célébré, plus maudit, plus décrit, plus chanté, plus analysé, plus glorifié que la femme. Chaque romancier, chaque dramaturge, chaque psychologue est mis en cause par Beauvoir. A droite, à gauche on attaque avec la même indignation. Au nom du vrai, du beau, du bien les lecteurs envoient des lettres ordurières à l'auteur.

François Mauriac continue sa croisade : il va jusqu'à écrire à un des collaborateurs des *Temps modernes* : « J'ai tout appris sur le vagin de votre patronne. » Ces réactions sont d'autant plus stupéfiantes que *le Deuxième Sexe* n'a rien d'un ouvrage érotique, encore moins pornographique. Armand Hoog écrit que Beauvoir était « douloureusement consciente d'être enfermée par le regard des hommes dans sa condition féminine » et la traite de façon imprévue de « suffragette ». André Rousseau avoue que *le Deuxième Sexe* lui plaît par son ton de vivacité polémique : « Non que j'approuve cette bacchante de déchirer certains de mes amis. » Il fait preuve de myopie voulue ou feinte : « En relevant les yeux au-dessus du livre de Mme de Beauvoir je cherche autour de moi les gynécées et les harems, les troupeaux d'esclaves féminines dont la vie serait partagée par l'impérialisme de l'homme entre les travaux serviles et le plaisir des mâles. » Il déclare que le but de « notre amazone, en soulevant une moitié de l'humanité contre l'autre, n'est comparable qu'aux plus grandes révolutions du monde. « On ne voit guère que le problème de la race noire à mettre en regard... Ce n'est pas par les mille pages de ces deux volumes que je me sens écrasé mais par ma responsabilité dans une iniquité à l'échelle de la moitié du genre humain. » Et d'ajouter avec un clin d'œil complice : « *L'éternel féminin* c'est l'homologue de l'âme *noire*, écrit Mme de Beauvoir... Je crois peu à l'avenir de cette révolution à base de pédantisme et d'alcôve. Cette tentative de destruction de la femme par une femme de lettres m'a laissé plus affligé de lassitude que de dégoût. »

Paris Match consacre sept pleines pages à cet essai. Là, le ton change. L'article reflète le sens commun et la curiosité du public qui va suivre Beauvoir sur le chemin qu'elle ouvre. « Une femme appelle les femmes à la liberté. Simone de Beauvoir, lieutenante de Jean-Paul Sartre et experte en existentialisme, est sans doute la première femme philosophe apparue dans l'histoire des hommes. Il lui revenait de dégager de la grande aventure humaine une philosophie de son sexe. »

Selon *Paris Match*, Beauvoir pose aux lecteurs, aux lectrices, « tous les problèmes qui caractérisent l'inquiétude de la femme moderne : liberté de vivre, avortement, prostitution, égalité des sexes, mariage et divorce, accouchement sans douleur, etc. L'accession à l'égalité politique, acquise depuis quatre ans, justifie que soit traitée en termes modernes, par une jeune philosophe froide et lucide, l'éternelle question féminine. Elle fait éclater les poncifs.

« Dans la bouche de l'homme, l'épithète "femelle" sonne comme une insulte... Il est fier au contraire si l'on dit de lui : "c'est un mâle !"... La biologie ne suffit pas à fournir une réponse. Il s'agit de savoir ce que l'humanité a fait de la femelle humaine. »

Paris Match publie une photo de « la première femme philosophe » assise à la terrasse d'un café de Saint-Germain-des-Prés : « Elle est si simple qu'elle repose l'œil, elle ignore les fourreurs de haut luxe et les couturiers de la rue Royale. Elle rapporte son unique manteau d'Amérique : c'est l'écrivain noir Richard Wright qui le lui a choisi. Paris aime la tresse en diadème de Simone de Beauvoir, et sa voix enrouée, posée, quelque peu tragique. Elle fait partie de la mythologie parisienne mais son vrai visage est dans ses livres. » Avec *le Deuxième Sexe*, elle prend le visage de toutes celles qui ont voulu ce qu'elle veut : changer le sort de la femme. Olympe de Gouges proposa en 1789 une Déclaration des droits de la femme symétrique à la Déclaration des droits de l'homme. Elle mourut guillotinée.

Mis à l'index, *le Deuxième Sexe* ne sera tout de même pas brûlé de la main du bourreau, ni l'auteur condamnée au bûcher comme sorcière, mais un incroyable fanatisme se déchaînera contre Beauvoir : il n'a pas totalement disparu. Le temps s'est chargé de répondre aux critiques de ce livre qui est considéré comme la pierre angulaire du mouvement mondial de libération de la femme.

Ramener *le Deuxième Sexe*, comme l'ont fait de nombreux critiques, à un dictionnaire des revendications féminines, c'est passer à côté d'une œuvre basée sur un système philosophique qui pose chaque individu comme sujet. « Tout sujet se pose concrètement à travers des projets comme une transcendance, il n'accomplit sa liberté que par son perpétuel dépassement par d'autres libertés : il n'y a d'autres justifications de l'existence présente que son expansion vers un avenir indéfiniment ouvert. Chaque fois que la transcendance retombe en immanence, il y a dégradation de l'existence en "en soi", de la liberté en facticité. Cette chute est une faute morale si elle est consentie par le sujet. Si elle lui est infligée, elle prend la figure d'une frustration et d'une oppression ; elle est, dans les deux cas, un mal absolu. »

L'originalité du *Deuxième Sexe*, comme celle du *Discours de la méthode* de Descartes, c'est d'avoir proposé systématiquement une remise en question des idées reçues. L'impact du *Deuxième Sexe* ne sera perçu en France que plus tard, quand les mouvements féministes américains auront attiré l'attention et provoqué une prise de conscience féministe en France. A l'étranger, la majorité des écrivains féministes se réclament de Simone de Beauvoir. *Le Deuxième Sexe* a été traduit en anglais en 1953, deux millions d'exemplaires ont été vendus dans les pays de langue anglaise. Il est resté un an sur la liste des best-sellers au Japon. Il a été traduit en allemand, en arabe, en danois, en espagnol, en hébreu, en hongrois, en italien, en néerlandais, en norvégien, en polonais, en portugais, en serbo-croate, en slovaque, en suédois, en tamil et en tchèque. Simone de Beauvoir est l'écrivain féministe le plus lu dans le monde. L'ouvrage n'a pas cessé d'être actuel et le nombre de thèses universitaires qu'il a fait naître est impressionnant. Ce livre a lancé les études consacrées à la femme dans l'univers académique. Son influence est actuellement impossible à mesurer. Qu'un mouvement féministe soit beauvoirien ou totalement différent, voire hostile, il se rattache, en dépit de toute répudiation, à cet essai.

Beauvoir n'a pas ouvert les portes de la liberté aux seules femmes avec sa formule : « On ne naît pas femme, on le devient. » En montrant ce que peut la culture sur la condition de l'être humain, elle a non seulement posé le problème de la libération des femmes, mais tous les problèmes qui se rattachent à l'oppression culturelle : elle a mis en question les lois, les religions, les coutumes, les traditions et réclamé à sa façon une réévaluation de toutes les structures de la société. *Le Deuxième Sexe* n'a été combattu avec tant de fureur que parce que ce livre a fait peur.

Les Mandarins

Beauvoir ne s'intéressait pas à la pratique politique qui attirait Sartre de plus en plus, c'est par l'écriture qu'elle entendait agir. En 1949 elle avait commencé à écrire *les Mandarins*. Elle voulait y mettre tout d'elle-même et surtout « raconter cette fiévreuse et décevante histoire : l'après-guerre ». Ce qu'on appelait « l'échec de la Résistance » l'avait personnellement affectée, elle y voyait le retour de la domination bourgeoise et la fin d'une illusion.

En 1948, un grand nombre de mouvements pacifistes avaient vu le jour, Beauvoir approuva Sartre quand il s'engagea dans le Rassemblement démocratique révolutionnaire (R.D.R.) fondé par David Rousset, Jean Rous et Georges Altmann. Ce mouvement fut vite connu comme « le parti de Sartre ». Le R.D.R. refusait de se situer dans le spectre politique, il voulait désintoxiquer le public, établir des contacts avec tous les mouvements démocratiques européens, pour « mettre l'Europe à la tête de la paix ». (Conférence de presse publiée dans *Franc-Tireur* les 10 et 11 mars 1948.)

Sartre pensait que le R.D.R. pouvait attirer la petite bourgeoisie réformiste et le prolétariat révolutionnaire ; dans ces milieux les communistes recrutaient leurs adhérents, Sartre devenait ainsi un concurrent direct. La nouvelle revue d'inspiration gaulliste, *Liberté de l'esprit*, créée en février 1949 sous la direction de Claude Mauriac, attaqua Sartre. La brouille de la rédaction des *Temps modernes* et du parti communiste s'intensifia. Après la publication du compte rendu de l'O.N.U. sur le travail forcé dans les camps de travail en U.R.S.S., Sartre et Merleau-Ponty dans un éditorial signé de leurs deux noms reprochèrent aux communistes leur mauvaise foi : « Il n'y a pas de socialisme quand un citoyen sur vingt est au camp. » Plusieurs faits avaient gâté leurs rapports avec le P.C. D'abord la condamnation du *Deuxième Sexe*, qui eut la rare distinction de déplaire à la fois aux communistes et au Vatican ; ensuite Aragon continuait à poursuivre Nizan d'une haine implacable au-delà de la mort, et en avait fait un traître sous le nom d'Orfilat dans son roman *les Communistes*. Puis Elsa Triolet lança la guerre du livre et les écrivains communistes couvrirent de boue la «littérature bourgeoise» de Breton, Camus et Sartre.

Le procès Kravchenko mit le feu aux poudres. Pendant des semaines, à travers Kravchenko, l'U.R.S.S. fut en procès. Des nuées de témoins parlèrent, et une vérité ressortit de leurs dépositions : l'existence des camps de travail. «Nous commençâmes à nous demander si l'U.R.S.S. et les démocraties populaires méritaient d'être appelées des pays socialistes.» En octobre 1949 Sartre démissionna du R.D.R., le mouvement répondait à «un besoin abstrait mais non à un besoin réel».

Au printemps, sur la suggestion de leur ami Michel Leiris, spécialisé dans l'ethnographie de l'Afrique noire, Beauvoir et Sartre partirent pour l'Afrique, un voyage qui les conduisit d'Alger au Hoggar puis à Goa, Tombouctou, Bobo-Dioulasso, Bamako pour aboutir en Côte-d'Ivoire où depuis deux mois régnait la terreur : les colons avaient tenté de faire abroger la loi Houphouët, votée en 1947, qui supprimait le travail forcé.

Pour Beauvoir et Sartre, c'était leur premier voyage «politique». Ils devaient prendre contact avec le R.D.A., le Rassemblement Démocratique Africain, se renseigner et publier les faits dans *les Temps modernes*. Simone de Beauvoir était depuis la parution du *Deuxième Sexe* en butte à la hargne d'une grande partie de la presse. Elle l'éprouva une fois de plus au fin fond du Sahara. A Tamanrasset où ils passèrent huit jours, les Européens s'épiaient. Beauvoir trouvait que ces ragots du bout du monde avaient beaucoup de saveur. Comme toujours, tout l'amusait, tout l'intéressait, elle aimait se plonger au cœur de la vie quotidienne des gens. Elle s'attarda un soir au comptoir d'un bar, à boire et à bavarder avec le pittoresque patron et deux jeunes camionneurs dont l'un était «beau comme Jean Marais à vingt ans». Ils lui racontèrent leurs expéditions à travers le désert, la verdeur de leurs propos ne la gênait pas, à l'occasion elle pouvait user du même langage qu'eux. Ils parlèrent jusqu'à 3 heures du matin. Quelques jours plus tard elle lut dans *Samedi-Soir* le compte rendu de cette nuit de «débauches alcooliques et verbales». L'article était si ignoble qu'elle s'inquiéta, il dépassait les attaques déjà très violentes de la presse. Elle se révolta à l'idée d'être obligée de vivre sur la défensive en surveillant ses propos. Tout ce qui pouvait limiter son autonomie lui était insupportable. Sartre la rassura en lui disant que quoi qu'ils fassent, ce ne serait jamais pire que ce qu'on avait déjà raconté sur eux.

A chaque étape de leur voyage ils espéraient trouver un message du R.D.A., il n'y en avait pas. Ce voyage entrepris pour voir « les Noirs qui se battaient contre l'administration » fut une déception. Ils étaient reçus partout par les autorités locales. A Bamako, le médecin-chef de l'hôpital des lépreux leur parla chaleureusement du *Deuxième Sexe*. Mais au point de vue politique ce voyage fut un fiasco. Ils s'arrêtèrent deux semaines au Maroc pour se remettre de leurs fatigues. On installa Beauvoir au palais Djalnaï, dans la chambre de la sultane dont la porte s'ouvrait sur un patio. Les touristes entraient et tournaient autour d'elle comme si elle avait été « une pièce de musée », ne sachant s'ils devaient regarder la chambre de la première femme du harem ou l'auteur célèbre.

Beauvoir s'apprêtait à rejoindre Algren aux États-Unis. A la suite du prix Pulitzer il était parti pour Hollywood, puis, avec l'argent reçu, il avait acheté une maison sur les bords du lac Michigan. Beauvoir comptait l'y retrouver et passer deux mois avec lui.

Au moment de partir elle fut prise d'une véritable panique. La guerre de Corée venait de commencer, elle croyait que la Chine allait attaquer Formose, la troisième guerre mondiale lui paraissait inévitable. A Paris, les gens faisaient la queue devant les épiceries pour stocker des conserves, on s'attendait à l'occupation de la France par l'Armée rouge. Sartre ne pensait pas que la guerre éclaterait avant plusieurs années, et poussa Simone de Beauvoir à partir. Il était déprimé. Après d'interminables querelles avec Dolorès, ils avaient rompu.

A Chicago, Nelson Algren était maussade, il faisait ce qu'il pouvait pour se détacher, mais si la troisième guerre mondiale éclatait, il offrait l'hospitalité à Sartre et à Beauvoir.

Revenue à Paris, Beauvoir se mit à écrire sept à huit heures par jour. Autour d'elle, les amitiés se défaisaient. Ce fut d'abord le départ de Maurice Merleau-Ponty des *Temps modernes* en 1951. Il avait cru que le R.D.R. pouvait être à l'origine d'un grand mouvement révolutionnaire, comparable à celui des bolcheviks, or le R.D.R. subissait les attaques de tous les partis depuis les communistes jusqu'aux gaullistes. N'ayant pu constituer un parti viable, Sartre se rapprocha des communistes. Francis Jeanson devint le gérant des *Temps modernes*.

Puis ce fut la rupture avec Camus en mai 1952. Le livre de Camus, *l'Homme révolté*, avait paru en août 1951, jetant le comité de rédaction des *Temps modernes* dans le désarroi. Albert Camus prenait dans son livre des positions morales, philosophiques et politiques opposées à celles des sartriens. Ses déclarations contre le stalinisme lui valurent le soutien des anticommunistes et de la droite. Pour *le Figaro littéraire*, Camus venait d'écrire l'un des grands livres de l'ère contemporaine, pour *le Monde*, il n'était paru aucun livre d'une valeur comparable depuis la guerre. *Aspects de la France*, organe de *l'Action française*, voyait dans ce livre un retour au nationalisme et même à Dieu. Parmi les adversaires de Camus, Claude Mauriac y signala «une obscure et fort curieuse nostalgie du meurtre».

Aux *Temps modernes*, à chaque réunion du comité de rédaction, Simone de Beauvoir, qui tant bien que mal essayait de faire respecter l'ordre du jour, rappelait : «Souvenez-vous que nous devons rendre compte du livre de Camus.» Il y avait une vingtaine de rédacteurs et tous se dérobaient. Ils disaient que Camus n'avait pas lu Marx et Engels à fond et qu'il traitait de choses qu'il n'avait pas comprises. C'est finalement Francis Jeanson qui fut chargé de l'article. Avant sa parution, un jour que Sartre et Beauvoir étaient dans un café de la place Saint-Sulpice, Camus entra et leur parla de *l'Homme révolté*, convaincu que le livre leur plaisait. Ils furent trop embarrassés pour avouer ce qu'ils pensaient, c'était un si vieil ami et pendant longtemps ils l'avaient beaucoup admiré.

Les vingt-six pages de l'article de Francis Jeanson se terminaient par ces mots : «*L'Homme révolté*, c'est d'abord un grand livre manqué.» Camus fut si bouleversé par le rejet des sartriens qu'il confia à Maria Casarès qu'il ne pouvait plus travailler et qu'il avait même perdu le goût de vivre. Enfin il envoya sa réponse aux *Temps modernes*, dix-sept pages qui commençaient par : «Monsieur le Directeur...» Il s'y disait fatigué de recevoir des leçons d'efficacité de la part de censeurs «qui n'ont jamais placé que leur fauteuil dans le sens de l'histoire».

La lettre de Camus fut publiée avec une réponse de Sartre où il lui disait : «Une dictature violente et cérémonieuse s'est installée en vous, qui s'appuie sur une bureaucratie abstraite et prétend faire régner la loi morale.» Sartre regrettait cette amitié brisée car, pour lui, Camus avait été «l'admirable conjonction d'une personne, d'une action et d'une œuvre».

Beauvoir aussi regrettait cette amitié qui durait depuis sept ans, mais ils étaient désormais trop loin les uns des autres, elle jugeait que Camus avait tort d'imputer à la nature le malheur des hommes,. pour elle le malheur des hommes était un fait de culture, elle croyait à la possibilité de changer la société par le socialisme.

La querelle Sartre-Camus fit couler beaucoup d'encre, la presse donna de larges extraits des lettres ouvertes des deux écrivains. L'hebdomadaire à sensation *Samedi-Soir* publia sur trois colonnes : « La rupture Sartre-Camus est consommée. » (6 septembre 1952). Le Tout-Paris intellectuel commenta cette rupture publique, on se répétait les répliques les plus mordantes. Si Camus avait écrit que Sartre n'avait que son fauteuil tourné dans le sens de l'histoire, Sartre avait répondu que partout où il allait, Camus « amenait un piédestal portatif ».

Le neutralisme du R.D.R. s'était révélé impossible. Les sartriens se rangèrent en 1952 du côté de l'U.R.S.S. La terreur y avait atteint son paroxysme pendant les derniers mois de la vie de Staline. Camus détestait l'U.R.S.S. et critiquait la tolérance des sartriens pour le socialisme autoritaire. Beauvoir voulait repartir pour les États-Unis mais à cause de la position des *Temps modernes*, le visa lui fut refusé. Elle écrivit à Nelson Algren : « Pourquoi ne venez-vous pas avec l'argent que j'avais économisé pour ce voyage ? »

Les Temps modernes, avec deux nouveaux rédacteurs, Péju et Claude Lanzmann, se repolitisaient. Sartre était plus près qu'il ne le sera jamais des communistes. C'est l'époque où il publia une série d'articles : *les Communistes et la paix*. Les *Entretiens sur la politique* de Sartre et de David Rousset avaient mis publiquement fin à l'amitié de jeunesse qui avait lié Raymond Aron et Sartre depuis l'École normale. Maurice Merleau-Ponty s'éloignait de plus en plus des positions sartriennes, il risquait l'expression de « nouveau libéralisme » et voyait dans le parlementarisme la seule institution connue « qui garantisse un minimun d'opposition et de vérité ».

Beauvoir avait vécu au cœur des événements, au cœur de tous les mouvements idéologiques. Ce groupe d'intellectuels était le sien, elle sentait qu'elle pouvait le décrire et que toute une génération s'y reconnaîtrait. Comme Hugo elle se sentait au centre de tout comme « un écho sonore ».

Depuis trois ans elle écrivait *les Mandarins*, elle y racontait son amour pour Nelson Algren : la surprise de la rencontre, l'arrachement des départs. Elle se libérait en transformant en littérature cet amour qui ne voulait pas mourir.

Elle donna son manuscrit à lire à Sartre. Pour la première fois ses critiques l'inquiétèrent. Elle se persuada que ce livre serait un échec. La nuit elle rêvait si intensément à ses personnages qu'elle se réveillait et notait les phrases qui avaient traversé ses rêves. Elle avait quarante-quatre ans et pensait que la vie était finie pour elle. « Plus jamais je ne dormirai dans la chaleur d'un corps. Jamais : quel glas ! Quand cette évidence me saisissait, je basculais dans la mort. »

La mort qui la hantait depuis son enfance prend tout à coup pour elle une forme menaçante : elle se découvre une tumeur au sein. De plus en plus souvent elle se dit : « Et si c'était le cancer ? » Elle se souvient de la longue agonie de sa secrétaire. Elle se résigne à consulter un médecin : étant donné son âge il est prudent d'enlever la tumeur. Si la tumeur n'est pas bénigne, consent-elle à l'ablation du sein ? Elle acquiesce. La beauté de son corps ne la concerne plus, elle pense que sa vie sexuelle est terminée. Depuis sa rupture avec Nelson Algren, elle n'en est plus « à une mutilation près ». Sartre analyse ses chances de survie : après l'ablation elle pourrait compter sur douze ans de vie et d'ici là « la bombe atomique nous aura tous liquidés ». Le lendemain matin elle est résignée au pire quand, allongée sur un chariot, couverte d'un drap, on la pousse vers la salle d'opération. En reprenant conscience, elle entend dans un brouillard une voix qui lui dit : « Vous n'avez pas le cancer. » Émerveillée, elle est reprise d'une joie de vivre intense.

Quelques jours plus tard elle embarque dans sa voiture Bost, Sartre et Michèle Vian qui s'était séparée de Boris Vian et était devenue la compagne de Sartre.

Beauvoir débordait de vitalité et disputait le volant à Jacques-Laurent Bost. Ils s'intallèrent à Saint-Tropez, Sartre écrivait à la terrasse de Sénéquier, et Beauvoir découvrait les longues randonnées seule au volant avec la même fureur que les excursions à pied. Merleau-Ponty et sa femme arrivèrent à Saint-Tropez, qui devenait le rendez-vous du Tout-Paris littéraire et artistique. Beauvoir les promena à travers les Maures. Sartre et Michèle Vian repartirent pour trois semaines en Italie. Beauvoir s'y rendit en emmenant Bost et Olga. Ils rentrèrent tous à Paris, et Beauvoir, entichée de sa voiture, décida de repartir pour l'Italie. Sartre l'y rejoindrait, elle le promènerait pendant deux mois. Bost qui devait écrire un guide touristique pour le Brésil convia ses amis à une soirée d'adieux, Beauvoir lui suggéra d'inviter le nouveau rédacteur des *Temps modernes*, Claude Lanzmann, qu'elle trouvait attirant, « sa tournure d'esprit ressemblait à celle de Sartre ».

Le père de Claude Lanzmann avait été un résistant de la première heure. Lui-même à partir d'octobre 1943 s'était battu dans le maquis. Il revendiquait sa situation de Juif avec fierté et « rayonnait chaque fois qu'il découvrait qu'un homme célèbre était juif ». Il était marxiste mais n'était pas inscrit au P.C. Il avait une solide formation philosophique. Pour lui, la politique comptait avant tout. Il était séduisant et exubérant.

Quand le lendemain de la soirée Claude Lanzmann téléphona à Beauvoir et l'invita au cinéma, elle accepta, raccrocha et, à sa stupeur, fondit en larmes : ce qu'elle espérait sourdement était arrivé. Claude Lanzmann avait dix-sept ans de moins qu'elle, sa jeunesse délivra Simone de Beauvoir de l'angoisse de vieillir. Elle écrit dans *la Force des choses* : « Après deux années où le marasme universel avait coïncidé pour moi avec la brisure d'un amour et les premiers pressentiments de la déchéance, je rebondis avec emportement vers le bonheur. »

Elle devait partir rejoindre Sartre en Italie. Quand elle prit le volant, l'émotion de la séparation fut si grande qu'elle s'égara dans toutes les banlieues avant de retrouver la Nationale 7. Elle arracha une borne en arrivant au bord du lac Majeur, entra dans Milan avec une portière qui battait, monta sur le trottoir en allongeant le bras pour la fermer, s'aperçut que son sac à main, bourré d'argent et de tous ses papiers, n'était plus sur la banquette. Affolée, elle sauta de sa voiture et se mit à chercher sur la route quand elle vit un cycliste qui lui rapportait son sac.

Sartre l'attendait au café de la Scala. Elle reprit le volant, ils partirent. C'était leur premier voyage en voiture. Michèle Vian passait les vacances avec ses enfants, Lanzmann était en Israël. Au fil des routes le dialogue commencé vingt-cinq ans plus tôt se poursuivait, entrecoupé par les exclamations de Sartre qui ne souffrait pas qu'on les doublât : « Dépassez-le, allez-y ! », et Beauvoir soudée à son volant s'efforçait de dépasser des voitures qui zigzaguaient pour l'en empêcher. Les femmes au volant exaspéraient le machisme des chauffeurs italiens.

« Ai-je passé le temps d'aimer ? »

A quarante-quatre ans, Simone de Beauvoir fait ce qui est le privilège des hommes de cet âge, elle recommence une vie avec un partenaire de dix-sept ans son cadet. Pour Lanzmann tout était neuf, pour elle tout s'éclairait d'un jour nouveau. Le couple Sartre-Beauvoir était célèbre, il n'était pas question de détruire cette image construite et maintenue. Leurs intelligences à tous deux les isolaient, entre eux seuls existait un réel compagnonnage.

Elle avait toujours vécu séparée de Sartre et refusé de vivre avec Algren mais elle décida de partager sa vie avec Claude Lanzmann, et l'installa dans son studio de la rue de la Bûcherie. « J'avais aimé ma solitude, je ne la regrettai pas. » Ils organisèrent leur ménage. Les livres, les journaux, les papiers doublèrent de volume et recouvrirent meubles et planchers. Le matin elle écrivait rue de la Bûcherie, l'après-midi elle travaillait rue Bonaparte avec Sartre qui s'était installé chez sa mère. Le seul problème qui se posa fut celui des deux mois que Beauvoir et Sartre passaient à l'étranger chaque année. Puisqu'une séparation si longue était pénible, il fut convenu que Claude Lanzmann viendrait passer dix jours avec eux. Beauvoir installa son quartier général à la Palette, boulevard du Montparnasse, elle prenait ses repas au bar-restaurant de la Bûcherie avec Lanzmann ou avec Olga. Elle refusait d'élargir le cercle de ses relations, ne voulut même pas faire la connaissance de Faulkner qu'elle admirait depuis sa jeunesse ; le jour où Sartre dîna chez Michèle Vian avec Charlie Chaplin, elle choisit d'aller au cinéma avec Lanzmann. Beauvoir, obsédée par la mort depuis l'âge de quinze ans et, saisie dès la trentaine, par « les affres du déclin », découvrait dans ce jeune amour sa propre jeunesse intacte, ses passions, ses extases, ses transes. Elle entraîna Lanzmann à travers la France et l'Europe et fit avec lui des marches de sept à huit heures par jour.

Lanzmann poussait *les Temps modernes* à faire route commune avec les communistes. Il attaquait quotidiennement la résistance de Beauvoir qui ne pouvait admettre le stalinisme.

La politique absorbait et surmenait Sartre, jamais il n'avait écrit autant d'articles, participé à autant de meetings. Il était membre du C.N.E. (Comité national des écrivains) et vice-président de l'Association France-U.R.S.S. Beauvoir et Sartre ne menaient plus exactement la même vie, leurs amours respectives ne les avaient pas séparés mais la politique risquait de le faire. Leurs destinées si longtemps confondues ne finiraient-elles pas par diverger ? Claude Lanzmann tenait une si grande place dans sa vie qu'elle craignait que son entente avec Sartre n'en souffrît. Pourtant Beauvoir écrit : « L'équilibre que j'avais réalisé grâce à Lanzmann, à Sartre et à ma propre vigilance était durable et dura. » Dans cette atmosphère de polémiques politiques, elle remaniait encore une fois son roman que Sartre critiquait fougueusement. Elle fut sur le point « de tout foutre en l'air ». C'est Lanzmann, secondé par Bost, qui la persuada de continuer. Elle voulait appeler ce roman *les Suspects*, Sartre proposait *les Griots*, Lanzmann suggéra *les Mandarins*, le livre est dédié à Nelson Algren.

Le prix Goncourt

Les Mandarins paraissent au mois d'octobre 1954, l'année où la Conférence de Berlin échoue, où l'armée française est vaincue à Diên Biên Phu, où l'Indochine conquiert son indépendance et où commence la guerre d'Algérie. Toute l'année, Beauvoir avait voyagé. En janvier, elle avait passé quinze jours en Algérie avec Lanzmann qui préparait un dossier sur le problème de l'indépendance. Elle avait emmené Sartre en Hollande où Elsa Triolet l'avait invité à participer à une rencontre entre les écrivains de l'Est et de l'Ouest, à l'issue de laquelle il fut invité à Moscou. En mai, elle partit visiter le Morvan à pied avec Lanzmann. Le jour de son retour à Paris, Bost lui apprit que Sartre était dans un hôpital de Moscou. Une de ces terribles crises qui la secouaient depuis son enfance s'empara d'elle. Personne ne remplissait le monde comme Sartre, soudain elle se rendit compte qu'il était mortel.

Sartre rentra et partit avec Michèle Vian pour l'Italie, Beauvoir et Lanzmann s'en allèrent en Espagne. Sartre n'allait toujours pas bien, il se plaignait de ne pas pouvoir joindre deux idées. Beauvoir décida de l'emmener à son tour en Alsace, en Allemagne, en Autriche et en Tchécoslovaquie. Le premier soir à Strasbourg, elle s'inquiéta : assis, l'œil fixe, il déclarait sombrement : « La littérature c'est de la merde ! » Elle entreprit de le remettre sur pied en l'entraînant dans des promenades, en l'empêchant de trop boire. Il se sentit mieux, il se remit à écrire. Sartre prit le train et rentra à Paris, Lanzmann qui les avait rejoints à Vienne continua vers l'Italie avec Beauvoir.

Sur le chemin du retour, à Grenoble en arrivant à l'hôtel, elle lit dans *Paris-Presse* un article élogieux sur *les Mandarins*, elle est surprise, elle s'attendait à la même volée de bois vert que pour *le Deuxième Sexe*. A Paris, Sartre lui annonce que *les Lettres françaises* ont fait une excellente critique. *Les Mandarins* sont aussi bien accueillis par la presse de droite, qui trouve que le roman « fleurait bon l'anticommunisme », que par les communistes qui y voient un témoignage de sympathie. Quarante mille exemplaires sont vendus en moins d'un mois. Gallimard parle aussitôt du prix Goncourt.

Elle avait tellement mis d'elle-même dans ce roman que la rumeur de cet énorme succès la troubla : « Par moments les joues me brûlaient à l'idée que des gens indifférents ou hostiles allaient y traîner leurs regards. » Dans *les Mandarins* elle a doté Anne, le médecin psychiatre, de ses souvenirs personnels, de ses réactions. Henri, l'écrivain, incarne le côté libre et créateur de Beauvoir. Elle lui donne « la joie d'exister, la gaieté d'entreprendre, le plaisir d'écrire et sera étonnée quand les critiques diront : « Henri, c'est Camus. » Dans *les Mandarins*, elle décrit « la famille », le groupe des *Temps modernes*, les avatars de la revue, son expérience ratée avec Arthur Koestler, Scriassine dans le roman. Dubreuil évoque Sartre par sa démesure, sa gloire ; comme lui il est fanatiquement voué à la politique et à la littérature. Le personnage de Nadine a les traits de Nathalie Sorokine, Lewis est Nelson Algren à qui elle écrivait : « Votre livre (puisque *les Mandarins* lui sont dédiés) est un roman sur les Français de 1945 à 1948 ; j'essaie d'y raconter le renouveau que nous avons tous senti après la guerre quand tant de choses ont recommencé et puis le long désenchantement. Ce sera un gros livre avec des tas de gens et des tas d'histoires. J'essaie de raconter *notre* histoire, premièrement parce qu'il me semble que c'est une histoire contemporaine, cet amour entre Paris et Chicago grâce à l'avion qui rend les villes si proches. Deuxièmement, parce que j'aime me souvenir de ces choses-là en les écrivant. Je suis en train d'écrire ce passage et je veux qu'il soit très bon. Je m'y applique. Ce n'est pas raisonnable parce que j'ai trop de mémoire et quand j'évoque ce passé tout me semble si réel, si proche, je deviens mélancolique. Ce n'est pas facile, j'ai trop d'amour pour vous. Vous êtes si beau dans mon souvenir. »

Chez Gallimard on l'assurait que ses chances d'avoir le prix

Goncourt étaient très grandes. La veille de la délibération elle déménagea avec Lanzmann chez une amie pour éviter que les journalistes n'envahissent son studio. Quand elle voulait quelque chose elle le voulait toujours avec une extrême violence, elle avait échafaudé tant de projets sur l'argent du Goncourt qu'elle grillait d'impatience. Le 6 décembre, elle passa toute la matinée près d'un poste de radio à attendre les résultats le cœur battant. A midi c'était gagné. Par sept voix contre deux à *l'Heure exquise* de Raymond Las Vergnas, le jury attribua le prix aux *Mandarins*. Le candidat battu était un ancien camarade de khâgne de Sartre et de Nizan au lycée Henri-IV. En 1945, il avait écrit *l'Affaire Sartre* où il attaquait les existentialistes et déclarait : « Nous en avons assez de ces sentiers excrémentiels où mieux vaut ne s'aventurer qu'avec des échasses. »

Michèle Vian prépara un déjeuner, Sartre fit au Castor cadeau d'un livre d'André Billy sur les Goncourt, pompeux cadeau de circonstance à la lauréate, et Beauvoir put lui rappeler que quinze ans plus tôt il avait reçu le prix Populiste pour *la Nausée*. Le soir, un dîner réunit Michèle Vian, Sartre, Olga et Bost, Lanzmann et deux amis, Scipion un écrivain, et J.-F. Rolland un journaliste.

Le souvenir du scandale autour du *Deuxième Sexe* était tellement cuisant que Beauvoir refusa de donner des interviews sauf à J.-F. Rolland pour *l'Humanité-Dimanche*. Elle tenait à marquer qu'elle n'était pas hostile aux communistes. *La Nouvelle Critique*, revue communiste politique qui rendait rarement compte des romans, publia un article de seize pages. La seule photo qui parut la montre avec sa mère dans le studio de celle-ci. Un grand nombre d'articles parurent aussitôt, parlant davantage de ce qu'on croyait être sa vie avec Sartre que de sa vie d'écrivain. Une diatribe de cinquante pages, *Madame de Beauvoir et ses Mandarins*, signée La Vouldie, un pseudonyme, parut à la Librairie française, elle y était violemment prise à partie. Plusieurs critiques reprochèrent au jury d'avoir couronné un écrivain déjà célèbre, ce qui était contraire au testament des frères Goncourt. De nombreux critiques virent, dans tous les épisodes, un décalque de la réalité et mirent des noms sur les personnages. Elle avait beau affirmer que *les Mandarins* n'étaient pas un roman à clé, qu'elle y avait tout « concassé, altéré, martelé, distendu, combiné, transposé, tordu et parfois même renversé », Wanda se reconnut-elle dans un des personnages ? Beauvoir écrivit à Algren que dans une crise de colère Wanda se mit à poignarder *les*

Mandarins avec un couteau de cuisine, se perça la main, se trancha les veines du poignet et perdit tant de sang qu'elle faillit en mourir*.

Avec l'argent que lui rapporta le prix Goncourt — cent trente mille exemplaires vendus en un mois — Simone de Beauvoir put acheter un studio d'artiste, rue Schœlcher, où elle vit toujours.

En juillet 1956, la Congrégation du Saint-Office met à l'index des livres interdits *les Mandarins* ainsi que *le Deuxième Sexe*. Les catholiques ne peuvent plus lire sans pécher cet ouvrage dont tout le monde parle.

L'Osservatore Romano commente ainsi cette décision : « Les œuvres de Simone de Beauvoir font respirer l'atmosphère délétère d'une certaine philosophie existentialiste... Dans la mesure où elle se nourrit d'une telle littérature une société se révèle vraiment corrompue et sujette à toutes les déchéances comme à tous les esclavages. L'auteur considère l'institution du mariage comme une mystification et y prend la défense de l'amour libre. Toutes les méthodes sont bonnes, affirme-t-elle, quand elles permettent à la femme de se soustraire à l'esclavage de la maternité. Elle défend l'émancipation de la femme de tout, spécialement des lois morales, et elle accuse l'Église d'être opposée à cette émancipation. L'Église se devait de condamner avec énergie ces doctrines immorales qui foulent aux pieds les bonnes mœurs et la sainteté de la famille. »

Beauvoir reçut un énorme courrier : quelques lettres « courroucées, navrées, indignées, moralisantes, insultantes », et beaucoup de lettres admiratives. Longtemps, la presse continua à mentionner *les Mandarins*. En février 1962, Pierre Aubry répondait dans *Actualités* à un lecteur qui ne comprenait pas pourquoi le roman avait été mis à l'index : « C'est un monde bien pourri que Mme de Beauvoir nous décrit dans ce roman faisandé qui se déroule dans les milieux intellectuels français immédiatement après la Seconde Guerre mondiale. »

Les œuvres de Simone de Beauvoir continuaient à susciter de violentes réactions et d'incessantes polémiques.

---

* Lettes inédites à Nelson Algren.

XI. Le temps de l'action

*« Si la partie n'est ni perdue ni gagnée d'avance,
il faut, minute après minute, lutter et risquer. »*

L'Existentialisme et la sagesse des nations, p. 40.

Le voyage en Chine

Le 20 février 1955 Sartre avait prononcé une allocution lors d'un meeting France-U.R.S.S. commémorant la victoire de Stalingrad. En juin eut lieu la première de sa pièce *Nekrassov*, applaudie par les communistes. Sartre fut invité au congrès du Mouvement de la Paix à Helsinki. Beauvoir, comme dans sa jeunesse, eut envie de « servir à quelque chose » et de se mêler à l'histoire. Elle accompagna Sartre à Helsinki. Elle y fit la connaissance d'un poète cubain, Nicola Guillen, d'un écrivain brésilien, Jorge Amado, de Georges Lukács et d'Erhenbourg qui lui dit qu'à Moscou les intellectuels qui savaient le français lisaient *les Mandarins*. Pour elle comme pour Sartre « le rideau de fer avait fondu... le monde socialiste faisait partie de notre univers ». Charles de Gaulle avait amorcé un rapprochement avec l'U.R.S.S.

Le gouvernement chinois invita Beauvoir et Sartre à passer deux mois en Chine; au retour ils resteraient une semaine à Moscou. Elle se plongea avec passion dans la préparation de ce voyage : lectures et rêves à l'infini sur cet Orient dont elle ne savait rien.

Le 6 septembre 1955, Beauvoir et Sartre atterrissent à Pékin. Beauvoir se trouve totalement dépaysée. Elle ne connaît pas la littérature chinoise contemporaine.

Elle rencontre des écrivains dont elle lit les œuvres sur place en anglais, quand les traductions existent. Seuls quelques spécialistes de la littérature française connaissent son nom et celui de Sartre. C'est la première fois qu'en voyage elle se heurte à une réciproque ignorance. Sartre et elle avaient été invités en Chine pour témoigner des progrès de la Chine nouvelle. Beauvoir se lance à fond dans cette entreprise. Impérieusement guidée par les Chinois, elle commence ses immenses promenades coutumières. En marchant dans les rues de Pékin, de Shanghai ou de Moukden, elle apprend davantage sur la ville et ses habitants que par ses lectures. Elle comprend ce qu'est un pays sous-développé et la pénurie à l'échelle de 600 millions d'hommes. Hier les Chinois souffraient de sous-alimentation chronique, de maladies épidémiques, d'une énorme mortalité infantile, aujourd'hui les gens ont des vêtements propres, ils mangent et sont logés.

Beauvoir essayait de comparer l'histoire de la Chine et l'expérience socialiste. Le réalisme des réformes la frappait, par exemple la condition domestique n'était pas supprimée au nom d'un principe égalitaire, mais les serviteurs étaient payés décemment. L'austérité était générale, partagée par la nouvelle élite politique comme par les ouvriers.

Rentrée en France, elle écrit un essai, *la Longue Marche.* Après avoir étudié la Chine à la lumière de son histoire, elle conclut que c'est seulement quand on le saisit dans son devenir que ce pays apparaît dans son jour véritable : « Ni paradis ni infernale fourmilière, mais une région bien terrestre où des hommes qui viennent de briser le cycle sans espoir d'une existence animale luttent durement pour édifier un monde humain. » Après son voyage en Chine, Beauvoir comprit que la prospérité du monde occidental, qui avait été pour elle la seule norme, était en réalité un privilège quand on la comparait au niveau de vie du Tiers Monde. La masse de la population chinoise déséquilibrait sa vision du monde. Désormais l'Extrême-Orient, les Indes, l'Afrique, l'Amérique du Sud pèsent de tout leur poids dans ses conceptions de l'homme. Ce voyage en Chine avait balayé ses anciens repères. Des réalités — comme ville, village, famille, travail, culture — prirent un sens nouveau à la lumière d'une civilisation où ces mots n'avaient pas le sens qu'ils ont dans la civilisation française. La vision de son propre environnement en fut totalement modifiée.

Sartre projetait d'écrire une longue étude sur son voyage en Chine, il ne mena pas à terme son projet, mais *les Temps modernes* publièrent un numéro spécial intitulé *la Chine d'hier et d'aujourd'hui.*

En quittant la Chine, Sartre et Beauvoir s'étaient arrêtés une semaine à Moscou. Après la Chine, Moscou avait ébloui Beauvoir par sa richesse, comme New York, en 1947, l'avait éblouie après les restrictions de la guerre. En 1955, Moscou était en pleine expansion, camions, bulldozers, grues encombraient les rues, personne ici ne transportait de paniers de terre comme en Chine. « Quelle joie de retrouver les nourritures et les boissons qui saoulent ! » La santé des écrivains russes qui les avaient invités à déjeuner la fascina. Ceux-ci avaient festoyé toute la nuit précédente et pour ce déjeuner il y avait sur la table quatre bouteilles de vodka et dix bouteilles de vin pour six personnes ! Le déjeuner fut à la mesure des boissons : un énorme quartier de mouton à la broche accompagné de plats robustes. Les Russes vidèrent toutes les bouteilles sans en paraître affectés, Sartre arriva « à parler sainement » sur le rôle de la critique, Beauvoir avait la tête en feu. Elle dut écrire deux articles, donner des interviews, parler à la radio, épuisée, elle passa sa dernière journée au lit.

Cette première invitation par un gouvernement qui sollicitait leur témoignage vis-à-vis du monde occidental allait créer à l'échelle internationale l'image du couple Sartre-Beauvoir. Cette dualité homme-femme reflétait la transformation sociale, l'égalité des sexes que le socialisme proclamait.

Une chambre à soi

De retour à Paris, Beauvoir s'installe avec Claude Lanzmann dans le studio de la rue Schœlcher. C'est un atelier aux grandes baies vitrées coupé par une mezzanine qui mène à la chambre à coucher. Elle déménage de la rue de la Bûcherie les deux épées en verre de Venise, cadeau de Sartre, le lampadaire don de Giacometti, le tableau de Picasso et tous ses souvenirs de voyage. Des marionnettes chinoises ornent le balcon de la mezzanine. Sous l'escalier en bois se trouve un petit bureau, presque un bureau d'écolière, sur lequel Beauvoir écrit. Un escabeau dont les marches sont couvertes de livres et de journaux sert aussi de portemanteau. Pour la première fois de sa vie, les murs qui l'entouraient lui appartenaient. Cette impression de permanence lui fit penser en se couchant « voilà mon lit de mort ».

Tout n'allait pas toujours bien dans « la famille », le petit groupe dont Beauvoir et Sartre étaient le centre de gravité. Olga avait dû renoncer au théâtre après un pneumothorax, déprimée, elle se querellait avec son mari, Bost, qui partait en claquant la porte et en jurant qu'il ne reviendrait plus. Olga menaçait de se tuer après avoir tué Bost. Beauvoir avait peur qu'elle se suicide. Michèle Vian, malgré sa liaison avec Sartre, n'avait jamais rompu avec un ancien amant ; dans un accident d'automobile dont elle réchappa sans une égratignure, il se tua au volant. Elle avait songé à épouser Sartre, mais Sartre continuait à s'occuper de Wanda et à pousser sa carrière d'actrice. Cette année-là, il tomba amoureux de la sœur de Claude Lanzmann, Évelyne Rey, une jeune actrice extrêmement douée. Elle appartenait à la troupe du Centre-Ouest et fit ses débuts à Paris dans *les Trois Sœurs* de Tchekhov. Sartre lui proposa de reprendre le rôle d'Estelle dans *Huis clos*, puis elle joua dans *le Ping-Pong* d'Adamov et entra à la télévision. Comme ses frères Claude et Jacques Lanzmann, elle était politiquement engagée dans l'extrême gauche. Des amours de Sartre, ce fut le plus profond. Aux États-Unis, Nathalie Sorokine avait divorcé et s'était remariée avec un professeur de l'université de Berkeley, elle avait deux enfants, en avait adopté un troisième, menait une vie désordonnée qui épouvantait Beauvoir. Sa santé se délabrait rapidement, un jour son mari la trouva assise dans son lit, morte.

L'année 1956 commença par des vacances en Suisse en compagnie de Claude Lanzmann. Beauvoir n'avait pas chaussé ses skis depuis six ans, elle attaqua les pentes, entraîna son compagnon dans de longues randonnées dont la récompense était un feu de bois, une fondue et du « fendant » dans des refuges accrochés aux cimes. Au printemps elle prit sa voiture, emmena Lanzmann à Londres puis à Milan où elle tenait à assister au vernissage de l'exposition de sa sœur, et s'en alla vagabonder sur les côtes bretonnes. Le succès lui assurait la liberté. *Les Mandarins* venaient d'être traduits aux États-Unis et s'y vendaient très bien ; son livre y soulevait comme en

France des discussions passionnées sur l'engagement politique, les crises de conscience des intellectuels de gauche.

Aux premiers jours de l'été, une mini-caravane se mit en route vers l'Italie, la Yougoslavie et la Grèce : Beauvoir et Lanzmann étaient dans une voiture, Sartre et Michèle Vian dans une autre. En Yougoslavie, un comité d'intellectuels les accueillit. Ils furent traités un peu en idoles et un peu en mages. On leur posait toutes sortes de questions qui allaient de la poésie surréaliste à la politique. On attendait d'eux les mots libérateurs qui, imprimés demain en première page des journaux, aideraient à penser, à vivre. Parfois les questions les prenaient de court. Comment intégrer le surréalisme à la culture populaire ? leur demandera-t-on à Belgrade. En Macédoine, à leur étonnement, on leur posa la même question. Pour Beauvoir, pour Sartre, comme pour de nombreux intellectuels français, le surréalisme était une aventure qui avait vécu, ils s'étonnaient de l'isolement, du retard de ces écrivains, sans imaginer quelle influence aurait ce mouvement sur la littérature et l'art dans les pays d'Amérique latine, ni qu'il viendrait refleurir sur les murs de Paris en 1968. A dix-huit ans, Beauvoir elle aussi avait plongé dans le surréalisme et y avait découvert un chant de liberté.

Beauvoir et Sartre se retrouvèrent seuls à Rome qui devint leur quartier général d'été. Jusqu'à la mort de Sartre, tous les étés ils y passeront deux à trois mois à l'Albergo Nazionale. Beauvoir aimait les longues discussions, l'ambiance de liberté de la capitale romaine.

Les Italiens avaient réussi ce que Sartre avait tenté de réaliser en France, l'unité de la gauche. « Les intellectuels sympathisaient avec les communistes et ceux-ci demeuraient fidèles à leurs traditions humanistes. » Beauvoir était sensible à ce climat chaleureux. Elle aimait les journaux de la gauche italienne, très bien faits et destinés à un large public. Elle les lisait d'un bout à l'autre en s'attachant aux faits divers où « la culture d'une société se dévoilait ». Mais cette année-là le cours du monde laissait à Beauvoir peu de chances de conserver sa sérénité et sa joie de vivre. La déstalinisation battait son plein dans les pays de l'Est. En Pologne, le peuple réclamait le retour au pouvoir de Gomulka emprisonné en 1948 par les staliniens.

Le 24 octobre, en ouvrant le journal, Beauvoir lut « Révolution en Hongrie ». Elle dînait ce soir-là avec le peintre communiste Guttoso et Sartre. Ils furent atterrés : les journaux parlaient de l'entrée de chars soviétiques à Budapest et des combats livrés par les insurgés contre les Russes. Sartre, engagé par les efforts qu'il avait faits pour s'entendre avec les communistes, luttait contre son désarroi en avalant du whisky. Pour Beauvoir le choix était clair, il fallait se désolidariser d'un régime qui utilisait l'armée pour imposer sa politique, et soutenir la révolte d'un peuple qui réclamait une politique indépendante de celle de l'U.R.S.S.

Beauvoir était incapable de se cloîtrer dans le bonheur de sa vie privée quand les journaux lui apportaient des images de mort. En rentrant à Paris, elle trouva ses amis aussi angoissés qu'elle. Nasser venait de nationaliser le canal de Suez. Pendant l'été, la France et l'Angleterre avaient commencé des préparatifs militaires. On s'attendait d'un moment à l'autre à un débarquement franco-anglais en Égypte.

L'atmosphère internationale était devenue étouffante. Le 8 novembre, Simone de Beauvoir signa le « Manifeste contre l'intervention soviétique ». Aux *Temps modernes* on préparait un numéro spécial sur la Pologne qu'un numéro spécial sur la Hongrie devait suivre en janvier. Beauvoir travaillait toujours activement à l'élaboration de la revue, elle lisait des piles de dossiers qui la bouleversaient.

Le cours du monde

De toutes les tragédies qui se déroulaient à travers le monde, c'est la guerre d'Algérie qui la déchirait et la révoltait le plus. Il fallait tenter de lutter aux côtés du peuple algérien, « pour délivrer à la fois les Algériens et les Français de la tyrannie coloniale ».

Beauvoir était convaincue que l'Algérie finirait par obtenir son indépendance, mais elle se demandait avec angoisse : à quel prix ? Depuis l'Occupation elle ressentait comme une atteinte personnelle la persécution, la torture, l'humiliation infligées aux autres. Elle ne faisait de distinction ni de race ni de sexe. Les droits de la personne humaine étaient et sont une exigence enracinée dans sa sensibilité, dans son esprit. *Les Temps modernes* réclamaient l'indépendance pour le peuple algérien et estimaient qu'il s'incarnait dans le F.L.N. Les sartriens trouvaient nécessaire de distinguer dans la gauche leurs vrais alliés et leurs adversaires. Beauvoir définit le problème dans *la Pensée de droite aujourd'hui*. Comme dans tous ses essais qui reflètent ses certitudes intellectuelles, elle y mène la discussion avec rigueur. « Si on veut faire éclater des baudruches il ne faut pas les flatter mais y mettre les ongles. »

Pierre Mendès France, devenu Premier ministre, avait divisé la nouvelle gauche non communiste. Il avait le soutien de Jean-Jacques Servan-Schreiber et de *l'Express*. *Les Temps modernes* ne voyaient pas en Mendès France un représentant de la gauche et c'est ce que déclara Simone de Beauvoir à *l'Humanité*. Pour elle la gauche qui le soutenait était opposée à la gauche authentique. *Les Temps modernes* dénoncèrent en 1955 dans une série d'articles les partisans de Mendès France. Dans *la Pensée de droite aujourd'hui*, texte qui sera repris dans un recueil d'essais sous le titre *Privilèges*, Beauvoir voyait chez les partisans de Mendès France un glissement vers la pensée de droite avec toutes ses conséquences politiques, économiques et sociales. La pensée de droite était périmée, écrivait Beauvoir, elle n'offrait aucun idéal à l'humanité, « la vérité est une, l'erreur est multiple », aujourd'hui, le marxisme est la vérité, la pensée bourgeoise pluraliste et diffuse est l'erreur, disait-elle.

Raymond Aron dans *le Figaro littéraire* attaqua cet essai : « Les sottises des gens intelligents sont toujours divertissantes et parfois instructives. L'étude de Mme de Beauvoir sur la pensée de droite dans son ensemble est une des plus étonnantes que l'on ait lues depuis longtemps, dans le détail on y rencontre bien des remarques justes ou fines. » Le temps ne faisait que creuser davantage le fossé entre ces philosophes.

En apprenant la capture de Ben Bella l'un des dirigeants du F.L.N. dont l'avion avait été détourné par les autorités françaises, Beauvoir comprit que le gouvernement « allait s'entêter dans cette guerre ». Des dossiers parvenaient aux *Temps modernes*, des amis lui apportaient des témoignages qu'on ne trouvait pas dans la presse : massacres, viols, tortures, atrocités de part et d'autre. Elle voyait qu'on s'enfonçait de plus en plus dans la violence.

« Le cours du monde est la texture même de ma propre vie », Beauvoir a vécu cette phrase avant de l'écrire dans ses Mémoires.

Or, le monde ne suivait pas un cours paisible. D'Amérique, Nelson Algren lui écrivait qu'on lui avait retiré son passeport. Il avait fait partie du comité qui avait lutté pour l'acquittement des Rosenberg accusés d'espionnage. Algren sympathisait avec les communistes et la chasse aux sorcières battait son plein. Beauvoir était révoltée par l'intolérance et les excès du maccartisme. Elle avait aimé l'Amérique, sa liberté, son efficacité, son respect de l'individu. Elle ne pouvait pas être indifférente à une nation qui avait inscrit dans sa Constitution, parmi les droits inaliénables du citoyen, le droit au bonheur, et avait vu dans la quête du bonheur par chacun le bien général. Dès 1956 Beauvoir ne discernait plus dans la nation qui avait délivré l'Europe des nazis qu'une société de consommation. Elle l'accusait de mesurer la valeur au seul succès. Elle expliquait le recours aux drogues et la violence de la jeunesse par l'impossibilité d'atteindre la liberté autrement que par une révolte anarchique et imbécile. Son ami l'écrivain noir Richard Wright était devenu anticommuniste, elle ne s'entendait plus avec lui.

Désenchantée de l'Amérique où elle ne distinguait plus que racisme, capitalisme, conformisme, de l'Europe qui entrait dans une période d'oppression, de violences, d'agressions, Beauvoir, de quelque côté qu'elle se tournât, avait l'impression de respirer un air empoisonné, et jusqu'au fond de son être elle avait mal à l'Algérie. Soudain elle se voyait rejetée par un large secteur de l'opinion, accusée d'être contre son propre pays. Avec toute sa violence elle releva le défi : « On m'avait traitée d'antifrançaise,... je le devins. »

Comme au temps où la parution du *Deuxième Sexe* lui avait attiré des insultes en pleine rue, sa prise de position en faveur de l'indépendance de l'Algérie lui valait des remarques outrageantes dans les lieux publics, sortir devenait une épreuve insupportable. Elle décida de rester chez elle. Elle se sentait complètement coupée de ses concitoyens. L'horreur des tortures l'obsédait, elle se jugeait complice des bourreaux, puisqu'elle ne pouvait rien contre leurs atrocités ! Même chez sa sœur elle se sentit exclue lorsque son beau-frère lui affirma que les cas de torture étaient exceptionnels, que le terrorisme était freiné. Sa réaction était si violente qu'elle en tomba malade : sa tension montait, elle souffrait de violents maux de tête, le dégoût la poursuivait jusque dans ses rêves. Beauvoir voulait la fin de cette guerre parce qu'elle avait « une conscience chrétienne, démocratique, humaniste ». Beauvoir et Sartre croyaient pouvoir aider à obtenir l'indépendance de l'Algérie par des moyens légaux. Ils étaient tous deux disposés à écrire, à publier, à signer des appels et des manifestes, mais l'action clandestine ne leur convenait pas. Ils n'étaient pas prêts à suivre Francis Jeanson, leur ami et collaborateur aux *Temps modernes,* qu'ils avaient chargé de gérer la revue.

L'écriture l'avait aidée à franchir tous les pas redoutables de sa vie, elle s'y replongea. L'écrivain prenait congé de ce monde qui lui faisait mal et s'enfonçait à travers le miroir du temps par les chemins de la mémoire. Pendant dix-huit mois Beauvoir écrit les *Mémoires d'une jeune fille rangée.* Elle ressuscite la petite fille aux belles boucles qui observait le monde du haut de son balcon du carrefour Vavin, l'écolière modèle, la jeune fille rangée aux audaces secrètes, l'ambitieuse acharnée au travail, l'écrivain qui fait ses premiers essais de roman, l'amoureuse qui rencontre celui qui correspondait exactement au vœu de ses quinze ans. Comme Montaigne isolé des guerres civiles dans sa librairie, elle s'échappait en faisant d'elle-même la matière de son livre.

Janvier revint, apportant la tentation de la neige et Beauvoir partit faire du ski à Davos avec Lanzmann. Puis ce fut l'été, avec la tentation de la mer, des villages brûlés de soleil, et elle partit avec Lanzmann pour la Sicile. Elle s'appliquait à mettre en pratique le conseil que Camus lui avait donné autrefois : « préserver le bonheur malgré tout ». Avec Sartre, avec Lanzmann, elle passait les soirées dans le grand studio blanc, aux larges coussins violets, verts et jaunes que Sonia Delaunay n'aurait pas reniés, où les livres escaladaient un double étage vertigineux d'étagères. Sous les masques chinois, ils causaient mais le plus souvent ils écoutaient des disques. C'était le havre après la traversée des heures houleuses de leurs journées surchargées. Les murs recouverts d'innombrables photos déroulaient les étapes de leurs vies et le cortège de leurs amis. Sur une table le moulage des mains de Sartre, tendues vers la clarté des grandes verrières, servait de perchoir à de minuscules oiseaux faits de plumes multicolores, elles accueillaient des dons de fleurs et d'anneaux et semblaient jongler avec ces choses légères, ces impondérables couleurs, des mains de baladin. Mais même ces soirées de détente étaient assombries, Beauvoir voyait que Sartre supportait mal les cachets de corydrane qu'il gobait sans cesse en écrivant. Au premier verre d'alcool sa parole s'embarrassait. Il s'obstinait, exigeait un peu plus d'alcool pour se décontracter, alors il ne contrôlait plus sa démarche. Beauvoir n'acceptait pas de le voir se détruire, elle s'emportait, fracassait un verre ou deux sur le carreau de la cuisine, versait des torrents de larmes. En vain. La *Critique de la raison dialectique*, que Sartre écrivait, suivait de jour en jour son train d'enfer.

En janvier 1958 la tragédie de la guerre d'Algérie atteignit personnellement Beauvoir. L'une de ses anciennes élèves du lycée de Rouen, partie comme enseignante en Algérie où elle s'était mariée avec un musulman, venait d'être condamnée à mort en décembre pour avoir participé à un attentat à la bombe. Beauvoir s'associa de toute son énergie à la campagne entreprise par la gauche pour sauver les trois condamnés. Jacqueline Guerroudj et Yveton furent graciés, le troisième condamné, Taleb, fut exécuté.

Échapper aux horreurs de l'Histoire qui s'édifiait avec la souffrance des êtres humains était impossible. Beauvoir, écrivain avant tout, termina son manuscrit et, au printemps, remit à Gallimard les *Mémoires d'une jeune fille rangée*, puis partit pour Londres avec Lanzmann.

En rentrant, elle se sentit de nouveau isolée, désolidarisée d'une France qu'elle jugeait « dépolitisée et inerte ». En mai Lanzmann partit pour la Corée du Nord avec une délégation de journalistes d'extrême gauche. Beauvoir n'avait plus à ses côtés le jeune compagnon avec lequel elle pouvait commenter les événements. Toute correspondance avec lui était difficile. Elle reprit son journal, ce tête-à-tête avec elle-même, son plus ancien recours contre l'angoisse.

Les *Mémoires d'une jeune fille rangée* parurent et furent aussitôt un best-seller international. C'est une autobiographie d'un genre nouveau où l'auteur suit son existence en train de se faire. Sa vision du monde, de sa famille, d'elle-même s'élargit avec les années, sa conscience se développe sous les yeux du lecteur comme celle d'un personnage de roman dont l'auteur n'explique rien. Les actes, les pensées, les réactions sont le « vécu » immédiat de l'enfant, de l'adolescente, de l'étudiante ; jamais l'auteur n'anticipe, n'effectue de retour en arrière. La vie semble saisie au jour le jour de l'intérieur. Cette autobiographie semble écrite avec la sincérité du Jean-Jacques Rousseau des *Confessions*.

Les « manifs »

Le 13 mai 1958, à l'annonce de la formation du gouvernement Pflimlin, il y avait eu un soulèvement à Alger et la formation d'un comité de salut public. Le 28 mai Pflimlin démissionnait, le 29 mai le président Coty faisait appel au « plus illustre des Français », le général de Gaulle.

Pour Beauvoir le temps de l'action est venu. Elle décide de descendre dans la rue, le 30 mai, pour prendre part à une manifestation antigaulliste.

Beauvoir et Sartre se rendent en taxi au métro Reuilly-Diderot, d'où émergent bientôt Hélène de Beauvoir et son amie Gégé, suivie de sa famille et de tous les employés de son atelier de décoration de tissus. Puis Pontalis, Chapsal, Adamov, Pozner, Tzaral, les collaborateurs des *Temps modernes*. Beauvoir et Sartre se mettent en marche derrière la banderole des *Droits de l'Homme*. Sartre chante de sa voix de ténorino *la Marseillaise* et *le Chant du départ*. De la Nation à la République, la foule défile en scandant des slogans. Beauvoir avait envie d'en savoir davantage, elle entraîna Olga et Jacques-Laurent Bost vers l'Élysée. Un embouteillage de voitures élégantes empêchait d'avancer et Beauvoir songeait que « la démocratie bourgeoise aimait mieux se saborder au profit d'un dictateur que de ressusciter un front populaire ».

Violente, angoissée, Beauvoir ne voulait pas rester seule. Elle déjeuna avec Lévi-Strauss, son camarade du temps de l'agrégation, et Jean Pouillon, l'un des premiers collaborateurs des *Temps modernes* qui était secrétaire de l'Assemblée nationale. Elle passa l'après-midi chez Sartre et la soirée avec Olga Bost.

Elle essayait d'imposer silence à ses colères, à ses révoltes, à ses sombres pronostics en écoutant parler les autres. L'absence de Lanzmann, qui vivait avec elle depuis six ans, semblait creuser un vide où son angoisse se précipitait. Elle entraîna ses amis de café en café à travers Paris. De Montparnasse à Saint-Germain et aux Champs-Élysées, elle prenait la température de Paris en ces heures qu'elle considérait comme les dernières de la République.

Le lendemain, elle décida de manifester avec le comité antifasciste de son arrondissement, le XIVe, et monta chez Sartre pour savoir ce qu'il allait faire. Évelyne Rey, la sœur de Lanzmann, se présenta à son tour, elle venait de quitter Serge Reggiani avec qui elle avait réussi à faire libérer une camarade arrêtée pour distribution de tracts. Olga et Bost arrivèrent et tout le groupe se dirigea en auto vers le carrefour Sèvres-Babylone, les communistes ayant donné l'ordre d'y créer un embouteillage. De là ils devaient se rendre place de la

République pour fleurir la statue. Beauvoir entra dans la boutique d'un fleuriste et en ressortit avec une gerbe tricolore.

Le carrefour Sèvres-Babylone était devenu le point de rencontre du Tout-Paris intellectuel de gauche, on s'y saluait, on y fraternisait. Les Desanti, le philosophe et la romancière, se joignirent à Beauvoir et à Sartre. Ils se connaissaient depuis les jours lointains du groupe résistant de Sartre, « Socialisme et Liberté ».

Avec ses glaïeuls rouges, ses iris bleus et blancs, Beauvoir attirait les regards. Un cortège de communistes apparut. Beauvoir et ses camarades se mêlèrent à eux et Sartre entonna, une fois de plus, *la Marseillaise*.

Le 1er juin l'Assemblée nationale accordait l'investiture au gouvernement de Gaulle. La Ve République était née.

Beauvoir en fut si contrariée qu'elle eut une crise d'hypertension et « avala du sarpagan ». Le soir elle analysa avec Sartre le rôle de l'intellectuel en politique. C'est une question qu'ils débattaient depuis leurs premiers échanges de vues. André Malraux venait d'être nommé ministre. Sartre, désenchanté par l'échec du R.D.R., soutenait que l'intellectuel devait demeurer du côté de la contestation, même s'il appuyait le gouvernement. Il devait penser et non « effectuer », rester libre de critiquer. Beauvoir ne pensait pas autrement, elle n'envisageait qu'un cas où l'intellectuel devrait faire partie du gouvernement, celui des pays sous-développés qui manquent de cadres. André Malraux les dérangeait. Il croyait que la littérature et l'art étaient les réponses triomphantes à l'absurdité du destin. Cependant, dès 1936, il s'était lancé dans l'action, il avait combattu pendant la guerre d'Espagne, tout en écrivant un grand roman : *l'Espoir*. Dès 1940, il avait tenté de se mettre en rapport avec de Gaulle. La lettre qu'il lui envoya ne l'atteignit jamais*, la messagère prise dans une rafle l'avait avalée, et Malraux se crut rejeté par les Forces françaises libres. Au printemps 1944, Malraux, devenu le colonel Berger, joua un rôle déterminant dans la zone R 5. En liaison avec Londres, le 14 juillet, il organisa la plus grande opération depuis les parachutages en Norvège de 1940. Pendant six heures les avions britanniques et américains se relayèrent pour lancer armes et munitions sur vingt kilomètres carrés signalés par un immense Z fait de tous les

---

* Le fait est contesté par Clara Malraux.

draps de lit des familles de la région. Autour de ce Z, mille cinq cents résistants, hommes et femmes, se tenaient prêts à emporter et à cacher au fur et à mesure tout ce qui était parachuté. A présent, André Malraux faisait partie du gouvernement.

Beauvoir se reprochait son inaction. Elle se justifiait en disant que Sartre agissait pour deux. Cette échappatoire ne calmait pas tout à fait sa conscience. La violence de ses réactions l'étonnait : « Je ne comprends pas moi-même pourquoi je suis bouleversée à ce point. » Cette angoisse qu'elle ne parvenait ni à définir ni à abolir disparaissait momentanément lorsqu'elle recevait de ses lecteurs des témoignages de l'importance de ses écrits et de leur action libératrice. Une étudiante américaine qu'elle revoyait de temps à autre lui disait qu'aux États-Unis on écrivait des thèses innombrables sur son œuvre et que les études, les articles, les recherches, les cours, les séminaires étaient les preuves de son influence, de son action sur la jeunesse intellectuelle. Loin d'apaiser Beauvoir, l'admiration de son interlocutrice américaine ajoutait des remords à son désarroi : « Il faudrait écrire d'autres livres, meilleurs, mériter à neuf, mériter vraiment d'exister ainsi pour autrui. »

Jacques Lanzmann, le frère de Claude, au retour d'un voyage au Mexique, à Cuba et à Haïti, lui parla des tortures subies par les révolutionnaires. Beauvoir se sentait trop bouleversée pour se remettre à écrire. Sartre parvint à la décider à partir pour l'Italie. Elle reprit le volant et s'efforça d'échapper à cette tristesse qui lui était si peu naturelle.

Dans les paysages des Alpes qu'elle avait découverts dans la joie, elle ne trouvait que des sujets de mélancolie : jamais plus elle ne ferait ces immenses randonnées, ces douzes heures de marche jusqu'à l'épuisement total, les escalades à trois mille mètres, le sommeil dans les granges, cette dépense victorieuse d'énergie, ce défi à ses propres forces.

A Milan, en retrouvant la présence tonifiante de Sartre, en le voyant travailler avec acharnement, elle songeait qu'elle devrait s'imposer dix pages de brouillon par jour, qu'elle n'échapperait à son indéfinissable malaise qu'en s'attaquant à un nouveau livre. La nuit, son angoisse revenait. Elle se réveillait en pensant : « Nous aurons donc soixante-dix ans et nous mourrons, c'est vrai, c'est sûr. » Elle en avait cinquante. Elle se répétait les mots de Georges Bataille : « Je me supplicie à mes heures. » Elle écrivait avec peine le brouillon de ce qui serait *la Force de l'âge* et s'alarmait de son état d'âme. « Si seulement je pouvais écrire quand j'ai bu », se disait-elle.

De retour dans son studio, elle se sent seule dans un Paris vide. Sartre est resté à Pise avec Michèle Vian, Lanzmann est en province. Beauvoir décide de se lancer dans une campagne antigaulliste contre le référendum du 28 septembre par lequel le général de Gaulle soumettait au suffrage populaire le projet d'une nouvelle Constitution. Le 4 septembre elle participe à une manifestation très violente pendant le discours de De Gaulle à la République. La veille elle avait pris part à une réunion du comité antigaulliste du XIVe arrondissement dont elle était la coprésidente : elle trouva cela « piteux et touchant ». Le 13 septembre elle va donner à Bièvre une conférence devant des enseignants protestants pour leur arracher un « non ». Elle rédige des affiches, des articles pour le journal du quartier et se rend à la cité universitaire à l'invitation des étudiants. Le 26 septembre devant deux mille quatre cents personnes, elle prononce un discours à la réunion du comité de liaison du XIVe arrondissement.

Sartre était rentré d'Italie fiévreux et fatigué par le travail qu'il s'imposait avec un acharnement furieux. Il devait écrire un article pour *l'Express*, il y travailla vingt-huit heures de suite, dormit un peu, s'y remit pendant douze heures, puis alla parler à un meeting. Beauvoir prit l'article et le remania, *l'Express* reçut à temps « Les Grenouilles qui demandent un roi » signé de Jean-Paul Sartre. Dans cet article, un paragraphe s'adressait aux femmes fascinées par le mythe du grand homme : « Combien de femmes solitaires et trahies ont étendu leur ressentiment à l'espèce entière : tout ce qui est humain leur fait horreur, elles aiment les chiens et les sur-hommes. »

Cet article était un appel à participer à la vie de la cité : « Si des millions d'hommes aujourd'hui sont indifférents au référendum, s'ils ne se soucient pas des pouvoirs respectifs du président et du corps législatif, c'est notre faute, c'est que nous n'avons jamais su leur faire entendre qu'ils agissaient sur les autres hommes par le simple bulletin qu'ils déposaient dans l'urne et que l'activité politique du citoyen est l'affirmation la plus entière de sa liberté. »

Beauvoir s'attendait à une petite majorité de « oui », elle s'effondra en pleurs en apprenant que 80 % des Français s'étaient prononcés pour un changement de Constitution.

Le matin en achetant les journaux elle se souvenait du début de la guerre : « j'ai senti presque la même détresse ».

Elle était « contre tout un pays » le sien. La majorité de ses concitoyens ne voulait pas du tout ce qu'elle et Sartre souhaitaient pour la France. Dans l'article de *l'Express* dont elle assumait les idées, on lisait que « la grandeur d'une nation ne se mesure pas à la quantité de sang qu'elle fait couler mais au nombre de problèmes humains qu'elle résout ». Beauvoir voulait arrêter les hostilités en Algérie, travailler au rapprochement des blocs Est-Ouest, donc à la paix, réconcilier tous les hommes de gauche sur un programme établi, donner à la France une économie complémentaire des autres économies européennes, accroître la productivité pour que l'accroissement profite surtout aux travailleurs, développer la culture scientifique, littéraire, artistique et politique dans les classes sociales les plus défavorisées, créer un enseignement agricole. Ces réformes selon Beauvoir, selon Sartre, transformeraient la France en dix ans. « Le tertiaire, aujourd'hui hypertrophique, se sera dégonflé, le primaire aura diminué d'un tiers, le secondaire sera plus homogène et son niveau de vie plus élevé... il nous serait peut-être permis de dire alors sans trop de vanité que la France est un grand pays. » Elle voyait dans ce désaveu de « tout ce que nous voulions pour la France un énorme suicide collectif ».

Sartre ajouta à ses angoisses en tombant malade. Il avait de violents maux de tête, elle redoutait l'infarctus, l'hémiplégie, il se bourrait d'optalidon, de belladénal et de corydrane. Son écriture, son orthographe étaient folles. Il avait des sautes d'humeur inattendues, des rages soudaines. Quand Beauvoir lui demandait de se reposer, il répondait « avec une violence chez lui sans précédent ». Il terminait une pièce, *les Séquestrés d'Altona*, Beauvoir lui avait dit que le texte ne tenait pas les promesses du sujet, il l'avait recommencée. Elle fit repousser jusqu'en automne la première des *Séquestrés d'Altona* et le médecin réussit à convaincre Sartre de travailler plus lentement. « Le plus pénible, pendant cette crise, dit-elle, fut la solitude à laquelle sa maladie me condamnait. » Elle observait avec consternation Sartre et Michel Leiris qui parlaient de leurs somnifères, de leurs calmants, de leurs stimulants. Ils dînaient ensemble à la Palette, le boulevard du Montparnasse roulait son flot bigarré de passants comme au temps où Beauvoir découvrait les bars et les cocktails. Elle demandait à Leiris quel effet lui faisaient les « décontrariants » qu'il absorbait depuis qu'on l'avait sauvé d'une tentative de suicide. Il lui expliqua que les contrariétés restaient les mêmes mais qu'elles ne le contrariaient plus. Elle voyait Leiris et Sartre comme deux rescapés et en les écoutant discuter, dans un élan de solidarité, elle pensa : « Ça y est, nous avons passé de l'autre côté : des vieillards. »

Une conversation mélancolique avec René Maheu acheva de la convaincre de son déclin. Ils n'avaient plus rien à attendre sinon leur propre mort ou celle de leurs proches, affirmait-elle malgré les protestations de Maheu qui trouvait qu'ils n'en étaient pas encore là.

Brigitte Bardot et le syndrome de Lolita

Deux ans plus tôt, Sartre avait fait la connaissance d'une Sévrienne de dix-sept ans qui avait pris une place privilégiée dans sa vie. Il allait l'adopter en 1965 et la désigner comme exécutrice testamentaire. Arlette El-Kaïm était originaire de Constantine, loin de sa famille, coupée de son pays, elle s'était attachée à Sartre. Cette relation sérieuse avec une très jeune fille n'était pas sans assombrir Beauvoir d'autant plus que Claude Lanzmann, à trente-trois ans, vivait tourné vers l'avenir. Quand il prit l'initiative de la séparation, Beauvoir n'y était pas préparée et vit là une marque certaine de son entrée en vieillesse. C'était pour elle une épreuve qui, ajoutée à la maladie de Sartre, à sa nouvelle liaison, à l'échec de ses idées politiques, lui fit particulièrement mal.

L'année 1959 commença dans la solitude. A peine échappait-elle à ses morosités qu'elle était reprise par la mélancolie. Si elle causait avec Françoise Sagan, Jacques Chazot ou des amis plus jeunes, elle se sentait en décalage. Elle se voyait exilée de l'actualité, de la jeunesse et désormais de l'amour, l'amour qu'elle avait vécu sans timidités.

Le magazine *Esquire* lui demanda un article. Elle venait de lire *Lolita* de Nabokov, elle écrivit un essai : *Brigitte Bardot and the Lolita syndrome*. Brigitte Bardot venait d'atteindre la gloire internationale et la *Lolita* de Nabokov faisait couler beaucoup d'encre. Beauvoir vit dans ce double succès la naissance d'un nouvel érotisme. Les accusations d'immoralisme contre les films de B.B. n'étaient pas sans rappeler les attaques contre l'existentialisme. A Angers, trois jeunes gens de bonne famille avaient assassiné un vieillard endormi dans un train. L'association de parents d'élèves dénonça Brigitte Bardot au député-maire de la ville. C'est elle, dirent-ils, qui est la vraie responsable du crime, ses films pervertissent la jeunesse. Beauvoir écrivit que de tout temps « les nobles penseurs ont identifié la chair et le péché et caressé le rêve de jeter au feu les œuvres d'art, les livres et les films qui traitent la chair avec trop de complaisance ou de franchise ». Beauvoir avait scandalisé par les descriptions des relations sexuelles dans ses romans ; Brigitte Bardot, dit-elle, n'est ni perverse, ni rebelle, ni immorale, c'est pourquoi la morale n'a aucune prise sur elle. Le bien et le mal font partie des conventions qu'elle ne songerait même pas à respecter. Elle mange quand elle a faim et fait l'amour avec la même simplicité. Les fautes morales peuvent être corrigées, mais comment guérir cette femme nouvelle de cette éblouissante vertu : l'authenticité ? Car il s'agit bien de la femme nouvelle telle que Beauvoir la perçoit et d'un nouvel érotisme. La vamp n'est plus une Marlène Dietrich aux cuisses gainées de soie, maquillée, mystérieuse, c'est une nymphe ambiguë aux cheveux en broussaille, en pantalon, pieds nus, mince et musclée, presque androgyne. « Le mâle est un objet pour elle exactement comme elle est un objet pour lui, elle est le chasseur autant que la proie... Une femme libre est le contraire d'une femme légère. »

L'amour peut se passer de mystère mais pas l'érotisme, or à l'époque où la femme joue à la Bourse, conduit son auto, expose sa nudité sur les plages sans cérémonie, il n'est pas possible de ressusciter la vamp et son mystère. « Aujourd'hui la femme adulte vit dans le même monde que l'homme, mais la femme-enfant se meut dans un univers auquel il n'a pas accès. La différence d'âge rétablit la distance nécessaire pour faire naître le désir, c'est du moins ce qu'espèrent ceux qui ont créé une nouvelle Ève en combinant le fruit vert et la femme fatale. Ce personnage enfantin et troublant est sans mémoire et sans passé, et garde cette parfaite ignorance qui appartient au mythe de l'enfance. »

C'était ce même charme indéfinissable qui avait attiré Sartre vers Olga, Wanda, Martine, Lucile, Louise... et, à cinquante-cinq ans, vers les dix-sept ans d'Arlette. Beauvoir avait dans *le Deuxième Sexe* exposé les complexités de la sexualité féminine, et ses rapports avec Sartre lui permettaient d'observer les complexités de la sexualité masculine.

« *Que sont mes amis devenus ?* »

Lanzmann l'emmena un soir à une répétition de Joséphine Baker qu'elle avait admirée vingt ans plus tôt. Ce n'était plus la danseuse noire trépidante de passion, de fougue, et Beauvoir trouvait indécent de regarder cette femme qui tentait avec héroïsme de se survivre. Elle prenait brutalement conscience des années écoulées, Joséphine portait un masque, celui de la vieillesse.

La vieillesse qu'elle avait tant détestée, avant même d'en avoir saisi le travail dans son miroir, la surprenait à l'improviste sur les visages de ses contemporains. Soudain, comme pour lui rappeler que la vieillesse n'est pas toujours le seuil de la mort, Boris Vian meurt en pleine jeunesse. Elle avait beaucoup d'affection pour lui, c'était l'époque de Saint-Germain-des-Prés et de l'existentialisme délirant qui disparaissait.

L'année 1960, elle aussi, commence mal. Une nouvelle mort la bouleverse. Elle était seule dans l'appartement de Sartre, rue Bonaparte, quand le téléphone sonna. Lanzmann lui apprit que Camus venait de mourir dans un accident de voiture. C'était le 4 janvier. Il remontait du Midi avec Michel et Janine Gallimard et Anne, la fille de Janine. Ils étaient partis après le petit déjeuner. Michel était au volant, Camus à côté de lui, les deux femmes sur le siège arrière. Janine eut l'impression d'un virage alors que la route était droite, elle se retrouva dans un champ, Anne gisait à vingt mètres de la voiture, Michel Gallimard couché dans le champ saignait abondamment, quant à Camus, il avait été projeté contre la vitre arrière, il avait eu le crâne fracturé et le cou brisé. Sa mort avait été instantanée. La voiture avait fait une embardée sur la route humide et glissante, heurté un platane, puis un autre treize mètres plus loin. Le bitume était arraché sur cinquante mètres, les débris étaient éparpillés sur un rayon de cent cinquante mètres. Les Gallimard furent transportés à l'hôpital, le corps de Camus fut déposé dans la grande salle de la mairie de Villeblevin, quelqu'un déposa une gerbe de fleurs et arrêta l'horloge. On retrouva sa serviette dans la boue d'un champ ; elle contenait son passeport, le manuscrit du *Premier Homme*, son journal, *le Gai Savoir* de Nietzsche, une traduction française d'*Othello*. Michel Gallimard mourut dix jours plus tard.

En raccrochant le téléphone, Beauvoir avait la bouche qui tremblait, la gorge serrée. Elle refoula ses larmes en se disant que Camus n'était plus rien pour elle. Quand Sartre et Bost arrivèrent, ils ne parlèrent que de Camus. Tard dans la nuit, incapable de dormir, Beauvoir sortit pour calmer ses nerfs. Elle marcha jusqu'à l'aube. Elle avait oublié tout ce qui les avait séparés, toutes les querelles étaient abolies, il était mort tel qu'elle l'avait aimé, elle avait perdu l'ami, le camarade de 1945, le jeune écrivain des années d'espoir, qui adorait la vie, l'amitié, la gloire.

Elle se souvenait du déjeuner de couscous en l'honneur du prix de la Pléiade pour *le Malentendu*, et de la soirée où ils avaient été si proches : ils avaient dîné à la brasserie Lipp et poursuivi leur conversation au bar du Pont-Royal. Ils avaient tant à se dire qu'à l'heure de la fermeture, ils avaient acheté une bouteille de champagne, l'avaient rapportée à l'hôtel de la Louisiane où ils discutèrent jusqu'à 3 heures du matin. Camus avait lu à Beauvoir des passages de son journal, il lui avait parlé du fossé qui existait entre sa vie et son œuvre. Camus mort devenait soudain une présence déchirante, en voyant le soleil se lever elle se dit : « ce jour il ne le voit pas » et, passant du côté des morts, entraînée par lui si présent, si proche, elle touchait à « l'impossible expérience », elle avait l'impression de vivre sa propre absence. Toute la journée la photo de Camus à la première page des journaux l'aveugla de larmes. Camus avait glissé loin, très loin dans ce *no man's land* des grands hommes, ce domaine public où il était désormais fixé. Malraux dit de lui dans un hommage officiel : « Depuis plus de vingt ans l'œuvre d'Albert Camus était inséparable de l'obsession de la justice. Nous saluons l'un de ceux par qui la France reste présente au cœur des hommes. »

Le 7 janvier, *France-Observateur* publiait l'éloge de Camus par Sartre : « Il représentait en ce siècle et contre l'histoire l'héritier actuel de cette longue lignée de moralistes dont les œuvres constituent peut-être ce qu'il y a de plus original dans les lettres françaises. Son humanisme têtu, étroit et pur, austère et sensuel, livrait un combat douteux contre les événements massifs et difformes de ce temps. Mais inversement, par l'opiniâtreté de ses refus, il réaffirmait, au cœur de notre époque, contre les machiavéliens, contre le veau d'or du réalisme, l'existence du fait moral. »

Enfin quelque chose arracha Beauvoir à cette France où la mort passait sur ses amis, où la politique la révoltait. Le directeur du journal cubain *Revolucion*, Franqui, l'invita à se rendre à La Havane pour observer une jeune révolution en marche. Ce souffle d'espérance qui venait de Cuba ranima son désir de se jeter vers l'avenir.

Cuba

La Havane fit à Beauvoir et à Sartre un accueil enthousiaste avec foule, bouquets, acclamations et une nuée de journalistes. Le premier déjeuner se déroula dans un brouhaha au milieu des flashes, on posait pêle-mêle à Beauvoir des questions sur la peinture abstraite, sur l'Algérie, sur la littérature engagée en France et en Amérique, sur l'existentialisme. C'était le mois de février, le mois du Carnaval. Une foule en liesse célébrait à la fois les rites anciens et sa récente victoire dans un délire de chansons, de danses, de mascarades. Beauvoir plongeait avec délices dans la fête d'une révolution selon son cœur, dans la lune de miel de la révolution cubaine. On les photographiait avec Sartre en compagnie de Fidel Castro, en compagnie de Che Guevara. Tout le monde les reconnaissait, les chauffeurs de taxi criaient leur nom en passant près d'eux. Les interviews se succédaient. Les journalistes l'assaillaient de questions. Beauvoir répondait : Elle a subi l'influence de Dostoïevski et des romanciers américains, en particulier Faulkner, Hemingway et Dos Passos. Son travail d'écrivain ne l'empêche pas de s'intéresser aux problèmes économiques et politiques. Elle reçoit des lettres du monde entier et y répond toujours. Parfois on lui envoie des manuscrits, elle les recommande à un éditeur quand elle les trouve bons. Non, elle ne va pas aux cocktails littéraires où l'on perd son temps, elle préfère ne voir qu'un groupe d'amis intimes : Sartre, Giacometti, les rédacteurs des *Temps modernes*. Oui, elle aime le théâtre, mais elle n'a pas le lyrisme nécessaire pour écrire des pièces. Et le cinéma ? André Cayatte, le metteur en scène de *Justice est faite* et de *Nous sommes tous des assassins*, vient de lui demander d'écrire un scénario sur l'histoire d'un couple dont l'amour est brisé. Elle comptait le terminer à La Havane, mais la découverte de la révolution cubaine la passionne et l'absorbe à tel point qu'elle n'y a pas touché depuis son arrivée. Ce qu'elle pense du nouveau roman ? Qu'il est dans une impasse. Les nouveaux romanciers ont une volonté de « désengagement » et un goût excessif pour la forme qui est une façon habile d'esquiver les véritables problèmes. Nathalie Sarraute,

Alain Robbe-Grillet et Michel Butor sont les plus intéressants mais perdus dans leurs recherches formelles les représentants désengagés du nouveau roman « omettent de nous montrer l'homme dans sa dimension existentielle ».

On l'interrogeait comme un oracle, on la promenait partout, on voulait qu'elle parle au monde entier de la révolution. De jeunes ministres l'accompagnaient. Dans le nouveau régime cubain il n'y avait pas encore de bureaucratie, le peuple s'adressait directement aux nouveaux dirigeants, les miliciens rayonnaient de jeunesse et de gaieté.

Beauvoir réfléchissait sur la violence. C'était la première fois de sa vie qu'elle était « témoin d'un bonheur conquis par la violence ». Elle venait de quitter la France où elle avait découvert la violence sous « sa forme négative : le refus de l'oppresseur ». Ici, la violence prenait un sens nouveau. C'est dans la familiarité, l'amitié qu'elle et Sartre passèrent trois jours avec Castro qui parlait français comme tous les Cubains cultivés. Il les entraînait lui-même dans les somptueux quartiers modernes de La Havane, ou les champs de canne à sucre, il fut leur guide dans un extraordinaire voyage à travers Cuba. Partout des acclamations spontanées éclataient au passage de Castro. Beauvoir avait l'impression qu'une société était en train de naître sous ses yeux, une société authentique, libre, responsable, en un mot : existentialiste. Elle entendit Castro parler pendant deux heures à cinq cent mille personnes, elle faisait des rapprochements entre les rebelles cubains qui célébraient leur victoire et les rebelles algériens en pleine lutte. Elle venait d'apprendre que leur ami Francis Jeanson avait de justesse échappé à l'arrestation, la police ayant arrêté plusieurs membres de son réseau clandestin.

Beauvoir et Sartre devaient rentrer en faisant à New York une escale de huit heures. Un jeune attaché cubain leur annonça qu'il avait organisé un cocktail de presse à l'hôtel Waldorf-Astoria, Beauvoir en eut tant de plaisir qu'elle se sentit « encore loin de la sage résignation du déclin ». Elle figurait désormais parmi les grands de ce monde, elle avait conquis la gloire internationale par son travail acharné, ses prises de position hautement avouées, son honnêteté intellectuelle. Depuis son adolescence elle ne s'était jamais reniée. Elle éprouva la joie d'être à la fois admirée et aimée, traitée comme une puissance et comme une alliée par des hommes dont elle partageait les idées. Elle avait retrouvé le goût du bonheur parce qu'elle était en mesure de toucher l'opinion pour une cause qui lui était chère. La désespérance qui l'avait paralysée en France avait disparu.

Le cocktail ne la déçut pas. Il y avait là des journalistes français et américains qui sympathisaient avec Castro. Tous admiraient Beauvoir et Sartre qui leur rendaient leur estime car il fallait un certain courage pour soutenir la révolution cubaine.

« Rendez-moi l'âge des amours. »

En arrivant rue Schœlcher, Beauvoir n'eut pas le temps de tourner la clé dans la serrure, la porte de son studio s'ouvrit et Nelson Algren dit : « C'est vous ! » Elle et lui se retrouvèrent « aussi proches qu'aux plus beaux jours de 1949 » par-delà « les étés troublés » de 1950 et 1951, par-delà neuf ans de séparation, par-delà tous les malentendus. Avaient-ils vieilli ? Changé ? Elle vit seulement que c'était lui, il vit seulement que c'était elle.

En 1951 elle était partie en lui ôtant tout espoir de vie commune après lui avoir répété une dernière fois qu'elle ne pouvait vivre et écrire qu'à Paris.

En 1953 Algren avait pris le parti de se remarier avec Amanda, sa première femme, et il avait redivorcé presque aussitôt. Nelson menait toujours sa vie avec la plus grande extravagance. Il refusait des contrats fabuleux à Hollywood, jouait au poker et y perdait des fortunes. Il faillit mourir gelé en glissant à travers la glace dans un trou plein d'eau. Une autre fois il avait manqué périr dans l'incendie d'un bordel. Son agent littéraire, une femme, s'était suicidé ; il avait signé des accords désastreux avec son éditeur. Dès que *les Mandarins* parurent en Amérique, les journalistes le pourchassèrent : n'était-il pas Lewis ? Il l'était. Il retrouvait le récit à peine modifié de son histoire d'amour avec cette même Beauvoir dont le monde entier connaissait les liens avec Sartre. En colère, il écrivit un article d'un humour féroce. Puis il envoya un préavis à Beauvoir, il allait lui téléphoner. Elle attendit l'appel avec un peu d'angoisse. Le téléphone resta muet. Elle lui envoya un mot. Il répondit. Ils renouèrent une correspondance interrompue pendant cinq ans après la parution des *Mandarins*. La chasse aux sorcières était finie en Amérique, on avait rendu à Algren son passeport, pourquoi n'irait-il pas passer quelques mois à Paris ? Beauvoir lui répondit qu'elle aimerait bien le revoir avant de mourir. Il lui annonça aussitôt son arrivée pour le 10 mars. Elle resterait à Cuba jusqu'au 20, mais qu'il s'installe dans son studio dont les Bost avaient les clés, ils iraient l'accueillir à Orly et le conduiraient chez elle.

Dix ans s'abolirent. La rue Wabansia se déversa rue Schœlcher, charriant des flots de souvenirs, des livres, le *New York Herald* quotidien, des liasses de papier jaune qui montaient à l'assaut des meubles, la machine à écrire électrique, les derniers disques de jazz et de blues, des gadgets, des produits américains de toutes sortes. Les longues nuits de flânerie de bar en bar ressuscitaient. Ils allaient dans les music-halls, les boîtes de nuit à la mode. Des amis d'Algren sonnaient sans cesse à la porte du studio, elle fit la connaissance d'Américains qui vivaient dans son propre immeuble et qu'elle n'avait jamais rencontrés. Un pèlerinage les conduit 11, rue de la Bûcherie, ils vont à la foire aux puces, dans les restaurants qu'ils avaient aimés, dans les bistrots, elle l'entraîne aux Halles où ils mangent des soupes à l'oignon au petit matin. Ils dînent sur un bateau-mouche, au Lapin agile ou à l'Abbaye. Les nuits de Paris étaient redevenues folles, tous ses amis s'étaient mis de la partie : Gréco, Mouloudji, Cazalis, Giacometti, Jean Genet, Violette Leduc, Olga, Bost, Wanda, Michèle Vian, Sartre. Au début de mai ils partirent en Espagne, leur entente était sans nuages. Algren semblait avoir misé sur une dernière chance de nouer des liens plus forts, plus permanents, il n'arrivait pas à comprendre les rapports de Beauvoir avec Sartre qui vivaient séparés, lui rue Bonaparte, elle rue Schœlcher. Ils se voyaient presque tous les jours mais il y avait toujours un manuscrit à lire ou à discuter, des décisions importantes à prendre en commun, des rendez-vous avec des journalistes, des écrivains. Le couple qu'ils formaient était indivisible. Pour Algren c'était une sorte de société, une personne morale, c'était Sartre-Beauvoir et Cie. Il tenterait d'expliquer cette situation à un journaliste après la sortie fracassante du second volume des *Mémoires* de Beauvoir, *la Force de l'âge*, et après avoir lui-même écrit *Qui a perdu un Américain ?* Ce rapport intellectuel, ce rapport d'affaires ne le bouleversait plus, il devait affirmer dans une interview que Sartre et Beauvoir n'avaient pas eu de rapports sexuels « depuis les années 30 ». Ils avaient toujours vécu des vies amoureuses séparées. Algren écrivait de Beauvoir : « Cette femme aux yeux bleus, d'une lumineuse intelligence, était facilement dupe, en essayant de ne pas l'être. Il suffisait qu'un inquiet, un demi-fou, un homme ou une femme dans l'embarras fissent appel à elle pour qu'elle lâchât tout et s'attelât aussitôt avec passion à résoudre leurs problèmes. » Son absolue fidélité à l'entente avec Sartre pouvait s'expliquer. Mais que cette entente, si parfaite qu'elle fût sur le plan intellectuel, pût exclure l'amour et la vie en commun avec Algren qu'elle avait tant de fois appelé son « unique mari » dans ses lettres, le dépassait. Il aimait Simone de Beauvoir, il l'aimerait jusqu'à son dernier jour et il l'aimait très simplement. Il savait que Sartre avait eu et avait toujours des amours avec d'autres femmes, cette notion d'amours contingentes le laissait incrédule. « N'aimer que d'une manière contingente, c'est vivre une vie contingente. » Pour lui Simone était une autre *Alice au pays des merveilles*, elle était passée à travers le miroir et vivait dans un monde où tout était sens dessus dessous. « Elle parlait, parlait avec cette voix si singulière, haute, claire, précipitée, un peu rauque. Que disait-elle ? : La sexualité humaine va changer. Sartre a besoin de repos. Les morts sont plus adaptés à la terre que les vivants. Bost fait partie du Comité de vigilance du cinéma. Je veux partir faire du ski. Merleau-Ponty... » et Nelson Algren terminait sa plaisanterie en disant que « même après la fin du monde, quand tout serait retourné au chaos, elle parlerait encore ».

Malgré son sens de l'humour, il ne parvenait pas à la comprendre. Il avait décidé de donner six mois de sa vie à cet amour retrouvé avec l'espoir que leur merveilleuse entente durerait. Beauvoir pouvait encore moins se consacrer à lui qu'en 1947 quand elle n'était qu'au seuil de la gloire, quand elle n'était pas encore devenue cette véritable force intellectuelle à laquelle on faisait appel. Elle avait été invitée à l'ambassade soviétique à la réception donnée par Khrouchtchev en visite officielle en France. Elle venait de remettre à Gallimard le manuscrit de *la Force de l'âge*, de donner un article sur la révolution cubaine à *France-Observateur*, elle s'occupait des *Temps modernes*, écrivait une préface à *la Grande Peur d'aimer*, livre du docteur Weill-Hallé dont elle avait préfacé l'année précédente *le Planning familial*.

Cette gynécologue avait résolu de secouer l'inertie du corps médical face au problème de l'avortement. Elle avait présenté en 1955 un rapport sur « la maternité volontaire » à l'Académie des sciences morales et politiques. La plupart de ses collègues masculins l'attaquèrent et leur violence rappelait le scandale suscité par *le Deuxième Sexe*. Forte de ses convictions, le docteur Weill-Hallé avait fondé en 1958 le Mouvement français pour le Planning familial et fait appel à Simone de Beauvoir. L'auteur du *Deuxième Sexe* partageait les idées du docteur Weill-Hallé. Elle estimait que les femmes devaient avoir le droit de choisir librement la maternité, elle approuvait les efforts du Mouvement français pour le Planning familial pour répandre l'usage des contraceptifs. Elle voyait dans la loi sur l'avortement l'un des moyens les plus sûrs d'opprimer les femmes et s'étonnait de la réaction des communistes qui dénonçaient dans la campagne pour la contraception une conspiration pour affaiblir le prolétariat en le privant d'enfants. Beauvoir s'associa aussi à la campagne en faveur de la contraception lancée par Colette Audry.

Algren prenait conscience du rôle croissant de Beauvoir. Il était impossible à un écrivain de gauche comme lui de ne pas s'intéresser à ce qu'elle faisait. La guerre d'Algérie devint pour lui une réalité, le jour où Beauvoir reçut un coup de téléphone de Gisèle Halimi. La jeune avocate revenait d'Alger, elle assumait la défense d'une Algérienne accusée d'avoir participé à un attentat à la bombe. En prison on l'avait torturée. Gisèle Halimi voulait déposer une plainte, entamer un nouveau procès, mettre en cause les tortionnaires, elle demanda un article à Beauvoir qui l'écrivit immédiatement et le fit porter au *Monde*. Le lendemain matin, à cause de cet article, *le Monde* fut saisi à Alger. La presse américaine s'empara de l'histoire. Dès 1960 le mouvement féministe aux États-Unis avait adopté *le Deuxième Sexe* comme le livre théorique sur lequel il basait son action, tout ce que faisait et disait Simone de Beauvoir était aussitôt commenté. L'affaire Djamila Boupacha devint internationale. Gisèle Halimi voulait obtenir le dessaisissement des tribunaux d'Alger, que seul le ministre de la Justice était habilité à demander, afin que le procès eût lieu en France. L'avocate demanda à Simone de Beauvoir de se joindre à elle et à deux anciennes déportées, Germaine Tillon et Anise Postel-Vinay. Elles se rendirent en délégation auprès du garde des Sceaux Michelet qui les renvoya au président de la commission de sauvegarde qui ne fit rien. Cependant Djamila Boupacha fut transférée à Fresnes, un juge de Caen fut chargé d'enquêter sur les tortures qu'elle déclarait avoir subies. Simone de Beauvoir et Gisèle Halimi constituèrent un comité de défense pour Djamila Boupacha.

Nelson Algren voulait revoir Marseille. Beauvoir et lui y passèrent quelques jours. Il voulait visiter la Grèce, la Turquie. Pendant deux semaines, bonheur et nostalgie se mêlèrent. Ils rentrèrent à Paris. Elle constatait : « Aucun nuage pendant cinq mois n'avait troublé notre entente. » Cependant, ils allaient se séparer. Tous deux étaient libres et pourtant étroitement tenus par leurs obligations d'écrivains. Le talent, le succès, un public exigeant qui attirait comme une bouche d'ombre, tout leur disait : « Mais il ne s'agit plus de vivre, il faut régner. »

Elle ne « se ravageait pas » comme aux séparations précédentes. Elle acceptait que leur amour n'eût pas d'avenir et se consolait en se disant tragiquement qu'eux-mêmes n'en avaient plus guère. Quant à Algren, la sérénité ne sera jamais son lot. Dans un article il évoquera cet amour perdu, cette femme si différente des autres : « Ses amis devaient lui fournir des aiguilles et du fil pour recoudre ses boutons, qu'ils devaient d'ailleurs recoudre eux-mêmes. " Si je consacre mon temps aux choses futiles, les choses importantes ne seront jamais faites ", disait-elle. Elle avait écarté de sa vie une fois pour toutes les tâches secondaires : recoudre des boutons, faire la vaisselle, balayer, faire les courses, faire la cuisine, mettre au monde des enfants.

« Elle ne savait pas distinguer les deux extrémités d'un balai et s'opposait énergiquement à ce que les autres femmes sachent s'en servir. Je comprends qu'elle critique la liberté des maris qui boivent et courent les filles pendant que l'épouse passe sa vie entre le lit et le fourneau. Mais je me demandais avec inquiétude comment la race humaine parviendrait à se perpétuer si le Castor prenait les leviers de commande. » Puis il rendait hommage à son action.

« C'est un fait qu'en 1949 sa bataille solitaire contre le seul et unique standard accepté était téméraire. Le Deuxième Sexe était attaqué par les journaux, par tous les magazines publiés par la bourgeoisie.

« On ridiculisait l'auteur par des caricatures, des plaisanteries, des mots cruels, on allait jusqu'à la traîner dans la boue sans vergogne. Mais quand je retournai à Paris onze ans plus tard, on n'osait plus se moquer d'elle, on la redoutait. Elle avait démoli les défenses de la bourgeoisie, de l'Église, du monde des affaires, de la droite conservatrice qui prônait toujours les gloires napoléoniennes, et celles de la presse au service de certains partis et de certains intérêts. Elle était à la fois la femme la plus haïe et la femme la plus aimée de France. Il était désormais évident qu'il fallait la prendre au pied de la lettre, elle avait l'intention de mettre en pratique les idées qu'elle exprimait. »

Il y a beaucoup d'admiration dans sa dernière remarque sur elle : « L'existentialisme, dit-il, offre la seule réponse valable aux multitudes qui désespèrent devant les risques et les difficultés de la vie, cette réponse c'est d'assumer la responsabilité de l'action, c'est l'engagement. »

En la quittant, Nelson Algren lui dit naïvement que ses pas l'avaient conduit machinalement une dernière fois rue de la Bûcherie. Elle discernait le regret et l'élan de l'amour dans sa voix. Elle le laissa partir. Il ne lui pardonna jamais : « Que toutes les horloges de Paris battent et me cognent sur le cœur. » *(Let all clocks of Paris strike hard on the heart.)**

En 1965 il écrivit un article plein de colère où son amour bafoué s'exprimait par des injures : « Sous le jargon philosophique, Sartre et elle ont tout simplement érigé une façade de respectabilité de petits-bourgeois derrière laquelle elle pouvait tenter de découvrir sa propre féminité... Les proxénètes sont plus honnêtes que les philosophes... »

La veille de sa mort, il rageait encore contre cette femme qu'il avait tant aimée et qui avait livré leur amour au monde entier. C'est à ces lettres qu'il pensait pendant les dernières heures de sa vie.

Elles sont là, sur la table, les feuillets sont bien rangés. Il y a aussi ces deux brins de fleurs séchées, ces campanules cueillies dans un coin de France par deux amants.

Le voyage au Brésil

Cette étrange obsession de la vieillesse qui lui servait tantôt d'épouvantail, tantôt de consolation, n'avait pas ses racines dans une réalité visible.

Au mois de mars 1960, Maria Craipeau qui l'interviewe pour *France-Observateur* la décrit fraîche « comme une rose, son visage est lisse et net ». Elle note avec surprise que sa révolte contre sa famille et son milieu ne s'affiche pas dans sa tenue : une blouse repassée avec amour, un discret parfum, les ongles

---

* En 1966, Algren se remaria et divorça trois ans plus tard.

bien faits, élégante et réservée, « aucune mère bourgeoise n'aurait à redire... elle n'a pas l'agressivité à fleur de peau ».

Tous ceux qui l'ont approchée ont remarqué la délicatesse de son teint, son corps mince et musclé, qui gardait l'élan et l'élasticité que lui avaient donnés les marches, les escalades, les randonnées sac au dos. A cinquante-deux ans elle était attirante, elle avait une beauté qui lui était particulière. Cet article de *France-Observateur* explique son renoncement lucide à Algren, elle dit ce qu'elle reproche aux femmes : « Elles pensent trop à elles-mêmes. Pour devenir une Marie Curie, il faut penser à autre chose qu'à soi. » Pour devenir Simone de Beauvoir il a fallu penser à autre chose qu'à la joie de vivre, à autre chose qu'au bonheur strictement personnel. Elle admire les femmes qui se dépassent dans une passion politique ou sociale, une passion agissante. Celles qui peuvent mener de front leur ménage, leur famille et leur métier « sont des êtres complets rares et merveilleux ».

Elle avait choisi d'emblée de parvenir à l'excellence, cela fut « exaltant d'en arriver là où l'homme est déjà blasé. Lorsque j'ai eu vingt-deux ans, je me rappelle à quel point l'agrégation fut pour moi une conquête, alors que Sartre au contraire se plaignait : "Maintenant que je suis agrégé, ça ne peut plus être que l'enlisement." »

Elle était une pionnière : « Maintenant celles qui ont suivi nos traces deviennent des "petites avocates", des "petites" ceci ou cela. Elles disent : c'est déjà beau pour une femme. Elles n'essaient pas d'aller plus loin, de devenir vraiment excellentes dans leur métier... elles sont hybrides, hybrides avec un sentiment de culpabilité. Une carrière ne va pas toujours de soi, il y a toujours ce dilemme : faut-il faire une carrière ? Faut-il s'occuper d'un foyer ? Pour les hommes la question ne se pose pas, ils n'ont pas le choix. Il faut qu'ils fassent une carrière, qu'ils s'y préparent, qu'ils s'y jettent tout entiers. Les femmes sont divisées contre elles-mêmes et intimidées par la société qui les harcèle de mille manières. Si elles choisissent la liberté et la carrière elles sont des aventurières. Si l'on écrivait maintenant *le Rouge et le Noir*, Julien Sorel serait une femme. »

Quelques jours après le départ d'Algren, Beauvoir s'enfonça plus avant dans la tragédie de la guerre d'Algérie. Certains appelés refusaient de partir, passaient les frontières, choisissaient l'exil plutôt que la guerre.

Des intellectuels prirent l'initiative d'un manifeste dans

lequel ils reconnaissaient le droit à l'insoumission. Sartre, Beauvoir et toute l'équipe des *Temps modernes* le signèrent. Ce texte dit *Manifeste des 121*, fut publié dans le numéro d'août qui fut saisi. Beauvoir, comme Sartre, espérait qu'en « se mouillant » ils allaient radicaliser la gauche.

Après le voyage en Chine, à Cuba, son soutien à Djamila Boupacha, le *Manifeste des 121*, Beauvoir apparaissait comme un écrivain militant. Des courants castristes se dessinaient au Brésil, l'écrivain Jorge Amado et d'autres intellectuels brésiliens demandèrent à Sartre et à Beauvoir de venir chez eux parler de la révolution cubaine et voir ce qu'était un pays sous-développé. Ils feraient des conférences, donneraient des interviews. Leur célébrité leur conférait une autorité « dont ils avaient le devoir de faire usage ». Ils partirent. Dès l'atterrissage à Recife ce fut l'éblouissement. Jorge Amado était là pour les accueillir et, sous le ciel éclatant, il y avait une foule de photographes et de journalistes, des mains tendues, des fleurs.

Amado les emmena directement chez un ami, dans une *fazenda* immense avec sa chapelle, son moulin, ses palmiers, ses cannes à sucre, ses bananiers. Tout en buvant son premier *cajou* Beauvoir caressa « le plus aberrant des rêves » : se couler « dans la peau d'un propriétaire terrien ».

C'était peut-être, transposée dans la somptuosité tropicale, une soudaine nostalgie de la propriété de Meyrignac, quand son grand-père la promenait dans son parc où les paons faisaient la roue, où la « rivière anglaise » aux cascades artificielles coulait sous les nénuphars, près d'une volière pleine d'oiseaux exotiques, sous les arbres aux noms féeriques : araucarias, magnolias, wellingtonias.

Beauvoir et Sartre allaient sillonner le Brésil, couvrir douze mille kilomètres. Jorge Amado était un guide de choix. Son influence était si grande qu'ayant réclamé dans son roman *Gabriella* un port moderne pour la ville d'Ileos, les travaux furent entrepris aussitôt par le gouvernement. Partout ils étaient reçus à bras ouverts, écoutés, acclamés. A l'université de Rio, Beauvoir fit une conférence sur la condition de la femme. C'était la première fois qu'on lui demandait de traiter ce sujet. Elle s'intéressait davantage au mouvement castriste et aux projets de la gauche brésilienne qui voulait établir des relations économiques avec les nations d'Afrique. La guerre d'Algérie soulevait un grand intérêt. Sartre parlait de l'Algérie et de Cuba devant des salles combles. Mais Beauvoir et lui formaient aux yeux de tous un bloc intellectuel et idéologique indivisible. Quand Sartre accepta de signer publiquement son livre *Ouragan sur le sucre* pour marquer sa solidarité avec Fidel Castro, Beauvoir fut invitée à s'asseoir devant la pile de livres préparée pour elle et signer l'ouvrage de Sartre. Après un moment d'hésitation, elle accepta. La cause était commune, la pensée partagée, chaque manuscrit avait été passé au crible par l'autre. Il y avait trente ans qu'ils travaillaient ainsi.

A Brasilia, le président Kubitschek les reçut. A Sao Paulo, ils donnèrent une conférence de presse, une interview télévisée. Les étudiants furent invités à des discussions avec eux. Un groupe de femmes élégantes dont les opinions étaient bien loin de celles de Beauvoir l'accueillirent chaleureusement dans une vaste salle qu'elles avaient remplie de fleurs. *Le Deuxième Sexe* faisait irrésistiblement son chemin à travers le monde, on lui demandait de plus en plus souvent de parler des femmes. Simone de Beauvoir n'aimait pas se voir cantonner dans les problèmes de la condition féminine, alors qu'à Sartre on demandait de parler du système colonialiste, de l'indépendance de l'Algérie, de la révolution de Cuba, de la réforme agraire, de la misère des favelas, de la possibilité d'une révolution au Brésil.

Dans les rues on les abordait, on voyait leurs photos partout, la ville de Rio leur décerna le titre de citoyens d'honneur.

Sartre avait éveillé une furieuse passion chez une jeune Brésilienne aux cheveux roux. Comme toujours il n'avait pas résisté au plaisir de la séduire et se trouvait dans une situation imprévue : Au Brésil, une jeune fille de bonne famille devait être épousée promptement par son séducteur, les mœurs ne toléraient pas la liberté sexuelle à laquelle Sartre était habitué. Il hésita, fut sur le point de l'épouser et finalement partit.

> *Si l'amour porte des ailes*
> *N'est-ce pas pour voltiger ?*

Beaumarchais lui fournissait toujours sa dernière réplique avant de quitter la scène. Beauvoir prenait le parti de s'en amuser et écrivait à Algren : « Ce fou de Sartre risque de recevoir un coup de fusil s'il refuse d'épouser. »

Les inculpés non inculpables

Le procès de leur collaborateur Francis Jeanson allait s'ouvrir et ses avocats voulaient que Sartre, directeur des *Temps modernes*, revienne pour témoigner. Sartre dicta par téléphone sa déclaration qui fut lue devant le tribunal militaire. Il y défendait Jeanson et l'action clandestine, affirmait que l'indépendance était un fait acquis, et citait le général de Gaulle qui avait déclaré : « Algériens, l'Algérie est à vous. » La violence des termes de cette déclaration s'explique : Sartre avait résolu de se faire inculper dès son retour pour avoir signé le *Manifeste des 121*. Le 8 septembre, *Paris-Presse* titrait : « Jean-Paul Sartre, Simone Signoret et cent autres risquent cinq ans de prison. » L'ambassade de France à Rio répandait le bruit que Sartre serait jeté en prison dès qu'il descendrait de l'avion à Paris. Par téléphone, Claude Lanzmann avertit Beauvoir que le procès de Francis Jeanson s'était conclu par une condamnation, et les signataires du *Manifeste des 121* n'avaient plus le droit de se produire à la radio ou à la télévision. On perquisitionnait, on opérait des arrestations aux *Temps modernes*, à *Esprit*, à *Vérité et Liberté*. Le numéro d'octobre des *Temps modernes* était saisi. Cinq mille anciens combattants avaient défilé sur les Champs-Élysées en criant : « Fusillez Sartre ! » et *Paris Match* titrait : « Sartre, une machine à guerre civile. » Lanzmann donna à Beauvoir des consignes précises : ils devaient atterrir à Madrid, se rendre à Barcelone où Jacques-Laurent Bost et Jean Pouillon les rejoindraient.

Le voyage au Brésil avait duré du 24 août au 23 octobre. Pendant ce temps, à Paris, syndicalistes et universitaires avaient lancé un appel « pour une paix négociée » ; les acteurs de la télévision s'étaient mis en grève par solidarité avec Évelyne Rey, expulsée d'un programme. On avait ôté sa chaire de l'École polytechnique à Laurent Schwartz, suspendu Pouillon et Pingaud, secrétaires-rédacteurs à l'Assemblée. Le maréchal Juin avait fait signer un manifeste contre « les professeurs de la trahison ». La liste des 121 était affichée dans tous les mess d'officiers, l'Union nationale des combattants, l'Union nationale des officiers de réserve réclamaient des sanctions contre « les inconscients et surtout les traîtres ».

Sur le chemin du retour Beauvoir et Sartre firent escale à La Havane où ils furent accueillis avec la même chaleur que lors de leur première visite. Ils donnèrent une conférence de presse devant la radio et la télévision. Deux heures avant le départ de l'avion, le président Fidel Castro surgit sans être annoncé et les enleva dans sa jeep. Il voulait qu'ils voient les progrès accomplis depuis leur premier voyage. A tombeau ouvert il les conduisit à travers la ville et la Cité universitaire, et les déposa à l'aéroport juste à temps.

A Barcelone, Bost et Pouillon les attendaient. En voiture ils se dirigèrent vers la France. A la douane on les avertit que Paris devait être prévenu de leur passage et qu'ils devaient se signaler à la police aussitôt arrivés.

Ils rentrent à Paris le 4 novembre. Ce même jour, dans une allocution télévisée, le général de Gaulle prononçait les mots de « République algérienne ». Beauvoir et Sartre tenaient absolument à se faire inculper. Le 8 novembre, les policiers se présentent dans le studio de Simone de Beauvoir pour prendre sa déclaration et celle de Sartre. Le juge d'instruction les convoque mais se fait porter malade la veille du rendez-vous. Un nouveau rendez-vous est reporté *sine die.* Puis on annonce que la série des inculpations est close. Impossible de se faire inculper quand on est une gloire nationale ! Ils décident de convoquer une conférence de presse dans le studio de Beauvoir, leur quartier général. Une trentaine de journalistes français et étrangers accourent. Sartre expose leur point de vue commun et déclare qu'il fera campagne pour le « non » au référendum sur l'autodétermination. « Si la question posée par le gouvernement était : êtes-vous pour l'autodétermination par la paix *inconditionnellement négociée* avec le F.L.N. ? je voterais " oui ". Mais la gauche doit répondre " non " à toute question qui aboutirait à une solution *octroyée* du problème algérien. » La presse édulcora ses propos et ce fut tout. Ils demeuraient « des inculpés non inculpables ou des inculpables non inculpés ».

La Force de l'âge paraît avec un énorme succès, quarante mille exemplaires sont vendus avant la parution. Ce second volume des Mémoires est dédié à Jean-Paul Sartre et couvre la période de 1929 à 1944. Les comptes rendus sont élogieux en France comme à l'étranger. Le public de Beauvoir ne cesse de s'étendre. Sa personnalité, ses prises de position politiques, ses voyages et ses succès la placent au centre des remous du Tout-Paris intellectuel.

Beauvoir se lança dans la campagne du « non » au référendum sur l'autodétermination de l'Algérie. A la cité universitaire d'Antony, les étudiants ponctuèrent d'applaudissements tout ce qu'elle disait. Des étudiants de l'extrême gauche du parti socialiste belge l'invitèrent à Bruxelles, pour une conférence sur « l'intellectuel et le pouvoir ». La salle était remplie non pas d'étudiants politisés mais de grands bourgeois, de ministres, de femmes très élégantes, tout un public venu en curieux entendre un écrivain célèbre. A la demande des parlementaires socialistes, elle parle à l'hôtel de ville, puis devant un groupe de syndicalistes.

A peine rentrée à Paris, elle se rend au Palais des Sports à la vente organisée par le C.N.E. ; elle signe *la Force de l'âge*. Les communistes avaient blâmé le *Manifeste des 121* ; en participant à cette vente, Beauvoir indiquait « qu'il y avait solidarité entre eux et nous ».

Elle était trop célèbre pour l'être impunément. Comme aux plus beaux jours de la fête « existentialiste » à Saint-Germain-des-Prés, elle ne pouvait pas entrer dans un restaurant, s'asseoir dans un café sans être aussitôt assaillie par des marques de sympathie ou d'hostilité. La figure publique avait pris le pas sur la personne privée, elle était en dépit d'elle-même une personnalité. Son courrier débordait de lettres d'inconnus. Son refuge demeurait ce petit groupe d'intimes auxquels venaient s'ajouter de nouveaux membres des *Temps modernes* : Gorz, Pingaud. Ce petit groupe était le pivot d'une importante machine qui brassait à temps complet idées et paroles et que tous les mouvements d'opposition sollicitaient. Le studio de la rue Schœlcher où tout finissait par aboutir était l'un des foyers les plus ardents de la gauche internationale.

Claude Lanzmann remit à Simone de Beauvoir un dossier sur les tortures infligées par les harkis aux musulmans du quartier de la Goutte d'Or. En apprenant qu'on torturait à Paris, dans les caves, elle fit publier le dossier dans *les Temps modernes*.

Sartre reçut en Italie le prix Omonia pour sa lutte contre la guerre d'Algérie et donna toute la somme, un million de francs, aux prisonniers algériens. *Les Temps modernes* déléguèrent Claude Lanzmann et Marcel Péju à la conférence anti-colonialiste qui se tenait à Tunis, signifiant par là que leur solidarité avec les combattants algériens était étendue à l'ensemble du Tiers Monde.

L'Organisation de l'armée secrète (O.A.S.) venait de naître, quatre généraux avaient déclenché un putsch à Alger, le 22 avril. Le 23, le général de Gaulle en uniforme lança un message télévisé à la nation : « Un pouvoir insurrectionnel s'est établi en Algérie par un pronunciamiento militaire... Au nom de la France, j'ordonne que tous les moyens, je dis tous les moyens, soient employés pour barrer partout la route à ces hommes-là en attendant de les réduire. » Le Premier ministre, Michel Debré, invita les Parisiens à barrer la route aux parachutistes qu'on attendait d'une heure à l'autre. Le 25 avril le putsch s'effondrait. Peu après, des lettres de menace arrivèrent chez certains hommes de gauche, des plasticages faisaient suite aux menaces. Les bureaux de l'Observateur furent dévastés par une bombe. Tous les signataires du Manifeste des 121 étaient visés. Sartre, qui vivait dans l'appartement de sa mère, la fit déménager à l'hôtel et s'installa chez Beauvoir. Le ministre algérien Aït Ahmed, détenu à Fresnes, exprima le désir de leur parler. Ils allèrent le voir dans sa cellule. Il leur demanda de témoigner en faveur des Algériens, et Beauvoir mesura encore une fois l'efficacité de l'écriture dans « la lutte pour la vérité du monde ».

Le 4 mai elle est à Antibes quand un coup de téléphone lui apprend la mort de Merleau-Ponty. Le temps venait de lui enlever le camarade de ses vingt ans, le grand amour de Zaza. Leurs querelles idéologiques avaient retenti dans la presse. Merleau-Ponty avait accusé Sartre et Beauvoir d'avoir des opinions d' « ultra-bolcheviks ». Beauvoir lui avait répliqué durement en écrivant : « Merleau-Ponty et le pseudo-sartrisme » mais dès l'année suivante, leurs rapports étaient redevenus amicaux.

En 1961, Beauvoir assistait impuissante au jeu des forces étrangères : l'histoire, le temps, la mort. « Regrets, révoltes, je les avais épuisés, j'étais vaincue, je lâchais prise. Hostile à cette société à laquelle j'appartenais, bannie par l'âge de l'avenir, dépouillée fibre par fibre du passé, je me réduisais à ma présence nue. » Elle disait à Sartre : « Si nous devons vivre encore vingt ans essayons d'y prendre plaisir. »

Les plasticages se multipliaient. Le 19 juillet, une charge de plastic explose dans le domicile de Jean-Paul Sartre. Le 9 septembre, le général de Gaulle échappe de justesse à un attentat de l'O.A.S. Le studio de la rue Schœlcher était une cible facile. Le secrétaire de Sartre, Jean Cau, loua au nom de Beauvoir un appartement meublé dans un immeuble en construction boulevard Saint-Germain. Les fenêtres donnaient sur un mur de la rue Saint-Guillaume, le jour n'y entrait pas, il fallait vivre toutes lampes allumées, l'escalier était plein de gravats et les ouvriers tapaient tout le jour. L'appartement-refuge était sinistre. C'est là qu'elle écrivit la préface au livre de Gisèle Halimi sur Djamila Boupacha où elle qualifie la répression de génocide, elle déclare que la répression puis la pacification ont fait plus d'un million de victimes, les centres de regroupement « sont en fait des camps d'extermination, servant accessoirement de bordels aux corps d'élite ».

Dans le public, il existe, dit-elle, un refus souvent inconscient de l'évidence, une mauvaise foi collective. La torture est « publiquement prônée, ouvertement enseignée, sanctionnée par un grand nombre d'ecclésiastiques, systématiquement pratiquée. L'exceptionnel dans l'affaire Boupacha, ce ne sont pas les faits, c'est leur dévoilement ». Dès 1945 elle s'était heurtée à l'incrédulité de son auditoire quand elle avait décrit l'occupation et les camps de concentration nazis. « Tout de même, si c'était aussi affreux, ça se serait su », lui avait-on dit au Portugal. Le cas de Djamila Boupacha lui permet d'écrire ce qu'elle pense de la torture et des atrocités.

Sartre, Beauvoir, Schwartz, Vigier, Lanzmann, Péju, Pouillon participèrent à la création d'une Ligue pour le rassemblement antifasciste qui organisa, le 18 novembre, une manifestation pour la paix en Algérie. Beauvoir donnait le bras à Sartre et à un inconnu et scandait : « Paix en Algérie. Solidarité avec les Algériens. O.A.S. assassins. »

Le lendemain elle se rendit à une autre manifestation anti-O.A.S. au bras de Sartre. En arrivant devant la station de métro Saint-Paul, elle se vit soudain bloquée par les rangs qui la précédaient, puis ceux-ci commencèrent à reculer tandis que derrière elle on continuait à avancer. Elle se sentit étouffer, défaillir, elle perdit un soulier, s'accrocha à Sartre pour ne pas être emportée par un remous irrésistible. Lanzmann, beaucoup plus grand que Sartre, voyant ce qui se passait dans cette foule qui refluait, parvint à les pousser dans une rue transversale. Ils réussirent à gagner la place des Vosges et à se réfugier dans un café. Bianca manifestait avec eux, elle donna une chaussette de laine à Beauvoir qui clopinait avec un soulier unique.

Le 7 janvier 1962 l'immeuble où Sartre et Beauvoir s'étaient crus à l'abri fut plastiqué, la chemiserie du coin de la rue était en miettes. Trois jours après, une charge de plastic explosa

42, rue Bonaparte, c'était l'appartement de Sartre qui avait été visé. Les deux étages supérieurs avaient été soufflés, l'escalier pendait dans le vide, la porte de l'appartement était arrachée, les papiers jonchaient le sol. Les lettres de Simone de Beauvoir s'étaient volatilisées.

Deux agents de police furent placés devant la porte de l'immeuble du boulevard Saint-Germain. Les propriétaires, trouvant que Sartre et Beauvoir représentaient un gros risque, les prièrent de déménager. Ils s'installèrent quai Louis-Blériot dans un vaste appartement moderne aux baies vitrées donnant sur la Seine. Le jour même, une seconde explosion se produisait boulevard Saint-Germain. En allant prendre son courrier chez ses concierges rue Schœlcher, Beauvoir apprit qu'ils avaient reçu un coup de téléphone : « Attention, Simone de Beauvoir saute cette nuit. » Des étudiants volontaires montèrent la garde chez elle et rien n'arriva. Quand elle voulut retourner dans son studio, les jeunes ne voulaient plus partir et ils étaient fort nombreux. Il aurait fallu employer la force pour les éjecter. Elle écrivit avec humour à l'athlétique Algren qu'elle aurait eu besoin d'un grand Américain pour leur faire peur et libérer son studio. Elle se résigna à rester quai Louis-Blériot pendant quelque temps.

Le 8 février 1962, la gauche organisa une manifestation anti-O.A.S. qui se termina tragiquement. Il y eut huit morts au métro Charonne. Pour leurs funérailles, le 13 février, les syndicats organisèrent une grande manifestation. La Ligue pour le rassemblement antifasciste y prenait part. Tous les travailleurs étaient en grève. Une foule immense marchait, se pressait sur les trottoirs. Il y avait plus d'un demi-million de manifestants.

Beauvoir et les rédacteurs des *Temps modernes* participaient à toutes les manifestations. Sous la pression des communistes, la Ligue pour le rassemblement antifasciste devint le Front d'action et de coordination des universitaires et des intellectuels pour un rassemblement antifasciste (F.A.C.). Le 15 mars, le F.A.C. tint un meeting à la Mutualité. Un coup de téléphone avertit les organisateurs qu'une bombe allait exploser dans la salle, c'était faux. Les communistes ne voyaient pas le F.A.C. d'un bon œil, Beauvoir constatait que rien n'avait pu se faire avec eux ni sans eux, rien n'avait changé depuis le Rassemblement démocratique révolutionnaire, le « parti de Sartre ».

Le 18 mars, les accords d'Évian sont signés. Le lendemain

c'est le cessez-le-feu en Algérie. Le référendum du 8 avril montre que la majorité des Français veut la paix.

Les longues années de la guerre d'Algérie avaient été pour Beauvoir avant tout la découverte du mal enraciné profondément dans l'humanité.

U.R.S.S.

1962 fut l'année des voyages. Le 1er juin, Sartre et Beauvoir quittent Paris pour Moscou, invités par l'Union des écrivains soviétiques. C'était le temps du dégel, l'idée de coexistence flottait dans l'air. Ils sont, cette fois, reçus moins officiellement qu'en 1955, sans banquets, ni toasts.

Sartre et Beauvoir disposaient en Russie de droits d'auteur importants qu'il fallait dépenser sur place. Jusqu'en 1966 ils revinrent chaque été à Moscou. Ils s'étaient fait des amis. Ilia Ehrenbourg les reçut dans sa datcha où il possédait une imposante collection de tableaux : des Picasso, des Léger, des Chagall, des Matisse. Il avait vécu longtemps à Montparnasse et venait souvent à Paris. Au retour ils s'arrêtèrent en Pologne, passèrent l'été à Rome, repartirent à Moscou pour fêter la Noël russe, et réveillonnèrent avec Simonov, l'écrivain russe, au foyer d'un théâtre où une élégante jeunesse dansait les dernières danses occidentales sur des airs de jazz.

L'été suivant ils se rendirent en U.R.S.S. pour le congrès de la C.O.M.E.S., la Communauté européenne des écrivains qui s'était créée en Italie en 1958. La délégation française comptait Frénaud, Robbe-Grillet, Nathalie Sarraute, Pingaud. Caillois représentait l'U.N.E.S.C.O. Le dégel s'était déjà ralenti ; la situation culturelle n'était plus la même, Khrouchtchev avait attaqué l'abstractionnisme, le formalisme, et accusé Ehrenbourg d'avoir incité Sartre à quitter le parti communiste, sans accepter d'admettre qu'il n'y avait jamais appartenu. Au congrès, les écrivains soviétiques défendirent le réalisme socialiste, les Français, surtout Robbe-Grillet, défendirent le nouveau roman. Les Soviétiques dénoncèrent la dégénérescence, le cynisme et tous les vices de l'Occident, même le strip-tease. Sartre fut prié de tirer une conclusion des débats, il le fit, fut très applaudi, mais il n'y avait eu aucun échange d'idées.

Cependant, Khrouchtchev invita dans sa datcha en Géorgie

une délégation de la C.O.M.E.S. Un avion spécial emporta Sartre et Beauvoir avec des délégués anglais, italiens, polonais, roumains et soviétiques. Beauvoir découvrait le climat méditerranéen de la Russie méridionale. La luxueuse propriété de Khrouchtchev avec sa végétation luxuriante, ses essences rares, son immense piscine placée au bord de la mer l'étonna. L'accueil de Khrouchtchev avait été aimable, le discours qu'il prononça devant les délégués ne le fut pas. Beauvoir, attentive, l'écoutait invectiver ses invités, les traiter de « suppôts du capitalisme ». Il prononça un panégyrique du socialisme et justifia l'intervention des Soviets à Budapest. La violence de son discours la surprit. Puis les délégués furent conviés à la piscine. Des maillots de bain étaient prêts pour ceux qui voulaient nager avant le repas. On se mit au soleil, le temps passait. Enfin un superbe repas fut servi, qui se termina par la lecture en russe d'un poème qui dura une heure. Beauvoir n'entendait pas la langue de Pouchkine.

Les délégués prirent congé de leur hôte, froid et réservé. Ce n'est qu'en arrivant à Moscou que Beauvoir comprit la raison de l'accueil glacial de Khrouchtchev. Le matin même, Thorez, qui passait ses vacances sur la côte de la mer Noire, à quelques kilomètres à peine de la propriété de Khrouchtchev, l'avait incité à se méfier de ces écrivains qui se prétendaient de gauche mais étaient en fait des anticommunistes redoutables.

Sartre et Beauvoir partirent pour Rome, leur quartier général d'été. En octobre, le troisième volume des mémoires *la Force des choses* parut. Il couvre la période d'août 1944 à 1962. C'est l'époque des triomphes littéraires, des grands voyages, des engagements et des désenchantements politiques. Beauvoir y exprime son « angoisse devant l'horreur du monde ». C'est aussi une célébration de son extraordinaire et singulière entente avec Jean-Paul Sartre. Simone de Beauvoir livre à ses lecteurs sa vie « dans ses élans, ses détresses, ses soubresauts ». Elle se révèle en pleine maturité, de 36 ans à 54 ans, toujours en lutte contre ses émotions et sa violence naturelle, maîtrisant une nature de feu et s'imposant « le construit » pour se consacrer entièrement à la littérature. En donnant la primauté à son entente avec Sartre, en lui sacrifiant son amour pour Nelson Algren, en se déchaînant dans de nombreuses aventures et dans un amour contingent elle raconte une histoire unique, celle d'une femme écrivain avant tout, cornélienne comme on ne l'est plus, capable de tout sacrifier à gloire, au sens classique du terme, c'est-à-dire à sa vocation. C'est le bilan de ses illusions, le monde ne s'est pas plié à ses volontés, la force des choses l'a emporté et elle conclut par ces mots désormais célèbres : « J'ai été flouée. »

Une mort très douce

En novembre, elle est invitée en Tchécoslovaquie par l'Union des écrivains. Simone de Beauvoir y donne des interviews, écrit des articles comme elle l'avait fait à Cuba, au Brésil, en U.R.S.S., en Pologne. Dans ses Mémoires, elle raconte en détail sa découverte d'autres sociétés, d'autres cultures. De voyage en voyage, elle ne se lasse pas d'apprendre et de mesurer partout « le règne humain qui est la vérité du monde ».

A Prague, un coup de téléphone apprend à Simone de Beauvoir que sa mère vient d'avoir un accident. C'est le 24 octobre 1963. Elle rentre aussitôt à Paris. Pendant un mois, elle suit, impuissante, révoltée, les approches de la mort.

Vingt ans plus tôt son père avait accepté la mort avec une sorte de fatalisme ; désenchanté, très affaibli par les privations, il s'était éteint. Françoise de Beauvoir tenait à la vie. Depuis son veuvage elle avait découvert la joie de travailler, d'être indépendante, de voyager, elle avait des projets. Dans cette femme qui refusait la mort, Simone de Beauvoir se reconnaissait. Elle se sentit poussée à témoigner du scandale de la fin d'une existence : en quelques mois à peine elle écrivit *Une mort très douce*. Elle touchait à ce qui fait le plus mal : le malheur de finir, d'être dépouillé du monde, de se perdre soi-même. L'épigraphe, trois vers de Dylan Thomas :

> *N'entre pas sagement dans cette bonne nuit.*
> *La vieillesse devrait brûler de furie à la chute du jour*
> *Rage, rage contre la mort de la lumière.*

reflète l'attitude de Beauvoir. La mort, cette « violence indue », cette « aventure brutale », la hante : « éveillée je sens son ombre entre le monde et moi ». C'est un leitmotiv, le contrepoint de l'hymne à la joie qui traverse toute son œuvre. Dans *les Mandarins* Anne est tentée par le suicide, Françoise tue dans *l'Invitée*, *le Sang des autres* se déroule au chevet d'une mourante, dans *les Bouches inutiles* il s'agit de la mort de la moitié de la population d'une cité, *Tous les hommes sont mortels* est une méditation sur la mort ; le thème reparaît dans les Belles Images, dans la Femme rompue, dans ses Mémoires, la mort est partout présente. De tous les écrivains français elle est la seule avec Chateaubriand à noter avec tant d'insistance le passage des ans, l'écoulement de la vie. Les Mémoires d'outre-tombe retentissent de ce même glas, de ce même rappel du temps qui fuit, de la mort qui approche. Sartre n'a jamais éprouvé l'imminence de la mort, d'une certaine façon il se sentait éternel.

Le 30 mai, elle repart pour la Russie, invitée avec Sartre aux fêtes en l'honneur du poète ukrainien Chevtchenko. A Kiev, on célébrait le 150e anniversaire de sa naissance. Cette fois, ils avaient hésité à accepter l'invitation. L'antisémitisme faisait surface, une brochure « d'un antisémitisme virulent » venait d'être publiée par Kitchko, un professeur de l'université de Kiev. L'U.R.S.S. le désavoua officiellement, mais trois ans plus tard la brochure était rééditée.

Ils se demandaient si l'U.R.S.S. désirait vraiment la coexistence culturelle Est-Ouest. A un banquet ils posèrent directement la question : « Les écrivains voulaient-ils ou non travailler avec eux pour la réaliser ? » On leur affirma que la coopération était plus que jamais nécessaire face au nouveau danger que représentait la Chine. Beauvoir voyait que la situation se dégradait. Des bagarres avaient éclaté entre les étudiants noirs envoyés à Moscou par les États africains et les étudiants russes. Un jeune poète juif, Brodski, accusé de parasitisme, venait d'être déporté en Sibérie.

Depuis 1962 Beauvoir observait les changements de l'U.R.S.S., modernisation, dégel, crispation. Elle poussait jusqu'à l'extrême limite la possibilité qui lui était offerte d'explorer ce pays malgré les restrictions imposées à tous les étrangers. Elle entraîna Sartre en Estonie, où ils réussirent à se promener pendant deux jours sans la compagnie d'un seul personnage officiel, avec Léna Zonina, leur interprète, devenue leur amie après leurs nombreux voyages. Sartre s'était particulièrement attaché à elle, il devait lui laisser une pension par testament. De retour à Moscou, ils y vécurent « au gré de leur caprice » comme ils pouvaient le faire à Leningrad, grâce à leurs nombreux amis soviétiques.

De retour à Paris, Beauvoir entreprit un roman sur le thème qui l'obsédait, la vieillesse, elle y travailla toute une année six ou sept heures par jour. Mécontente, elle l'abandonna. Son exigence vis-à-vis d'elle-même ne fléchissait pas.

Une grande maison d'édition américaine, MacMillan Co, lui demanda une préface pour une édition en anglais des contes de Perrault. C'était une idée étonnante que de s'adresser à cette célèbre romancière existentialiste dont la philosophie passait pour subversive, dont *les Mandarins* et *le Deuxième Sexe* étaient à l'index, à cette intellectuelle de gauche qui n'avait pas d'enfants et déclarait que la famille était une institution à abattre. Elle accepta et mit à la portée des enfants un message auquel Perrault n'avait pas songé. Tout le « suspense » de ses contes réside, selon elle, dans le rétablissement de la justice sociale à travers l'imaginaire. Bien avant d'être recueillis par Perrault, ces contes couraient le monde, ils appartiennent au folklore universel. Le Chat Botté mène à la fortune le fils d'un pauvre meunier, Cendrillon épouse le Prince, Barbe-Bleue est puni de ses méfaits, le faible l'emporte contre le fort, le pauvre contre le riche. « Espérez, agissez, aidez-vous, le ciel vous aidera », conclut Beauvoir après avoir jeté un éclairage révolutionnaire sur les *Contes de ma mère l'Oye* !

Le directeur de la revue *Clarté*, rédigée par de jeunes communistes, demanda à Beauvoir de défendre l'idée d'engagement contre les tenants du nouveau roman. A la Mutualité, devant six mille personnes, elle réaffirma les rapports de la littérature et du « vécu », souligna le rapport grandissant de la littérature et de l'information, et leur différence. L'information tient le lecteur à distance, la littérature est communication, il faut que le lecteur entre dans le monde de l'auteur et que ce monde devienne le sien. Elle estimait que les « nouveaux romanciers » suppriment l'histoire, la *praxis*, c'est-à-dire l'engagement, et du coup suppriment l'homme. « Alors il n'y a plus ni misères ni malheurs, il n'y a plus que des systèmes. » Sa conférence fut publiée dans *Que peut la littérature ?*

Beauvoir et Sartre avaient décidé de ne plus accepter de prix littéraire pour conserver une indépendance idéologique totale. Ils déjeunaient ensemble à l'Oriental, un paisible restaurant du XIVe arrondissement, quand Sartre apprit devant un plat de petit salé aux lentilles qu'on lui avait attribué le prix Nobel de littérature. Il envoya aussitôt une déclaration au *Monde* : « ... Un écrivain qui prend des positions sociales ou littéraires ne doit agir qu'avec les moyens qui sont les siens, c'est-à-dire la parole écrite... l'écrivain doit refuser de se laisser transformer en institution. » Il refusait le prix, et en informa l'Académie suédoise. Aussitôt, la presse réagit en essayant d'expliquer son refus : il était mécontent parce que Camus l'avait reçu avant lui; il le refusait parce que Simone de Beauvoir était jalouse. Comme toujours, une attaque dirigée contre Sartre atteignait Beauvoir. Gabriel Marcel, le philosophe, traita Sartre de « dénigreur invétéré », de « blasphémateur systématique répandant les enseignements les plus pernicieux, les conseils les plus toxiques qui aient jamais été prodigués à la jeunesse par un corrupteur patenté » et conclut : « C'est un fossoyeur de l'Occident que le jury a porté sur le pavois. »

En 1964, Beauvoir et Sartre étaient aussi indivisibles aux yeux du public qu'en réalité. « En plus de trente ans nous ne nous sommes endormis qu'un seul soir désunis », écrivait Beauvoir dans l'épilogue de *la Force des choses*. Sartre racontait qu'ils ne s'étaient jamais querellés que pour des choses futiles. A Naples, en 1939, ils s'étaient affrontés : fallait-il obliger les Napolitains à vivre dans des H.L.M. que Mussolini venait de faire bâtir, ou les laisser dans les ruelles insalubres ? Beauvoir voulait qu'ils déménagent. Sartre la traita de fasciste; elle répliqua : « Et vous, vous n'arriverez jamais à rien ! »

L'aide inconditionnelle qu'ils se donnaient en tant qu'écrivains a surpris tous leurs proches par son côté absolu. Leur désaccord sur une idée, sur un texte, pouvait être d'abord total et se manifester par de saisissants excès de langage. Bost qui déjeunait souvent avec le couple entendait parfois du bout du couloir des « engueulades sauvages » à travers la porte, et préférait ne revenir que lorsque la discussion était terminée et le silence revenu.

La critique mutuelle était efficace et sacrée, l'un ou l'autre recommençait le texte jusqu'à l'accord complet. Ils estimaient tous deux que leur chance était unique : avoir « une critique qui se mette au centre des idées de celui qui écrit ». Sartre pouvait dire : « Je connais les sujets de Simone de Beauvoir, elle connaît les miens, on sait donc ce qu'on veut prouver. »

« *L'amour, ce qu'il est et ce qu'il n'est pas.* »

Mc Call, un magazine américain à grand tirage, demanda à Simone de Beauvoir un article sur l'amour. Sa vie privée intriguait, comme toutes les célébrités, elle n'était pas à l'abri de l'indiscrète curiosité de ses lecteurs. Sa liaison avec Sartre était de notoriété publique, leur mode de vie semblait être un cas réussi de l'amour libre. Beauvoir avait-elle découvert le secret du bonheur ? « Une célèbre Française nous parle de l'amour », annonçait *Mc Call* à ses lecteurs.

C'est sous la forme d'un élégant badinage l'abrégé d'un *De l'amour* tout beauvoirien : « Pourquoi tombe-t-on amoureux ? Rien n'est plus simple. Vous tombez amoureux parce que vous êtes jeune, parce que vous vieillissez, parce que vous êtes vieux, parce que le printemps s'en va, parce que l'automne commence, parce que vous avez trop d'énergie, parce que vous êtes fatigué, parce que vous êtes joyeux, parce que vous êtes ennuyé, parce que quelqu'un vous aime, parce que quelqu'un ne vous aime pas... J'ai trop de réponses : peut-être que la question n'est pas si simple après tout... » L'amour est un mystère. Pourquoi celui-ci, celle-là, plutôt qu'un autre ? Qu'une autre ? Tous les amoureux ont dit : « Tu ne ressembles à personne. » Ces mots expliquent l'attirance de deux êtres à l'exclusion de tous les autres, ils signifient que la personne aimée a été choisie par comparaison avec tous les autres et contre tous les autres. L'amour n'implique pas deux amoureux, il implique toute la société. « Une personne trop en harmonie avec la société peut ne jamais connaître l'amour. » Pour Beauvoir l'amour surgit comme un défi aux parents, au mari ou à la femme, comme une opposition au milieu, aux amis. « La première grande histoire d'amour du monde occidental, Tristan et Yseult, est l'histoire d'une révolte. » En effet Tristan trahit la mission dont son oncle l'avait chargé : il devait lui ramener Yseult sa fiancée, et il la lui dérobe. Yseult se donne à Tristan alors qu'elle est destinée au roi Marc. Toute la vie de ces deux amants ne sera plus qu'une révolte contre les lois que les autres leur imposent, contre les lois religieuses et morales, contre les lois de la chevalerie. Leur amour infracassable en fait, à l'aube de la littérature occidentale, le modèle des amants rebelles, qui jettent le défi de leur amour à la société tout entière.

Beauvoir, en choisissant Sartre et la liberté, l'a fait contre sa famille, contre sa classe, contre les lois morales et religieuses, et quand elle écrit que les amoureux oublient l'existence de tous ceux qui leur opposent les lois, les usages de la société, elle parle par expérience.

La solitude à deux, elle l'a saisie par défi et c'est par défi, écrit-elle, que les amoureux choisissent d'être « seuls au monde ». Le coup de foudre, l'amour qui lie deux êtres est une expérience révolutionnaire qui abolit les droits des autres et libère subitement les amants.

Beauvoir va plus loin dans cette analyse de l'amour, il n'est pas seulement défi et libération, il est aussi une vengeance : « L'amour n'aurait pas cette sombre violence s'il n'était pas toujours, pour commencer, une sorte de vengeance. » Une vengeance contre une société à laquelle soudain vous échappez, une classe qui vous était fermée et à laquelle vous pouvez soudain appartenir. Toute l'histoire de *Cendrillon* repose sur cette vengeance de l'amour, qui enlève Cendrillon à la situation de servante pour en faire la princesse de ceux qui l'opprimaient. Mais l'amour est aussi une heureuse conquête, la personne aimée vous introduit dans un monde *nouveau* et d'emblée vous en remet toutes les clés parce que tout est commun à ceux qui s'aiment. Beauvoir se souvient d'avoir découvert l'Amérique à travers l'amour de Nelson Algren. « Explorer un pays inconnu est une tâche, mais le posséder à travers l'amour d'un séduisant étranger est un miracle. En ce cas comme en bien d'autres, l'amour est un merveilleux raccourci. »

Beauvoir remarque que les femmes sont particulièrement prédisposées à l'amour car il est rare qu'elles possèdent les moyens qui leur permettent d'élargir ou de changer leur univers. L'amour est leur seule chance quand elles n'ont pas une profession ou un talent. « Même les plus privilégiées préfèrent souvent la joie inattendue et merveilleuse de tout recevoir sans trop d'efforts. »

Il n'en est pas de même pour les hommes. L'homme d'action peut changer son rapport au monde, il peut même changer le monde. S'il se donne tout entier à son projet l'amour n'a pas de prise sur lui, il ne connaît que des aventures sans lendemain.

Selon Beauvoir l'amour est défi, libération, vengeance, conquête qui comble un besoin « ambigu, indéfini ou même infini ». C'est une force, un épanouissement, une révélation de soi-même à soi.

En terminant cet « éloge de l'amour » Beauvoir reprend le badinage qui voile la pensée peu conventionnelle qui transparaît à travers ces lignes. « Pourquoi tombe-t-on amoureux ? Rien ne peut être plus complexe : parce que c'est l'hiver, parce que c'est l'été ; à cause du surmenage ; par excès de loisirs ; par faiblesse ; par force ; par un besoin de sécurité, par un goût du danger ; par désespoir ; par espoir ; parce que quelqu'un ne vous aime pas ; parce que quelqu'un vous aime... »

Les droits de l'homme

Dans les années soixante, Simone de Beauvoir était considérée comme la théoricienne par excellence de la condition féminine. Aux États-Unis, *le Deuxième Sexe*, publié en livre de poche par Bantam Books, était la bible du féminisme, Gloria Steinem*, Kate Millet**, Betty Friedan*** s'en inspiraient. Les thèses de doctorat et de maîtrise sur *le Deuxième Sexe* se multipliaient. Quand les universités américaines créèrent des départements consacrés à l'étude de la condition de la femme, *le Deuxième Sexe* devint le manuel de base. Histoire, littérature, sociologie, psychologie, biologie, philosophie, toutes ces disciplines se trouvèrent impliquées. Le livre de Beauvoir était une somme, les études de la condition féminine durent devenir interdisciplinaires. Des échos de ces développements parvenaient en France où quelques associations parapolitiques comme l'Union des femmes françaises, ou apolitiques telles que le Conseil national des femmes, la Ligue du droit des femmes, le Mouvement français pour le Planning familial existaient. Vers 1965, le mouvement féministe, suivant en cela les États-Unis, prit un nouvel essor. Simone de Beauvoir dans des interviews, des préfaces, des entretiens, développa les thèmes du *Deuxième Sexe*. Ainsi dans la préface-essai au roman autobiographique de Violette Leduc *la Bâtarde*, les thèmes de la mutilation, de la manipulation, de l'oppression de la femme ressortent de l'analyse de l'enfance de Violette. L'écrasement de la personnalité de cet écrivain s'explique par l'intériorisation de sa situation humiliante et par l'image négative qu'elle se crée d'elle-même. Sa libération, son épanouissement sont le résultat du travail, de l'écriture, de l'entrée dans la profession d'écrivain. Dans cette préface Beauvoir montre une femme opprimée qui assume sa situation, la dépasse et se libère.

---

* Fondatrice de *MS magazine*. Théoricienne et militante du Mouvement de libération de la femme aux États-Unis : *The Woman's Lib*.
** Écrivain et militante du *Woman's Lib*.
*** Écrivain et militante du *Woman's Lib*.

Francis Jeanson écrivait une étude biographique de Beauvoir. Elle lui accorda deux entretiens dans lesquels elle parle longuement de la condition féminine. Elle impute à son éducation religieuse le fait de n'avoir jamais eu conscience de l'infériorité de sa condition en tant que femme : « Dieu m'aimait autant que si j'avais été un homme. » Elle attribue à cette notion d'égalité morale sa conviction que la différence entre la condition des hommes et celle des femmes est un fait purement culturel. Dieu étant garant de l'égalité des âmes, c'est-à-dire des personnes humaines ici-bas et dans l'éternité, les lois sont faites par l'humanité, et ce qu'une civilisation peut faire, une autre peut le défaire. Il n'y a pas là un fait de nature et les civilisations sont mortelles.

Longtemps après sa pieuse enfance, alors qu'elle ne croyait plus et avait rejeté la religion, cette remarque étonnante ouvre une perspective imprévue sur le cheminement de sa pensée et sur les conséquences des croyances d'une enfant très jeune, même si ces croyances devaient disparaître dès l'adolescence de Simone de Beauvoir.

Elle rejette l'idée de nature spécifiquement féminine qui ferait des femmes une caste inférieure. En préfaçant le livre des docteurs E. et P. Kronhausen sur *la Majorité sexuelle de la femme*, elle met en question le destin physiologique de la femme qui la vouerait à une place secondaire dans la société.

Les droits de la femme ne sont pas, pour elle, séparables des droits de l'homme. Chaque fois que l'occasion lui en est donnée, elle prend position contre l'oppression de l'individu. Elle accepta de préfacer un livre de Jean-François Steiner : *Treblinka*, qui décrit un camp de la mort où 800 000 Juifs ont été gazés en dix mois.

Beauvoir avait été frappée par « le déroulement des événements qui illustrait exactement les théories de Sartre sur la sérialisation... dans les camps, les nazis ont sérialisé leurs victimes avec une adresse machiavélique, de manière qu'elles deviennent ennemies les unes des autres et soient réduites à l'impuissance ». Quand, au prix d'un immense sacrifice, les déportés de Treblinka ont réussi à constituer un groupe, « ils ont constitué une force et la révolte a éclaté ».

L'auteur avait essayé de faire comprendre comment les nazis avaient réussi à supprimer un à un une telle masse d'hommes. On lui reprocha d'avoir présenté les Juifs comme des lâches. Beauvoir prit aussitôt sa défense, elle rappela qu'aucune catégorie de déportés n'avait pu résister aux Allemands. « Ils n'étaient pas des lâches », le titre de l'entretien publié dans *le Nouvel Observateur* était clair. Avec Claude Lanzmann et Marienstrass, Beauvoir prenait parti pour Steiner. Ses commentaires furent aussitôt attaqués par David Rousset. Steiner fut accusé d'antisémitisme. Beauvoir se déclara « personnellement concernée par ces attaques », elle refusa de supprimer sa préface des traductions du livre, ce qui lui attira beaucoup de marques d'hostilité mais aussi des marques de respect. Jean-François Steiner reçut le prix de la Résistance.

L'extermination de six millions de Juifs s'explique selon Beauvoir par la théorie sartrienne de *sérialisation* qui explique également l'oppression de centaines de millions de femmes. Les individus partagent dans l'isolement la même condition. Il y a sérialisation par exemple dans une panique, un incendie dans une salle pleine de monde. Beauvoir soutient que seule la solidarité du groupe permet l'action, la lutte, la résistance, la victoire. L'isolement des individus les mène au désastre. « Contrairement aux hommes, les femmes appartiennent rarement à un groupe : club sportif, syndicat, parti politique... elles vivent dans la dispersion une condition commune. »

« *Je ne reverrai jamais Moscou.* »

En juillet 1965 Beauvoir retourna en U.R.S.S. Khrouchtchev avait été écarté du pouvoir, on publiait à nouveau les nouvelles de Soljenitsyne, on rééditait Pasternak, on publiait des poèmes d'Akhmatova et une partie des Mémoires d'Ehrenbourg. Celui-ci avait invité Sartre à participer au Congrès de la Paix à Helsinki et lui suggéra d'adresser à Mikoyan, président du Praesidium du Soviet suprême, une lettre en faveur de Brodski exilé en Sibérie : peu après Brodski fut libéré.

Beauvoir et Sartre décidèrent d'aller visiter la Lituanie avec leur amie-interprète Léna, et obtinrent l'autorisation de l'Intourist. Une délégation d'écrivains les escorta partout ; ce qu'ils avaient envisagé comme un voyage de tourisme devenait une tournée officielle avec dépôt de gerbes aux monuments aux morts. A Moscou, à Leningrad, ils menaient leur vie à leur guise avec leurs nombreux amis, privilège accordé aux compagnons de route.

En mai 1966 la situation avait changé. Deux écrivains soviétiques, Siniavski et Daniel, avaient été envoyés, le premier pour sept ans, le second pour cinq, dans un camp de redressement par le travail. Seuls soixante-deux écrivains avaient signé une pétition en leur faveur. L'Union des écrivains en comptait six mille. Ceux qui avaient signé couraient de grands risques. Ehrenbourg demanda à Beauvoir et à Sartre : « Que venez-vous faire ici ? » Ils n'abrégèrent pas leur séjour et partirent visiter la Tauride, Yalta, Odessa, Kichinev, Lvov.

L'année suivante, Beauvoir refusa d'assister au congrès de l'Union des écrivains soviétiques en signe de désapprobation de la condamnation des deux écrivains déportés en Sibérie.

L'entrée des chars soviétiques en Tchécoslovaquie marqua sa rupture définitive avec l'U.R.S.S. C'était la fin d'une grande illusion.

Le Japon

M. Watanabé, son éditeur japonais, et l'université de Kyo invitèrent Beauvoir au Japon. *Le Deuxième Sexe* était resté sur la liste des best-sellers pendant un an. Tous ses livres ainsi que ceux de Sartre étaient traduits en japonais. Cette invitation enchanta particulièrement Beauvoir. La culture du Japon lui était inconnue. Elle se plongea aussitôt dans la littérature ancienne et moderne de ce pays qu'elle abordait sans aucune prise de position politique.

Sa traductrice Tomiko Asabuki devait être son guide et son interprète. Beauvoir avait beaucoup d'amitié pour cette femme qui était une amie d'Hélène de Beauvoir. Aristocrate ruinée par la guerre, elle était venue à Paris pour se lancer dans la mode. Elle publia le récit de son départ du Japon ravagé par les bombes, de son voyage à travers l'Asie dévastée par la guerre. Ce reportage eut tant de succès qu'elle renonça à la haute couture et continua à écrire. Beauvoir et Sartre s'envolent le 17 septembre 1966 pour le pays du Soleil-Levant où les attendait Tomiko Asabuki.

A l'aéroport de Tokyo, au milieu de la nuit, une foule de jeunes faisaient la haie sous la pluie, scandaient leurs noms, se bousculaient pour leur saisir les mains. Une centaine de journalistes et de photographes s'écrasaient, caméras, projecteurs encerclaient le couple célèbre. Cet accueil prit tout le monde par surprise. On parvint à les glisser dans une limousine qui les enleva à leurs admirateurs.

Le recteur de l'université de Tokyo les reçut dans le meilleur restaurant où il avait réuni des célébrités des lettres et du cinéma. Les geishas qui s'occupaient d'eux leur demandèrent de signer une pile de livres pour leurs maris. Des étudiants brandissaient des pancartes de bienvenue, quand le lendemain ils donnèrent l'un après l'autre, en parfait jumelage, une conférence à l'université devant une salle bondée. Hommes politiques, écrivains, professeurs voulaient saisir cette occasion de s'entretenir avec eux. Les entretiens, les interviews, les dîners se succédaient.

L'accueil chaleureux et spontané du Japon surprit Beauvoir, qui se livrait à une étude aussi exhaustive que les circonstances le lui permettaient de la vie quotidienne, des institutions, des modes de production, des courants d'idées. Ses hôtes, très bien informés de ses goûts et de sa personnalité, avaient organisé une visite qui, en un mois, devait satisfaire la plus ardente curiosité. Elle avait aimé les bars et les quartiers où l'on s'amuse, ses guides la pilotèrent dans Tokyo *by night*. Elle aima cette fête nocturne éclairée de néons agressifs et de lanternes de papier, où ils allaient de cabarets populaires en music-halls. Partout des nuées de jeunes leur demandaient des autographes, un jeune homme tendit silencieusement une fleur à Simone de Beauvoir, une jeune fille baisa la main de Sartre en lui donnant un paquet de biscuits.

Beauvoir voulait voir un nô, cette forme de drame lyrique traditionnel au Japon. Trente-cinq ans plus tôt, Simone Jolivet l'avait éblouie en lui décrivant un nô, aujourd'hui M. Watanabé organisait pour elle une séance privée à laquelle assistèrent une centaine de personnes invitées en son honneur. La pièce était tirée du roman *Genji*, ce chef-d'œuvre de la littérature japonaise écrit par une femme. Beauvoir découvrit aussi le spectacle de marionnettes, le *bunkaru*, « le seul théâtre de poupées pour lequel ont été composés des chefs-d'œuvre littéraires ». Elle retrouvait un goût très ancien pour l'art abstrait, « un univers autre » où les masques des acteurs, les visages sculptés des marionnettes étaient « inhumains », où les chants et les cris remplaçaient le langage. Ni dans le nô ni dans le *bunkaru* il n'y avait d'imitation de la réalité, « c'est en la pulvérisant radicalement qu'on réussit à dégager, dans une éclatante pureté, le sens du drame ». Elle aimait dans l'art japonais cet équilibre de stylisation et de réalisme qu'on retrouve dans *les Belles Images*, écrit pendant la préparation de son voyage au Japon.

Après Tokyo, Kyoto. En route pour la gare, un embouteillage ralentit leurs voitures. Pour les attendre, le train fut retardé de trois minutes. Dans ce pays où les trains roulent à deux cent cinquante kilomètres à l'heure, où tout fonctionne électroniquement, cet accroc à l'horaire était un hommage extraordinaire.

A Kyoto, la ville aux dix-sept cents temples, ils furent surpris, en visitant une lamaserie, de l'intérêt des lamas pour l'existentialisme, et encore plus d'entendre vanter chaleureusement *le Deuxième Sexe*. Un lama cependant informa Simone de Beauvoir que, selon leur religion, elle devait se réincarner en homme pour atteindre le paradis auquel elle ne pouvait accéder sous sa forme présente.

Après les temples, ils visitent des rizières, une entreprise minière, un camp où vivait un sous-prolétariat surveillé par des gardes armés, et une zone industrielle du port où les dockers étaient des femmes. Beauvoir interviewa des manutentionnaires pour la télévision japonaise; elle descendit dans une soute où huit heures par jour, sept jours par semaine, ces femmes remplissaient à coups de pelle des sacs d'engrais chimiques dans une poussière âcre. Moins payées que les hommes, elles devaient aussi s'occuper de leurs foyers. Beauvoir ne cacha pas que ce n'était pas ce qu'elle voulait pour les femmes.

A l'hôpital d'Hiroshima, au milieu d'une nombreuse escorte de journalistes, on lui mit un bouquet dans les mains, sous les éclairs des flashes, on la poussa vers le lit d'une victime de la bombe. A la Fondation d'Hiroshima, elle dut s'installer sur une estrade à côté de Sartre devant une équipe de télévision; elle ne s'attendait pas à cette publicité. Obstinée, elle parvint à parler avec des survivants et apprit que l'État n'indemnisait pas les victimes civiles de la guerre. Les rescapés avaient honte de leur incapacité de travailler et cachaient leurs infirmités comme une tare. De retour à Tokyo, elle prit part avec Sartre à un meeting contre l'intervention américaine au Vietnam, organisé par la *Sobro*, la C.G.T. japonaise. Au milieu du dépaysement, la politique retrouvait son actualité. Elle parla contre la guerre, Sartre dit quelques mots et leurs nouveaux amis firent des allocutions. Les manifestations contre la politique américaine étaient fréquentes au Japon.

A peine de retour à Paris, Beauvoir assista à un meeting à la Mutualité contre la guerre du Vietnam. C'était le mois de novembre. Son dernier livre, *les Belles Images*, dédié à Claude Lanzmann, venait de sortir. Cinquante mille exemplaires furent vendus la première semaine. Le livre resta trois mois sur la liste des best-sellers.

En U.R.S.S., la *Literaturnaïa Gazeta* déclarait dans son numéro du 14 février : « Simone de Beauvoir a su décrire avec véracité des problèmes sociaux de l'époque actuelle », et lui donnait la parole. « Ce roman m'a été dicté par l'irritation aiguë que j'éprouve à la vue de cet univers mensonger qui nous entoure. La presse, la télévision, la publicité, la mode, créent des mythes qui masquent le monde réel. Je pense par exemple à ce mythe de nos jours : "le monde futur". Ce "monde futur" dont on nous parle tant n'est qu'un subterfuge employé pour ne pas faire face aux problèmes du présent. »

Dans *les Belles Images* Beauvoir a fait un montage des clichés employés par la publicité et décrit la vie de la grande bourgeoisie technocratique qui jouit de tous les biens matériels de la civilisation moderne. « Je ne veux pas dire que je rejette en bloc le progrès technique. J'aime les avions à réaction, les belles radios. Je suis contre les profiteurs qui utilisent le progrès pour servir leurs propres intérêts. »

L'argent et la poursuite du succès sont de fausses valeurs : « L'esthétisme, la culture, le savoir sont exploités dans le dessin de cacher la pauvreté, l'injustice et l'inégalité sociale. » C'est une petite fille de dix ans, Catherine, qui découvre avec douleur que le mal et les déshérités existent dans le monde. « Je souligne que je parle du mal au sens social du mot. Je ne suis pas didactique dans ce roman. Mon livre n'est pas un livre tendancieux... c'est une œuvre qui dévoile le mensonge dans la vie de la classe bourgeoise. »

En condamnant l'asservissement des êtres humains au monde matériel et à la publicité, Beauvoir se déclarait l'ennemie de l'humanisme bourgeois et de l'anti-humanisme des technocrates.

L'Égypte

Heykal, le porte-parole de Nasser et le directeur du journal *El Ahram*, invita Sartre et Beauvoir à venir en Égypte. *Les*

Temps modernes préparaient un dossier sur le conflit israélo-arabe, Claude Lanzmann les accompagnait. Ce voyage prit l'allure d'une visite officielle. Les deux écrivains furent traités comme des témoins de choix que l'Égypte voulait gagner à sa cause. Ils furent reçus comme des puissances. Peu d'écrivains avant eux ont remué autant de passions, suscité autant d'espoirs, incarné autant de causes. Peu ont pris parti avec autant de courage. A Paris, les familles de dix-huit jeunes gens emprisonnés en Égypte pour avoir voulu reconstituer un parti communiste leur avaient demandé d'intercéder auprès de Nasser qui venait, en 1967, de se réconcilier avec la gauche.

Dès leur arrivée au Caire ils donnèrent une conférence de presse. Une escorte de journalistes ne les quitta pas. Le gouvernement mit à leur disposition un petit avion, véritable salon volant, et Nasser délégua auprès d'eux un archéologue. Un fiacre les attendait à Karnak où un clair de lune transformait en féerie la plus imposante forêt de colonnes du monde. Le lendemain ils remontaient le Nil en bateau, une limousine les promena de temple en temple dans la Vallée des Rois. Un avion les attendait pour leur faire survoler le barrage d'Assouan. A l'atterrissage, des femmes leur présentèrent des paniers de dattes fraîches. Un fonctionnaire les emmena visiter les chantiers, le soir, en projection privée, ils virent un film sur l'inauguration des travaux du barrage présidée par Nasser et Khrouchtchev.

Après les trésors de l'ancienne Égypte, ceux de l'Égypte moderne. Ils visitèrent les nouvelles réalisations du régime, les grands vergers irrigués de canaux tout neufs et dont la culture était confiée à l'armée. Ils entreprirent une tournée d'inspection des terres nouvellement équipées dans un autobus privé, en compagnie de personnalités du régime. Alignés des deux côtés de la route, des soldats agitaient des drapeaux égyptiens et français. Un agronome suggéra d'abréger la tournée, un général de l'escorte se fâcha, il avait fait placer des soldats, drapeaux en main, sur des kilomètres de route. Sartre et Beauvoir devaient les passer en revue. L'autobus poursuivit son chemin. Dans un centre d'ouvriers agricoles, un accueil triomphal les attendait. Alignés sur deux rangs, les ouvriers agitaient eux aussi de petits drapeaux en scandant en français : « Vive Sartre ! Vive Simón ! » A l'issue d'un déjeuner de quarante couverts, un ministre leur remit des médailles en demandant à Sartre et à Beauvoir de faire connaître au monde le travail que le régime était en train d'accomplir. Quelques jours plus tard, accompagnés par le préfet de la région, ils traversèrent une foule qui déployait des banderoles proclamant : « Nasser est l'ami du peuple » et clamait « Vive Sartre ! Vive Simón ! ». Dans un coin, une institutrice faisait répéter à un groupe de placides paysannes : « Vive Simone ! Vive Simone ! »

Ces visites organisées ne satisfaisaient pas la curiosité de Beauvoir. Elle avait remarqué la pauvreté des villages, la maigreur extrême de leurs habitants. Malgré la conquête sur le désert, les bouches à nourrir devenaient de plus en plus nombreuses. Nasser avait entrepris une campagne en faveur de la contraception, mais les fellahs comptaient sur leurs enfants pour travailler. Beauvoir découvrait un aspect poignant de la surpopulation : la faim.

Le régime de Nasser reposait sur la Charte de 1962 qui proclamait l'égalité des sexes, mais la religion musulmane s'y opposait. Dès son arrivée Beauvoir avait été en rapport avec des féministes égyptiennes, journalistes, avocates, médecins. Elles ne portaient plus le voile, mais ne sortaient jamais de chez elles. Aux terrasses des cafés, dans les restaurants, on n'apercevait jamais de femmes. Dans la conférence qu'elle donna à l'université d'Alexandrie, Beauvoir provoqua son auditoire en invoquant la Charte du régime nassérien et en soulignant qu'aucun socialisme ne peut exister tant que la femme ne sera pas l'égale de l'homme. Des voix d'hommes s'élevèrent aussitôt pour rectifier : « dans la limite de la religion ! ».

Au Caire, Beauvoir fut encore plus énergique ; elle accusa les Égyptiens de se conduire à l'égard des femmes « comme des féodaux, des colonialistes, des racistes ». Elle les condamna au nom même du combat qu'ils avaient eux-mêmes mené pour leur indépendance. Seules les femmes applaudirent ; des hommes l'abordèrent après la conférence et essayèrent de lui faire comprendre que l'inégalité des femmes était inscrite dans le Coran et devait être respectée comme une loi sacrée, la loi au-dessus de toutes les lois. Dans les nombreuses interviews que Beauvoir donna au Caire, elle reprit en termes vigoureux sa condamnation de la discrimination envers les femmes, et de ceux qui prétendent qu'elles ont une vocation éternelle imposée par la religion ou une fonction spécifique imposée par la biologie. « La femme ne doit pas être une copie de l'homme, ou l'homme une copie de la femme : l'égalité n'est pas l'identité. » Dans *El Ahram*, elle réaffirma que le travail était le seul moyen de se libérer, mais ajoutait : « Dans de nombreux pays le travail ne donne pas nécessairement la liberté à la femme tant que la propriété est encore entre les mains de l'homme. »

Ce voyage marquait une étape dans la vie publique de Beauvoir. Les discussions sur les problèmes actuels se multipliaient avec le ministre de la Culture, avec le dirigeant de l'Union socialiste, parti unique auquel appartenait tout Égyptien, les rédacteurs de la revue *Al Talia*, des marxistes, des cinéastes, des écrivains. A la fin du séjour, après avoir facilité à ses invités cette étonnante découverte de l'Égypte, Nasser les reçut dans sa résidence d'Héliopolis. Pendant trois heures il leur parla « sans hâte », en pesant ses mots. Il raconta à Beauvoir que lors de la discussion de la Charte un homme lui avait fait remarquer que, puisque le Coran permettait à chaque mari d'avoir quatre femmes, l'égalité voudrait que chaque femme ait quatre maris. En fait, l'islam s'était implanté dans une société polygame. Le Coran, loin de prôner la polygamie essayait de la rendre impossible tant il y apportait de restrictions. Quant à Nasser, il croyait en Dieu mais la religion « s'était dressée en travers de son chemin ».

Après cette longue entrevue avec Nasser, il restait encore un voyage à faire : Sartre et Beauvoir voulaient voir un camp de réfugiés palestiniens. Entourés de journalistes, ils arrivèrent à Gaza. On leur offrit des drapeaux des « forces de la libération de la Palestine ». Une escorte égyptienne et des dirigeants palestiniens conduisirent Beauvoir et Sartre à travers le camp. Ils les invitèrent à entrer dans des maisons, à parler aux gens, leur firent remarquer leur misère.

Beauvoir songeait que les secours qui provenaient de l'O.N.U. n'étaient pas bien utilisés, les réfugiés auraient pu être encouragés à construire de véritables maisons, l'espace ne manquait pas. Au banquet offert par le gouverneur de Gaza à une centaine de convives, la profusion des nourritures lui coupa l'appétit, elle eut du mal à avaler quelques bouchées. Puis on les escorta jusqu'à la frontière. Beauvoir aperçut au loin le drapeau israélien. Elle contempla le *no man's land* gardé par les Casques bleus des Nations unies. Au dîner, le nombre des convives et l'abondance des mets avaient encore augmenté. La discussion s'engagea entre les dirigeants palestiniens et Sartre qui conclut : « Je rapporterai fidèlement à Paris les opinions que j'ai entendues ici. » La propagande trop insistante avait produit le contraire de l'effet souhaité sur Beauvoir. La visite à Gaza l'avait déprimée. La question juive ne se posait pas en Égypte de la même façon qu'en France. De retour au Caire, ils apprirent que Nasser avait fait libérer les dix-huit prisonniers dont Sartre avait sollicité la grâce. Ce geste les toucha.

Le dîner d'adieu eut lieu dans une maison arabe du XVIe siècle. Un spectacle complétait le festin. Deux masques funéraires de Fayoum furent offerts aux deux visiteurs qui reçurent jusqu'au bout un accueil généralement réservé à des plénipotentiaires. Sartre était bien devenu un prince des lettres et Beauvoir était effectivement en mesure de dévoiler le monde.

Israël

Après les mille et une nuits d'Égypte, l'accueil d'Israël fut très simple. Une délégation d'intellectuels les reçut et les installa à Tel-Aviv. Après le luxe du Caire, Beauvoir avait l'impression de retrouver les cafés et les restaurants du Quartier latin. Simha Flapan, un membre du M.A.P.A.M., le parti de la gauche israélienne, avait préparé le voyage. Il les devançait d'étape en étape comme les hérauts jadis précédaient les seigneurs. Le chef du M.A.P.A.M. leur fit visiter un kibboutz. Kaddish Louz — le président de la Knesset — les accueillit au kibboutz « Degania B », le plus ancien de tous. Il les invita chez lui. Sa femme évoqua la création du kibboutz, quand les femmes travaillaient aussi dur que les hommes, plantaient les arbres, construisaient les routes, les maisons. Dans un kibboutz de la frontière, Beauvoir descendit dans les tranchées profondes prévues en cas d'alerte, elle pouvait voir les avant-postes syriens. Ils visitèrent le kibboutz où vivaient les survivants de la révolte du ghetto de Varsovie. Beauvoir revit avec émotion les images qui l'avaient bouleversée en 1945 quand la presse libérée avait publié les premières photos de Dachau, Treblinka, Auschwitz.

Les deux infatigables écrivains voulaient voir un village arabe d'Israël car « la question arabe était au premier plan » de leurs préoccupations. On leur facilita les visites, on leur fournit toutes les informations qu'ils demandaient, ils purent parler librement avec tout le monde.

C'est alors que Beauvoir découvrit la différence entre les villages juifs et les villages arabes. Les uns, « aseptisés », ressemblaient à des lotissements modernes, les autres sem-

blaient « une émanation naturelle du sol ». Une municipalité
les reçut officiellement. Ils entendirent des « exposés d'amertume » de la part des Arabes qui se plaignirent des brimades,
des confiscations, de la surveillance policière. En visitant
Nazareth, presque uniquement peuplée d'Arabes, Sartre et
Beauvoir furent emmenés en auto jusqu'au centre de la ville
où, dans une manifestation, une foule d'hommes brandissait
des pancartes sur lesquelles étaient inscrites leurs revendications. A l'hôtel, Sartre reçut des « délégations d'Arabes de plusieurs tendances ». A Jérusalem il y eut une dernière rencontre avec des Arabes et des Israéliens « qui cherchaient à briser
les barrières qui isolent la minorité ».

La condition des femmes israéliennes intéressait particulièrement Beauvoir. Elle regrettait qu'elles aient renoncé, pour
la plupart, à leurs vies de pionnières, qu'elles aient accepté de
reprendre les travaux improductifs du ménage, et qu'il n'y eût
plus d'hommes dans les cuisines et les blanchisseries. Les travaux n'étaient plus exécutés en commun. Beauvoir voulait
savoir si les femmes bénéficiaient d'une égalité économique
totale, elle apprit que sur le marché du travail l'égalité n'était
pas respectée ; on s'arrangeait pour tourner un principe pourtant bien acquis, de plus on confinait les femmes dans les
tâches les moins intéressantes. Beauvoir était déçue. Israël
avait été édifié dans une parfaite égalité entre les hommes et
les femmes, elles avaient manié la bêche et la mitraillette, elles
avaient donné leur vie. L'Israélienne était alors le modèle de la
femme nouvelle qui participait à part entière à la vie de la
cité. De jeunes Israéliennes lui dirent qu'elles trouvaient que
la génération précédente avait trop sacrifié de sa féminité,
elles étaient lasses des travaux de force et politiquement elles
étaient moins actives que les hommes, mais elles pensaient
servir aussi bien Israël en accomplissant les tâches tradition-
nelles des femmes qu'en rivalisant avec les hommes. Beauvoir
avait noté la même évolution à Cuba. A peine la Révolution
était-elle accomplie que les femmes perdaient leur égalité
avec les hommes. On oubliait qu'elles avaient combattu,
dormi sur le sol, préparé des embuscades, essuyé le feu. On
oubliait qu'elles avaient lutté pour une cause, exposé leur vie.
Dans le péril, rien ne les avait distinguées des hommes, une
fois la victoire acquise on la leur volait.

Le point de vue de ses amies israéliennes déconcerta Beauvoir : elles affirmaient qu'elles avaient obtenu une place suffisamment importante dans la société, la question du fémi-

nisme ne se posait plus en Israël. Le 23 mars, elle donna une conférence à l'université hébraïque de Jérusalem. La salle était comble. Le public était venu l'écouter parler du rôle de la femme dans le monde d'aujourd'hui. Beauvoir, persuadée que ce n'était plus un sujet d'actualité en Israël, traita du rôle de la littérature dans le monde contemporain.

Un écrivain authentique, dit-elle, doit universaliser l'individu. « C'est évidemment saisir la tolérance à ses racines, c'est détruire les racismes, les sexismes, les fanatismes de toutes sortes que d'ouvrir l'esprit sur le monde et se réclamer de l'univers. »

Beauvoir avait dépassé, au long de sa vie, les notions de classe, de religion, de race, de sexe, de nation, elle était devenue l'un des écrivains les plus curieux des cultures différentes, l'un des plus tolérants, des plus ouverts aux besoins, aux sensibilités des autres. Par la littérature elle pouvait atteindre un nombre indéfini de lecteurs, les aider à se comprendre et à élargir leurs horizons. Si Beauvoir était parfois sur le point de désespérer des femmes, elle ne désespérait jamais de la littérature.

Le Premier ministre d'Israël, Levi Eshkol, reçut Beauvoir et Sartre. Le voyage s'achevait. Sur le chemin du retour, ils s'arrêtèrent pour une escale à Athènes. Enfin seuls, ils analysèrent ensemble ce dont ils avaient été les témoins passionnés et attentifs. Leur pouvoir sur l'opinion était considérable et nul ne pouvait les bâillonner. Libres de s'adresser à un énorme public, libres de publier ce qu'ils voulaient faire entendre, Beauvoir et Sartre, assis sur l'Acropole, contemplaient Athènes où Socrate avait enseigné, où la démocratie avait été inventée.

Tout en parcourant le Moyen-Orient, Beauvoir avait terminé trois récits qu'elle allait publier sous le titre de *la Femme rompue*. Elle trouvait dans la condition féminine une source toujours nouvelle de réflexions. Puis elle entreprit des recherches pour l'essai sur la vieillesse qu'elle projetait d'écrire.

L'Égypte ferma le golfe d'Akaba le 23 mai. Plusieurs intellectuels français signèrent avec Sartre et Beauvoir un texte « conjurant tant Israël que les Arabes de ne pas engager les hostilités ». Beauvoir fut prise d'une angoisse personnelle, elle venait de voir ces villes, ces villages qu'on allait peut-être bombarder, elle avait laissé des amis dans les deux pays. Elle avait vu une Égypte enracinée dans des millénaires d'existence et assez forte pour survivre à une éventuelle défaite, mais elle pensait que la jeune nation cesserait d'exister en tant qu'État si elle était vaincue. Elle avait peur pour Israël.

Pendant la guerre des Six Jours, Beauvoir ne fut en parfait accord avec aucun de ses amis. « Je ne tenais pas Israël pour l'agresseur, puisque selon le droit international la fermeture du golfe d'Akaba constituait un *casus belli*, ce que Nasser lui-même avait reconnu. »

Une nouvelle affaire Dreyfus divisait la France. Les gaullistes étaient contre Israël, les communistes se rangeaient du côté de l'U.R.S.S. qui avait fourni des armes à l'Égypte. Les trotskistes, les marxistes, tous les gauchistes épousèrent la cause des Arabes. Beauvoir fit preuve d'indépendance. Dans *Tout compte fait*, elle s'explique : « Je ne considère pas Israël comme une tête de pont de l'impérialisme... Il n'est pas vrai que son existence gêne le développement des pays arabes : il n'a pas empêché l'Algérie de conquérir son indépendance, ni Nasser de construire le barrage d'Assouan... C'est un pays capitaliste et qui a commis plus d'une faute : il n'est pas le seul, et les autres ne voient pas leur existence mise en question. Quant à moi l'idée qu'Israël puisse disparaître de la carte du monde m'est odieuse. » A cause de ses positions sur la question du Moyen-Orient, elle se trouvait presque toujours en porte à faux dans ses rapports avec les militants de gauche. Proche des gauchistes sur le terrain de l'action qu'ils menaient en France, elle n'acceptait pas leur monolithisme. « Un gauchiste doit admirer inconditionnellement la Chine, prendre parti pour le Nigeria contre le Biafra, pour les Palestiniens contre Israël. Je ne me plie pas à ces conditions. »

XII. Les bastilles

« La liberté est la source d'où surgissent toutes les significations et toutes les valeurs. »

Pour une morale de l'ambiguïté, p. 33.

Le tribunal Russell

Schoenman, un jeune Américain, l'un des secrétaires de la Fondation Russell, était venu trouver Simone de Beauvoir en juillet 1966 pour lui demander de faire partie du tribunal que lord Russell, le philosophe anglais, voulait organiser pour juger l'action des Américains au Vietnam. La Fondation se chargeait d'envoyer des commissions d'enquête sur place, d'obtenir des documents des opposants américains. Il s'agissait d'atteindre l'opinion mondiale et de frapper l'opinion américaine. Des personnalités internationales feraient office de juges. L'idée plut à Beauvoir, elle accepta d'en faire partie avec Sartre, qui fut élu président exécutif et se chargea d'établir les statuts du tribunal Russell. Sartre désigna Claude Lanzmann comme son suppléant. Les réunions devaient avoir lieu à Paris, mais le général de Gaulle, dans une lettre où il appelait Sartre « Mon cher Maître », annonça la décision du gouvernement d'interdire le tribunal Russell sur le territoire français. Sartre répondit que s'il le fallait le tribunal siégerait sur un bateau ancré hors des eaux territoriales. La Suède accepta de l'accueillir. Les juges venaient de Yougoslavie, d'Allemagne, de Turquie, d'Italie, des États-Unis, de Cuba. Gisèle Halimi, qui avait milité contre la torture en Algérie et pour faire modifier la loi sur l'avortement, figurait parmi les membres de la commission juridique chargée d'assister les juges. Pendant huit jours, Beauvoir « captivée par cette entreprise » fut surprise par la violence des dissensions entre gens qui tous s'opposaient à l'impérialisme américain. Beauvoir, Sartre, Schwartz, Halimi représentaient la gauche française non communiste. Du 2 au 10 mai 1967, ils écoutèrent des rapports, des témoignages de médecins, de journalistes, d'historiens, de physiciens qui décrivaient les dégâts des nouvelles armes testées au Vietnam. Des blessés civils racontèrent l'enfer d'une guerre. Gisèle Halimi qui revenait du Vietnam brossa un tableau rigoureux de la situation.

Tous les jours, à la même heure, des jeunes défilaient devant la Maison du Peuple où siégeait le tribunal, avec des pancartes : « Vivent les U.S.A. ! Et Budapest ? » Des contre-manifestants brandissaient d'autres pancartes.

Beauvoir vécut une intense période d'engagement où elle se sentit « totalement mobilisée ». Ce travail réglé, assidu, lui plaisait, elle envisageait avec intérêt la reprise des sessions du tribunal Russel en automne.

Le couple Sartre-Beauvoir dérangeait de plus en plus. Le gouvernement irakien interdit la vente de leurs œuvres parce que « ces deux personnalités soutenaient Israël ». Le comité directeur des *Temps modernes* signa un article contre le coup d'État militaire d'Athènes, leurs œuvres furent interdites en Grèce.

La pièce de Beauvoir, *les Bouches inutiles*, qui retrouvait une singulière actualité, fut reprise dans le cadre du Festival de Saint-Germain-des-Prés. Le sacrifice des populations civiles continuait. Le problème des droits de l'homme qui s'était posé en 1945, après le nazisme, n'était pas résolu à l'échelle mondiale en 1967. Beauvoir multipliait les interventions. En juillet, elle signa un texte adressé au président vénézuélien Leoni, protestant contre les arrestations et les disparitions de militants de l'opposition, et demanda que la lumière soit faite sur tous les cas de violation des droits de la personne humaine, puis elle signa une lettre ouverte à Asturias, prix Nobel de littérature, ambassadeur du Guatemala à Paris, pour protester contre les enlèvements et les assassinats de nombreux Guatémaltèques. En novembre, les sessions du tribunal Russel reprirent au Danemark. Un Japonais présenta un rapport sur la défoliation : les produits chimiques empoisonnaient bêtes et hommes. Les témoignages sur les tortures, les massacres, se succédaient. Y avait-il génocide ? Les juges étaient divisés sur ce point. Beauvoir et Sartre doutaient qu'on pût imputer aux États-Unis un génocide au Vietnam et s'en tenaient à l'accusation de crimes de guerre. La déléguée cubaine, une jolie femme, et les délégués japonais pour qui c'était une affaire politique, trouvaient leurs scrupules superflus. Sartre se laissa convaincre. En tant que président exécutif, il devait rédiger l'exposé des motifs du verdict du tribunal, son texte, écrit dans les petites heures du matin, fut adopté à l'unanimité. Sartre déclarait que le génocide c'est « la guerre totale menée jusqu'au bout d'un seul côté et sans la moindre réciprocité ». Le tribunal Russel condamna les États-Unis pour génocide.

La Femme rompue

En janvier 1968 *la Femme rompue* paraît en édition de luxe avec des burins originaux d'Hélène de Beauvoir. C'est un nouveau best-seller. Tiré à cinquante mille exemplaires, l'ouvrage est épuisé en moins de huit jours. Les rapports de la critique avec Beauvoir demeuraient singuliers, il semblait que certains ne lui pardonnaient toujours pas *le Deuxième Sexe*. Il y eut un déchaînement d'hostilité : « Ce n'est pas de la littérature », « C'est un roman à l'eau de rose ». A la parution du *Deuxième Sexe* des critiques l'avaient traitée de frustrée, d'anormale, l'accusant de tous les vices et de toutes les débauches, cette fois on déclare que son livre est celui d'« une femme vieillissante, fanée », voire « hagarde »; un critique prétend que Gallimard continuait à la publier par pitié. Des féministes lui reprochèrent de ne pas avoir présenté une femme libre, Bernard Pivot écrivait dans *le Figaro littéraire* : « *La Femme rompue* est à elle seule un magazine féminin complet. C'est *Elle* dans *Elle*, il n'y manque que l'horoscope. » Beauvoir a ce singulier privilège d'écrire des best-sellers traduits immédiatement dans le monde entier, et d'être détestée par de nombreux critiques et par un nombre imposant de ses concitoyens.

Dans une interview donnée à un journaliste norvégien,

Beauvoir, toujours sensible aux critiques, s'expliquait : « Dans *la Femme rompue*, la femme est mystifiée parce qu'elle croit qu'en vivant pour sa famille elle accomplit une tâche qui justifie sa vie — une tâche que sa famille réclamera toujours d'elle, un sacrifice que sa famille accepte avec plaisir. En réalité, c'est à cause de son "sacrifice", qui l'a rendue dépendante de son mari et de ses enfants, qu'elle leur devient un fardeau. Comme elle n'a jamais essayé de développer sa personnalité, elle n'a rien à leur offrir et n'a aucune ressource pour lutter contre ses difficultés. »

Elle avait, lui disait-on, fait le procès du mariage, elle répliquait que c'était plutôt le procès de l'épouse. Non que la femme qui se consacrait à son mari et à ses enfants fût vouée obligatoirement à l'échec : « Je crois qu'elle court un gros risque de se voir un jour abandonnée et malheureuse. » Pour « les femmes qui ne font rien d'autre, le mariage est une espèce de carrière, mais malheureuse. Un manœuvre ramasse son propre argent à la fin de la journée, tandis que la femme au foyer travaille et se trouve tout de même dans la dépendance totale. C'est donc une carrière mal choisie qui peut être évidemment très facile et très agréable pour les femmes de la bourgeoisie aisée pour qui le mariage représente une certaine fortune et beaucoup de loisirs. » Elle revenait à chaque interview à la même conclusion : il faut que les femmes travaillent. « J'estime qu'une femme veut être un être humain comme tout le monde et que les êtres ne sont humains que par leurs relations avec la société, avec autrui. Ces relations ne peuvent avoir vraiment d'efficacité que si elles passent par le travail, par l'action économique, par l'action politique. Par conséquent les femmes doivent absolument participer à la marche du monde d'une manière active. »

Ce livre agaçait. Certains voulurent y voir un portrait autobiographique et, à soixante ans, un constat d'échec. Personne n'aurait songé à parler des soixante-trois ans de Sartre ; à quatre-vingt-trois ans Victor Hugo était un dieu, à quatre-vingts Chateaubriand était un grand homme. A l'âge des barbes blanches un écrivain devient un sage, un penseur, un prophète, un mage, il est entendu que si le jeune homme est beau le vieillard est grand. Contre Beauvoir la haine faisait des ricochets à travers la presse, à travers le temps. En 1984, un parallèle entre Germaine de Staël et Simone de Beauvoir poussera un écrivain misogyne à appeler ces deux écrivains « nos deux éminentes savantasses ».

Mai 1968

Le 23 mars, Beauvoir participe à la porte de Versailles à la journée des intellectuels pour le Vietnam, et part aussitôt, invitée par l'écrivain Vladimir Dedijer, pour la Yougoslavie, où elle donne une interview sur les problèmes de la femme.

De retour à Paris elle apprit qu'à la suite d'attentats au plastic commis dans la nuit du 17 au 18 mars, quatre lycéens membres de comités contre la guerre au Vietnam avaient été arrêtés. Quatre jours plus tard Daniel Cohn-Bendit, un étudiant en sociologie, organisa l'occupation des locaux de l'administration de l'université de Nanterre. Les événements qui allaient mener à l'explosion de mai 68 avaient commencé à prendre de la vitesse.

Depuis longtemps Beauvoir s'intéressait aux mouvements qui agitaient certains secteurs du monde étudiant. Dès février 1964 le président de l'U.N.E.F., Kravetz, écrivait dans *les Temps modernes* un article où il réclamait l'abolition des cours magistraux et de toute subordination hiérarchique. Le comité de rédaction était divisé. Beauvoir et Sartre approuvaient les revendications des étudiants. Ils voulaient que la transmission du savoir fût faite par des moyens nouveaux qu'il était urgent de définir. Aux États-Unis et en Europe, le monde étudiant était en ébullition. Aux États-Unis, les revendications portaient avant tout sur les droits civils et sur la guerre au Vietnam. En France, les revendications prirent d'abord un tour vaudevillesque. En 1967, quand la piscine de l'université de Nanterre fut inaugurée par le ministre de la Jeunesse, François Missoffe, Cohn-Bendit le prit à partie. Le ministre venait de signer un rapport sur la jeunesse, Cohn-Bendit lui reprocha d'avoir ignoré les besoins sexuels des étudiants. Le ministre répondit au jeune provocateur qu'il pourrait désormais apaiser ses feux dans la piscine. Les étudiants réclamèrent bruyamment la suppression des « ghettos sexuels » et le droit d'entrer dans les dortoirs des femmes, l'inverse étant autorisé. Ils passèrent à l'action et envahirent les bâtiments réservés aux étudiantes.

En mars, l'agitation prit un autre aspect. Les étudiants distribuèrent des tracts contre la guerre au Vietnam et contre l'oppression dont ils s'estimaient victimes. L'escalade commençait. Le recteur Grappin ferma Nanterre pour le week-end. Les étudiants se transportèrent à la Sorbonne et tinrent un meeting dans l'amphithéâtre Descartes. En avril, ils manifestèrent au quartier Latin pour marquer leur solidarité avec l'étudiant allemand Rudi Duske, grièvement blessé par un fasciste. Le recteur Grappin ferma Nanterre, alors ils envahirent la Sorbonne. Le recteur de l'Université de Paris, Roche, appela la police qui arrêta un grand nombre de manifestants et ferma la Sorbonne. Aussitôt l'U.N.E.F. organise une manifestation. Le 6 mai, étudiants et policiers s'affrontent, pour la première fois le quartier Latin sent le gaz lacrymogène. Boulevard Saint-Germain, les premières barricades surgissent. Les étudiants renouvelaient les images des insurrections parisiennes. Ils se battaient à coups de pavés contre les C.R.S. et les autopompes. Une foule de reporters et de curieux risquaient d'être matraqués au milieu des explosions, des cris, des nuages de poussière et de gaz.

Simone de Beauvoir éblouie par cette audace, cette révolte, ces revendications de la jeunesse, se sentait solidaire. Elle espérait que l'émeute allait tourner à l'insurrection et que le régime serait renversé. Elle, qui avait revendiqué sa liberté à vingt ans quand, faute de barricades, les bars avaient servi de lieux à ses révoltes, elle qui avait rêvé de la révolution surréaliste, vivait ces journées avec une joie et une espérance d'adolescente.

Vingt mille — certains disent cinquante mille — manifestants, brandissant les drapeaux noirs de l'anarchie et des drapeaux rouges, se rassemblèrent autour du Lion de la place Denfert-Rochereau pour marcher jusqu'à l'Étoile en chantant *l'Internationale*. Le 8 mai, Beauvoir, Sartre, Colette Audry, Michel Leiris et Daniel Guérin publiaient une déclaration appelant « tous les travailleurs et intellectuels à soutenir moralement et matériellement le mouvement de lutte engagé par les étudiants et les professeurs ». Le lendemain, un autre manifeste signé par Beauvoir, Sartre, Maurice Blanchot, André Gorz, Pierre Klossowski, Jacques Lacan, Henri Lefebvre, Georges Michel, Maurice Nadeau, déclarait :

« La solidarité que nous affirmons ici avec le mouvement des étudiants dans le monde — ce mouvement qui vient brusquement en des heures éclatantes d'ébranler la société dite de bien-être, parfaitement incarnée dans le monde français — est d'abord une réponse aux mensonges par lesquels toutes les institutions... cherchent à en pervertir le sens... Il est d'une importance capitale... que le mouvement des étudiants... oppose et maintienne une puissance de refus capable, croyons-nous, d'ouvrir un avenir. »

Le 10 mai les barricades surgissent rue Gay-Lussac, on met le feu à des voitures, la police fonce, des passants et des curieux sont blessés. Cette nuit de violence terrifia les habitants du quartier et indigna l'opinion. Deux jours plus tard, Radio-Luxembourg diffusait une interview où Sartre parlait des événements de la rue Gay-Lussac : « Ces jeunes gens ne veulent pas d'un avenir qui sera celui de leurs pères, c'est-à-dire le nôtre, un avenir qui a prouvé que nous étions des hommes lâches, épuisés, fatigués, avachis par une obéissance totale et complètement victimes d'un système clos... la violence est la seule chose qui reste, quel que soit le régime, aux étudiants qui ne sont pas encore rentrés dans le système que leur ont fait leurs pères... Le seul rapport qu'ils puissent avoir avec cette Université, c'est de la casser et pour la casser, il n'y a qu'une solution c'est de descendre dans la rue. »

Peu après Sartre félicitait les contestataires avec ces mots devenus célèbres : « Ce qu'il y a d'intéressant dans votre action c'est qu'elle met l'imagination au pouvoir. » Celui que Jean Genet appelait « le génial emmerdeur de la bourgeoisie » exprimait les opinions de Beauvoir autant que les siennes. Ils vivaient une aventure qui semblait devoir combler leurs aspirations. N'a-t-on pas, en parlant des événements de mai, mentionné l'incursion de la « liberté sartrienne » dans l'histoire ? Sartre saisissait de l'intérieur le mouvement dont il avait déjà décrit le processus en 1960 dans la *Critique de la raison dialectique*.

Beauvoir se promenait dans « Paris insurgé ». Une soif de liberté la poussait du côté de la révolte, de la contestation. Le 13 mai, étudiants, leaders des partis de gauche, délégations ouvrières, un demi-million de manifestants va défier « un ordre aliéné ». Ils scandent : « Étudiants, enseignants, travailleurs solidaires. » Georges Pompidou, cet agrégé de lettres, fait rouvrir la Sorbonne, les étudiants l'occupent. Beauvoir s'émerveille de l'audace de ces jeunes gens : « Jamais dans ma studieuse jeunesse, ni même au début de cette année 68, je n'aurais pu imaginer pareille fête. Le drapeau rouge flottait sur la chapelle et sur les statues des grands hommes. » Dans le quartier Latin elle se délecte à la lecture des affiches, des tracts, des slogans, qui éveillent en elle un écho, surtout peut-être celui-ci : « Il est interdit d'interdire. »

Les murs parlent : « Jouissez sans entraves » ; « Je décrète l'état de bonheur permanent » ; « Le rêve est réalité » ; « Ne me libère pas, je m'en charge » ; « Soyez réalistes, demandez l'impossible » ; « Vive la cité unie vers Cythère ! » ; « Cours, camarade, le vieux monde est derrière toi ».

Les étudiants savaient qu'ils ne renverseraient pas le régime sans l'appui des travailleurs. Le 17 mai, ils portent le drapeau rouge de la Sorbonne à Boulogne-Billancourt. Sur une banderole ils ont écrit : « La classe ouvrière prend le drapeau de la lutte de la main fragile des étudiants. » Le 24 mai, dix millions de travailleurs se mettent en grève, la France est paralysée.

Dans cette révolte sauvage contre les valeurs, les hiérarchies, l'autorité, l'ordre, contre la vieillesse des syndicats et la sclérose de la culture, Beauvoir retrouvait les révoltes, les libérations successives qui avaient jalonné sa vie : « Professeurs, vous êtes aussi vieux que notre culture, votre modernisme n'est que la modernisation de la police » ; « Travailleur, tu as vingt-cinq ans mais ton syndicat est de l'autre siècle » ; « Nous avons une gauche préhistorique ! » ; « Qu'est-ce qu'un maître, un dieu ? L'un et l'autre sont une image du père et remplissent une fonction oppressive par définition. »

Elle s'était opposée à la morale bourgeoise, à la guerre, aux armes atomiques, à la torture, à l'impérialisme, au colonialisme, au racisme, au sexisme, au régime. Il y avait tant de choses qu'elle avait rejetées depuis sa vingtième année, elle s'était tellement engagée dans ses écrits contre les tabous, les interdits, les impératifs, les traditions, la sagesse des nations, la famille, le patriarcat ! Cette explosion soudaine lui donna un coup de cœur pour ces jeunes qui allaient peut-être mener leur révolte jusqu'à la révolution.

Dans les couloirs, les cours de la vieille Sorbonne, parmi les étudiants insurgés, elle rencontrait ses amis et les fantômes de sa jeunesse. A partir du 15 mai, la place de l'Odéon devint une sorte de succursale de la Sorbonne et le drapeau noir flotta sur le théâtre national. Des orchestres surgirent, la musique fut de la fête.

Le 20 mai, des étudiants invitent quelques écrivains à venir à la Sorbonne discuter avec eux. Les orateurs ne prendraient pas place sur l'estrade, ils devaient s'asseoir au milieu du public. Il n'y aurait pas de micro et chacun pouvait poser les questions qu'il voulait aux invités. Beauvoir monta au premier étage et trouva au « Centre d'agitation culturelle » Marguerite Duras, Duvignaud, Claude Roy. Sept mille personnes avaient envahi l'amphithéâtre construit pour en contenir quatre mille. Les étudiants demandèrent à Simone de Beauvoir, à

Marguerite Duras, aux autres écrivains qui mettaient le poids de leur prestige de leur côté, d'aller ensemble dans la cour de la Sorbonne et d'y prendre la parole. La cohue était si dense qu'on ne pouvait circuler dans les couloirs, ni atteindre la cour.

Sartre avait été happé, on lui tendit un micro et d'une fenêtre il put parler à la foule qui s'écrasait. Il disparut soudain ; on l'avait glissé dans l'amphithéâtre où il répondit aux questions du public pendant une heure et déclara notamment : « Ce qui est en train de se former, c'est une nouvelle conception d'une société basée sur la pleine démocratie, une liaison du socialisme et de la liberté. »

La réconciliation des leaders de gauche François Mitterrand et Mendès France, lors de la grande réunion au stade Charléty, parut à Beauvoir « pleine de promesses... On pouvait espérer qu'une union de la gauche allait se réaliser, qu'elle opposerait à la bourgeoisie un programme anticapitaliste et un gouvernement de transition ». En fait, le reflux commençait.

De Gaulle annonce la dissolution de l'Assemblée. Le 30 mai, un cortège d'un million de personnes descend les Champs-Élysées en scandant : « De Gaulle n'est pas seul » et « Mitterrand, tu n's'ras pas président ». Des affrontements de plus en plus violents effraient les Parisiens, les manifestants abattent des arbres, mettent le feu à des voitures, brisent des vitrines. Les manifestations sont interdites, la police rend les rassemblements impossibles.

Beauvoir voulut revoir la Sorbonne. Les amphithéâtres empestaient le haschisch et la marijuana, les trafiquants de drogue venaient sur place ; la nuit, « la Sorbonne se remplissait de beatniks, de putains, de clochards ». Le sociologue Lapassade, chef du Centre d'agitation culturelle, lui dit son inquiétude de voir des mercenaires, surnommés les « Katangais », assurer la défense de la Sorbonne contre la police et les éventuelles attaques d'Occident, un groupe d'extrême droite. Lapassade lui demanda d'écrire un article sur le pourrissement de la situation, Beauvoir ne voulut pas dénoncer les étudiants qui gardaient sa sympathie. Ce qui faisait à ses yeux l'originalité de l'explosion de mai, c'était la substitution de la notion de souveraineté à la notion de besoin qui était jusque-là la revendication traditionnelle des révolutionnaires. « Dans notre société technocratique l'idée de pouvoir est devenue plus importante que celle de propriété ; c'est le pouvoir qu'ils réclamaient », non le pouvoir de gouverner mais celui de choisir leur rôle dans la société. Cette révolution avortée reflétait une crise de la société tout entière. Sur les motifs immédiats du malaise, les analyses de Simone de Beauvoir et de Raymond Aron concordent. Les jeunes, trop nombreux dans les universités, craignaient de ne pas trouver d'emplois. Ils réclamaient un plan de rénovation de l'Université auquel ils voulaient participer. Les ouvriers présentèrent des revendications nouvelles sur la structure des entreprises, l'autogestion, le style de commandement, la lutte contre la pollution.

L'idéologie eut une large part dans la révolte des étudiants français. Certains y ont vu l'influence de la *Critique de la raison dialectique* de Sartre, avec sa notion de groupe en fusion. On parla de la révolte de la praxis contre les institutions, du sartrisme contre le structuralisme, du gauchisme contre le communisme. La diversité et la subtilité du discours idéologique de mai surprirent tout le monde. L'insurrection était aussi éloquente que sophistiquée. Le philosophe Herbert Marcuse soutenait que la qualité de la vie était plus importante que le niveau matériel. Son idéologie de la vie heureuse apparut dans l'apologie du bonheur, dans les slogans qui fleurissaient sur les murs. Les étudiants popularisaient des thèmes qu'ils avaient trouvés chez les maîtres à penser contemporains et gardaient l'espoir malgré l'échec. Cette attitude positive, cette façon d'assumer l'échec séduisaient Beauvoir qui voulait leur ouvrir une tribune aux *Temps modernes*.

Une fois de plus le tumultueux cours du monde emporte Beauvoir au-delà des frontières. En août, un article rédigé par le comité de rédaction des *Temps modernes* dénonçait violemment l'U.R.S.S. pour son intervention en Tchécoslovaquie. L'Union des écrivains tchécoslovaques invita le couple terrible à venir sur place voir la situation et assister à Prague à la première des *Mouches*.

A la répétition générale, leurs deux sièges se trouvaient sur la scène côte à côte, Sartre et Beauvoir restaient à l'étranger une institution indivisible. Les étudiants, nombreux dans la salle, leur posèrent des questions. En ce pluvieux novembre, lointain écho du mai parisien, ils déclarèrent qu'ils tenaient l'agression soviétique pour « un crime de guerre ». A la télévision, ils parlèrent avec plus de prudence, mais dans un article-interview où, de nouveau, on ne les avait pas séparés, ils insistèrent sur l'engagement de l'intellectuel qui doit réclamer pour lui-même et pour tout le monde « cette liberté concrète. La seule chose qu'un écrivain puisse faire c'est montrer les chemins de la lutte pour la libération de l'homme, les dangers qu'il court, les possibilités de changement ».

En partant, Beauvoir était plus optimiste, comment les Russes pourraient-ils briser une résistance aussi unanime ? Les faits allaient lui enlever cette illusion. Les Soviétiques avaient définitivement découragé tous ses espoirs.

En mars 1969, Beauvoir constate une fois de plus qu'elle dérange. Le gouvernement militaire grec venait de proclamer qu'il interdisait les livres « communistes et dangereux pour la jeunesse » ; sur cette liste figurait *le Deuxième Sexe*.

En France, le 27 avril, au référendum sur l'organisation des régions et du Sénat, les « non » l'emportent. Beauvoir s'est abstenue de voter. Le lendemain, le général de Gaulle cessait d'exercer ses fonctions de président de la République.

Le Monde publia une déclaration signée Sartre, Beauvoir, Colette Audry, Marguerite Duras, Michel Leiris, Maurice Nadeau, apportant leur appui à la candidature d'Alain Krivine, leader d'un mouvement trotskiste, à la présidence de la République. « Cette candidature est l'occasion pour les forces nouvelles qui se sont révélées en mai-juin 1968 de se faire entendre, en utilisant cette fois les moyens fournis par la légalité bourgeoise. » Leur soutien se limita à cette déclaration.

Cet été-là, Beauvoir alla visiter Nohant. Elle se plut dans la maison de George Sand, qui, cent ans plus tôt, avait assimilé la quête du bonheur personnel à une régénération morale, répudié sa classe, lutté contre les préjugés, et s'était proposé de favoriser la transformation de la société en écrivant. Beauvoir ne pouvait pas être indifférente à la romancière qui avait voulu libérer les femmes, améliorer la condition des travailleurs. Nohant évoquait Leroux, Blanqui, Cabet, Schœlcher, Considérant, et reflétait dans un lointain miroir les idéologues juvéniles de mai.

A Rome, où Beauvoir retrouva Sartre, ils revirent Cohn-Bendit, Kravetz, et d'autres jeunes gauchistes qui avaient passé leurs vacances sur une plage italienne. Beauvoir remarqua qu'ils avaient une mentalité « d'anciens combattants » ; c'étaient déjà des « soixante-huitards », nostalgiques et aigris, hostiles les uns aux autres. Ils accusaient *les Temps modernes* d'être devenus une institution. Le projet de leur ouvrir une tribune n'aboutit pas. Cependant, ni Beauvoir ni Sartre ne cesseront de s'intéresser aux activités des gauchistes.

« Tirons les vieux du ghetto. »

La Vieillesse paraît en 1970. Dans ce livre Beauvoir met en pièces les lieux communs et montre la vieillesse telle qu'elle est vécue. Elle y dénonce les carences de l'administration, la chinoiserie des règlements, l'égoïsme de tous. Elle pulvérise les mythes, les mensonges qui camouflent le traitement indigne que la société réserve à ses propres membres dès qu'ils ne sont plus productifs.

Comme pour le Deuxième Sexe, elle s'était documentée à fond, elle avait compulsé des statistiques, lu tous les traités récents de gérontologie, consulté les chercheurs du laboratoire d'anthropologie comparée du Collège de France que Claude Lévi-Strauss, son ancien condisciple, avait mis à sa disposition. Elle avait lu des journaux intimes, des mémoires, sollicité des témoignages de travailleurs sociaux, interviewé des vieillards dans des hospices et des maisons de retraite.

Dans le Deuxième Sexe, elle avait pris pour point de départ sa condition personnelle, puis élargi son étude aux limites de la condition féminine universelle. Au seuil de la vieillesse, en s'appuyant aussi sur sa propre expérience, elle prend la parole au nom des gens âgés et revendique pour eux une place honorable et digne dans la cité. Il fallait briser la conspiration du silence, Beauvoir s'y emploie. La condition faite aux personnes âgées est inique, elles ne sont plus traitées comme des êtres humains, quel que soit le régime politique.

Cet essai eut un retentissement énorme et immédiat, surtout à l'étranger. A droite comme à gauche, la presse reconnaissait que le problème des vieux dans la société n'était pas résolu.

Beauvoir déclara à Newsweek : « La société technocratique avance rapidement et laisse les vieux en route », et au Guardian : « La vieillesse est un problème où toutes les faillites de la société convergent. C'est pour cela qu'il est caché si soigneusement. Il faudrait que les hommes demeurent des êtres humains aussi longtemps qu'ils vivent. » Elle développa le même thème dans les journaux de l'Est. Elle critiqua les sociétés qu'on dit heureuses, bien équilibrées, et les accusa de dépendre du sacrifice de millions d'êtres humains : les gens âgés. Elle souhaitait une société bien intégrée, celle où les gens âgés travailleraient selon leurs capacités et ne seraient pas des parias. C'est le travail et l'indépendance, la dignité, la satisfaction qu'il donne, qu'elle exige pour tous. Malheureusement, vers soixante ans, un travailleur est souvent complètement usé et n'a pas les ressources culturelles d'un intellectuel. Il n'a plus rien à faire qu'à attendre la mort. Comme Beauvoir attend la libération des femmes par le travail et leur intégration à part entière dans la texture même de la société, elle attend du travail la valorisation de la vieillesse et la libération des gens âgés.

Beauvoir revendiquait depuis vingt-cinq ans le droit au travail pour tous, l'égalité par le travail, l'indépendance par le travail, les journalistes lui posent encore les mêmes questions, auxquelles elle donne les mêmes réponses : être en dehors du monde du travail productif, rémunéré, c'est vivre dans les limbes. Le droit au bonheur est pour elle inaliénable et ne peut s'accomplir que par l'activité consentie, rétribuée, respectée.

Aux journalistes de *Il Giorno* et du *Nouvel Observateur* elle dit : « Intégrons les vieux dans la cité. On fabrique des vieillesses qui sont des morts anticipées. La vieillesse étant un phénomène psychosomatique, si l'on agit sur le corps de l'individu en lui ôtant toute possibilité de s'activer normalement, on influe du même coup sur son esprit. L'argent et le niveau social jouent un rôle extrêmement important. Ni les écrivains, ni les artistes, ni les hommes d'État ne sombrent dans la vieillesse, ils vivent, ils continuent à être ce qu'ils étaient, même s'il leur faut lutter davantage contre la maladie et se ménager. Ces vieillesses "normales" ne se comparent pas à la "vieillesse sociale" dont la société technocratique frappe les hommes et les femmes de plus en plus tôt. Elle ne correspond pas à la vieillesse biologique. L'homme de quarante ans qui ne peut retrouver du travail parce qu'il est trop âgé prend une mentalité de vieillard. »

Beauvoir soutient que la vieillesse est un fait culturel, le vieillard contemporain est un produit de la société qui ne l'intègre pas. En Amérique, le message fut compris par des personnes âgées qui mirent immédiatement en pratique le principe beauvoirien : agir. Une association d'un nouveau genre, « les Panthères grises », s'est donné pour but d'intégrer les gens âgés à la vie de la cité ; l'union faisant la force, ces Panthères grises prennent une importance politique, sociale, et ont commencé une lutte efficace en faveur du bien-être des gens du troisième âge. Il n'est pas question pour eux de se transformer en sous-hommes après la retraite. Ils ont créé des entreprises et ont réussi à faire repousser l'âge de la retraite obligatoire à soixante-dix ans dans certaines professions.

Avec ce nouvel essai Simone de Beauvoir ouvre une nouvelle brèche dans les lois, les coutumes, les habitudes des sociétés occidentales. C'est un nouveau plaidoyer pour la liberté, un nouvel assaut contre les bastilles des privilèges, des oppressions, des iniquités. C'est un appel : vivez et laissez vivre à pleins bords ! « Ceux qui prennent trop facilement leur parti de la vieillesse sont simplement des gens qui n'aiment pas la vie. »

La liberté de la presse

La Gauche prolétarienne, un groupe maoïste, était menacée de dissolution, son journal *la Cause du peuple* systématiquement saisi. Ses directeurs successifs, Le Dantec et Le Bris, furent arrêtés. Ils firent appel à Jean-Paul Sartre qui sympathisait avec les « Maos » et les approuvait de vouloir ressusciter la violence révolutionnaire ; les actions légales étant inefficaces, « il fallait passer à des actions illégales ». Sartre accepta la direction du journal avec l'espoir d'être arrêté, il ne le fut pas, mais *la Cause du peuple* continuait à être saisi.

Le jour du procès de Le Dantec et Le Bris, Beauvoir, toujours solidaire de Sartre, l'accompagna au Palais de justice où il était appelé comme témoin. Le procès passionnait les intellectuels. Sauf pendant l'occupation allemande, aucun directeur de journal n'avait été arrêté depuis 1881. L'intelligentsia était mobilisée. Le tribunal laissa au journal son existence légale, condamna les directeurs respectivement à un an et à huit mois de prison, mais le groupe la Gauche prolétarienne fut dissous. Des bagarres éclatèrent au quartier Latin ; l'atelier de l'imprimerie de *la Cause du peuple* fut encerclé par la police, l'imprimeur aurait été emmené sans l'intervention des ouvriers qui s'interposèrent entre lui et la police. Beauvoir réunit aussitôt une conférence de presse dans son studio, elle souligna l'aberration du pouvoir qui reconnaissait l'existence du journal mais voulait fermer l'imprimerie. Elle forma, avec Michel Leiris comme coprésident, une association, les Amis de la Cause du peuple, que la préfecture refusa de reconnaître. Les Amis portèrent plainté, ils furent déboutés. La ténacité de Beauvoir l'emporta, l'association devint légale. Quant à Sartre, il avait adhéré au Secours rouge, destiné à venir en aide aux victimes de la répression.

Trente vendeurs de *la Cause du peuple* furent arrêtés et accusés d'avoir voulu reconstituer la Gauche prolétarienne. Beauvoir et les Amis, «pour mettre le gouvernement en contradiction avec lui-même», décidèrent d'aller vendre le journal rue Daguerre.

Dans cette rue piétonnière, les gens faisaient leur marché du soir, devant les étalages de fruits, de légumes, de fromages, de fleurs. Beauvoir, Sartre et leurs amis fendaient la foule en criant à pleine voix : «Pour la liberté de la presse! Lisez *la Cause du peuple*.» Journalistes et photographes alertés escortaient ces camelots célèbres.

Avenue du Général-Leclerc, sous le regard de bronze du Lion qui avait vu tant de manifestations récentes, ces notables des lettres distribuent tracts et journaux aux passants attroupés et ravis. C'est la fête.

Le scénario se corsa quand un agent jeune et trop zélé interpella Sartre, lui prit ses journaux et voulut l'entraîner. Ce fut une explosion de cris : «Vous arrêtez un prix Nobel!» L'agent lâcha le bras du grand homme, pressa le pas, puis se mit au petit trot, suivi par Sartre et les journalistes. Les badauds criaient «Au voleur!». L'agent, les journaux sous le bras, réussit à se fondre dans la cohue. Place d'Alésia, les champions de la liberté de la presse s'installèrent dans un café pour rédiger leur bulletin de victoire. Radio-Luxembourg diffusait déjà la nouvelle de l'opération éclair et Beauvoir entendait sa voix, celle de Sartre, mêlées aux bruits de la rue dans les radios portatives autour d'elle.

Le 26 juin ils recommencèrent. Le point de ralliement était devant les bureaux de *l'Humanité*. Cette fois, un panier à salade arriva. Beauvoir, Sartre et leurs amis furent poliment emmenés au poste de police pour vérification d'identité. Les agents déposèrent Sartre sur le trottoir avec sa pile de journaux sous le bras et lui dirent gracieusement : «Vous êtes libre, monsieur Sartre.» Simone de Beauvoir fut priée d'entrer avec les autres. Un policier effleuré d'un soupçon demanda : «A part M. Sartre, il n'y a pas de personnalités ici?» Un chœur de voix lui répondit : «Nous sommes tous des personnalités.» L'agent les regarda, inquiet. «Ce n'est pas de

notre faute si vous manquez d'informations », reprit le chœur
implacable. Le commissaire se mit à examiner les cartes
d'identité : « Bertrand de Beauvoir, ce n'est pas l'écrivain ? »
Un rire discret acheva de le troubler. La porte s'ouvrit, un
agent courroucé fit entrer Sartre. Il avait profité de ses loisirs
sur le trottoir pour distribuer son paquet de journaux. Le
commissaire téléphona à ses supérieurs : il devait relâcher
Sartre et Beauvoir et garder tous les autres Amis de la Cause
du peuple. Sartre et Beauvoir déclarèrent qu'ils ne sorti-
raient qu'après tout le monde. Ainsi fut fait. Devant le poste
de police, journalistes et photographes se pressaient. François Truffaut enregistrait sur le vif pour Radio-Luxembourg.
Les télévisions anglaise, allemande, italienne, suisse, régalè-
rent leurs spectateurs de scènes hautement cocasses. *Combat*
consacra une page entière à l'événement, *le Monde, le Figaro,
France-Soir*, toute la presse parla de l'affaire.

Devant ce succès, Beauvoir poursuivit sa lutte pour la
liberté de la presse en prenant officiellement la direction
d'une autre feuille gauchiste menacée, *l'Idiot international*,
tandis que Sartre devenait directeur de *Tout* et de *la Parole du
peuple*. Elle prenait cette direction avec les mêmes réserves
que lui, elle n'en acceptait pas toutes les thèses gauchistes.

Le Monde publia un communiqué : « Face à la répression,
qui prend des formes de plus en plus brutales, contre la
liberté d'expression, Simone de Beauvoir a accepté d'assumer
devant la justice de classe les responsabilités de directrice de
l'Idiot international.

Beauvoir et Sartre organisèrent une autre manifestation.
Ils convoquèrent tous les amis de *la Cause du peuple*, Jean-Luc
Godard, Delphine Seyrig, Marie-France Pisier, tant d'autres
célébrités, à venir transporter des milliers d'exemplaires du
journal à la librairie Maspéro et A la joie de lire. Là, ils le distribuèrent gratuitement aux passants. Dans un car, au coin de
la rue, la police les surveillait sans intervenir. Au quartier
Latin, Jean-Luc Godard, Marie-France Pisier et Delphine Seyrig furent embarqués avec d'autres distributeurs du journal.
Dès qu'ils furent avertis, Beauvoir et Sartre se transportèrent
au commissariat du Panthéon, escortés de journalistes et de
reporters des télévisions étrangères. Une voiture de police les
suivit. Un agent posté à une fenêtre prit des photos de tout le
monde. Souvenirs ? Intimidation ? Il ne se passa rien. Mais
quand le groupe partit déjeuner au restaurant, les policiers
les suivaient toujours.

Le 19 octobre, Jean-Edern Hallier, ancien rédacteur en chef de *l'Idiot international*, est arrêté. Beauvoir fait publier une déclaration dans *le Monde* : « Le pouvoir vient d'inculper l'ancien directeur de publication de *l'Idiot international* alors que j'assume la direction de ce journal depuis le numéro 10... Lorsque j'ai accepté de prendre la direction de *l'Idiot international* je savais qu'il s'agissait d'un journal qui n'est l'organe d'aucune organisation ni d'aucun parti... ce journal se veut l'annonce d'une nouvelle presse qui permet de faire entendre des voix de plus en plus nombreuses... Les trois camarades qui sont inculpés... le sont pour avoir écrit... ces vérités : que les accidents baptisés "accidents de travail" sont des crimes légaux, que les jeunes travailleurs et les intellectuels s'unissent pour combattre et qu'à travers leur union c'est le peuple de France qui s'unit. Ne nous trompons pas : le pouvoir ne tolère que les informations qui le servent, il refuse aux journaux qui révèlent les misères et les révoltes le droit à l'information. Malgré les condamnations et les poursuites, je dis avec mes camarades de *l'Idiot international*, nous poursuivrons, à travers le combat pour la liberté de la presse, le combat pour la liberté. »

A l'âge où George Sand devenait la bonne dame de Nohant, Simone de Beauvoir descendait dans la rue.

Dans la salle de la Mutualité, le 26 janvier 1971, elle préside un meeting avec Michel Leiris. Elle voulait informer le public du but de leur association : défendre la liberté de la presse, l'un des principes démocratiques les plus chers au cœur des Français. Une presse contestataire lui paraissait utile dans une démocratie. Pour montrer sa sympathie, elle accepte de réaliser un reportage sur un accident de travail pour le journal *J'accuse*.

Son attitude devient de plus en plus radicale, « malgré quelques réserves », elle sympathise avec les maoïstes « alors que toute la gauche accepte le système... ils représentent une radicale contestation... ils réveillent l'opinion. Ils essaient de rassembler dans le prolétariat de "nouvelles forces" : les jeunes, les femmes, les étrangers, les travailleurs des petites entreprises provinciales... quel que soit l'avenir, je ne regretterai pas les quelques services que j'aurai pu leur rendre. »

Mais le 5 mai, dans une lettre publiée par *J'accuse* et *le Monde*, elle déclare qu'elle n'assume plus la direction de *l'Idiot international*. « *L'Idiot* ne représente rien d'autre que lui-même, c'est-à-dire une poignée de rédacteurs... Je n'y vois que des critiques négatives et désordonnées du gauchisme actuel. »

Le 24 septembre, Beauvoir est inculpée de diffamation envers la police sur plainte du ministre de l'Intérieur pour des articles publiés le 10 mars et le 7 avril dans l'*Idiot international*, quand elle en était encore la directrice. En sortant du cabinet du magistrat elle déclare : « J'ai assumé la direction de l'*Idiot international* du 14 septembre au 27 avril 1971 pour me solidariser avec cette presse ''oppositionnelle'' et révolutionnaire dont je trouve le rôle nécessaire dans une société qui bride la liberté d'expression et dont les journaux ordinaires camouflent ou taisent la vérité. Je ferai la preuve de la réalité des faits considérés par le ministre de l'Intérieur comme diffamatoires si je suis traduite à l'audience correctionnelle. J'ai, d'autre part, refusé d'indiquer les noms des auteurs des articles incriminés. »

Avec Sartre, en février 1972, elle intervient en faveur de militants maoïstes licenciés par Renault. Pénétrant dans l'usine à bord d'une camionnette avec les délégués du comité Gracem Ali formé pour assurer la défense des ouvriers licenciés, Sartre et Beauvoir distribuent des tracts qui déclarent : « La régie Renault est une entreprise nationale, un bien public. Vous n'êtes pas chez vous à la Régie, monsieur le directeur. Vous avez des comptes à rendre non pas au gouvernement en place mais à la collectivité... Cette action est un premier pas du contrôle de Renault par la population de Boulogne. »

On expulsa brutalement les illustres manifestants qui se rendirent au commissariat de police de Boulogne-Billancourt pour porter plainte pour coups et blessures. Des photographes les escortaient. Peu après, un petit groupe de militants d'extrême droite, Ordre nouveau, procédait à un autodafé des livres de Sartre et de Beauvoir sur la place Saint-Vincent au Mans.

De la femme

Un nouveau combat allait mobiliser Beauvoir. A la fin d'octobre 1970, un groupe de jeunes féministes avait résolu de publier un manifeste en faveur de la légalisation de l'avortement. Anne Zélinzki et Christine Delphy, qui avaient fait partie des leaders féministes du mouvement de 1968 et venaient toutes deux du Mouvement démocratique féminin, avaient lancé cette idée. Pour frapper l'opinion, il fallait des signataires célèbres. Avec deux féministes, Anne Zélinzki se rendit au studio de la rue Schœlcher et présenta à Simone de Beauvoir le texte qu'elles lui demandaient de signer : « Un million de femmes se font avorter chaque année en France. Elles le font dans des conditions dangereuses en raison de la clandestinité, alors que cette opération, pratiquée sous contrôle médical, est des plus simples. On fait le silence sur ce million de femmes. Je déclare que je suis l'une d'elles. Je déclare avoir avorté. »

Beauvoir, l'air sage et attentif, écouta sans les interrompre. « Eh bien ! je trouve l'idée très bonne. En ce qui me concerne, je signe le manifeste. Je peux essayer de contacter des femmes que je connais. Faisons une liste. » Sans perdre un instant elle prit papier et stylo et écrivit une série de noms célèbres. *Le Nouvel Observateur* publia à la une le texte du manifeste et les noms des trois cent quarante-trois signataires. *Le Monde* leur consacra deux pages sous un titre qui marquait l'importance de l'événement : *Une date.* La presse étrangère diffusa largement la nouvelle.

Vingt ans plus tôt, dans *le Deuxième Sexe,* Beauvoir avait protesté contre la répression de l'avortement et ses tragiques conséquences. Elle n'a jamais manqué de déclarer que la contraception était toujours préférable, mais en attendant, selon elle, la plupart des Françaises n'avaient pas d'autre recours. Le 20 novembre, le Mouvement de libération des femmes, le M.L.F., défila dans Paris. Beauvoir marcha dans le cortège, de la République à la Nation, sous des pancartes et des banderoles qui réclamaient la liberté de la maternité, de la contraception et de l'avortement. Quatre mille militantes brandissaient des fils de fer auxquels pendaient des linges, des poupées de papier, et distribuaient du persil, symbole de l'avortement clandestin.

Le M.L.F. demanda à Beauvoir de participer à une action entreprise contre le collège du Plessis-Robinson. C'était une institution qui accueillait des filles de douze à dix-huit ans, enceintes pour la première fois, renvoyées des établissements scolaires où elles faisaient leurs études. On traitait les deux cents adolescentes qui s'y succédaient par roulement comme des délinquantes. Trois professeurs dispensaient un enseignement au niveau primaire qui brisait l'avenir des lycéennes. Il n'y avait pas de bibliothèque. Huit machines à écrire étaient mises à la disposition de celles qu'on préparait au métier d'employée de bureau.

Le Planning familial avait proposé des conférences gratuites sur la contraception légalisée depuis 1968, la directrice avait refusé. Les pensionnaires voulurent se faire entendre du recteur, nouveau refus. Elles commencèrent une grève de la faim, envoyèrent des télégrammes en masse à leurs familles. Le M.L.F. alerté par une surveillante du collège décida d'occuper les locaux et Beauvoir fit partie de l'expédition. Elle accompagna au rectorat un groupe de pensionnaires. Invitées à exposer leurs requêtes, les adolescentes réclamèrent leur émancipation et un secours de l'État pour élever leur enfant. A quinze ans le mariage émancipait automatiquement les filles, mais une célibataire demeurait mineure et seuls ses parents avaient le droit de décider si elle garderait son enfant. Selon la loi cet enfant appartenait à la mère de l'accouchée.

Beauvoir estimait que la société était la vraie, la seule coupable. Pas d'éducation sexuelle à l'école, pas de contraception, une éducation basée sur des interdits, rien ne renseignait les adolescentes qui agiraient avec prudence dans la plupart des cas si elles étaient informées ; elle trouvait absurde l'attitude des parents et celle de l'Université qui confondaient ignorance et innocence. Beauvoir fit bondir le recteur en lui demandant d'après quel code il jugeait que c'était une erreur d'avoir des relations sexuelles à treize ans. Dans l'article qu'elle écrivit pour *la Cause du peuple*, elle dénonça les abus de l'autorité parentale et « la dramatique situation faite aux jeunes dans notre société ».

Le féminisme de Beauvoir devenait de plus en plus radical, elle « permettait d'utiliser son nom pour des opérations de provocation politique ». L'une des opérations les plus risquées consistait à mettre sur pied un réseau de lieux d'avortement clandestins. Simone de Beauvoir mit son studio à la disposition des militantes, afin de donner à un éventuel scandale le maximum de publicité. Cette campagne fit tant de bruit, amena tant d'adhésions au M.L.F., qu'il devint une force politique avec laquelle il fallait compter.

Beauvoir et une poignée de militantes organisèrent les *Journées de dénonciation des crimes contre les femmes* qui se déroulèrent à la Mutualité. Elle était convaincue qu'il fallait mettre au point une double stratégie : mener à la fois une action légale et une action illégale, et le faire en dehors de tous les partis politiques. Elle entendait mener une lutte exclusivement féministe et ne se laisser récupérer par aucun mouvement. Cette prise de position fit d'elle la féministe la plus admirée et la plus haïe, elle demeura incorruptible.

Dans *le Deuxième Sexe*, Beauvoir disait qu'elle faisait confiance à l'avenir et attendait du socialisme la justice et l'égalité pour les femmes, mais en 1972, elle croyait qu'il fallait lutter pour obtenir immédiatement l'égalité par l'action. Elle séparait la lutte des classes de la lutte féministe et se déclarait prête à se battre « pour des revendications proprement féminines, parallèlement à la lutte des classes ».

A un journaliste yougoslave, Simone de Beauvoir donne son point de vue sur la situation actuelle de la femme en France : « Nous vivons dans une démocratie bourgeoise, démocratie veut dire égalité, mais parce que nous avons affaire à une démocratie bourgeoise, cette classe impose le respect de ses intérêts et de son idéologie. La situation économique est telle que le chômage augmente, ce qui fait qu'en ce moment on ne donne pas d'emploi aux femmes, on doit en trouver en priorité aux hommes. Le problème est avant tout économique, le problème idéologique ne vient qu'en second lieu. » Elle voit également une raison politique au rejet de l'égalité de l'emploi : « Notre régime est avant tout un régime de pouvoir personnel qui veut que les citoyens soient aussi peu politisés que possible pour qu'il n'y ait pas d'opposition. Le travail implique une politique, si les femmes ne peuvent pas travailler, il y aura tout un secteur non politisé et quand les femmes sont moins politisées, les hommes aussi font moins de politique. Les femmes insistent pour garder les hommes à la maison, regarder la télévision, s'occuper des enfants, passer plus de temps avec elles. » Elle précise : « L'activité politique ne peut exister que dans le cadre du travail, l'individu qui ne travaille pas est isolé. » Le journaliste yougoslave lui demande si dans les pays socialistes qu'elle a visités elle a trouvé que la condition de la femme était meilleure. Elle répond, désenchantée : « J'ai visité beaucoup de pays socialistes, en Union soviétique j'ai été frappée du fait que les femmes qui ne travaillent pas sont considérées comme très inférieures à celles qui travaillent, cependant elles ne sont pas les égales des hommes. Même les femmes les plus capables parviennent difficilement à des postes de responsabilité, à des positions importantes. » Elle ajoute que celles qui travaillent doivent également prendre soin de leur ménage, de leurs enfants, que les garderies, les laveries qui faciliteraient leur vie n'existent pas en nombre suffisant.

« Les femmes ne peuvent obtenir des droits égaux que dans un régime socialiste, mais ce n'est pas assez, il existe des traditions anciennes qui influencent les femmes. Ces inégalités sont transmises de siècle en siècle, les femmes ont des complexes d'infériorité et les hommes des complexes de supériorité. Il faudra beaucoup de temps pour qu'il y ait de grands progrès, même dans le socialisme. »

Dans une interview d'Alice Schwarzer qui fit scandale, Beauvoir déclarait que les hommes d'aujourd'hui n'ont pas fondé le régime patriarcal mais qu'ils l'ont intériorisé et qu'ils raisonnent à partir de ce fait de culture comme s'il était un fait de nature. « Un fait de culture, même ancien, peut être modifié, aboli. Une nouvelle société est à créer. » Beauvoir estime qu'il faut inventer un substitut à la famille qui doit disparaître, qu'il faut refuser le mariage et libérer les enfants. L'émancipation de la femme ne va pas sans une révolution profonde et ne peut se faire sans violence, car les hommes profitent de la société patriarcale et y tiennent. Les femmes seront contraintes à répondre à la violence par la violence ; les hommes les agressent, les insultent dans la rue, les battent et les blessent dans leurs foyers, les violent, et tout se passe à l'abri de lois vétustes qu'il faut mettre en procès.

L'idée de répondre à la violence par la violence était surprenante et neuve. Beauvoir disait clairement : « Les femmes étant agressées par les hommes doivent se défendre également par la violence. Certaines apprennent le karaté ou d'autres formes de combat. Je suis tout à fait d'accord. »

En juin 1972, Beauvoir acceptait la présidence de l'association Choisir, qu'elle avait fondée avec Gisèle Halimi, Christiane Rochefort, Delphine Seyrig, et Jean Rostand de l'Académie française. Parmi les adhérents, l'association comptait deux prix Nobel de physiologie et de médecine : les professeurs Jacques Monod et François Jacob. Les objectifs de l'association étaient triples : rendre la contraception libre, totale et gratuite ; obtenir la suppression de tous les textes répressifs relatifs à l'avortement ; défendre gratuitement et assister toute personne accusée d'avortement ou de complicité. Le 15 juin, à un meeting qui réunissait deux mille personnes à la maison de la culture de Grenoble, Simone de Beauvoir et Gisèle Halimi annonçaient que l'association Choisir mettait au point une proposition de loi sur l'avortement libre et prenait à sa charge tous les procès d'avortement dont elle publierait les débats malgré la loi qui l'interdisait. Cette proposition de loi fut défendue devant l'Assemblée nationale par Michel Rocard.

En novembre eut lieu le procès de Bobigny. Une jeune fille de dix-sept ans comparaissait devant le tribunal pour avoir avorté ; la procédure imposait l'anonymat et le huis clos. L'association Choisir publia intégralement les débats. Simone de Beauvoir, dans une vigoureuse préface, écrivait que ce n'était pas la prévenue, mais la loi au nom de laquelle elle comparaissait, qui était mise en jugement, « une loi radicalement en divorce avec la conscience collective ». Elle accusait le code de faire des femmes les plus déshéritées les victimes de la répression et attirait l'attention sur des contradictions : considérer le fœtus comme une personne humaine c'est une attitude métaphysique grossièrement démentie par la pratique : « Quand une femme fait une fausse couche dans un hôpital, l'administration jette le fœtus à la poubelle, et l'Église approuve. » Légaliser l'avortement serait épargner d'inutiles souffrances, l'humiliation, la peur, parfois la mutilation, la mort. La planification des maternités permettrait de les concilier avec une formation professionnelle, les femmes pourraient alors revendiquer leur autonomie.

Le féminisme de Beauvoir repose sur sa morale : chercher par l'action à créer un monde dans lequel les inégalités seraient supprimées ; elle tient la liberté pour l'essentiel et tout le reste pour l'accessoire. « La praxis est véritablement la morale. » Elle avait écrit dans *Pyrrhus et Cinéas* : « Le ciel est à qui sait voler, la mer à qui sait nager et naviguer. » Si les femmes agissent, travaillent, entrent dans la vie pratique, elles seront en prise sur le monde, elles sortiront de l'oppression et comme les hommes posséderont cette liberté qui leur est déniée. « Je n'ai jamais vu de femme ayant un travail, dans une détresse et une déchéance telles que celles des femmes mariées abandonnées. »

Beauvoir ne milite pas seulement pour les droits de la femme, toute sa vie elle a défendu les droits de l'individu. Même dans la lutte féministe elle implique les deux sexes. Les femmes ne seront libérées de l'oppression culturelle dont elles sont victimes que si les hommes sont libérés du poids des préjugés dont ils sont à la fois les auteurs, les bénéficiaires et les dupes. « On ne naît pas femme, on le devient », cette proposition se complète par « on ne naît pas mâle, on le devient ». La virilité avec toutes ses conséquences sociales est également

un fait de culture. L'homme, la femme, fabriqués artificielle-
ment de siècle en siècle, sont à réinventer. Seul un changement impliquant les deux sexes peut donner à tous la justice,
la paix, transformer pour l'humanité la qualité de la vie.

Un article dans *le Monde* marqua un jalon de plus dans
l'engagement de Simone de Beauvoir dans les luttes pour les
droits de l'individu, femme ou homme. *La Syrie et les prisonniers* est une plaidoirie pour l'échange des prisonniers, un
appel pour le rétablissement d'une réciprocité humaine,
même en temps de guerre. Respectant la Convention de
Genève, Israël et l'Égypte avaient consenti à l'échange de prisonniers de guerre. La Syrie s'y refusait, ne fournissait pas les
noms des Israéliens prisonniers, et n'autorisait pas la Croix-
Rouge à s'informer de la manière dont ils étaient traités. Dans
cet article, Beauvoir s'indignait de voir infliger à des jeunes
gens désarmés « l'angoisse d'une détention dont rien ne leur
garantit l'issue » et aux familles de ces prisonniers « les affres
du doute ». Le silence de Damas lui paraissait d'autant plus
cruel que « cette cruauté est gratuite ». Il n'y a aucune option
politique dans cet article, seulement la profonde compassion
qui est la source de sa prise de position contre toutes les
oppressions de quelque part qu'elles viennent.

Ses Mémoires sont un essai sur les mœurs contemporaines
et un témoignage, tantôt appel à la raison, tantôt réquisitoire.
La Longue Marche, l'essai sur la Chine, est un reportage sur la
gestation d'une société en quête du bien pour tous. Dans *la
Vieillesse*, elle prend la parole pour ceux qui sont repoussés
sur les bas-côtés de la vie. *Djamila Boupacha* est un plaidoyer
contre la torture, la préface à *l'Affaire de Bobigny* un réquisitoire contre une loi qui accable les victimes.

Poursuivant sa campagne pour la dignité de la femme,
Beauvoir ouvre une nouvelle rubrique aux *Temps modernes*,
afin de dénoncer l'exploitation de l'image de la femme dans la
publicité, les affiches, les articles, les programmes de télévision ou de radio. Le but de cette tribune est d'obtenir que les
injures sexistes soient considérées comme un délit au même
titre que les injures raciales. Un individu qui devant témoins
en traite un autre de « sale nègre » ou qui fait imprimer des
propos insultants à l'égard des Juifs ou des Arabes peut être
poursuivi devant les tribunaux qui le condamneront pour
« injures raciales ». Mais si publiquement un homme crie à
une femme « espèce de putain », il ne court aucun risque. La
notion d'« injures sexistes » n'existe pas.

Avec quelques féministes, Beauvoir fonde une Ligue du droit des femmes qui se propose de s'élever contre toute discrimination sexiste. Poursuivant sa lutte, elle prépare un numéro spécial des *Temps modernes* : « Les femmes s'entêtent », dont elle rédige le texte de présentation et où elle aborde le problème du langage, un sujet qui, en 1974, divise les féministes. Selon les unes le langage et la logique sont des instruments universellement valables, bien que forgés par les hommes au cours des millénaires. Pour les autres, le langage représente l'une des formes de leur oppression, elles veulent inventer une écriture qui reflète la spécificité féminine. Simone de Beauvoir voit dans le langage un moyen de communication, un instrument universel, et signale le danger d'un ghetto féminin du langage.

En 1974, le vingt-cinquième anniversaire de la parution du *Deuxième Sexe* donna lieu à des colloques, à des émissions de télévision, à des articles en France et plus encore à l'étranger. Ce fut une sorte de prise de conscience générale. *Le Figaro* notait que cet essai traîné dans la boue à sa parution était plus que jamais d'actualité. Beauvoir accepta l'invitation de Jean-Louis Servan-Schreiber et parut pour la première fois à la télévision. Jean-Louis Servan-Schreiber la présenta aux spectateurs : « C'est par ses romans que le public connaît celle qui compte parmi les grands écrivains actuels. Mais c'est par un essai, *le Deuxième Sexe*, publié il y a vingt-cinq ans, que Simone de Beauvoir a joué un rôle historique dans l'évolution des idées de notre époque. Ces deux épais volumes, difficiles, décrivaient et expliquaient, pour la première fois, la place secondaire qu'occupent les femmes dans l'humanité. Comme *le Capital* de Marx sert de référence idéologique aux communistes, les féministes du monde entier aujourd'hui se réfèrent au *Deuxième Sexe.* »

XIII. La force des mots

« C'est parce qu'il y a un vrai danger, de vrais échecs, une vraie damnation terrestre que les mots de victoire, de sagesse ou de joie ont un sens. »

Pour une morale de l'ambiguïté, p. 48.

Tout compte fait

Le quatrième tome des Mémoires de Simone de Beauvoir paraît en 1972. A travers les événements, les amitiés, les engagements des années 1962-1972, elle dresse un bilan de sa vie. Pour ce faire elle parle, « sans prendre pour fil conducteur le déroulement du temps », de ses amitiés, de ses lectures, du cinéma, de l'art, de ses voyages et de la fascination de l'écriture. Dans *Tout compte fait* Beauvoir « n'a plus l'impression de se diriger vers un but mais seulement de glisser inexorablement vers la mort ».

C'est l'adieu de l'écrivain à ses lecteurs, elle n'écrira plus de romans, de pièces, d'essais. Sa vie a été réussie : « Je me suis fait beaucoup d'amis parmi mes lecteurs. Je ne désirais rien d'autre », conclut-elle. Mais au moment où elle écrit ces mots qui annoncent une sorte de retrait sinon de retraite, Simone de Beauvoir se lance dans le militantisme féministe.

Si elle écrit moins, sa vie n'en est pas moins active. Sartre presque aveugle a besoin de son fidèle compagnon pour continuer l'œuvre commencée. Les réunions des *Temps modernes* ont lieu le plus souvent dans son studio et, bien qu'elle s'en défende, car elle veut voir dans la revue une œuvre de collaboration, une sorte de coopérative intellectuelle, elle seule a maintenu le cap et permis aux *Temps modernes* de sortir régulièrement.

Le goût de la découverte, des voyages ne s'est pas émoussé, ni le désir de vivre la vie avec intensité : « Ma curiosité est moins barbare que dans ma jeunesse, mais presque aussi exigeante. »

Beauvoir désire tous les bonheurs, toutes les fêtes des sens ou de l'esprit. Elle accueille l'art, dans sa diversité. Une amitié, une bienveillante confiance lui donnent la possibilité de comprendre les différents langages, les différents univers des artistes. Elle n'exclut rien, elle ne rejette rien. Son mouvement naturel est l'élan, sa réaction spontanée est l'intérêt. Sa joie de voir et de vivre les choses qu'elle admire lui inspire une reconnaissance pour l'artiste. Parlant de Klee, qu'elle considère comme « le plus grand de tous les peintres modernes », elle dit : « Il me donne le monde par-delà ce que mes yeux en peuvent voir : ce que j'en connais, ce que j'en ignore, tout ce qui sur terre est nommé et tout ce qui n'a pas de nom. » Parle-t-elle de musique : « C'est un univers d'innocence du moins jusqu'au XIXe siècle — parce que l'homme en est absent ; quand j'écoute Lassus ou Pergolèse la notion même du mal n'existe plus : Ça repose. » Catherine Clément raconte combien elle a été surprise de découvrir à l'Opéra cette femme que l'on dit sévère et sèche, le visage bouleversé, tendue vers la scène, vibrant aux voix et à la musique.

La joie de connaître consiste chez elle en un flux et un reflux d'idées, de jugements, d'émotions, qui confèrent une vie toute fraîche à la durée d'une expérience qui ne cesse pas de renouveler ses rapports au monde.

Sylvie

Ce plaisir d'être au monde, Beauvoir aime à le faire partager. Une de ses amitiés a pris une place privilégiée dans sa vie. Beauvoir avait cinquante-cinq ans quand, cet automne de 1963 où tout lui parlait de mort, Sylvie Lebon, une jeune étudiante de l'École normale de Sèvres lui fut d'un grand réconfort. « Mieux je connaissais Sylvie, plus je me sentais d'affinités avec elle... j'aimais ses enthousiasmes et ses colères, son sérieux, sa gaieté, son horreur de la médiocrité, sa générosité sans prudence... Je la tins au jour le jour au courant de mon existence et je la renseignai en détail sur mon passé. Personne n'aurait pu profiter aussi bien qu'elle de ce que je pouvais lui apporter, personne n'aurait pu apprécier mieux que moi ce que je recevais d'elle. »

Quand, dans *Simone de Beauvoir aujourd'hui*, Alice Schwarzer demande à Beauvoir si Sylvie, qui a trente-cinq ans de moins qu'elle, est pour elle un « succédané de fille », la réponse est nette : « Absolument pas ! Les rapports mère-fille sont généralement catastrophiques... Les rapports mère-fille que je vois autour de moi sont tout au plus supportables, jamais passionnés, amoureux, tendres, comme j'estime que doivent être des relations.

— Et votre rapport avec Sylvie alors ?

— C'est autre chose. »

Dans *Tout compte fait*, elle écrivait : « J'avais tort de penser en 1962 qu'il ne pouvait plus rien m'arriver d'important sinon des malheurs, une grande chance m'a de nouveau été donnée. » Cette petite phrase ponctue chacune des grandes rencontres de la vie de Simone de Beauvoir. Pour annoncer au lecteur sa rencontre avec Sartre, elle écrit : « Et puis une grande chance venait de m'être donnée : en face de cet avenir je n'étais plus seule. » Elle célèbre le hasard qui lui apporte Algren ou Lanzmann : « Quand une chance s'offrit de renaître encore une fois, je la saisis. » C'est l'affection, l'entente profonde avec un autre, les rencontres décisives de sa vie, les rencontres du bonheur, de la plénitude que Beauvoir qualifie ainsi de chances.

L'amitié avec Sylvie Lebon dure depuis plus de vingt ans. Elles se voient tous les jours : « Elle est mêlée à ma vie comme moi à la sienne. Nous lisons les mêmes livres, nous allons ensemble au spectacle, nous faisons de grandes promenades en auto. »

Simone de Beauvoir lui a dédié *Tout compte fait*. Elle avait dédié *l'Invitée* à Olga, *le Sang des autres* à Nathalie Sorokine et *Pour une morale de l'ambiguïté* à Bianca.

Les amitiés féminines ont tenu dans sa vie une très grande place : « J'ai toujours eu de très grandes amitiés avec des femmes. Très tendres, parfois même une tendresse caressante. Mais ça n'a jamais éveillé en moi de passion érotique... sans doute un conditionnement de mon éducation... Les femmes ne devraient plus être conditionnées uniquement par le désir de l'homme. D'autant plus que, à mon avis, toute femme aujourd'hui est déjà un peu homosexuelle. Tout simplement parce que les femmes sont plus désirables que les hommes... Elles sont plus jolies, plus douces, leur peau est plus agréable. D'une manière générale, elles ont plus de charme. »

Interrogée sur l'homosexualité, Beauvoir déclare à Alice Schwarzer : « En soi l'homosexualité est aussi limitante que l'hétérosexualité : l'idéal devrait être de pouvoir aussi bien aimer une femme qu'un homme, n'importe, un être humain, sans éprouver ni peur, ni contrainte, ni obligation. »

« Plus que jamais l'engagement »

Beauvoir ne cesse de lutter pour les droits de l'individu, c'est pour cela qu'en janvier 1975, le prix de Jérusalem lui est décerné. Ce prix littéraire est attribué aux écrivains qui ont promu l'idée de la liberté de l'individu dans la cité. Avant elle, Bertrand Russell, Max Frisch, André Schwarz-Bart, Ignazio Silone, Jorge Luis Borges avaient reçu ce prix. Trois mille cinq cents invités lui font une longue ovation. Dans le Monde du 12 janvier 1977, elle lance un appel aux chefs d'États membres de la Conférence d'Helsinki, leur rappelle qu'ils ont reconnu le droit à tout citoyen de circuler librement, or « M. Brejnev est bien loin de reconnaître ce droit aux citoyens soviétiques ». Elle attire l'attention sur le cas du docteur Mikhael Stern, déporté dans un camp de travaux forcés parce qu'il ne s'était pas opposé à l'émigration de ses deux fils. Mais la raison alléguée officiellement, dit-elle, est qu'il a touché des pots-de-vin, il aurait reçu deux canards, deux paniers de pommes, un coq, sept œufs ainsi que 775 roubles en vingt-quatre ans. Soixante-six prix Nobel ont signé sans résultat un appel.

Elle intervient en faveur des militants de la F.A.I. emprisonnés à Barcelone, d'un musicien nigérien, des expulsés de Saint-Denis, et de bien d'autres.

A un journaliste qui lui demandait si signer des appels aussi nombreux était efficace, Simone de Beauvoir répond : « On dit que nous avons sauvé la vie de certains Grecs. En tout cas on ne peut pas ne pas signer... Certainement, sur le nombre de signatures que l'on donne, certaines ne sont pas efficaces. Mais il suffit que quelques-unes le soient pour qu'on soit obligé de tenter le coup. »

La solidarité humaine et le respect de la liberté de l'individu l'incitent à élargir l'action de la Ligue des droits des femmes dont elle est la présidente depuis sa fondation, en créant une Ligue du droit international des femmes. A l'occasion de la Journée internationale des femmes, le 8 mars 1983, elle accorde une interview publiée dans *le Monde* où elle constate que les droits de l'homme « ne sont pas aussi universels qu'on veut bien le dire et que dans ces droits de l'homme on ne comprend pas la spécificité des droits de la femme ». Elle déclare que les organismes officiels n'entendent pas la voix des femmes qui réclament qu'on mette fin non seulement à leur exploitation mais à leur torture. Elle met en cause le gouvernement : « En France, le ministre des Relations extérieures a répondu à la Ligue du droit des femmes que nous ne devons pas nous mêler de ce qui est considéré dans d'autres pays comme des coutumes. L'excision notamment. »

Pour atteindre un plus large public et faire passer son message, elle se tourne vers le cinéma, vers l'audiovisuel. Elle donne son appui au festival du film féminin à New York, elle accepte d'apparaître dans des interviews filmées. Dans le film *Sartre par lui-même*, réalisé par Astruc et Comtat, elle participe aux dialogues et une séquence est tournée dans son studio. Elle signe l'adaptation et les dialogues de *la Femme rompue*. Puis « par désir de vérité » elle consent à faire avec Josée Dayan et Malka Ribowska un film autobiographique. Elle estime que parmi les gens qui la lisent, beaucoup se trompent tout à fait sur son compte, par le film elle pourra atteindre des gens qui, sans l'avoir lue, ont entendu parler d'elle et se font d'elle une image totalement fausse.

Elle collabore à un film de Marianne Ahrne et Pepo Angel sur la vieillesse ; elle en écrit le commentaire et, en journaliste, mène des interviews. *La Promenade des vieux* est un long reportage filmé dans le préau de la maison départementale de Nanterre, à la fois hospice et centre d'hébergement, qui dépend de la Préfecture de police. Il n'a pas changé depuis le XIXe siècle. Simone de Beauvoir démonte calmement le mécanisme de la retraite-couperet et de la retraite-répression dans l'univers kafkaïen de cet hospice-prison.

« Il faut donner une voix à tous ces gens âgés qui n'en ont pas, dit-elle, défendre leur droit à l'existence économique, sociale et culturelle, à la santé, à l'environnement et à la liberté. Ce qui fait peur ce n'est pas la mort, c'est la vieillesse et son cortège d'injustices. »

En 1983, le gouvernement danois attribue à Simone de Beauvoir le prix Sonning pour l'ensemble de son œuvre et lui donne les 23 000 dollars de « ce petit prix Nobel ». Elle profite de l'argent du prix pour aller incognito aux États-Unis où pendant six semaines, en compagnie de Sylvie, elle sillonne le nord-est du pays en voiture. Elle passe quelques jours avec Stépha Gerassi, se remémorant les jours lointains de Zaza et de la Closerie des Lilas. Le séjour se termine par une halte dans la ferme de la féministe américaine Kate Millett. Là, tous les étés, une dizaine d'artistes, « les pionnières », se retrouvent dans un vaste domaine qu'elles ont remis en état, rebâtissant les vieilles fermes ; elles s'y livrent à la culture des arbres de Noël. Pendant ce séjour à Poughkeepsie, Josée Dayan filme une conversation entre Simone de Beauvoir et Kate Millett pour la série télévisée tirée du *Deuxième Sexe*.

En 1984, *le Deuxième Sexe* passe à la télévision française en quatre émissions d'une heure, coproduit par les ministères de la Culture et des Droits de la femme, la S.F.P. et T.F.1. C'est un film hybride avec d'un côté Simone de Beauvoir, « puisque nous partons de son livre », dit Josée Dayan la réalisatrice, de l'autre une enquête journalistique sur la condition de la femme dans le monde entier. Le 14 mai 1985, une émission d'une heure lui est consacrée dans le cadre d'une série sur les femmes célèbres.

Des Centres Simone-de-Beauvoir, créés aux États-Unis et au Canada, marquent l'importance de ses idées. Ce sont des centres d'archives et d'études beauvoiriennes qui publient des bulletins, organisent des colloques internationaux. En France, en 1982, un centre d'archives, de consultation, de recherche, d'animation, était créé par des femmes, le Centre audiovisuel Simone-de-Beauvoir, placé sous la direction de Delphine Seyrig, de Carole Roussopoulos et Joana Wieder, a pour but de susciter de nouvelles créations. Les films produits par des femmes comme Agnès Varda, Nelly Kaplan, Liliane de Kermadec, les émissions de télévision, les bandes vidéo, les photos, tout ce qui concerne la condition féminine y est répertorié. Le féminisme beauvoirien n'est jamais limitatif et n'isole pas la femme dans un ghetto, ce qui lui vaut des attaques d'une partie des féministes militantes. C'est à cause de son féminisme, à la fois radical et branché sur la condition humaine, que Beauvoir a été contre l'Année mondiale de la femme, « après l'Année de la femme il y aura l'Année de la mer, puis celle du cheval, celle du chien, ainsi de suite. On nous considère nous autres femmes comme des objets ne valant pas la peine dans ce monde d'hommes d'être pris au sérieux plus d'une année ». Elle veut toucher les femmes qui ne lisent pas les ouvrages théoriques mais cherchent dans les magazines, les journaux, une réponse à leurs problèmes. Elle donne des articles à *Marie-Claire*, à *Elle*, elle soutient les actions qui peuvent atteindre un large public féminin. « J'aime mieux à travers elles avoir sur le monde une prise limitée mais solide que de flotter dans l'universel. »

Son importance aujourd'hui se mesure à l'action qu'elle inspire au ministère des Droits de la femme. Le ministre Yvette Roudy écrit dans *A cause d'elles :* « S'il n'y avait eu l'analyse théorique, historique, très complète, très solide et demeurée vraie de Simone de Beauvoir, les effets des luttes des mouvements féministes nées autour de 1968 n'auraient pas été aussi puissants.

« Je ne crois pas qu'un mouvement quelconque puisse prospérer s'il ne s'appuie sur une analyse sérieuse, cohérente de la situation, et c'est l'armature fournie par Simone de Beauvoir qui nous permet aujourd'hui encore de travailler et d'avancer. Si je n'avais pas lu *le Deuxième Sexe* et d'autres textes de Simone de Beauvoir je n'aurais pas l'assurance qui est la mienne pour continuer la tâche que je suis en train d'accomplir. »

Elle nomme Simone de Beauvoir rapporteur de la Commission sur les femmes et la culture, vite surnommée « Commission Beauvoir ». Celle-ci estime qu'il n'y a pas lieu de parler de culture féminine, de langage ou d'écriture féminine. « Il n'est pas question d'enfermer les femmes dans le ghetto de la différence que les hommes aimeraient nous imposer. » Il faut travailler au sein de la culture universelle d'une manière « qui nous soit personnelle, en essayant non seulement de voler l'instrument, de faire de cette culture la nôtre, mais aussi de la changer, d'y introduire nos propres valeurs. Ces changements devraient être aussi bien valables pour les hommes que pour les femmes. Le regard des femmes sur le monde est différent de celui des hommes parce qu'elles ont été opprimées à travers les siècles. » Ce regard différent pourrait amener des progrès sociaux, une amélioration des conditions de vie pour tous, une administration plus équitable, plus rationnelle des ressources universelles. Tous les samedis, le ministre des Droits de la femme réunit à sa table Simone de Beauvoir et des féministes pour discuter des affaires de la femme.

Aujourd'hui, l'influence de Simone de Beauvoir sur les idées et sur les mœurs est plus directe que celle de Sartre. A travers ses écrits et à travers son action elle élabore une morale et une politique. Refus du conformisme bourgeois, anticolonialisme, libéralisme politique, récusation de la torture et des violences policières, elle réaffirme la liberté humaine.

L'émancipation de la femme semble avoir été un catalyseur de sa pensée. De tous les êtres la femme est le plus embastillé. Les murs dressés par la société autour d'elle, elle les intériorise et développe un complexe d'infériorité. Beauvoir ne nie pas la différence biologique mais n'y voit pas de quoi bâtir tout un système, toute une morale qui définisse un sexe dominant et un sexe inférieur. Elle veut pour tous l'égalité des chances, la véritable émancipation se situe sur le plan du travail et des réussites économiques et sociales. Chacun doit pouvoir choisir sa propre vie.

La Cérémonie des adieux

Une entente faite de transparence et fondée en authenticité ne pouvait s'achever que par un témoignage sans fard, sans idéalisation, sans mensonges. Sartre n'avait pas besoin de piédestal, grandeur nature il domine son époque. Beauvoir aimait l'homme et non l'image. Elle a parlé de lui avec des mots où bat tout le sang de la vie, des mots à travers lesquels on sent glisser le temps, fuir les forces, des mots qui disent simplement le cheminement quotidien de la vieillesse, de la maladie, et le noir scandale de la mort.

Comme tant de ses livres, *la Cérémonie des adieux* a été reçu par certains avec hostilité. Encore une fois, elle avait démoli des tabous, rejeté des euphémismes, parlé sans voile, sans idéalisation de la condition humaine. Ce livre conduit les lecteurs jusqu'à Sartre et leur permet de suivre, le cœur serré, le chemin difficile des dernières années.

Beauvoir a écrit une éblouissante biographie de Sartre dans ses Mémoires, et montré la puissance de la pensée, le génie foisonnant du philosophe, de l'écrivain. En écrivant ce livre du déclin, en nous faisant assister à la tombée du crépuscule sur sa vie, elle a, comme dans *Une mort très douce*, comme dans *la Vieillesse*, exprimé sa révolte devant la fin de toutes choses pour un être qui a vécu pleinement, qui a fait de sa vie une réussite.

Sartre est un grand homme, il n'est pas une idole. Ses idées se brouillent, il se trompe en pensant qu'il a un rendez-vous, il s'assied devant sa table de travail et s'aperçoit que les idées lui manquent; lui, qui était l'indépendance même, dépend de plus en plus des autres, il devient aveugle et il ne peut plus ni lire ni écrire. Beauvoir lui donne, jour après jour, ses propres forces, sa propre santé. Sans se ménager de repos, elle prend soin de lui avec une vigilance qui éclate en colère quand elle trouve des bouteilles d'alcool apportées par des amies, alors que l'alcool lui est fatal! Elle enregistre ce qu'il veut dire puisqu'il n'écrit plus et ces entretiens elle les publiera quand il ne sera plus là. Elle recueille, pour les transmettre, ses pensées sur mille choses, en s'effaçant, en étant seulement présente pour poser une question, relancer une idée. C'est un acte d'amour, de fraternité, et le déchirant besoin de retenir une pensée qui s'éteint.

Des lecteurs ont crié au sacrilège : on ne doit pas montrer le génie en voie de dissolution. Pourtant c'est la vérité, c'est le quotidien, c'est l'inéluctable et ce n'en est que plus émouvant de le trouver noté dans ce style clair, qui laisse passer la vie sans ornement ce qui ne veut pas dire sans art. Simone de Beauvoir pratique avec son lecteur la même transparence qu'avec Sartre.

Lettres au Castor et à quelques autres

En publiant ces lettres Beauvoir a détruit le mythe d'un certain couple qui servait de référence à de nombreux amants décidés à vivre leur amour en dehors des règles. La relation du couple le plus célèbre de la littérature de ce siècle était de notoriété publique mais la majorité de leurs émules en ignoraient les modalités. Le couple modèle a disparu, pulvérisé par ces lettres inattendues, à sa place surgit un couple inimitable dans sa singularité.

L'amour libre est un calque du mariage, moins la nécessité de divorcer en cas de rupture. Le rapport Beauvoir-Sartre est tout autre chose. Ils n'ont jamais vécu ensemble. Pendant cinquante ans la fraternité infracassable qui les liait étroitement s'est passée d'un foyer commun. Ils ont vécu longtemps à l'hôtel où chacun avait sa chambre, parfois à des étages différents; puis Beauvoir a vécu dans son studio et Sartre chez sa mère, avant d'avoir son propre appartement. Cela permettait une grande indépendance, les allées et venues de l'un n'étant pas remarquées par l'autre. Les repas pris au restaurant, tantôt seuls, tantôt avec des amis, libéraient le couple de tous soins ménagers. Leur amour non pas libre mais libérateur les a d'abord détachés des corvées matérielles.

Si ce genre de vie n'est pas rare pour les hommes, il est surprenant pour une femme et unique pour un couple dont l'entente n'a été brisée que par la mort. N'étant tenus à rien, par rien, ils ont mis en commun deux libertés absolues sans autre raison que le besoin qu'ils avaient l'un de l'autre, ce qui leur a permis de vivre une entente pure, une espèce d'osmose.

Les décisions étaient prises en commun, « les pensées presque développées en commun ». Leur mode de vie, leur façon de voyager c'est Beauvoir qui les a donnés au couple. Les théories philosophiques sont venues de Sartre, dit-elle, mais discutées, passées au crible, modifiées, reprises, elles portent la marque de Beauvoir. En la traitant en égale comme un autre lui-même, Sartre a libéré Beauvoir de tout ce qui dans l'éducation, dans la société, entrave la créativité d'une femme. « Tout génie né femme est perdu pour l'humanité », disait Stendhal. En vivant avec Sartre un amour-défi, un amour révolutionnaire, Beauvoir s'est dépouillée volontairement de tout ce qui n'était pas elle-même, de tout ce qui n'était pas authentique, et du même coup elle a permis à Sartre de trouver sa sécurité en se reposant entièrement sur son jugement critique et sa totale compréhension. En 1940, Sartre écrit au Castor : « Vous êtes comme la consistance de ma personnalité. La seule chose qui soit réussite, perfection et repos ce sont nos rapports. »

Il y a eu ce hasard, cette chance : la rencontre de deux écrivains également doués qui ont créé une entente qui ne convenait qu'à eux, parce que c'était lui, parce que c'était elle. Les *Lettres au Castor* révèlent, sans en minimiser les conséquences, les effets de la priorité de leur amour sur les autres, que Beauvoir a encore clarifiés dans un entretien avec Alice Schwarzer : « Les tiers, tant dans la vie de Sartre que dans la mienne, connaissaient dès le début l'existence d'une relation écrasant celle qu'on avait avec eux. » Elle ajoute : « Notre relation n'est donc pas elle non plus au-dessus de toute critique puisqu'elle nous a parfois amenés à nous conduire pas très correctement envers les gens. »

Elle rejette l'idée que le couple qu'elle a formé avec Sartre puisse servir de modèle. Voltaire semble avoir joué vis-à-vis de Mme du Châtelet un rôle analogue à celui de Sartre vis-à-vis de Simone de Beauvoir. Par l'entente intellectuelle, morale et affective qu'il établit avec elle, il a contribué à la rendre disponible pour elle-même, lui a permis d'échapper aux angoisses, aux questions déprimantes, au complexe d'infériorité qui guette toujours les femmes. « L'amour, loin d'être une source d'aliénation, fut la condition de son émancipation et même de son autonomie. Appréciée par l'homme qu'elle admirait le plus elle pouvait enfin oser être elle-même et se consacrer à son ambition propre », écrit Élisabeth Badinter dans *Émilie... Émilie.*

Alors qu'on n'a jamais reproché à Sartre de pratiquer la liberté, beaucoup de femmes et d'hommes ont violemment critiqué Beauvoir parce qu'on commence à peine à admettre qu'une femme consacre sa vie à l'amour, à l'étude, à la littérature, à la liberté. Il a fallu, selon Élisabeth Badinter, « que l'image de la mère toute amour et dévouement cesse de dominer l'inconscient collectif et qu'une chance soit donnée de s'exprimer à la virilité qui sommeille en chacune. Plus ouvertement androgynes que par le passé les femmes de notre temps... parce que le temps de la maternité active est de plus en plus court, acceptent mal de se définir comme mère... elles se veulent féminines et viriles à la fois ».

Le couple Beauvoir-Sartre est avant tout un couple d'écrivains, d'intellectuels, de créateurs et, dans sa différence, il a inventé et vécu son Art d'aimer. Beauvoir répond sans réticences à une question d'Alice Schwarzer : « Pour moi, les relations sexuelles avec Sartre ont énormément compté les deux, trois premières années — c'est avec lui que j'ai découvert la sexualité. Après ça a perdu son importance... ce n'était pas l'essentiel. »

Sartre a décrit l'attitude de Beauvoir dès le début de leur alliance : « Elle trouvait qu'il valait mieux pour elle avoir des relations avec plusieurs hommes... dans sa vie et elle ne voulait pas que ses rapports avec moi l'empêchent d'en avoir... Elle ne pensait pas que la vie sexuelle dût être uniquement définie par des rapports avec un homme. » Il savait et déclarait que rien n'ébranlait son absolue certitude d'être l'essentiel quand il s'agissait d'un autre : « ... avec Simone de Beauvoir j'estimais que nos rapports étaient tels que même une aventure avec un homme comme Nelson Algren ne me concernait pas. Ne m'ôtait rien... »

« Moi, dit Beauvoir, finalement, je me suis toujours déchaînée, tant que j'ai pu... J'ai toujours suivi mes goûts, mes impulsions... Si je devais réécrire mes Mémoires je ferais un bilan très franc de ma sexualité. Mais alors vraiment sincère, et cela d'un point de vue féministe. J'aimerais dire aux femmes comment j'ai vécu ma sexualité parce que ce n'est pas une question individuelle mais politique.

« A l'époque, je ne l'ai pas fait parce que je n'avais pas compris la dimension et l'importance de cette question, ni la nécessité de la franchise individuelle. »

Leur histoire d'amour est la plus déconcertante de la littérature. C'est un amour révolutionnaire par son rejet à la périphérie de toute morale traditionnelle, des codes, des coutumes, des tabous, des chaînes, des garde-fous, de toutes les digues érigées par la sagesse des nations contre cette force redoutée qui peut tout balayer.

Au Moyen Age, on parlait de philtre magique contre lequel il n'y avait pas de remède quand l'amour arrachait les amants à toutes les conventions de la société, les rendait rebelles au roi, à l'Église, à l'honneur même. Ni Béroul, ni Thomas, ni Chrétien de Troyes ne s'étaient trompés sur cette puissance qui dit *non* aux lois divines et humaines : « La première grande histoire d'amour du monde occidental, Tristan et Yseult, est l'histoire d'une révolte », et dans le contexte du siècle qui est le nôtre, c'est l'histoire d'une liberté.

Épilogue

Mai 1985

Il est cinq heures moins deux minutes, nous attendons deux minutes avant d'appuyer sur la sonnette, nous savons que Simone de Beauvoir pratique elle-même une ponctualité exemplaire et son emploi du temps est toujours très chargé. Cinq heures. Simone de Beauvoir ouvre la porte elle-même et sourit. Un regard bleu vif, une main tendue franche et ferme, mais délicate, fragile, aristocratique. Depuis dix ans, elle nous réserve le même accueil chaleureux, la même simplicité attentive. Elle encourage, elle facilite l'entretien. Sa timidité naturelle a mis longtemps à disparaître et nous nous sommes habituées au ton un peu brusque de sa diction. Dans tous ses gestes, dans ses inflexions il y a ce je-ne-sais-quoi fait de naturel, de spontanéité et d'une certaine impatience. Son visage a gardé un ovale classique, son teint est clair et pur. Elle est frêle et mince. Pendant toutes les années où Sartre se mourait lentement, elle se désintégrait physiquement aussi. « J'ai pris trop de tranquillisants et trop d'alcool pendant qu'il était malade pour essayer de tenir le coup, pour ne pas m'effondrer, j'étais en très mauvais état quand il est mort. Mes poumons étaient congestionnés, je ne pouvais plus marcher. Mais ils m'ont guérie à l'hôpital, ils m'ont donné des fortifiants et m'ont ramenée à la vie. Quand je suis rentrée chez moi j'étais fatiguée et faible mais je marchais, depuis je vais mieux. »

Elle marche prudemment, enveloppée du rouge cerise d'une robe d'intérieur. Un turban serre ses cheveux et répète le ton de son vêtement. Elle porte à l'index un large anneau d'argent.

Dans le studio blanc, les coussins violets, jaunes, verts, jettent trois notes sur les sofas placés à angle droit, notes reprises par trois petits fauteuils ronds et bas. Les grandes verrières d'un atelier de peintre inondent la pièce de lumière, des livres escaladent tous les murs jusqu'à se perdre hors d'atteinte, rang après rang, interrompus par une affiche de course de taureaux, souvenir d'Espagne, et partout des regards, des sourires, des visages, des instants de joie saisis, fixés sur des photos qui déroulent une histoire sur les murs ; les souvenirs enveloppent la pièce d'un réseau d'amour, d'amitié. Sur une table basse, une racine d'arbre dans un mouvement pétrifié, étrange sculpture donnée par Violette Leduc ; au-dessus du sofa une silhouette de Sartre en impression blanc sur blanc. Le studio garde encore présents les amis disparus. Au début de l'année Olga est morte, refusant de se soigner. Quelques semaines auparavant, Simone de Beauvoir nous avait dit : « Olga est fâchée depuis la sortie des *Lettres au Castor*. Elle pense qu'on n'aurait pas dû les publier. Elle est furieuse parce que Sartre a écrit des choses désagréables sur elle, elle croit que je pensais de même. C'est la première fois que nous sommes fâchées. »

Simone de Beauvoir, elle, est tournée vers l'avenir : « Il faut que les petites filles apprennent le karaté dans les écoles, il faut soutenir le tour de France cycliste des femmes. » Elle travaille aux publications posthumes de Jean-Paul Sartre et répond à ceux qui s'indignent de la voir abandonner ses propres écrits : « Et vous me demandez pourquoi je m'occupe des œuvres de Sartre plutôt que des miennes ? Je pense que c'est une conception bien étrange de l'œuvre d'art que de la considérer comme un petit jardin bien clos, mitoyen d'un autre et de se demander pourquoi faire pousser des fleurs dans celui-ci au lieu de celui-là. »

Aujourd'hui, à soixante-dix-sept ans, elle s'intéresse à l'adaptation de ses œuvres pour le cinéma, elle a écrit un scénario de *l'Invitée*. Elle s'occupe des *Temps modernes*, tous les jeudis, le comité de rédaction de la revue se réunit chez elle.

Elle reçoit d'innombrables visiteurs du monde entier et entretient une énorme correspondance.

Simone de Beauvoir n'a rien perdu de sa combativité. Dans sa conférence de presse, le 24 octobre 1984, elle critique le gouvernement qui ne fait pas du vrai socialisme; elle n'hésite pas à se mettre en avant pour défendre un projet qui lui tient à cœur. Qu'importe s'il lui faut faire antichambre dans les bureaux du ministre de la Culture ou que le président Mitterrand ne réponde pas aux lettres qu'elle signe avec un groupe de féministes pour attirer l'attention sur les enfants nés de mères françaises et de pères algériens qui sont automatiquement enlevés à leur mère quand le ménage se défait.*

Mais elle est toujours disponible pour aller découvrir une spécialité gastronomique avec des amis. Tous les week-ends, Sylvie l'emmène faire des randonnées et aux vacances scolaires, elles voyagent à travers l'Europe s'amusant autant de la découverte d'un paysage que des meilleures tables ou d'un vin inconnu. Vivre à pleins bords demeure l'entreprise de Simone de Beauvoir.

Nous : Vous êtes passionnée, extrémiste ?

S. de B. : Oui, depuis ma plus petite enfance.

Nous : Au fond très romantique ?

Elle éclate de rire : C'est à vous de le dire.

Un coup de sonnette. Entre Hélène de Beauvoir, grande, bronzée, des yeux bleus rieurs, volubile : « Je viens d'entendre une très belle émission. Tu étais très bien. Vous avez toutes dit des choses intelligentes. » Elle rit et demande où en est la biographie de Simone, elle enchaîne sur son enfance et évoque le balcon au-dessus de la Rotonde d'où elle voyait la faune de Montparnasse. Ce café était pour elles le plus fascinant des lieux interdits : « Tu te souviens un soir que nos parents étaient sortis, tu avais quatorze ans et moi douze, tu m'as emmenée prendre un café crème à la Rotonde. — Je ne m'en souviens pas. — Moi je m'en souviens très bien, c'était d'une audace folle. »

« Audace ». Audace d'une adolescente, audace d'une œuvre, audace d'une vie, audace d'une femme, c'est avec ce mot-là que les révolutionnaires ouvrent des voies nouvelles.

---

* Simone de Beauvoir a été reçue à l'Élysée mais refuse la Légion d'honneur que le président Mitterrand voudrait lui donner.

REMERCIEMENTS

Quand on écrit la biographie d'une personnalité controversée, il n'est pas toujours possible de s'assurer qu'on dispose de tous les faits ou de la version exacte des événements qui sont exposés de manières différentes ou contradictoires. Nous nous sommes efforcées d'obtenir toutes les informations actuellement disponibles et de consulter les témoins qui ont bien voulu nous accueillir. Certains nous ont demandé de ne pas être cités. Ceux qui nous ont autorisées à le faire sont cités au cours du récit. Qu'il nous soit permis ici d'exprimer à tous notre très profonde gratitude.

Nous remercions : M. Weatherby, journaliste au *Guardian*, qui nous a aidées dans notre recherche des lettres de Simone de Beauvoir à Nelson Algren, M. Tibbetts, archiviste-conservateur à l'Université de l'Ohio qui a facilité nos recherches sur le séjour de Simone de Beauvoir en Amérique.

Bibliographie

I. OUVRAGES DE SIMONE DE BEAUVOIR

1943   *L'Invitée* (roman), Gallimard.

1944   *Pyrrhus et Cinéas* (essai), Gallimard.

1945   *Le Sang des autres* (roman), Gallimard.

1945   *Les Bouches inutiles* (pièce). Mise en scène par Michel Vitold au Vieux-Colombier.

1946   *Tous les hommes sont mortels* (roman), Gallimard.

1947   *Pour une morale de l'ambiguïté* (essai), Gallimard.

1948   *L'Existentialisme et la sagesse des nations* (essai), Nagel.

1948   *L'Amérique au jour le jour* (essai), Mohrien.

1949   *Le Deuxième Sexe*, 2 vol. (essai), Gallimard.

1952   *Faut-il brûler Sade ?* (essai), Gallimard.

1954   *Les Mandarins* (roman). Prix Goncourt. Gallimard.

1955   *Privilèges* (essai), Gallimard.

1957   *La Longue Marche* (essai), Gallimard.

1958   *Mémoires d'une jeune fille rangée* (1908-1929), Gallimard.

1959   *Brigitte Bardot and The Lolita Syndrome* (essai). Deutsch, Weidenfeld and Nicholson. (N'a pas été publié en France.)

1960   *La Force de l'âge* (Mémoires, 1929-1944), Gallimard.

1961   *Djamila Boupacha* (témoignage). En collaboration avec Gisèle Halimi. Gallimard.
1963   *La Force des choses* (Mémoires, 1944-1962), Gallimard.
1964   *Une mort très douce* (récit), Gallimard.
1966   *Les Belles Images* (roman), Gallimard.
1967   *La Femme rompue* (nouvelle). Burins originaux d'Hélène de Beauvoir. Gallimard.
1968   *La Femme rompue* suivi de *Monologue* et *l'Âge de discrétion* (nouvelles), Gallimard.
1970   *La Vieillesse* (essai), Gallimard.
1972   *Tout compte fait* (Mémoires, 1962-1972), Gallimard.
1975   *La Promenade des vieux*. Commentaire du court métrage de Marianne Ahrne et Pepo Angel.
1979   *Les Écrits de Simone de Beauvoir* (textes inédits), Gallimard.
1979   *Simone de Beauvoir*. Dialogues du film de Malka Ribowska et Josée Dayan.
1980   *Quand prime le spirituel* (nouvelles), Gallimard.
1981   *La Cérémonie des adieux* (essai), Gallimard.

II. SOURCES PRINCIPALES

— Entretiens inédits avec Simone de Beauvoir.

— Lettres inédites de Simone de Beauvoir à Nelson Algren : 1 682 pages manuscrites qui racontent, parfois au jour le jour, les événements politiques et littéraires de 1947 à 1960, et qui sont une source inépuisable de renseignements nouveaux sur Simone de Beauvoir, Jean-Paul Sartre et leurs amis.

— Les œuvres complètes de Simone de Beauvoir.

— Les œuvres complètes de Jean-Paul Sartre.

— *Les Écrits de Simone de Beauvoir* par les auteurs, Gallimard, 1978. Dans ce livre nous avons établi une chronologie détaillée de la vie de Simone de Beauvoir et une bibliographie complète de ses œuvres, de ses articles publiés en France et à l'étranger, de ses conférences, des interviews qu'elle a accordées, de ses lettres ouvertes, de ses appels, de ses préfaces, des manifestes qu'elle a signés, des films auxquels elle a participé.

Nous ne citons ci-dessous que les ouvrages que nous avons retenus pour chaque chapitre.

Les notes renvoient aux citations et aux pages.

Nous avons utilisé la collection Folio, sauf pour *Tout compte fait* et *la Cérémonie des adieux*, pour lesquels nous avons utilisé l'édition N.R.F.

LE GESTE D'YSEULT
Note : p. 11, *La Cérémonie des adieux* (p. 157).

CHAPITRE Ier

Les archives de la Légion d'honneur. Les archives de la mairie du XIVe arrondissement. La *Revue d'histoire du XIVe arrondissement*. Hervé Lauwick, « Les cafés de Montparnasse, le Dôme », extrait du *Rire*, 1919. *Revue Montparnasse*, 1911-1931. Lucien Aressy, *Nuits et ennuis du Mont-Parnasse*, Jouve, 1944. Georges Pillement, « Hôtels et folies de Montparnasse », in *la Revue de l'Alliance française*, juin 1947. *Dictionnaire historique de la Ville de Paris*. Paulette Bourquin-Cussenot, *Histoire d'un quartier de Paris*. Chez l'auteur 1963-1969. Jean-Paul Crespelle, *la Vie quotidienne à Montparnasse à la Belle Époque, 1905-1930*, Hachette 1976. André Salmon, *Souvenir sans fin*, Gallimard 1961. Francis Jeanson, *Simone de Beauvoir ou l'Entreprise de vivre*, Le Seuil 1966. Madeleine Chapsal, *les Écrivains en personne*, Julliard 1960.

L'Illustration, Comœdia, le Petit Verdunois (1910), *le Courrier de la Meuse* (1908-1909-1910), *l'Union verdunoise* (1909-1910), *le Courrier libéral* (1908), *le Bottin mondain, le Gaulois*.

Notes : p. 23, 24, *Le Petit Verdunois*.
   p. 24, Entretien de Simone de Beauvoir avec les auteurs.
   p. 26, *Une mort très douce* (pp. 49 et 46).
   p. 27, 33, *Entretien avec les auteurs*.
   p. 38, 39, *Mémoires d'une jeune fille rangée* (pp. 52, 93, 95, 97).

CHAPITRE II

Pierre Guiral, Guy Thuillier, *la Vie quotidienne des professeurs de 1870 à 1940*, Hachette 1982. Jean Touchard, *la Gauche en France depuis 1900*, Le Seuil 1977. Albert Thibaudet, *la République des professeurs*, Sauret 1973. Maïté Albistur et Daniel Armogathe, *Histoire du féminisme français du Moyen Âge à nos jours*, Des Femmes 1977. *La Revue française*. Jacques Chastenet, *Histoire de la Troisième République*, Hachette 1957 à 1963. Marguerite Perrot, *le Mode de vie des familles bourgeoises 1873-1953*, Fondation des Sciences politiques 1961. Dominique Desanti, *la Femme au temps des Années folles*, Stock 1984. Louis Aragon, *Anicet ou le Panorama*, Gallimard 1921. *Le Paysan de Paris*, Gallimard 1978. Gilles Barbedette et Michel Carassou, *Paris Gay 1925*, Presses de la Renaissance 1964. Sylvia Beach, *Shakespeare and Co*, Harcourt, Brace and Janovicy 1959. Jean Cocteau, *Journal*, Gallimard 1983. Janet Flanner, *Letters from Paris*, Viking Press. Violette Leduc, *la Bâtarde*, Gallimard 1964.

La Nouvelle Ève, la Revue française, le Matin.

Notes : p. 45, *Mémoires d'une jeune fille rangée* (91).
   p. 47, Entretien avec les auteurs.

p. 48, *J.F.R.* (142).
p. 49, 50, 51, *Ibid.* (110-112).
p. 52, 53, *Ibid.* (129-130).
    Entretien avec les auteurs.
p. 54, *J.F.R.* (79-81 et 191).
    Les Écrits de Simone de Beauvoir (278).
p. 55, *J.F.R.* (140 et 153).
p. 57, *Une mort très douce* (52) et *J.F.R.* (136, 245, 313).
p. 57, Entretien avec les auteurs.
p. 58, Entretien avec les auteurs.
p. 58, *Simone de Beauvoir*, dialogue du film.
p. 58, *J.F.R.* (94).
p. 62, Entretien avec les auteurs.
p. 63, Entretien avec les auteurs.
p. 66, *Histoire du féminisme français* (385).
p. 67, *Mémoires d'une jeune fille rangée* (265, 266).

CHAPITRE III

Archives de la bibliothèque Jacques-Doucet. Jean Touchard, *op. cit.* P. Guiral, G. Thuillier, *op. cit.* Jacques Capdevielle *et al., France de Gauche vote à droite,* Fondation des Sciences politiques 1981. Georges Lefranc, *les Gauches en France, 1789-1972,* Payot 1973. Annie Kriegel, *Aux origines du communisme français 1914-1920* (2 vol.) Mouton 1964. J. Maitron, *Histoire du mouvement anarchiste en France, des origines à nos jours* (2 vol.) Maspero 1975. Maxime Alexandre, *Mémoires d'un surréaliste,* La Jeune Parque 1968. Maurice Nadeau, *Histoire du surréalisme,* Le Seuil 1984. Claude Estier, *la Gauche hebdomadaire 1914-1962,* Armand Colin 1962. André Gide, *Journal 1889-1939,* Gallimard 1948. Paul Nizan, *les Chiens de garde,* Gallimard 1934. Jean-Paul Sartre, *les Mots,* Gallimard 1964. Jean-Paul Sartre, *Lettres au Castor et à quelques autres,* Gallimard 1983.

Notes : p. 76, *Mémoires d'une jeune fille rangée* (340 et 443).
    p. 76, *Le Figaro littéraire,* 6 décembre 1947.
    p. 77, *J.F.R.* (340).
    p. 79, *Ibid.* (361 et 366).
    p. 84, Raymond Aron, *Mémoires,* Julliard 1983 (41-42).
    p. 94, 95, *J.F.R.* (456).
    p. 96 à 101, Entretien avec les auteurs.

CHAPITRE IV

Annie Cohen-Solal, *Paul Nizan,* Grasset 1980. Raymond Aron, *op. cit.* Henri Noguères, *la Vie quotidienne au temps du Front populaire,* Hachette 1977. Alfred Sauvy, *Histoire économique de la France entre les deux guerres,* Fayard 1967. Claude Estier, *op. cit.* Jean Zay, *Souve-*

nirs et Solitude, Julliard 1948. Benigno Cacerès, *l'Histoire de l'éducation populaire*, Le Seuil 1964.

Notes : p. 104, *J.F.R.* (446).
   p. 104, Entretien avec les auteurs.
   p. 106, Entretien avec les auteurs.
   p. 110, *Le Magazine littéraire* n° 59 (29).
   p. 110, 111, Raymond Aron, *op. cit.* (35).
   p. 113, « Sartre et les femmes », Catherine Chaîne.
      Le Nouvel Observateur, 31 janvier 1977.
   p. 114, *Lettres au Castor* (12 et 17).
   p. 116, *J.F.R.* (481). *La Force de l'âge* (33).
   p. 117, *Les Carnets de la drôle de guerre* (339) et « Sartre et les femmes », *op. cit.*
   p. 119, *Ibid.* et la *Force de l'âge* (34).
   p. 120, *Ibid.* (76-77).
   p. 120, 121, Sartre, *les Carnets de la drôle de guerre* (331).
   p. 125, *La Force de l'âge* (87).
   p. 125, 126, Sartre, *ibid.* (328 et 331).
   p. 126, Madeleine Gobeil, « Sartre », *Vogue*, juillet 1966.
   p. 126, 127, Entretien avec les auteurs.
   p. 126, Catherine Chaîne, *op. cit.* (85). *J.F.R.* (465).
   p. 130, A. Cohen-Solal, *op. cit.*
   p. 134, *La Force de l'âge* (46).
   p. 137, *Ibid.* (97 à 99).

CHAPITRE V

Mêmes sources que pour les chapitres II et III. Colette Audry, « Portrait de l'écrivain jeune femme », *Biblio*, 12 novembre 1962. Alice Schwarzer, *Simone de Beauvoir aujourd'hui*, Mercure de France, 1984.

Notes : p. 143, Colette Audry, *op. cit.*
   p. 147, *L'Humanité*, 6 septembre 1932.
   p. 153, 154, Entretien avec les auteurs.
   p. 156, Sartre, *Carnets* (178).
      La Force de l'âge (239).
   p. 160, Simone de Beauvoir « Jean-Paul Sartre strictly personal » *Harper's Bazaar*, janvier 1946.
   p. 162, *La Force de l'âge* (281).
   p. 165, *La Force de l'âge* (292 *passim*).
      Sartre, *Carnets* (102).
   p. 166, Entretien avec les auteurs.
   p. 167, 168, Sarah Hirschman, *Yale French Studies* 1958-1959.
   p. 170, *La Force de l'âge* (327).
   p. 171, 172, *Lettres au Castor* (96).

CHAPITRE VI

Même bibliographie que pour le chapitre IV. Colette Audry, *Léon Blum ou la politique du juste*, Julliard 1955. André Falk, *le Roman vrai de la IIIe République. Les Années difficiles*, Denoël 1958. Claude Fohlen, *la France de l'entre-deux-guerres*, Casterman 1966. Simone Signoret, *La nostalgie n'est plus ce qu'elle était*, Le Seuil 1975.

Notes : p. 173, *Le Deuxième Sexe* (376).
p. 175, Catherine Chaîne, *op. cit.*
p. 176, 177, Entretien avec les auteurs.
p. 187, 188, A. Schwarzer, *op. cit.*, « la Relation Sartre-Beauvoir ».

CHAPITRE VII

Robert Aron, *Histoire de la Libération de la France*, Fayard 1954. Michèle Cotta, *la Collaboration 1940-1944*, Armand Colin 1964. Jean Paulhan, *Œuvres complètes*, T.V., Gallimard 1970. Claude Morgan, *Les Don Quichotte et les autres*, Roblot 1979. Pierre Seghers, *la Résistance et ses poètes*, Seghers 1974. Herbert Lottman, *la Rive gauche. Du Front populaire à la guerre froide*, Le Seuil 1981. Herbert Lottman, *Albert Camus*, Le Seuil 1980. Jean Touchard, *le Gaullisme 1940-1969*, Le Seuil 1978. Charles de Gaulle, *Mémoires de guerre*, Plon 1954, 1956, 1959. Manès Sperber, *Au-delà de l'oubli (Ces Temps-là III)*, Calmann-Lévy 1979. Violette Leduc, *la Folie en tête*, Gallimard 1970. *Combat, Volontés, le Figaro, le Figaro littéraire, le Monde, Paris-Match, Samedi-Soir.*

Notes : p. 203, *La Force de l'âge* (484).

CHAPITRE VIII

Albert Camus, *Œuvres complètes*, coll. La Pléiade, Gallimard. Arthur Koestler, *Hiéroglyphes*, Calmann-Lévy 1955. Anne-Marie Cazalis, *les Mémoires d'une Anne*, Stock 1976. Marc Doelnitz, *la Fête à Saint-Germain-des-Prés*, Laffont 1979. Juliette Gréco, *Jujube*, Stock 1980. Marcel Mouloudji, *Un garçon sans importance*, Gallimard 1971. Guillaume Hanoteaux, *Ces nuits qui ont fait Paris*, Tallandier 1971. Boris Vian, *Manuel de Saint-Germain-des-Prés*, Le Chêne 1974. « Quelques autochtones authentiques », *Arts et Loisirs* n° 24, 9-15 mars 1966 (66-68). Avron « Guillotine et coups d'épée », *le Figaro* 29 décembre 1945. Avron « Tête de pipe. Jean-Paul Sartre ou le petit Fécal » *Tel Quel*, 19 novembre 1946. Colette Audry, *Pour et contre l'existentialisme* (débat avec Pontalis, Pouillon, Jeanson, Benda, Mounier, Vailland). Atlas 1948. Dominique Aury, « Qu'est-ce que l'existentialisme ? » *les Lettres françaises* n° 83, 24 novembre 1945 et 1er décembre 1945. Georges Bataille, « De l'existentialisme au primat de l'économie », *Critique* n° 19, décembre 1947 (515-526). Paul Guth, « Haro sur Sartre ? » *Minerve*, 11 janvier 1946 - M.C. « les Trompettes de l'existentialisme », *les Lettres françaises* n° 81, 10 novembre 1945. Maurice Merleau-Ponty, « la Querelle de l'existentialisme », *les Temps modernes* n° 2, novembre 1945. Henri Mougin, *la Sainte Famille existentialiste*, Éd. Sociales 1947. Raymond Las Vergnas, *l'Affaire Sartre*, Haumont 1946. Michel Burnier, *les Existentialistes et la politique*, Gallimard 1966. Jean Cau, *Une nuit à Saint-Germain-des-Prés*, Julliard 1977.

CHAPITRE IX

Nelson Algren, *The Devil's Stocking*, New York, Harbor House 1983 - *Who lost an American ?* New York McMillan C° 1960. H.E.F. Donohue, *Conversations with Nelson Algren*, New York Hill and Wang 1963. Nelson Algren, *The Last Carousel*, New York, Putnam's Sons 1973. « Last rounds in small cafés, remembrance of Jean-Paul Sartre and Simone de Beauvoir », *Chicago*, décembre 1980. « Question of Simone de Beauvoir », Harper, mai 1965. « Les amours de Simone de Beauvoir dans un miroir à deux faces », *Arts*, n° 937, novembre 1963. Richard Wright, *American Hunger, The god that failed*, New York.

Notes : p. 265, Entretien avec les auteurs.

CHAPITRE X

M. Albistur - D. Armogathe, *op. cit.*; A Schwarzer, *op. cit.* Daniel Armogathe, *le Deuxième Sexe, analyse critique*, Profil d'une œuvre 1977. Geneviève Gennari, *le Dossier de la femme*, Perrin 1964. Suzanne Lilar, *le Malentendu du Deuxième Sexe*, Presses Universitaires de France 1969. Geneviève Gennari, « Le duel Lilar-Beauvoir, le véritable deuxième sexe », *les Nouvelles littéraires*, 30 octobre 1969. Josane Duranteau, « Pour et contre Simone de Beauvoir », *le Monde*, 25 octobre 1969. Jean Prasteau, « Suzanne contre Simone », *le Figaro littéraire*, 29 septembre 1969. « Sex, society and the female dilemma, a dialogue between Simone de Beauvoir and Betty Friedan », *Saturday Review*, 14 juin 1975. Pierre Viansson-Ponté, « Entretien avec Simone de Beauvoir », *le Monde*, janvier 1978. Christiane Chombeau et Josyane Savignot, « Un entretien avec Simone de Beauvoir », *le Monde*, 6-7 mars 1983. Anita Rind, « Deuxième Sexe : tant qu'il y aura des femmes », *le Monde*, samedi 10 novembre 1984. « Dans les coulisses du prix Goncourt », *le Figaro littéraire*, 11 décembre 1954. Dominique Aury, « Personne ne triche » *la Nouvelle N.R.F.*, décembre 1954. Régis Jolivet, « la Morale de l'ambiguïté de Simone de Beauvoir », *Revue thomiste* XLIX, n°s 1-2, 1949.

Notes : p. 280, *La Force des choses* I (243).
p. 285, *Ibid.* I (346).
p. 286, *La Force des choses* II (18).

CHAPITRE XI

Notes : p. 297, Raymond Aron, *le Figaro littéraire*, 21 janvier 1956.
p. 304, 305, J.-P. Sartre, « les Grenouilles qui demandent un roi », *l'Express*, 25 septembre 1958.
p. 303, *La Force des choses* (175).
p. 303, *Ibid.* (177).
p. 306, *Ibid.* (236).
p. 306, *Esquire*, août 1959.
p. 308, H. Lottman, *Camus* (49).
p. 314, N. Algren. *Arts*, novembre 1963 (20-26).
p. 317, 318, Maria Craipeau, *France-Observateur* n° 514, mars 1960.
p. 322, *L'Express*, 8 décembre 1960.
p. 330, Madeleine Gobeil, *Cité libre* n° 15, août 1964.
p. 330, Entretien avec les auteurs.
p. 331, Jacqueline Piatier, *le Monde*, 23 décembre 1966.
p. 331, *L'Aurore*, 23 octobre 1964.
p. 332, *Les Nouvelles littéraires*, 29 octobre 1964.
p. 332, Madeleine Gobeil, *Vogue*, juillet 1965.
p. 339, 340, Conférences sur le Japon, cf. *les Écrits de Simone de Beauvoir*, op. cit.
p. 341, *Literatournaïa Gazeta* n° 14, février 1947.
p. 341, 342, *El Ahram*, 26 février 1967.
p. 347, *Jerusalem Post*, 26 mars 1967.
p. 347, 348, *Tout compte fait*, p. 448.

CHAPITRE XII

Pour ce chapitre nous avons consulté les journaux suivants : *le Monde, le Figaro littéraire, Newsweek, The Washington Post, The Guardian, Il Giorno, le Nouvel Observateur*, à partir de 1967.

Notes : p. 350, Les Temps Modernes, février 1968.
p. 351, *Le Figaro littéraire*, 30 oct.-5 nov. 1967.
p. 352, *Vinduet*, n° 3, 22 août 1968.
p. 354, *Le Monde*, 8, 10, 27 mai 1968 et 30 nov. 1968.
p. 358, *La Vie tchécoslovaque*, mai 1969.
Tout compte fait (373).
p. 361, *Il Giorno*, 18 février 1970.
p. 367, Entretien d'Anne Zélinzki avec les auteurs.

p. 368, Alice Schwarzer, *Simone de Beauvoir aujourd'hui*, Mercure de France 1984.

p. 369, *Vjesnik Zagreb*, 12 mai 1968.

CHAPITRE XIII

Notes : p. 375, *Tout compte fait* (250).
p. 376, *Ibid.* (227).
p. 377, *Ibid.* (75).
A. Schwarzer, *op. cit.* (97).
p. 377, *J.F.R.* (481).
La Force des choses II (9).
A. Schwarzer, *op. cit.* (119).
p. 379, *Le Monde*, 6-7 mars 1983.
p. 380, 381, A. Schwarzer, *op. cit.* (17-18).
Cahiers Bernard Lazare n° 51, juin 1975 (30-37).
p. 381, *La Force des choses* I (268).
Yvette Roudy, *A cause d'elles*, Albin Michel 1985 (113).
« Les Femmes s'entêtent », *les Temps modernes*, avril-mai 1974.
p. 381, Entretien avec Anne Zélinzki.
p. 384, 385, A. Schwarzer, *op. cit.* (55).
p. 385, Élisabeth Badinter, *Émilie, Émilie* (464, 465), Flammarion 1983.
A. Schwarzer, *op. cit.* (89).
p. 386, Simone de Beauvoir, « What Love is and is not », *Mc Call*, 1965.

ÉPILOGUE

Notes : p. 389, Entretien avec Michèle Coquillat.
Entretien avec Anne Zélinzki.

Index

Table des matières

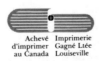

Achevé   Imprimerie
d'imprimer Gagné Ltée
au Canada Louiseville